АЗБУКА-КЛАССИКА

NON-FICTION

МАХАТМА ГАНДИ

Моя жизнь

Санкт-Петербург

УДК 821.21
ББК 84(5Инд)-4
Г 19

Текст печатается по изданию:
Ганди М. Моя жизнь. М.:
Издательство восточной литературы, 1959.

Перевод с английского
А. М. Вязьминой, Е. Г. Панфилова

Серийное оформление В. В. Пожидаева

Оформление обложки В. А. Гореликова

ISBN 978-5-389-09739-1

ПРЕДИСЛОВИЕ АВТОРА

Лет пять назад, по настоянию ближайших товарищей по работе, я согласился написать автобиографию. Но не успел закончить первую страницу, как в Бомбее вспыхнули волнения, и я вынужден был приостановить работу. Затем последовали события, завершившиеся заключением меня в тюрьму в Йерваде. Сидевший со мной в тюрьме адвокат Джерамдас советовал мне отложить все прочие дела и закончить автобиографию. Но я ответил ему, что уже составил себе программу действий и не могу думать о чем-либо другом, пока она не будет выполнена. Я бы написал автобиографию, если бы отсидел весь срок полностью, но меня освободили на год раньше. Теперь Свами Ананд снова повторил это предложение, а так как я закончил историю сатьяграхи в Южной Африке, то решил приняться за автобиографию для «Навадживана». Свами хотел, чтобы я выпустил ее отдельной книгой, но у меня не было свободного времени: я мог писать только по главе в неделю. Для «Навадживана» мне все равно надо было что-нибудь писать каждую неделю. Почему бы не писать автобиографию? Свами согласился с этим, и я усердно принялся за работу.

Между тем у одного из моих богобоязненных друзей возникли сомнения, которыми он поделился со мной в мой «день молчания».

«Что вас толкает на эту авантюру? — спросил он меня. — Писание автобиографий — обычай, присущий Западу. Я не знаю ни одного человека на Востоке, который занимался бы этим, за исключением лиц, подпавших под западное влияние. Что вы будете писать? Допустим, завтра вы откажетесь от положений, которые вы сегодня считаете принципиальными, или в будущем пересмотрите сегодняшние планы. Не окажется ли тогда, что люди, руководствующиеся в своих поступках вашим авторитетным словом, могут быть введены в заблуждение? Не лучше ли совсем отказаться от этого или хотя бы несколько повременить?»

Доводы эти произвели на меня некоторое впечатление. Но я и не собираюсь писать настоящую автобиографию. Я просто хочу рассказать историю моих поисков истины. А поскольку такие поиски составляют содержание моей жизни, то повествование о них действительно явится чем-то вроде автобиографии. Но я не буду против того, чтобы на каждой странице автобиографии говорить только о моих поисках. Я верю или по крайней мере стараюсь верить, что рассказ об этом принесет некоторую пользу читателю. Мои эксперименты в сфере политики известны теперь не только Индии, но до некоторой степени и всему «цивилизованному» миру. Для меня они не представляют большой ценности. Еще меньшую ценность имеет для меня звание «махатмы», которое я получил благодаря им. Этот титул часто сильно огорчал меня, и я не помню, чтобы он когда-либо радовал меня. Но мне, разумеется, хотелось бы рассказать об известных мне одному духовных поисках, в которых я черпал силы для моей деятельности в сфере политики. Если предположить, что мои искания действительно духовного характера, тогда здесь нет места для самовосхваления и мой рассказ может только способствовать моему смирению. Чем больше я размышляю и оглядываюсь в прошлое, тем яснее ощущаю свою ограниченность.

В течение тридцати лет я стремился к одному — самопознанию. Я хочу видеть Бога лицом к лицу, достигнуть состояния «мокша». Я живу, двигаюсь и существую только для достижения этой цели. Все, что я говорю и пишу, вся моя политическая деятельность — все направлено к этой цели... Будучи убежден, что возможное для одного — возможно для всех, я не держу в секрете свои эксперименты. Не думаю, что это снижает их духовную ценность. Есть вещи, которые известны только тебе и твоему Творцу. Их, конечно, нельзя разглашать. Эксперименты, о которых я хочу рассказать, другого рода. Они духовного или, скорее, морального плана, ибо сущностью религии является мораль.

В своем жизнеописании я буду говорить только о тех вопросах религии, которые одинаково понятны и взрослым, и детям. Если мне удастся рассказать о них смиренно и бесстрастно, то многие другие искатели истины почерпнут здесь силы для дальнейшего движения вперед. Я смотрю на свои эксперименты как ученый, который хотя и проводит их по возможности точно, тщательно и обдуманно, но никогда не претендует на окончательность своих выводов, а оставляет широкие возможности для размышлений. Я прошел через глубочайший самоанализ, тщательно проверил себя, исследовал и анализировал различные психологические моменты. И все же я далек от того, чтобы претендовать на окончательность или безусловность моих выводов. Единственное, на что я претендую, сводится к следующему: мне они представляются абсолютно правильными и для данного момента окончательными. Если бы это было не так, я не положил бы их в основу своей деятельности. Но на каждом шагу я либо принимал, либо отвергал их и поступал соответствующим образом. И пока мои действия удовлетворяют мой ум и мое сердце, я должен твердо придерживаться своих первоначальных выводов.

Если бы все дело сводилось для меня к обсуждению академических принципов, я, разумеется, не стал бы писать автобиографию. Но я ставил себе целью показать практическое применение этих принципов в различных случаях и потому назвал эти главы, к написанию которых я приступаю, «Историей моих поисков истины». Сюда должны войти опыты в области применения ненасилия, обета безбрачия и прочих принципов поведения, которые обычно рассматриваются как нечто отличное от истины. Но для меня истина — главенствующий принцип, включающий множество других принципов. Эта истина есть правдивость не только в слове, но и в мысли, не только относительная истина в нашем понимании, но и абсолютная истина, вечный принцип, т. е. Бог. Имеется бесконечное количество определений Бога, ибо проявления его бесчисленны. Они наполняют меня удивлением и благоговейным трепетом и на какой-то момент ошеломляют. Но я поклоняюсь Богу только как истине. Я еще не нашел его, но ищу. Я готов в этих поисках пожертвовать всем самым дорогим для меня. Я отдам даже жизнь, если это понадобится. Все же до тех пор, пока я не познал абсолютной истины, я должен придерживаться относительной истины в моем понимании ее. Эта относительная истина должна быть моим маяком, щитом и вехой. Хотя путь этот прям и узок, как острие бритвы, для меня он был самым быстрым и самым легким. Даже мои колоссальные промахи показались мне ничтожными благодаря тому, что я строго держался этого пути.

Этот путь спас меня от печали, и я продвигался вперед, руководствуясь внутренним светом, озарившим меня. Часто на этом пути я видел слабые проблески абсолютной истины, Бога, и с каждым днем во мне росло убеждение, что только он один реален, а все остальное нереально. Пусть те, кто захочет, познают, как во мне росло это убеждение, пусть они, если смогут, разделят мои эксперименты, а также мое убеждение. Во мне зрело все большее убеждение, что все, доступное мне, доступно даже ребенку; я говорю это с полным основанием. Практика этих экспериментов столь же проста, сколь трудны они сами. Они могут казаться совершенно недоступными высокомерному человеку и вполне доступными невинному младенцу. Ищущий истину должен быть смиреннее праха. Мир попирает прах, но ищущий истину должен настолько смириться, чтобы прах мог попрать его. И только тогда, а не до этого, он увидит проблески истины. Это становится абсолютно ясно из диалога между Васиштой и Вишвамитрой. Христианство и ислам также полностью подтверждают это.

Если читателю покажется, что в моих словах сквозит гордыня, значит, что-то неверно в моих экспериментах и я видел не проблески истины, а всего лишь мираж. Пусть погибнут сотни таких, как я, но восторжествует истина. Даже на волосок не следует отступать от истины при оценке действий таких заблуждающихся смертных, как я.

Я прошу, чтобы никто не считал советы, разбросанные по страницам последующих глав, авторитетными. Описываемые мной эксперименты следует рассматривать лишь как иллюстрации. Каждый, ознакомившись с ними, может производить свои собственные опыты в соответствии со своими наклонностями и способностями. Я полагаю, что с такой оговоркой предлагаемые мной иллюстрации будут действительно полезны, так как я не собираюсь скрывать или замазывать неприятные вещи, о которых следует говорить. Я надеюсь познакомить читателя со всеми своими ошибками и недостатками. Моя задача — описать мои искания в области сатьяграхи, а вовсе не рассказывать о том, какой я хороший. Оценивая самого себя, я постараюсь быть строгим, как истина, и хочу, чтобы другие были такими же. Применяя к себе такое мерило, я могу воскликнуть, как Сурдас:

> Есть на свете негодяй,
> Столь порочный и омерзительный, как я,
> Я отказался от своего Творца,
> Настолько я вероломен.

Ибо для меня вечная мука, что я все еще далек от него, который, как я доподлинно знаю, управляет каждым моим вздохом и от которого я веду свое начало. Я знаю, что мои дурные страсти отдаляют меня от него, но я еще не в силах освободиться от них.

Но пора кончать. В следующей главе я приступлю уже к повествованию о своей жизни.

М. К. Ганди

Ашрам. Сабармати.
26 ноября 1925 г.

ЧАСТЬ ПЕРВАЯ

I. СЕМЬЯ

Ганди принадлежат к касте бания, и, по-видимому, они когда-то были бакалейщиками. Но представители последних трех поколений, начиная с моего деда, были главными министрами в нескольких княжествах Катхиавара. Мой дед Оттамчанд Ганди, или, как его чаще называли, Ота Ганди, был, по всей вероятности, человеком принципиальным. Государственные интриги заставили его покинуть Порбандар, где он был диваном, и искать убежища в Джунагархе. Там он обычно приветствовал наваба левой рукой. Кто-то обратил внимание на такую явную неучтивость, и деда спросили, чем она вызвана. «Правая рука моя принадлежит Порбандару», — ответил он.

Ота Ганди, овдовев, женился второй раз. От первой жены у него было четыре сына, от второй — два. Помнится, в детстве я никогда не чувствовал и, пожалуй, даже не знал, что сыновья Оты Ганди были не от одной матери. Пятым из этих шести братьев был Карамчанд Ганди, или Каба Ганди, как его называли, шестым — Тулсидас Ганди. Оба брата, один за другим, пребывали на посту главного министра Порбандара. Каба Ганди — мой отец. Он был членом раджастханского суда. Сейчас этот суд больше не существует, но тогда это был очень влиятельный орган, разрешавший споры между главами и членами кланов. Каба Ганди был некоторое время главным министром в Раджкоте, а затем в Ванканере. До самой смерти он получал пенсию от правительства государства Раджкот.

Каба Ганди был женат четыре раза. Первые три жены умерли. От первого и второго браков у него остались две дочери. Четвертая жена, Путлибай, родила ему дочь и трех сыновей. Я был самым младшим.

Отец был предан своему роду, правдив, мужествен и великодушен, но вспыльчив. В известной мере он не мог жить без чувственных наслаждений. В четвертый раз он женился, когда ему было уже за сорок. Он был неподкупен и за свою беспристрастность пользовался уважением и в семье, и среди чужих. Хорошо известна была его лояльность по отношению к государству. Однажды помощник политического агента выразился оскорбительно о раджкотском такор-сахибе, у которого отец состоял на службе. На оскорбления отец ответил оскорблением. Агент рассердился и потребовал у Кабы Ганди извинения. Отец не извинился и был посажен под арест. Однако, увидев, что Каба Ганди непреклонен, агент велел через несколько часов выпустить его.

Отец никогда не стремился к богатству и оставил нам очень небольшое наследство.

Он не получил никакого образования, а лишь приобрел большой практический опыт; в лучшем случае он доучился до пятого класса гуджаратской школы. Об истории и географии отец не имел представления. Но богатый жизненный опыт помогал ему решать самые сложные вопросы и управлять сотнями людей. Он был мало образован и в религиозном отношении, но у него была та религиозная культура, которая свойственна многим индусам благодаря частому посещению храмов и слушанию религиозных проповедей. На склоне лет он по настоянию ученого брахмана, друга семьи, начал читать «Бхагаватгиту» и во время молитвы ежедневно вслух повторял из нее несколько стихов.

О матери я сохранил воспоминание как о святой женщине. Она была глубоко религиозна и не могла даже думать о еде, не совершив молитвы. Она считала своим долгом ежедневно посещать хавели — храм вишнуитов. Если мне не изменяет память, мать ни разу не пропустила чатурмаса. Она накладывала на себя строжайшие обеты и неукоснительно выполняла их. Помнится, однажды она заболела во время чандраяны, но и болезнь не помешала ей соблюдать пост. Для нее ничего не стоило поститься два или три дня подряд. У нее даже вошло в привычку во время чатурмаса принимать пищу раз в день. Не довольствуясь этим, во время одного чатурмаса она постилась через день. В другой раз во время чатурмаса она дала обет не принимать пищу, пока не увидит солнца. В такие дни мы, дети, не спускали глаз с неба, чтобы поскорее сообщить матери о появлении солнца. Всем известно, что в сезон дождей солнце очень часто совсем не показывается. Помню, как, бывало, мы мчались сломя голову, чтобы сказать матери о его внезапном появлении. Она прибегала, чтобы самой взглянуть на небо, но солнце успевало скрыться, и мать лишалась возможности поесть. «Ничего, — бодро говорила она, — Бог не пожелал, чтобы я сегодня ела». И возвращалась к своим обязанностям.

У матери было много здравого смысла. Она была прекрасно осведомлена о делах государства, и придворные дамы с уважением отзывались о ее уме. Пользуясь привилегией детского возраста, я часто сопровождал мать во дворец и до сих пор помню ее оживленные беседы с вдовствовавшей матерью такор-сахиба.

Я родился в Порбандаре, или Судамапури, 2 октября 1869 г. Там же провел детство. В школе мне не без труда далась таблица умножения, но вместе с другими детьми я научился ругать нашего учителя. Все это говорит о том, что ум мой тогда был неразвит, а память слаба.

II. ДЕТСТВО

Мне было около семи лет, когда отец переехал из Порбандара в Раджкот, где был назначен членом раджастханского суда. Я поступил в начальную школу. Я хорошо помню эти дни и даже имена и привычки учителей, обучавших меня. Но мне почти нечего сказать о моих занятиях там, как и о занятиях в Порбандаре. Я был, должно быть, весьма посредственным учеником. Из этой школы я перешел в пригородную, а из нее — в среднюю. Мне шел тогда двенадцатый год. Не помню, чтобы я хоть раз солгал учителям или школьным товарищам. Я был очень робок и избегал общества детей. Моими единственными друзьями были книги и уроки. Прибегать в школу точно к началу занятий и убегать домой немедленно по окончании занятий вошло у меня в привычку. Я в буквальном смысле слова убегал домой, так как терпеть не мог разговаривать с кем-нибудь. Я боялся, как бы надо мной не стали подтрунивать.

В первый год моего пребывания в средней школе на экзамене произошел случай, который следует отметить. Инспектор народного образования мистер Джайльс производил обследование нашей школы. Чтобы проверить наши познания в правописании, он заставил нас написать пять слов, в том числе слово «котел». Я неправильно написал это слово. Учитель, желая подсказать мне, толкнул меня ногой. Он хотел, чтобы я списал незнакомое слово у соседа. Но я считал, что учитель находится в классе для того, чтобы не давать нам списывать. Все ученики написали слова правильно. И только я оказался в глупом положении. Позже учитель пытался убедить меня, что я сглупил, но это ему не удалось. Я так и не смог постичь искусства «списывания».

Однако этот инцидент нисколько не умалил моего уважения к учителю. Я по натуре был слеп к недостаткам старших. Впоследствии я узнал и о многих других недостатках учителя, но сохранил к нему уважение, поскольку привык выполнять приказания старших, а не критиковать их действия.

В моей памяти сохранились еще два случая, относящиеся к тому же периоду. В общем я не любил читать и читал только учебники. Уроки я готовил каждый день, но лишь для того, чтобы избежать замечаний учителя; вместе с тем не хотелось и обманывать его. Поэтому часто я готовил уроки без всякого интереса. А уж если я даже уроки не выполнял должным образом, то нечего и говорить о постороннем чтении. Но как-то раз мне попалась книга, приобретенная отцом, — «Шравана Питрибакти Натака» (пьеса о преданности Шравана родителям). Я читал ее с неослабным интересом. Приблизительно в то же время к нам приехала группа бродячих актеров. В числе прочих представлений они показывали сценку, в которой Шраван, направляясь к святым местам, нес на ремнях, перекинутых через плечи, своих слепых родителей. Книга и сценки произвели на меня неизгладимое впечатление. «Вот пример, которому ты должен подражать», — сказал я себе. Душераздирающие причитания родителей, оплакивающих смерть Шравана, до сих пор свежи в моей памяти. Трогательная мелодия глубоко взволновала меня, и я исполнил ее на концертино, которое купил мне отец.

Почти в то же время отец разрешил мне посмотреть пьесу в исполнении драматической труппы. Пьеса называлась «Харишчандра» и совершенно покорила меня. Я мог смотреть ее бесчисленное количество раз. Но как часто мне будут разрешать это? Мысль об этом не давала мне покоя, и я сам без конца играл «Харишчандру». «Почему все люди не должны быть такими правдивыми, как Харишчандра?» Этот вопрос я задавал себе днем и ночью. Следовать истине и пройти через все испытания подобно

Харишчандре — таков был мой девиз, навеянный пьесой. Я был убежден в достоверности рассказа о Харишчандре. Одна мысль о нем вызывала у меня слезы. Здравый смысл подсказывает мне теперь, что Харишчандра не мог быть историческим лицом. И все же Харишчандра и Шравана продолжают оставаться для меня действительно существовавшими людьми, и я думаю, что, если бы я перечитал эти пьесы теперь, они произвели бы на меня столь же сильное впечатление.

III. ДЕТСКИЙ БРАК

Мне очень не хотелось бы писать эту главу: придется воскресить много горьких воспоминаний для этого повествования. Но я не могу поступить иначе, так как не хочу отступать от истины. Я считаю своей тяжкой обязанностью рассказать о том, как меня женили в тринадцать лет. Когда я смотрю на ребят этого возраста, находящихся на моем попечении, и вспоминаю о своем браке, мне становится жаль себя и радостно при мысли, что их не постигла моя участь. Я не вижу никаких моральных доводов, которыми можно было бы оправдать столь нелепо ранние браки.

Пусть читатель не заблуждается: меня женили, а не обручили. На Катхиаваре существует два различных обряда — обручение и заключение брака. Обручение — это предварительное обещание родителей мальчика и девочки соединить их в будущем браком. Обещание это может быть нарушено. Смерть мальчика не влечет за собой вдовства для девочки. Это соглашение между родителями, и детей оно совершенно не касается. Часто они даже не знают о нем. По-видимому, я был обручен три раза, не зная об этом. Мне сказали, что две девочки, которых для меня выбрали, умерли одна за другой, и отсюда я делаю вывод, что был обручен три раза. У меня сохранилось слабое воспоминание о моем обручении в семилетнем возрасте. Но я не помню, чтобы мне сообщили об этом. В этой главе я говорю уже о женитьбе, которую хорошо помню.

Как я сказал, нас было три брата. Старший был уже женат. Родители решили женить одновременно моего среднего брата, который был старше меня на два или три года, двоюродного брата, который был старше меня на год, и меня. При этом они мало думали о нашем благополучии и еще меньше — о наших желаниях; принимались во внимание только удобство и экономические соображения старших.

Браки у индусов — вещь сложная. Очень часто затраты на брачные обряды разоряют родителей жениха и невесты. Они теряют состояние и уйму времени. Месяцы уходят на изготовление одежды и украшений, на добывание денег для обедов. Один старается перещеголять другого числом и разнообразием предлагаемых блюд. Женщины, обладающие красивым голосом и безголосые, поют, не давая покоя соседям, до хрипоты, иногда даже заболевают. Соседи относятся ко всему этому шуму и гаму, ко всей грязи, остающейся после пиршества, совершенно спокойно, потому что знают, что придет время и они будут вести себя подобным же образом.

Старшие считали, что лучше покончить со всем этим в один прием: меньше расходов и больше блеска. Можно было тратить деньги не стесняясь, так как расходы предстояло делать не три раза, а один. Отец и дядя были уже в преклонном возрасте, а мы были последними детьми, которых предстояло женить. Возможно, им захотелось хорошенько повеселиться напоследок. Из этих соображений и было решено устроить тройную свадьбу.

Как я уже сказал, приготовления к торжеству заняли несколько месяцев. Только по этим приготовлениям мы узнали о предстоявшем событии. Мне кажется, что для меня оно было связано только с ожиданием новой одежды, барабанного боя, брачной процессии, роскошных обедов и чужой девочки для игры. Плотские желания пришли потом. Я опускаю занавес и не буду описывать ощущение стыда, которое я испытал. Я расскажу только о некоторых подробностях, но это будет позднее. Они не имеют отношения к основной идее, ради которой я начал писать книгу.

Итак, я и мой брат были перевезены из Раджкота в Порбандар. Финальной драме предшествовали кое-какие любопытные детали (например, наши тела натирали имбирной мазью), но все эти подробности я опускаю.

Мой отец, хотя и занимал пост дивана, все же был слугой, и его зависимое положение еще усиливалось тем, что он пользовался благосклонностью такор-сахиба. Тот до последнего момента не хотел отпускать его. А когда наконец согласился сделать это, то заказал для него особый экипаж, чтобы сократить путь на два дня. Но судьба решила иначе. Порбандар находится в ста двадцати милях пути от Раджкота, что составляет пять дней езды на лошадях. Отец проделал этот путь в три дня, но при смене третьих перекладных экипаж опрокинулся, и отец жестоко расшибся. Он приехал весь забинтованный. И наш и его интерес к предстоящему событию упал вследствие этого наполовину, но церемония все же должна была состояться. Разве можно было откладывать свадьбу? Однако детское восхищение свадебной церемонией заставило меня забыть горе, вызванное несчастным случаем, приключившимся с отцом.

Я был предан родителям, но не менее предан и велениям плоти. Лишь впоследствии я понял, что ради родителей следует жертвовать всем счастьем и всеми удовольствиями. И в наказание за мою жажду удовольствий произошел случай, который до сих пор терзает меня и о котором я расскажу позже.

Нишкулананд поет: «Отказ от предмета желаний без отказа от самих желаний бесплоден, чего бы он ни стоил». Когда я пою или слышу эту песню, я вспоминаю о печальном и неприятном событии и мне делается стыдно.

Отец мужественно превозмогал боль и принял самое деятельное участие в свадьбе. Даже сейчас я помню, где он сидел во время различных свадебных обрядов. Тогда я не предполагал, что со временем буду строго осуждать отца за то, что он женил меня ребенком. В тот день все выглядело правильным и приятным. Мне и самому очень хотелось, чтобы меня женили. А все, что делал отец, казалось безупречным. Я помню во всех подробностях события того дня: как мы сидели под свадебным балдахином, исполняли саптапади, как мы, молодые муж и жена, клали друг другу в рот сладкий кансар и как мы начали жить вместе. Та первая ночь! Двое невинных детей, волею случая брошенных в океан жизни. Жена брата старательно уведомила меня, как я должен вести себя в первую ночь. Кто наставлял мою жену, я не знаю. Я никогда не спрашивал ее об этом, да и теперь не намерен этого делать. Читатель может быть уверен, что мы так нервничали, что не могли взглянуть друг на друга. Мы, разумеется, были слишком робки. Как заговорить с ней, что сказать? Наставления не заходили так далеко. Да наставления и не нужны в подобных случаях. Впечатления, которые человек вобрал в себя в предыдущей жизни, настолько сильны, что всякие поучения излишни. Мы постепенно стали привыкать друг к другу и свободно беседовать. Хотя мы были одного возраста, я поспешил присвоить себе авторитет мужа.

IV. В РОЛИ МУЖА

Во времена, когда был заключен мой брак, издавались небольшие брошюрки ценой в одну пайсу или паи (я забыл точную цифру). В них говорилось о супружеской любви, бережливости, детских браках и т. п. Я прочитывал их от корки до корки, но тут же забывал все, что мне не нравилось, и принимал к сведению то, что нравилось. Вменяемая этими брошюрками в обязанность мужу верность жене в течение всей жизни навсегда запечатлелась в моем сердце. К тому же я любил правду и потому не мог лгать жене. Да и почти невероятно было бы, чтобы в таком юном возрасте я мог изменять ей.

Но урок верности имел и свою неприятную сторону. «Если я должен быть верен жене, то и жена должна быть верна мне», — думал я. Эта мысль сделала меня ревнивым мужем. Ее обязанность легко превращалась в мое право требовать от нее абсолютной верности, что вынуждало меня постоянно следить за ней. У меня не было совершенно никаких оснований сомневаться в верности жены, но ревность слепа ко всем доводам. Я следил за каждым ее шагом, она не смела выйти из дома без моего разрешения. Это сеяло семена раздора между нами. Налагаемый мной запрет был фактически чем-то вроде тюремного заключения, а Кастурбай была не такой девочкой, чтобы легко подчиниться подобным требованиям. Она желала ходить куда хочет и когда хочет. Чем больше я ей запрещал, тем больше она себе позволяла, и тем больше я злился. Мы, женатые дети, сплошь и рядом отказывались разговаривать друг с другом. Думаю, что Кастурбай не обращала внимания на мои запреты без всякой задней мысли. Какие запреты могла нарушить простодушная девочка тем, что уходила в храм или к подругам? И если я имел право запрещать ей что-либо, то разве у нее не было такого же права? Сейчас мне все это совершенно ясно. Но тогда я считал, что должен укреплять свой авторитет мужа.

Пусть, однако, читатель не думает, что наша жизнь была сплошным мучением. Все мои строгости проистекали от любви. Я хотел сделать мою жену идеальной. Я поставил себе целью заставить ее вести чистую жизнь, учиться тому, чему учился сам, жить и мыслить одинаково со мной.

Не знаю, стремилась ли к этому и Кастурбай. Она была неграмотна. От природы она была простой, независимой, настойчивой и, по крайней мере со мной, сдержанной. Собственное невежество не беспокоило ее, и я не припомню, чтобы мои занятия когда-либо побудили ее заниматься тем же. Поэтому я думаю, что был одинок в своем стремлении к познанию. Вся моя страсть сосредоточилась на одной женщине, и я требовал, чтобы мне платили тем же. Но даже без взаимности наша жизнь не могла быть сплошным страданием, ибо по крайней мере с одной стороны здесь была действительно любовь.

Должен сказать, что я был страстно влюблен в нее. Даже в школе я думал о ней. Мысль о предстоящей ночи и свидании никогда не покидала меня. Разлука была невыносима. Своей болтовней я не давал ей спать до глубокой ночи. Если бы при такой всепожирающей страсти у меня не было бы сильно развито чувство долга, я, наверное, стал бы жертвой болезни и рано умер или вынужден был бы влачить жалкое существование. Но я должен был каждое утро выполнять вмененные мне обязанности, а обманывать я не мог. Это и спасло меня от многих напастей.

Я уже сказал, что Кастурбай была неграмотна. Мне очень хотелось учить ее, но страстная любовь не оставляла времени для этого. К тому же обучать ее приходилось против ее воли и только ночью. В присутствии старших я не осмеливался не только разговаривать, но даже встречаться с ней. На Катхиаваре существовал и до известной степени существует и теперь никчемный и варварский обычай укрываться пардой. Обстоятельства, следовательно, не благоприятствовали нам. Я должен поэтому сознаться, что мои усилия обучить Кастурбай в дни юности были безуспешны. А когда я наконец очнулся и сбросил оковы похоти, я был уже увлечен общественной деятельностью и у меня оставалось мало свободного времени. Не удалась также моя попытка нанять для нее учителей. В результате Кастурбай и сейчас с трудом выводит буквы, говорит только на простонародном гуджарати. Я уверен, что она стала бы ученой женщиной, если бы моя любовь к ней была совершенно свободна от вожделения. Мне удалось бы тогда преодолеть ее отвращение к занятиям. Я знаю, что для чистой любви нет ничего невозможного.

Я уже упомянул об одном обстоятельстве, которое более или менее уберегло меня от разрушительного действия страсти. Следует отметить еще и другое. Многочисленные примеры убедили меня, что Бог спасает тех, кто чист в своих побуждениях.

Наряду с жестоким обычаем детских браков в индусском обществе существует другой обычай, до известной степени уменьшающий пагубные последствия первого. Родители не разрешают молодой паре долго оставаться вместе. Ребенок-жена больше половины времени проводит в доме своего отца. Так было и с нами. В течение первых пяти лет брачной жизни (в возрасте от 13 до 18 лет) мы оставались вместе в общей сложности не больше трех лет. Не проходило и шести месяцев, чтобы родители жены не приглашали ее к себе. В те дни подобные приглашения были очень неприятны, но они спасли нас обоих. Восемнадцати лет я поехал в Англию. Это означало длительную и благодетельную для нас разлуку. Но и после моего возвращения из Англии мы не оставались вместе более полугода, так как мне приходилось метаться между Раджкотом и Бомбеем. Потом меня пригласили в Южную Африку. Но к тому времени я уже в значительной степени освободился от чувственных вожделений.

V. В СРЕДНЕЙ ШКОЛЕ

Я уже говорил, что ко времени женитьбы учился в средней школе. В той же школе учились и оба брата. Старший на несколько классов опередил меня, а брат, который женился одновременно со мной, — всего на один класс. Женитьба заставила нас обоих потерять целый год. Для брата результаты ее были пагубнее, чем для меня: он в конце концов совсем бросил учение. Одному Небу известно, скольких юношей постигает та же участь. Ведь только в современном нам индусском обществе сочетаются учеба в школе и супружество.

Мои занятия продолжались. В средней школе меня не считали тупицей. Я всегда пользовался расположением учителей. Родители ежегодно получали свидетельства о моих успехах в учебе и поведении. У меня никогда не бывало плохих отметок. Второй класс я окончил даже с наградой, в пятом и шестом классах получал стипендии: первый раз — четыре, а второй — десять рупий. Они достались мне скорее по счастливой случайности, чем за какие-либо особые заслуги. Дело в том, что стипендии давали не всем, а только лучшим ученикам из округа Сорат на Катхиаваре. В классе из сорока — пятидесяти учеников было, конечно, не так уж много мальчиков из Сората.

Насколько помню, сам я был не особенно хорошего мнения о своих способностях. Я обычно удивлялся, когда получал награды или стипендии. При этом я был очень самолюбив, малейшее замечание вызывало у меня слезы. Для меня было совершенно невыносимо получать выговоры, даже если я заслуживал их. Помнится, однажды меня подвергли телесному наказанию. На меня подействовала не столько физическая боль, сколько то, что наказание оскорбляло мое достоинство. Я горько плакал. Я был тогда в первом или во втором классе. Аналогичный случай произошел, когда я учился в седьмом классе. Директором школы был тогда Дорабджи Эдульджи Гими. Он пользовался популярностью среди учеников, так как умел поддерживать дисциплину и был методичным и хорошим преподавателем. Он ввел для учеников старших классов гимнастику и крикет как обязательные предметы. Мне и то и другое не нравилось. Я ни разу не принимал участия в игре в крикет или футбол, пока они не стали обязательными предметами. Одной из причин, почему я уклонялся от игр, была моя робость. Теперь я вижу, что был не прав: у меня было тогда ложное представление, будто гимнастика не имеет отношения к образованию. Теперь я знаю, что физическому воспитанию должно уделяться столько же внимания, сколько и умственному.

Должен отметить, что, отказываясь от гимнастики и игр, я нашел им не такую уж плохую замену. Я прочел где-то о пользе длительных прогулок на свежем воздухе, и это понравилось мне. Я приучил себя много ходить и до сих пор сохранил эту привычку. Она закалила мой организм.

Причиной моей неприязни к гимнастике было также страстное желание ухаживать за отцом. Как только занятия кончались, я мчался домой и принимался прислуживать ему. Обязательные физические упражнения мешали мне в этом, и я попросил мистера Гими освободить меня от гимнастики, чтобы иметь возможность прислуживать отцу. Но он не слушал меня. Однажды в субботу занятия у нас были утром, а на гимнастику я должен был вернуться в школу к четырем часам. Часов у меня не было, а облака, закрывшие солнце, ввели меня в заблуждение. Когда я пришел, все мальчики уже разошлись. На следующее утро мистер Гими, просматривая список, увидел, что я отсутствовал. Он спросил меня о причине, и я объяснил, как это случилось. Но он не поверил мне и приказал заплатить штраф — одну или две анны (не помню уже, сколько именно).

Меня заподозрили во лжи! Это глубоко огорчило меня. Как я смогу доказать свою невиновность? Выхода не было. Я плакал от сильной душевной муки и понял, что правдивый человек должен быть аккуратен. Это был первый и последний случай моей неаккуратности в школе. Насколько помнится, мне удалось все-таки доказать свою правоту, и штраф с меня сняли. Было наконец получено и освобождение от гимнастики. Отец сам написал заведующему о том, что я нужен ему дома сразу после окончания занятий в школе.

Если отказ от гимнастики не причинил мне вреда, то за другие упущения я расплачиваюсь до сих пор. Не знаю, откуда я почерпнул идею о том, что хороший почерк вовсе не обязателен для образованного человека, и придерживался этого мнения, пока не попал в Англию. Впоследствии, особенно в Южной Африке, я видел, каким прекрасным почерком обладают адвокаты и вообще молодые люди, родившиеся и получившие образование в Южной Африке. Мне было стыдно, и я горько раскаивался в своей небрежности. Я понял, что плохой почерк — признак недостаточности образования. Впоследствии я пытался исправить свой почерк, но было поздно. Пусть мой пример послужит предостережением для юношей и девушек. Я считаю, что детей сначала следует учить рисованию, а потом уже переходить к написанию букв. Пусть ребенок выучит буквы, наблюдая различные предметы, такие как цветы, птицы и т. д., а чистописанию пусть учится, только когда сумеет изображать предметы. Тогда он будет писать уже натренированной рукой.

Мне хотелось бы рассказать еще о двух событиях моей школьной жизни. Из-за женитьбы я потерял год, и учитель хотел, чтобы я наверстал упущенное время и перепрыгнул через класс. Такие льготы обычно предоставляли прилежным ученикам. Поэтому в третьем классе я учился только шесть месяцев и после экзаменов, за которыми последовали летние каникулы, был переведен в четвертый. Начиная с этого класса большинство предметов преподавалось уже на английском языке, и я не знал, что делать. Появился новый предмет — геометрия, в котором я был не особенно силен, а преподавание на английском языке еще более затрудняло усвоение материала. Учитель объяснял прекрасно, но я не успевал следить за его рассуждениями. Часто я терял мужество и думал о том, чтобы вернуться в третий класс: я чувствовал, что взял на себя непосильную задачу, уложив два года занятий в один. Но такой поступок опозорил бы не только меня, но и учителя, так как он устроил мне переход в следующий класс, рассчитывая на мое усердие. Боязнь позора, и своего и его, заставила меня остаться на посту. Но когда я ценой больших усилий добрался до тринадцатой теоремы Эвклида, то вдруг понял, что все чрезвычайно просто. Предмет, требовавший лишь чистой и простой способности суждения, не мог быть трудным. С этого времени геометрия стала для меня легким и интересным предметом.

Более трудным оказался санскритский язык. В геометрии нечего было запоминать, а в санскрите, мне казалось, все надо было выучивать наизусть. Этот предмет тоже преподавали начиная с четвертого класса. В шестом классе я совсем упал духом. Учитель был очень требователен и, на мой взгляд, слишком утруждал учеников. Между ним и преподавателем персидского языка было что-то вроде соперничества. Учитель персидского был человеком весьма снисходительным. Мальчики говорили, что персидский язык очень легок, а преподаватель хороший и внимателен к ученикам. «Легкость» соблазнила меня, и в один прекрасный день я перешел в класс персидского языка. Учитель санскрита огорчился. Он подозвал меня к себе и сказал: «Как ты мог забыть, что ты сын отца, исповедующего вишнуизм? Неужели ты не хочешь изучить язык своей религии? Если ты столкнулся с трудностями, то почему не обратился ко мне? Я готов приложить все свои силы, чтобы научить вас, школьников, санскриту. Если ты продолжишь свои занятия, то найдешь в санскрите много интересного и увлекательного. Не падай духом и приходи снова в санскритский класс».

Его доброта смутила меня. Я не мог пренебречь вниманием учителя и теперь вспоминаю Кришнашанкара Пандья не иначе как с благодарностью. Мне было бы трудно изучать наши священные книги, если бы я не усвоил санскрит хотя бы в том скромном объеме, в каком я это сделал тогда. Я глубоко сожалею, что не изучил этот язык глубже. Впоследствии я пришел к убеждению, что все дети индусов, мальчики и девочки, должны хорошо разбираться в санскрите.

Я считаю, что во всех индийских средних школах надо, кроме родного языка, преподавать хинди, санскрит, персидский, арабский и английский. Пугаться этого длинного перечня не следует. Если бы у нас было больше системы в преподавании и если бы преподавание не велось на иностранном языке, я уверен, что изучение всех этих языков было бы удовольствием, а не утомительной обязанностью. Твердое знание одного языка в значительной степени облегчает изучение других.

В сущности, хинди, гуджарати и санскрит можно рассматривать как один язык, так же как персидский и арабский. Хотя персидский принадлежит к арийской, а арабский — к семитической группе языков, между ними существует тесное родство, так как оба они развивались в период складывания ислама. Урду я не считаю особым языком, так как он воспринял грамматику хинди, а в его словарном составе преобладает персидская и арабская лексика. Тот, кто хочет хорошо знать урду, должен знать персидский и арабский, а тот, кто хочет владеть гуджарати, хинди, бенгали или маратхи, должен изучить санскрит.

VI. ТРАГЕДИЯ

Из немногих друзей по средней школе особенно близки мне были двое. Дружба с одним из них оказалась недолговечной, но не по моей вине. Друг отошел от меня, потому что я сошелся с другим. Вторую дружбу я считаю трагедией своей жизни. Она продолжалась долго. Я завязал ее, поставив себе целью исправить друга.

Друг этот был сначала приятелем моего старшего брата. Они были одноклассниками. Я знал его слабости, но считал верным другом. Мать, старший брат и жена предупреждали меня, считая, что я попал в плохую компанию. Я был слишком самолюбивым мужем, чтобы внять предостережениям жены. Но я не осмеливался противиться взглядам матери и старшего брата. Тем не менее я возражал им, заявляя: «Я знаю его слабости, о которых вы говорите, но вы не знаете его достоинств. Он не может сбить меня с пути, так как я сблизился с ним, чтобы исправить его.

Я уверен, что он будет прекрасным человеком, если изменит свое поведение. Прошу вас не беспокоиться за меня».

Не думаю, чтобы это удовлетворило их, но они приняли мои объяснения и оставили меня в покое.

Впоследствии я понял, что просчитался. Исправляющий никогда не должен находиться в слишком близких отношениях с исправляемым. Истинная дружба есть родство душ, редко встречающееся в этом мире. Дружба может быть длительной и ценной только между одинаковыми натурами. Друзья влияют один на другого. Следовательно, дружба вряд ли допускает исправление. Я полагаю, что вообще необходимо избегать слишком большой близости: человек гораздо быстрее воспринимает порок, чем добродетель. А тот, кто хочет быть в дружбе с Богом, должен оставаться одиноким или сделать друзьями весь мир. Может быть, я ошибаюсь, но все мои усилия завязать с кем-нибудь тесную дружбу оказались тщетными.

Когда я впервые столкнулся с этим другом, волна «реформ» захлестнула Раджкот. Он сообщил мне, что многие наши учителя тайком едят мясо и пьют вино. Он назвал и известных в Раджкоте лиц, которые делали то же самое, а также нескольких учащихся средней школы.

Я удивился и огорчился. Я спросил своего друга о причине этого явления, и он объяснил мне ее следующим образом: «Мы — слабый народ, потому что не едим мяса. Англичане питаются мясом, и потому они могут управлять нами. Ты ведь видел, какой я крепкий и как быстро я бегаю. Это потому, что я ем мясо. У тех, кто питается мясом, никогда не бывает нарывов и опухолей, а если и бывают, то быстро проходят. Ведь не дураки же наши учителя и другие известные в городе лица, питающиеся мясом. Они знают о преимуществе мяса. Ты должен последовать их примеру. Ничего не стоит попробовать. Попробуй, и сам увидишь, какую силу оно дает».

Все эти соображения в пользу употребления в пищу мяса были высказаны не сразу. Они отражают лишь сущность массы тщательно обдуманных доводов, которыми мой друг время от времени старался воздействовать на меня. Мой старший брат уже пал. Поэтому он поддерживал доводы друга. Я действительно выглядел худосочным рядом с братом и приятелем. Оба они были сильнее и смелее меня. Меня совершенно околдовала ловкость моего друга. Он мог бегать на большие расстояния и удивительно быстро. Он умел хорошо прыгать в высоту и в длину, мог вынести любое телесное наказание. Он часто хвастал передо мной своими успехами и ослеплял меня ими, потому что всегда нас ослепляют в других качества, которыми мы сами не обладаем. Все это вызывало во мне сильное желание подражать ему. Я плохо прыгал и бегал. Почему бы и мне не стать таким же сильным и ловким, как он?

Кроме того, я был трусом. Я боялся воров, духов и змей. Я не решался выйти ночью из дому. Темнота приводила меня в ужас. Я не мог спать в темноте, мне казалось, что духи подкрадываются ко мне с одной стороны, воры — с другой, змеи — с третьей. Поэтому я спал только со светом. Разве мог я рассказать о своих страхах жене, спавшей со мной рядом? Она уже не была ребенком, вступив на порог юности. Я знал, что она смелее меня, и мне было стыдно. Она не боялась ни духов, ни змей. Она могла пойти куда угодно в темноте. Друг знал о моих слабостях. Он рассказывал, что может взять в руки живых змей, не боится воров и не верит в духов. И все это потому, что он ест мясо.

Среди школьников бытовало плохонькое стихотворение гуджаратского поэта Нармада:

Смотри на могучего англичанина:
Он правит маленьким индусом,
Потому что, питаясь мясом,
Он вырос в пять локтей.

Оно произвело на меня надлежащее впечатление. Я был сражен. Мне начало казаться, что мясо сделает меня сильным и смелым и, если вся страна начнет питаться мясом, мы одолеем англичан.

День для опыта был наконец назначен. Его нужно было провести тайком. Ганди поклонялись Вишну. Мои родители были особенно ревностными вишнуитами. Они регулярно посещали хавели. Нашему роду принадлежали даже собственные храмы. В Гуджарате был силен джайнизм. Его влияние чувствовалось всюду и при всяких обстоятельствах. Нигде в Индии и даже за пределами ее не наблюдается такого отвращения к мясной пище, как среди джайнов и вишнуитов Гуджарата. Я вырос и воспитывался в этих традициях. Кроме того, я был очень предан родителям. Я знал, что они будут глубоко потрясены, если узнают, что я ем мясо. К тому же любовь к истине заставляла меня быть чрезвычайно осторожным. Не могу сказать, чтобы я не понимал, что шел на обман родителей, собираясь питаться мясом. Но мой ум был всецело поглощен «реформой». О возможности полакомиться я и не думал и фактически не знал даже, что мясо очень вкусно. Я хотел быть сильным и смелым и желал видеть такими же своих соотечественников, чтобы мы могли побороть англичан и освободить Индию. Слова «сварадж» я тогда еще не слыхал, но знал, что такое свобода. Меня ослепляло безумное увлечение «реформой», и я уговорил себя, что, скрывая свои поступки от родителей, я не согрешу против истины, если все действительно останется в тайне.

VII. ТРАГЕДИЯ
(продолжение)

Решительный день настал. Трудно передать мое тогдашнее состояние. С одной стороны, я был охвачен фантастическим стремлением к «реформе», с другой — меня увлекала новизна положения, сознание, что я делаю решительный шаг в моей жизни. Вместе с тем я сгорал от стыда из-за того, что принимался за это, как вор. Не могу сказать, какое чувство преобладало. Мы нашли укромный уголок на берегу реки, и там я впервые в жизни увидел мясо. Был также и хлеб из пекарни, которого я никогда не пробовал. Козлятина была жесткой, как подошва. Я просто не мог ее есть. Я ослабел и должен был отказаться от еды.

Ночь я провел очень скверно. Меня мучили кошмары. Едва я засыпал, как мне начинало казаться, что в моем желудке блеет живая коза, и я вскакивал, мучимый угрызениями совести. Но тут я вспоминал, что есть мясо мне повелевает долг, и тогда мне становилось легче.

Мой друг был не из тех, которые быстро сдаются. Он стал приготовлять изысканные мясные блюда в соблазнительной сервировке. Мы ели их уже не в укромном местечке на берегу реки, а в ресторане правительственного здания, где стояли столы и стулья. Мой приятель сумел здесь договориться с главным поваром.

Я поддался соблазну, поборол свое отвращение к хлебу, справился с жалостью к козам и пристрастился к мясным блюдам, если не к самому мясу. Так продолжалось около года. Но этих пиршеств в общей сложности было не более шести, так как в правительственное здание пускали не каждый день, и, кроме того, было просто затруднительно часто заказывать дорогие мясные блюда. У меня не было денег, чтобы платить за «реформу». Моему другу постоянно приходилось изыскивать средства. Я не знаю, откуда он их брал. Но он их доставал, так как твердо решил приучить меня к мясу. Однако, видимо, и его возможности были ограничены, поэтому пиршества устраивались через большие промежутки времени.

В те дни, когда я принимал участие в этих тайных пиршествах, я не мог обедать дома. Мать звала меня и хотела знать причину моего отказа. Я обычно отвечал ей: «У меня сегодня нет аппетита, у меня что-то неладно с желудком». Придумывая отговорки, я испытывал угрызения совести, так как сознавал, что лгу, и притом лгу матери. Я знал также, что, если мать с отцом узнают о том, что я ем мясо, они будут ужасно огорчены. Мысль об этом терзала мое сердце.

Поэтому я сказал себе: «Хотя есть мясо, конечно, нужно и провести в нашей стране реформу питания необходимо, все же лгать отцу и матери хуже, чем не есть мясо. Следовательно, пока живы родители, надо отказаться от мяса. Когда их не станет и я буду свободным, я буду открыто есть мясо. Но до тех пор воздержусь от него».

Об этом решении я сообщил другу и с тех пор ни разу не прикоснулся к мясу. Мои родители так и не узнали, что двое из их сыновей ели мясо.

Я отказался от мяса, руководствуясь чистым желанием не лгать родителям. Но я не порвал с другом. Мое стремление исправить его оказалось гибельным для меня, но я совершенно не замечал этого.

Дружба с ним однажды чуть не довела меня до измены жене. Я спасся чудом. Друг повел меня в публичный дом. Он дал мне необходимые разъяснения. Все было предусмотрено заранее. Даже счет был оплачен. Я направился прямо в объятия греха, но Бог в своей безграничной милости спас меня от меня самого. Я внезапно оглох и ослеп в этом прибежище порока. Я сел около женщины на ее постель и молчал. Ей это, конечно, надоело, и, осыпав меня бранью и оскорблениями, она указала мне на дверь. Тогда я почувствовал, что унизили мое мужское достоинство, и готов был провалиться сквозь землю от стыда. Но впоследствии я не переставал благодарить Бога за то, что он спас меня. У меня были в жизни еще четыре подобных злоключения, и каждый раз меня спасала моя счастливая судьба, а не какое-либо усилие с моей стороны. С чисто этической точки зрения эти случаи необходимо рассматривать как моральное падение. Налицо было плотское желание, а это равносильно действию. Но с точки зрения обычной морали человек, физически устранившийся от греха, считается спасенным. Я был спасен именно в этом смысле. В некоторых случаях человек может избежать греха в силу счастливой случайности. Как только человек вновь обретет способность истинного познания, он благодарит Божественное милосердие за то, что ему удалось избежать грехопадения. Как известно, человек часто подвергается искушению, как бы он ни старался противостоять ему. Мы знаем также, что очень часто Провидение вмешивается и спасает его вопреки его желанию. Как все это происходит, в какой степени человек свободен и в какой степени он жертва стечения обстоятельств, в каких пределах имеет место свободное волеизъявление и когда на сцене появляется судьба — все это тайна и останется тайной.

Однако продолжим наше повествование.

Но и это не открыло мне глаза на порочность моего друга. Мне пришлось пережить еще более горькие разочарования, пока наконец мои глаза действительно раскрылись, ибо я наглядно убедился в некоторых его недостатках, о которых даже и не подозревал (о них я скажу дальше, так как наше повествование ведется в хронологическом порядке).

Должен отметить еще один факт, относящийся к тому же периоду. Безусловно, одной из причин моих разногласий с женой была дружба с этим человеком. Я был верным и в то же время ревнивым мужем, а друг всячески раздувал пламя моей подозрительности по отношению к жене. Я не мог сомневаться в его правдивости, и я никогда не прощу себе боль, которую я причинял жене, действуя по его наущению. Вероятно, только жена индуса может вынести подобную грубость. Поэтому я привык смотреть на женщину как на воплощенное терпение. Несправедливо заподозренный слуга может бросить работу, сын при аналогичных обстоятельствах может покинуть дом отца, друг — порвать дружбу. Жена же, если она и подозревает мужа, будет молчать, но, если он подозревает ее, — она погибла. Куда она пойдет? Жена индуса не может требовать развода судебным порядком. Закон ей не поможет. И потому я не могу забыть и простить себе, что доводил жену до отчаяния.

Яд подозрений исчез только тогда, когда я понял ахимсу во всех ее проявлениях. Я постиг все величие брахмачарии и понял, что жена не раба, а товарищ и помощник мужа, призванный делить с ним на равных правах все радости и печали. Как и муж, жена имеет право идти собственным путем. Когда я вспоминаю мрачные дни сомнений и подозрений, меня охватывает гнев. Я презираю себя за безумие и похотливую жестокость, за слепую преданность другу.

VIII. ВОРОВСТВО И ВОЗМЕЗДИЕ

Я должен поведать еще о нескольких случаях своего падения, относящихся к периоду, когда я ел мясо, и до того, то есть еще до моей женитьбы или вскоре после нее.

Вместе с одним из моих родственников я пристрастился к курению. Нельзя сказать, чтобы курение или запах сигарет доставляли нам удовольствие. Просто нам нравилось пускать облака дыма изо рта. Дядя мой курил, и мы решили, что должны последовать его примеру, а так как денег у нас не было, мы принялись подбирать брошенные дядей окурки.

Но окурки не всегда можно было найти, и, кроме того, в них почти нечего было докуривать. Тогда мы стали красть у слуги медяки из его карманных денег и покупать на них индийские сигареты. Возник вопрос, где их хранить. Мы не смели, конечно, курить в присутствии старших. Несколько недель мы обходились ворованными медяками. Тем временем мы прослышали, что стебли какого-то растения обладают пористостью и их можно курить, как сигареты. Мы, разумеется, обзавелись ими.

Но этого было мало. Нам хотелось независимости. Казалось невыносимым, что ничего нельзя предпринять без разрешения старших. Наше недовольство в конце концов достигло такой степени, что мы решили покончить самоубийством.

Но как это сделать? Где достать яд? Откуда-то узнав, что семена датуры действуют как сильный яд, мы отправились за ними в джунгли и раздобыли их. Самым подходящим временем для свершения нашего дела нам казался вечер. Мы пошли в Кедарджи мандир, положили гхи в храмовый светильник, совершили даршан и стали искать укромный уголок. Но вдруг мужество покинуло нас. А что, если мы умрем не сразу? Да и что хорошего в том, чтобы самим убить себя? Не лучше ли примириться с отсутствием независимости? Но все-таки мы проглотили по два или три зерна, не отважившись на большее. Мы оба поборoли страх перед смертью и решили отправиться в Рамаджи мандир, чтобы успокоиться и прогнать от себя мысль о самоубийстве.

Я понял, что гораздо легче задумать самоубийство, чем совершить его. И с тех пор, когда мне приходилось слышать угрозу покончить с собой, это не производило на меня почти никакого впечатления.

Эпизод с самоубийством закончился тем, что мы оба перестали подбирать окурки и красть медяки у прислуги для покупки сигарет.

Желания курить не появлялось у меня и когда я стал взрослым. Привычку эту я считаю варварской, нечистой и вредной.

Я никогда не понимал, почему во всем мире существует такое увлечение курением. Я не могу путешествовать, если в купе много курящих, — задыхаюсь.

Несколько позже я совершил еще более серьезную кражу, чем мелкие монеты у слуги. Медяки я воровал в двенадцать-тринадцать лет. Следующую кражу я совершил в пятнадцать лет. На этот раз я украл кусочек золота из запястья моего брата, того самого, который ел мясо. У брата как-то образовался долг в двадцать пять рупий. Он носил на руке тяжелое золотое запястье. Вынуть кусочек из него было совсем нетрудно.

Мы так и сделали, и долг был погашен. Но меня стала мучить совесть. Я дал себе слово никогда больше не красть и решил сознаться во всем отцу. Однако у меня не хватало смелости заговорить с ним об этом. Не то чтобы я боялся побоев. Нет. Я не помню, чтобы отец бил кого-нибудь из нас. Я боялся огорчить его. Но я чувствовал, что необходимо рискнуть. Нельзя было очиститься без чистосердечного признания.

Наконец я решил покаяться письменно: вручить текст отцу и попросить прощения. Я написал покаяние на листе бумаги и отдал отцу. В этой записке я не только сознался в своих грехах, но и просил назначить соответствующее наказание, а заканчивал письмо просьбой, чтобы не он сам наказывал меня. Я обещал никогда больше не красть.

Весь дрожа, я передал свою исповедь отцу. Он был тогда болен: у него был свищ и он вынужден был лежать. Постелью ему служили простые деревянные нары. Я отдал ему записку и сел напротив.

Отец прочел мое письмо и заплакал. Жемчужные капли катились по его щекам и падали на бумагу. На минуту он в задумчивости закрыл глаза, потом разорвал письмо. Читая письмо, он принял сидячее положение, теперь снова лег. Я тоже громко зарыдал. Я видел, как страдает отец. Будь я художником, я и сегодня мог бы воспроизвести эту картину — так жива она в моей памяти.

Жемчужные капли любви очистили мое сердце и смыли грех. Только тот, кто пережил любовь, знает, что это такое. В гимне поется:

> Только тот,
> Кто пронзен стрелами любви,
> Знает ее силу.

Для меня это был предметный урок по ахимсе. В то время я видел в происходившем только проявление отцовской любви, но сегодня я знаю, что это была настоящая ахимса. Когда ахимса бывает всеобъемлющей, она преобразует все, чего коснется. Тогда нет границ ее власти.

Так великодушно прощать отнюдь не было свойственно отцу. Я думал, что он будет сердиться, хмурить лоб и говорить резкие слова. Но он был удивительно спокоен. И я полагаю, что это произошло благодаря моему чистосердечному признанию. Чистосердечное признание и обещание никогда больше не грешить, данное тому, кто имеет право принять его, является наиболее чистой формой покаяния. Я знаю, что мое признание совершенно успокоило отца и беспредельно усилило его любовь ко мне.

IX. СМЕРТЬ ОТЦА И МОЙ ДВОЙНОЙ ПОЗОР

Мне шел шестнадцатый год. Отец мой был прикован к постели: у него, как я уже говорил, был свищ. Ухаживали за ним главным образом мать, старая служанка и я. На мне лежали обязанности сиделки, которые в основном сводились к тому, что я делал перевязки, давал лекарства и составлял снадобья, если они приготовлялись дома. Каждую ночь я массировал отцу ноги и уходил только тогда, когда он просил об этом или просто засыпал. Мне было приятно выполнять эти обязанности, и я не помню, чтобы хоть раз пренебрег ими. Время, которым я располагал после выполнения своих ежедневных обязанностей, я делил между школой и уходом за отцом. Я выходил погулять только вечером, и то когда он давал разрешение или чувствовал себя хорошо.

Жена моя тогда ждала ребенка. Обстоятельство это, как я сейчас понимаю, усугубляет позор моего поведения. Во-первых, я не мог воздерживаться, как это полагалось учащемуся; во-вторых, плотское желание брало верх не только над моей обязанностью учиться, но и над еще более важной обязанностью — быть преданным родителям: ведь Шраван был с детства моим идеалом. А между тем каждую ночь, массируя ноги отцу, я мыслями был уже в спальне, и это в такое время, когда и религия, и медицина, и здравый смысл запрещают половые сношения. Я всегда с радостью освобождался от своих обязанностей и, попрощавшись с отцом, шел прямо в спальню.

Отцу с каждым днем становилось хуже. Аюрведические врачи испытали все свои мази, хакимы — все свои пластыри, а местные знахари — все свои средства от всех болезней. Наконец мы обратились к английскому врачу. Он предложил как единственное средство операцию. Но вмешался наш домашний врач. Он возражал против операции в таком преклонном возрасте. Авторитет домашнего врача был непререкаем, и его мнение одержало верх. От операции пришлось отказаться, а лекарства не помогли отцу. У меня такое впечатление, что, если бы домашний врач разрешил операцию, рана легко зажила бы, тем более что оперировать должен был известный в Бомбее хирург. Но Бог решил иначе. Когда смерть неминуема, средств спастись от нее не существует. Отец вернулся из Бомбея со всеми необходимыми для операции материалами, но все это теперь было не нужно. Его состояние было безнадежным. С каждым днем он становился все слабее. Его упрашивали производить отправление естественных потребностей, не вставая с постели. Но он до последней минуты отказывался. Правила вишнуитов относительно внешней чистоты неумолимо строги.

Такая чистоплотность, бесспорно, имеет большое значение, но западная медицина считает, что можно совершать все отправления в постели, включая мытье пациента, не причиняя ему никакого неудобства, и при этом постель останется безукоризненно чистой. Я считаю это вполне совместимым с требованиями вишнуизма. Но настойчивое желание отца вставать с постели поражало меня, вызывая восхищение.

Настала страшная ночь. Дядя мой был в это время в Раджкоте. Он приехал, получив известие, что отцу хуже. Братья были глубоко привязаны друг к другу. Дядя сидел возле больного весь день, а ночью, настояв на том, чтобы мы шли спать, лег возле кровати больного. Никто не думал, что эта ночь будет роковой.

Было половина одиннадцатого или одиннадцать часов вечера. Я массировал отца. Дядя предложил сменить меня. Я обрадовался и отправился в спальню. Жена моя, бедняжка, крепко спала. Но разве она смела спать в моем присутствии? Я разбудил ее. Однако через пять или шесть минут слуга постучал в дверь. Я в тревоге вскочил. «Вставайте, — сказал слуга, — отцу очень плохо». Я знал, что отец очень плох, и догадался, что означают в такой момент эти слова. Я вскочил с постели.

— Что случилось? Говори.

— Отца больше нет в живых...

Все было кончено! Мне оставалось только ломать себе руки в отчаянии. Мне было страшно стыдно, я чувствовал себя глубоко несчастным. Я помчался в комнату отца. Если бы животная страсть не ослепила меня, мне не пришлось бы мучиться раскаянием за разлуку с отцом за несколько минут до его смерти. Я массировал бы его, и он умер бы у меня на руках. А сейчас эта честь принадлежала дяде. Он был так предан старшему брату, что удостоился чести оказать ему последнюю услугу. Отец чувствовал приближение конца. Он попросил перо и бумагу и написал: «Приготовь все для последнего обряда». Затем он сорвал с руки амулет и с шеи золотое ожерелье из шариков туласи и отбросил их в сторону. Через минуту его не стало.

Мой позор, о котором я здесь говорю, заключался в том, что плотское желание охватило меня даже в час смерти отца, нуждавшегося в самом бдительном уходе. Никогда не смогу забыть и искупить это бесчестие. Моя преданность родителям не знала границ — я пожертвовал бы всем ради них. Но она была непростительно легковесна, и в такой момент я оказался во власти похоти. Поэтому я всегда считал себя хотя и верным, но похотливым супругом. Мне пришлось много поработать над собой, чтобы освободиться от оков похоти, пришлось пройти через много испытаний, прежде чем удалось избавиться от них.

Прежде чем закончить эту главу о моем двойном позоре, хочу еще сообщить, что бедный ребенок, родившийся у моей жены, прожил всего три или четыре дня. Иначе и не могло быть. Пусть мой пример послужит предостережением всем женатым.

X. ПЕРВОЕ ЗНАКОМСТВО С РЕЛИГИЕЙ

Школу я посещал с шести или семи лет до шестнадцати. Там меня учили всему, кроме религии. Я, пожалуй, не получил от учителей того, что они могли бы мне дать без особых усилий с их стороны. Но кое-какие крохи знаний я собрал от окружающих. Термин «религия» я употребляю здесь в самом широком смысле — как самопознание или познание самого себя.

Будучи по рождению вишнуитом, я часто должен был ходить в хавели. Но храм не привлекал меня. Мне не нравились его блеск и помпезность. Кроме того, до меня дошли слухи о совершавшихся там безнравственных вещах, и я потерял к нему всякий интерес. Таким образом, хавели не мог мне ничего дать.

Но то, чего я не получил там, дала мне моя няня, старая служанка нашей семьи. Я до сих пор с благодарностью вспоминаю о ее привязанности ко мне. Как я уже говорил, я боялся духов и привидений. Рамбха — так звали няню — предложила мне повторять «Рамаяну» и тем избавиться от этих страхов. Я больше верил ей, чем предложенному ею средству, но с самого раннего возраста повторял «Рамаяну», чтобы излечиться от страха перед духами и привидениями. Это продолжалось, правда, недолго, но хорошее семя, брошенное в душу ребенка, не пропадает даром. Я полагаю, что благодаря доброй Рамбхе «Рамаяна» для меня теперь абсолютно верное средство.

Приблизительно в то же самое время мой двоюродный брат, поклонник «Рамаяны», заставил меня и моего второго брата выучить «Рамаракшу». Мы заучивали ее наизусть и ежедневно, как правило, по утрам после купания повторяли вслух. Мы делали это все время, пока жили в Порбандаре, но, переехав в Раджкот, забыли о «Рамаракше». Я не слишком верил в нее и читал «Рамаракшу» отчасти из желания показать, что могу пересказывать ее наизусть с правильным произношением.

Большое впечатление произвела на меня «Рамаяна», когда ее читали отцу. В первый период своей болезни отец жил в Порбандаре. Каждый вечер он слушал «Рамаяну». Читал ее большой поклонник Рамы — Ладха Махарадж из Билешвара. Про него рассказывали, что он излечился от проказы без всяких лекарств, только тем, что прикладывал к пораженным местам листья билвы, принесенные в дар изображению Махадевы в Билешварском храме, и ежедневно аккуратно повторял «Рамаяну». «Вера излечила его», — говорили люди. Так это или нет, — мы этому верили. Во всяком случае, когда Ладха Махарадж читал отцу «Рамаяну», он не страдал проказой. У него был приятный голос. Он произносил нараспев дохи (куплеты) и чопаи (четверостишия) и разъяснял их, пускаясь в рассуждения и увлекая слушателей. Мне было тогда около тринадцати лет, но я помню, что был совершенно покорен его чтением. С этого времени началось увлечение «Рамаяной». Я считаю «Рамаяну» Тулси Даса величайшей из священных книг.

Несколько месяцев спустя мы переехали в Раджкот. Там уже не было чтений «Рамаяны». Но «Бхагават» читалась каждое экадаши. Иногда я присутствовал при чтении, но чтец не волновал меня. В настоящее время я считаю «Бхагават» книгой, способной вызвать религиозный энтузиазм. Я с неослабевающим интересом прочел ее на языке гуджарати. Но когда однажды во время моего трехнедельного поста мне ее прочитал в оригинале пандит Мадан Мохан Малавия, я пожалел, что не слышал ее в детстве из уст такого ревностного поклонника «Бхагаваты», каким был Малавия. Тогда я полюбил бы эту книгу с самого раннего возраста. Впечатления, воспринятые в детстве, пускают глубокие корни, и я всегда жалел, что мне в ту пору не читали побольше таких хороших книг.

Зато в Раджкоте я научился относиться терпимо ко всем сектам индуизма и родственным религиям. Мои родители посещали не только хавели, но и храмы Шивы и Рамы. Иногда они брали нас с собой, иногда посылали одних. Монахи-джайны часто бывали в доме отца и даже, изменяя своему обычаю, принимали от нас пищу, хотя мы не исповедовали джайнизм. Они беседовали с отцом на религиозные и светские темы.

У отца были также друзья среди мусульман и парсов. Они говорили с ним о своей вере, и он выслушивал их всегда с уважением и часто с интересом. Ухаживая за ним, я нередко присутствовал при этих беседах. Все это в совокупности выработало во мне большую веротерпимость.

Исключение в то время составляло христианство. К нему я испытывал чувство неприязни. И не без основания. Христианские мессионеры обычно располагались где-нибудь поблизости от школы и разглагольствовали, осыпая оскорблениями индусов и их богов. Этого я не мог вынести. Мне достаточно было раз остановиться и послушать их, чтобы потерять охоту повторить этот опыт. Примерно в это время я узнал, что один весьма известный индус обращен в христианство. Весь город говорил о том, что после крещения он стал есть мясо и пить спиртные напитки, переменил одежду, ходил в европейском платье и даже носил шляпу. Меня это возмущало. Какая же это религия, если она принуждает человека есть мясо, пить спиртные напитки и менять одежду? Мне рассказывали также, что новообращенный уже поносит религию своих предков, их обычаи и родину. Все это вызвало во мне антипатию к христианству.

Я научился быть терпимым к другим религиям, но это не значило, что во мне жила живая вера в Бога. Как-то мне попалась в руки книга «Манусмрити» из собрания отца. Рассказ о сотворении мира и другие сказания не произвели на меня большого впечатления, а, наоборот, несколько склонили к атеизму.

У меня был двоюродный брат (он жив и сейчас). Я был высокого мнения о его уме и обратился к нему со своими сомнениями. Но он не сумел разрешить их и потому постарался отделаться от меня, сказав: «Сам узнаешь, когда вырастешь. В твоем возрасте рано задавать такие вопросы». Я замолчал, но не удовлетворился. Главы из «Манусмрити» относительно диеты и тому подобных вопросов казались мне противоречащими тому, что я видел в повседневной жизни. Но на вопросы об этом также не получил исчерпывающего ответа. «Буду больше развивать свой ум, больше читать и тогда лучше разберусь во всем», — решил я.

«Манусмрити» не научила меня ахимсе. Я уже рассказал о попытке питаться мясом. «Манусмрити» как будто поддерживала это. Я пришел к заключению, что вполне допустимо с точки зрения морали убивать змей, клопов и им подобных. Помню, что в те годы, уничтожая клопов и других насекомых, я считал, что так и следует поступать.

Глубокие корни в моем сознании пустило лишь убеждение, что мораль есть основа всех поступков, а истина — сущность морали. Истина стала моей единственной целью. Я укреплялся в этой мысли с каждым днем, и мое понимание истины все расширялось.

Строфа из дидактической поэмы на гуджарати завладела моим умом и сердцем. Ее заповедь — отвечай добром на зло — стала для меня руководящим принципом. Эта заповедь настолько увлекла меня, что я начал проводить многочисленные опыты. Вот строки, так поразившие меня:

За чашу с водой отблагодари хорошей пищей,
В ответ на доброе приветствие отвесь низкий поклон,
Давшему пенни отплати золотом,
Если тебе спасают жизнь, не дорожи ею,
Вот в чем смысл слов и дел мудреца.
За каждую маленькую услугу тебе воздастся сторицей.
Но истинно благородный человек знает всех людей как одного
И с радостью платит добром за зло.

XI. СБОРЫ В АНГЛИЮ

Выпускные экзамены на аттестат зрелости я сдал в 1887 г. Тогда их сдавали в Бомбее и в Ахмадабаде. Нищета, царившая в стране, естественно, понуждала учащихся Катхиавара ехать в город, расположенный поближе, где прожить можно было дешевле. Скудные средства моей семьи принудили меня сделать то же самое. Это была моя первая поездка из Раджкота в Ахмадабад, и впервые я уезжал один.

Родители хотели, чтобы, получив аттестат зрелости, я поступил в колледж. Колледжи имелись в Бавнагаре и Бомбее. Я решил отправиться в Бавнагар в Самалдасский колледж, так как это было дешевле. Оказавшись в колледже, я совершенно растерялся: мне было очень трудно слушать лекции, не говоря уже о том, чтобы интересоваться ими. Виноваты были не преподаватели, которые считались первоклассными, а я сам, так как был совершенно не подготовлен. По окончании первого семестра я вернулся домой.

Мавджи Даве — строгий и ученый брахман — был старым другом и советником нашей семьи. Дружеские отношения с ним сохранились и после смерти отца. Как-то во время моих каникул он зашел к нам и разговорился с матерью и старшим братом относительно моих занятий. Узнав, что я учусь в Самалдасском колледже, он сказал: «Времена изменились. Ни один из вас не может рассчитывать достигнуть гади вашего отца, не получив должного образования. Пока этот мальчик еще продолжает учиться, вы должны постараться, чтобы он получил гади. Чтобы стать бакалавром, ему потребуется четыре или пять лет, что даст ему в лучшем случае место с жалованьем шестьдесят рупий, но никак не звание дивана. Если он, как и мой сын, пойдет по юридической части, ему придется учиться дольше, а к тому времени, когда он кончит, будет тьма адвокатов, претендующих на пост дивана. Я послал бы его в Англию. Сын мой Кевалрам говорит, что стать адвокатом совсем нетрудно. Через три года он вернется. Расходы не превысят четырех или пяти тысяч рупий. Представьте себе адвоката, вернувшегося из Англии. По первой же просьбе он получит пост дивана. Я очень советовал бы послать Мохандаса в Англию в этом году. У Кевалрама там много друзей. Он даст рекомендательные письма к ним, и Мохандасу нетрудно будет устроиться».

Джошиджи — так обычно звали мы старого Мавджи Даве — обратился ко мне и спросил, нисколько не сомневаясь в утвердительном ответе: «Неправда ли, ты предпочтешь поехать в Англию, чем учиться здесь?» Ничего приятнее я не мог себе представить. Я изнемогал под бременем своих занятий. Потому я ухватился за предложение и заявил, что чем скорее меня пошлют, тем лучше. Однако быстро сдать экзамены не так легко. Нельзя ли послать меня на медицинский факультет?

Брат перебил меня: «Отец никогда не любил этой профессии. Он имел тебя в виду, когда говорил, что вишнуиты не должны иметь никакого отношения к вскрытию трупов. Отец предназначал тебя для адвокатской карьеры».

Джошиджи вступился: «Я не возражаю против профессии врача. Наши шастры ничего не имеют против нее. Но диплом врача не сделает из тебя дивана, а я хочу, чтобы ты был диваном и даже чем-нибудь повыше. Тогда ты сможешь обеспечить свою большую семью. Времена быстро меняются, и жить становится с каждым днем труднее. Самое мудрое — это стать адвокатом».

Затем он обратился к матери: «Мне пора уходить. Взвесьте, пожалуйста, все, что я сказал. Надеюсь, что, когда я приду сюда в следующий раз, я услышу о приготовлениях к отъезду в Англию. Дайте мне знать, если понадобится моя помощь».

Джошиджи ушел, а я принялся строить воздушные замки.

Старший брат был сильно обеспокоен. Где найти средства для моей поездки? И можно ли такого юношу, как я, посылать одного за границу?

Мать была совсем растревожена. Ей не хотелось отпускать меня. «Дядя, — говорила она, — сейчас старший в нашей семье. Прежде всего нужно посоветоваться с ним. Если он согласится, тогда решим».

У брата зародилась другая мысль: «Правительство Порбандара несколько обязано нам. Администратор мистер Лели хорошего мнения о нашей семье и очень ценит дядю. Возможно, он даст тебе государственную стипендию для обучения в Англии».

Мне это очень понравилось, и я решил съездить в Порбандар. Железной дороги туда в то время еще не было, нужно было ехать пять дней на буйволах. Как я уже говорил, я был труслив. Но желание поехать в Англию настолько овладело мной, что я сумел побороть трусость. Я нанял повозку и буйволов до Дораджи, а оттуда взял верблюда, чтобы добраться до Порбандара на день раньше. Это было мое первое путешествие на верблюде.

Приехав, я явился к дяде и подробно рассказал ему обо всем. Он подумал и сказал: «Я не уверен, что в Англии можно жить без ущерба для религии. Я сомневаюсь в этом на основании того, что мне пришлось наблюдать. Когда я встречаюсь с крупными адвокатами-индусами, то не вижу разницы между их образом жизни и образом жизни европейцев. Они неразборчивы в еде и не выпускают изо рта сигар. Они одеваются так же бесстыдно, как англичане. Все это не соответствует традициям нашей семьи. Я скоро отправлюсь в паломничество, да и жить мне осталось недолго. Как могу я на пороге смерти дать тебе разрешение ехать в Англию, переплывать моря? Но я не хочу быть и помехой. В данном случае важно получить разрешение матери. Если она разрешит — с богом. Скажи ей, что я препятствовать не стану. Ты поедешь с моим благословением».

«Ничего другого я от вас не ожидал, — сказал я. — Постараюсь теперь убедить мать. А вы не дадите мне рекомендательного письма к мистеру Лели?»

«Я не могу, — ответил дядя, — но он хороший человек. Попроси его о стипендии; расскажи, в чем дело. Он, без сомнения, поможет тебе».

Не знаю, почему дядя не дал мне рекомендательного письма. Мне кажется, ему не хотелось принимать непосредственного участия в моей поездке, которая была, по его мнению, все же антирелигиозным поступком.

Я написал мистеру Лели, и он пригласил меня к себе в резиденцию. Мы встретились с ним в тот момент, когда он входил в подъезд. Он коротко сказал мне: «Сначала сдайте экзамен на бакалавра, а затем приходите ко мне. Сейчас не могу оказать вам никакого содействия». И он стал подниматься по лестнице.

Я тщательно подготовился к разговору с ним, заучил фразы, которые хотел ему сказать, отвесил низкий поклон и приветствовал его обеими руками. Все оказалось напрасным.

Я вспомнил об украшениях жены. Подумал о старшем брате. На него я надеялся больше всего. Он чрезвычайно великодушен и любил меня, как сына.

Я вернулся из Порбандара в Раджкот и рассказал обо всем происшедшем. Поговорил с Джошиджи. Он посоветовал в случае необходимости даже занять у кого-нибудь нужную сумму. Я предложил продать украшения жены, это могло дать от двух до трех тысяч рупий. Брат также обещал достать кое-какую сумму.

Мать все еще возражала. Она начала собирать сведения. Кто-то сказал ей, что молодые люди неизменно погибают в Англии; другие говорили, что там привыкают есть мясо; третьи — что там не могут жить, не употребляя спиртных напитков. «Как же быть со всем этим?» — спросила она меня. Я сказал: «Ты веришь мне? Я не буду тебе лгать. Клянусь, что не дотронусь до этих вещей. Неужели Джошиджи отпустил бы меня, если бы была какая-нибудь опасность?»

«Сейчас я верю тебе, — сказала она. — Но как верить тебе, если ты будешь так далеко? Не знаю, что и делать. Спрошу Бечарджи Свами».

Бечарджи Свами прежде принадлежал к касте мод-бания, но потом стал монахом-джайном. Он был, как и Джошиджи, советником нашей семьи. Он пришел мне на помощь и сказал матери: «Я возьму с мальчика три торжественных обета, и его можно будет отпустить». Он приготовил все для обряда, и я поклялся не дотрагиваться до мяса, вина и женщин. После этого мать дала разрешение.

Средняя школа устроила мне проводы. Молодой человек из Раджкота, отправляющийся в Англию, представлял необычное явление. Дома я написал несколько слов благодарности, но на торжественных проводах смог лишь пролепетать их. Помню, как у меня кружилась голова и как я весь трясся, стоя перед провожавшими и читая слова благодарности.

Напутствуемый благословениями близких, я отправился в Бомбей. Это была моя первая поездка туда. Со мной ехал брат. Но не говори «гоп», пока не перепрыгнешь. В Бомбее нам предстояло столкнуться с некоторыми трудностями.

XII. ВНЕ КАСТЫ

Получив разрешение и благословение матери, я уехал с радостным чувством, оставив дома жену с грудным ребенком. Но по прибытии в Бомбей тамошние наши друзья стали говорить брату, что в июне и июле в Индийском океане бывают бури и что, поскольку я отправлюсь в морское путешествие впервые, мне не следует пускаться в плавание раньше ноября. Кто-то рассказал, что во время последнего шторма затонул пароход. Брат был обеспокоен всем услышанным и отказался отпустить меня немедленно. Он оставил меня у своего приятеля в Бомбее, а сам вернулся в Раджкот, предварительно заручившись обещанием друзей оказать мне в случае надобности поддержку, а деньги, ассигнованные на мое путешествие, отдал на хранение своему зятю.

В Бомбее время тянулось для меня очень медленно. Я не переставал мечтать о поездке в Англию.

Между тем всполошились представители моей касты. Ни один мод-бания не был до сего времени в Англии, и, если я осмеливался на это, меня следовало призвать к ответу. Созвали общее собрание касты и вызвали меня. Я пошел. Сам не знаю, откуда у меня взялась такая смелость. Без страха и колебаний появился я на собрании. Шет — глава общины, находившийся со мной в отдаленном родстве и бывший в очень хороших отношениях с моим отцом, заявил мне: «Каста осуждает ваше намерение ехать в Англию. Наша религия запрещает путешествия за границу. Кроме того, мы слыхали, что там нельзя жить, не нарушая заветов нашей веры. Там надо будет есть и пить с европейцами!»

Я ответил: «Не думаю, чтобы поездка в Англию противоречила заветам нашей религии. Я хочу поехать, чтобы продолжать образование. И я торжественно обещал матери воздерживаться от трех вещей, которых вы больше всего боитесь. Я уверен, что клятва защитит меня».

«Но мы утверждаем, — сказал шет, — что там невозможно не изменить своей религии. Вы знаете, в каких отношениях я был с вашим отцом, и потому должны слушаться моих советов».

«Я знаю об этих отношениях, и вы старше меня. Но я ничего не могу поделать. Я не могу отказаться от своего решения ехать. Друг и советчик отца, ученый брахман, не видит ничего дурного в моей поездке в Англию. Брат и мать также дали мне свое разрешение».

«Вы осмеливаетесь не повиноваться велениям касты?»

«Я ничего не могу сделать. Мне кажется, что касте не следует вмешиваться в это дело».

Шет разгневался. Он выругал меня. Я сидел неподвижно. Тогда шет произнес свой приговор: «С сегодняшнего дня юноша этот считается вне касты. Кто окажет ему помощь или пойдет проводить на пристань, будет оштрафован на одну рупию и четыре анны».

Приговор не произвел на меня никакого впечатления, и я спокойно простился с шетом. Меня интересовало только, как примет это брат. К счастью, он остался тверд и написал мне, что, несмотря на распоряжение шета, разрешает мне ехать.

Событие это усилило мое желание уехать поскорее. А вдруг им удастся оказать давление на брата? А вдруг случится что-нибудь непредвиденное? Однажды в самый разгар таких волнений я узнал, что вакил из Джунагарха получил адвокатскую практику и едет в Англию с пароходом, уходящим 4 сентября. Я зашел к друзьям, которым брат поручил меня. Они согласились, что я не должен упускать такого случая. Времени оставалось мало, и я телеграфировал брату. Он незамедлительно прислал мне разрешение ехать. Я отправился к зятю за деньгами, но тот, сославшись на решение шета, заявил, что не может пойти против касты. Тогда я обратился к одному из друзей нашей семьи с просьбой дать мне денег на проезд и другие расходы, с тем что брат возместит ему эту сумму. Моя просьба не только была удовлетворена, но тот, к кому я обратился, постарался всячески ободрить меня. Я был ему очень благодарен. Часть денег я тут же истратил на билет. Затем мне предстояло приобрести соответствующую одежду для дороги. По этой части специалистом оказался другой мой приятель. Он купил мне все необходимое. Одни принадлежности европейской одежды мне нравились, другие нет. Галстук, приводивший меня впоследствии в восторг, в первый момент вызвал во мне настоящее отвращение. Короткий пиджак показался мне неприличным. Но все это были пустяки по сравнению с моим желанием ехать в Англию. Я запасся также достаточным количеством провизии на дорогу. Друзья забронировали мне место в той же каюте, в которой ехал адвокат Трьямбакрай Мазмудар, вакил из Джунагарха, и просили его присмотреть за мной. Он был человеком с опытом, средних лет, знавшим свет, а я — совершенно неопытным восемнадцатилетним мальчишкой. Вакил заверил моих друзей, что они могут быть совершенно спокойны за меня. 4 сентября я покинул Бомбей.

XIII. НАКОНЕЦ В ЛОНДОНЕ

Я не страдал морской болезнью, но чем дальше, тем больше мною овладевало беспокойство. Я стеснялся разговаривать даже с прислугой на пароходе. Все пассажиры второго класса, за исключением Мазмудара, были англичане, а я не привык говорить по-английски. Я с трудом понимал, когда со мной заговаривали, а если понимал, то не в состоянии был ответить. Мне нужно было предварительно составить каждое предложение в уме, и только потом я мог произнести его. Кроме того, я совершенно не знал, как употреблять ножи и вилки, и боялся спросить, какие блюда приготовлялись из мяса. Поэтому я всегда ел в каюте и главным образом сласти и фрукты, взятые с собой. Ехавший со мной вакил Мазмудар не испытывал никакого стеснения и умел быстро найти общий язык со всеми. Он свободно разгуливал по палубе, тогда как я целыми днями прятался в каюте и решался показаться на палубе, только когда там было мало народа. Мазмудар убеждал меня знакомиться с пассажирами и держаться свободнее. «Адвокат должен иметь длинный язык», — говорил он. Он рассказывал о своей адвокатской практике и советовал пользоваться всякой возможностью говорить по-английски, не смущаясь ошибок, неизбежных при разговоре на иностранном языке. Но ничто не могло победить мою робость.

Один из пассажиров — англичанин, немного постарше меня, почувствовав ко мне расположение, вовлек меня однажды в беседу. Он расспрашивал, что я ем, кто я, куда еду и почему так робок; он также посоветовал мне обедать за общим столом и смеялся над тем, что я упорно отказывался от мяса. Когда мы были в Красном море, он дружески сказал мне: «Сейчас это хорошо, но в Бискайском заливе вы откажетесь от своего упорства. А в Англии так холодно, что совершенно невозможно жить без мяса».

«Но я слыхал, что и там есть люди, которые могут обходиться без мяса!»

«Можете быть уверены, что это неправда. Насколько мне известно, там не найдется ни одного человека, который не ел бы мяса. Ведь я не убеждаю вас пить спиртные напитки, хотя сам пью. Но я считаю, что вы будете есть мясо, так как не сможете жить без него».

Мы вошли в Бискайский залив, но я не почувствовал необходимости ни в мясе, ни в спиртных напитках. Мне посоветовали запастись справкой, что я не ем мяса. Я попросил своего знакомого англичанина выдать мне такое удостоверение. Он охотно согласился, и я хранил его некоторое время. Но когда я узнал, что можно получить такую справку и преспокойно есть мясо, она утратила для меня всякое значение. Если не поверят моему слову, на что мне такое удостоверение?

В Саутгемптон мы прибыли, насколько я помню, в субботу. На пароходе я ходил все время в черном костюме, а белую фланелевую пару, которую мне достали друзья, прибегал ко дню прибытия. Я считал, что белое мне больше всего к лицу, и вышел на берег в белом фланелевом костюме. Стоял уже конец сентября, и в белом костюме был я один. Присмотревшись, как поступали другие, я оставил агенту «Гриндлея и К^0» весь свой багаж вместе с ключами.

У меня было четыре рекомендательных письма: к доктору П. Дж. Мехте, к адвокату Далпатраму Шукле, к принцу Ранджитсинджи и к Дадабхаю Наороджи. Кто-то еще на пароходе посоветовал мне остановиться в Лондоне в отеле «Виктория». Мы с Мазмударом направились туда, причем я сгорал от стыда за свой белый костюм. В отеле мне сказали, что багаж из «Гриндлея» мне доставят только на другой день, так как мы приехали в Лондон в воскресенье. Я был в отчаянии.

Доктор Мехта, которому я телеграфировал из Саутгемптона, ждал меня у себя в день приезда в восемь часов вечера. Он встретил меня очень радушно, но улыбнулся при виде моего костюма. Во время разговора я случайно взял его цилиндр и, желая узнать, насколько он гладок, нечаянно провел рукой против ворса. Доктор Мехта несколько раздраженно остановил меня. Это было предупреждением на будущее и первым уроком европейского этикета, который доктор Мехта преподал мне в шутливой форме.

«Никогда не трогайте чужих вещей, — сказал он. — Не задавайте, как это делается в Индии, при первом же знакомстве вопросов, не говорите громко, не обращайтесь ни к кому со словом „сэр“, как мы это делаем в Индии. Здесь так обращаются только слуги к хозяину». И так далее и так далее...

Он сказал мне также, что в отеле жизнь очень дорога, и посоветовал устроиться частным образом в какой-нибудь семье. Обсуждение деловых вопросов мы отложили на понедельник.

Вакил Мазмудар также находил, что в отеле жить очень дорого и к тому же неудобно. В пути он подружился с синдхом с острова Мальты. Тот был своим человеком в Лондоне и предложил помочь нам найти комнаты. Мы согласились, и в понедельник, получив багаж, заплатили по счету в отеле и переехали в комнаты, которые нам подыскал наш знакомый. Помню, что пребывание в отеле обошлось мне в три фунта стерлингов, что страшно поразило меня, причем я буквально умирал с голоду. Мне все было не по вкусу, а когда вместо непонравившегося блюда я заказывал другое, мне приходилось платить за оба. Фактически я питался продуктами, привезенными с собой из Бомбея.

Мне было не по себе и в новом помещении. Я тосковал по дому, по родине. Я тосковал по материнской любви. По ночам слезы текли по моим щекам и воспоминания о доме не давали возможности заснуть. Мне не с кем было разделить мое горе. И если бы и было с кем, какая от этого польза? Я не знал средства, которое облегчило бы мою боль. Все было чужое: народ, его обычаи и даже жилища. Я был абсолютным новичком в вопросах английского этикета и все время должен был держаться настороже. Мой обет вегетарианства причинял мне большие неудобства. Те блюда, которые я мог есть, были безвкусны. Я очутился между Сциллой и Харибдой. Англия была мне не по нутру. Но не могло быть и речи о том, чтобы вернуться в Индию. «Раз ты сюда приехал, то должен пробыть положенные три года», — подсказывал мне внутренний голос.

XIV. МОЙ ВЫБОР

В понедельник доктор Мехта приехал ко мне в отель «Виктория». Узнав там мой новый адрес, он тотчас же разыскал меня.

По собственной глупости я умудрился получить раздражение кожи. На пароходе мы умывались морской водой, в которой мыло не растворяется, но я пользовался мылом, считая это признаком цивилизации. От этого кожа не только не очищалась, а, наоборот, загрязнялась еще больше, и у меня образовались гнойнички. Я показал их доктору Мехте, а он велел мне промыть кожу уксусной кислотой. Кислота жгла, и я плакал от боли. Доктор Мехта осмотрел мою комнату, обстановку и неодобрительно покачал головой.

«Это помещение не годится, — сказал он. — Мы приезжаем в Англию не столько для того, чтобы учиться, сколько для того, чтобы знакомиться с английскими нравами и обычаями. Поэтому вам следует поселиться в английской семье, а пока вы ко всему привыкнете, самое полезное было бы пожить некоторое время у моих знакомых».

Я с благодарностью принял его предложение и переехал на квартиру к другу доктора Мехты. Этот друг был сама доброта и внимание, отнесся ко мне как к родному брату, знакомил с английскими обычаями и приучал говорить по-английски. Много хлопот доставлял вопрос о моем питании. Я не мог есть вареные овощи, приготовленные без соли и других приправ. Хозяйка не знала, чем меня кормить. На завтрак мне давали овсяную кашу, что было довольно сытно. Но после второго завтрака и обеда я оставался совершенно голодным. Приятель убеждал меня есть мясо, но я ссылался на свой обет и прекращал разговор на эту тему. На второй завтрак и обед нам подавали шпинат, хлеб и джем. Я любил поесть, и желудок у меня был вместительный. Но я стеснялся брать больше двух-трех кусочков хлеба, так как считал это неприличным. К тому же ни за завтраком, ни за обедом не давали молока. Наконец мой приятель рассердился.

«Я отправил бы вас обратно, если бы вы были моим братом. Что значит клятва, данная невежественной матери и при полном незнании здешних условий? Такой обет не имеет силы, и соблюдать его было бы чистейшим предрассудком. Это упорство не приведет ни к чему хорошему. Вы ведь сознаетесь, что ели уже мясо и делали это, когда в этом не было никакой надобности. А теперь это необходимо, и вы отказываетесь, а жаль!»

Но я был тверд.

Изо дня в день мой друг настаивал на своем, но у меня хватило сил противостоять искушению. Чем больше он настаивал, тем более непреклонным я становился. Я ежедневно молил Бога о поддержке и получал ее. Я не могу сказать, что имел определенное представление о Боге. Это была простая вера, семена которой бросила в мою душу добрая няня Рамбха.

Как-то раз мой друг начал мне читать «Теорию утилитарности» Бентама. Я совершенно растерялся. Язык был настолько труден, что я ничего не понимал. Он стал разъяснять. Тогда я сказал: «Извините меня, пожалуйста. Эти мудрые изречения недоступны моему пониманию. Я допускаю, что необходимо есть мясо. Но я не могу нарушить данный мною обет и не хочу спорить на эту тему. Я уверен, что моя аргументация будет слабее вашей. Но, пожалуйста, оставьте меня в покое, как поступают с глупыми или упрямыми. Я ценю вашу любовь и знаю, что вы желаете мне только добра. Знаю также, что вы будете говорить об этом до бесконечности, потому что переживаете за меня. Но я ничего не могу сделать. Обет есть обет, и он не может быть нарушен».

Друг с удивлением посмотрел на меня. Потом закрыл книгу и сказал: «Хорошо. Не будем больше говорить на эту тему».

Я очень обрадовался. И мы действительно не возвращались к ней. Но он не переставал беспокоиться обо мне. Он курил и пил, но никогда не уговаривал меня следовать его примеру. По правде говоря, он даже убеждал меня не притрагиваться к табаку и спиртному. Его беспокоило лишь, чтобы я не очень ослабел без мяса и моя жизнь в Англии не была бы слишком трудной.

Так прошел первый месяц моего пребывания в Англии. Друг доктора Мехта жил в Ричмонде, и в Лондон я мог ездить не больше одного или двух раз в неделю. Тогда доктор Мехта и адвокат Далпатрам Шукла решили, что лучше поместить меня в какую-нибудь семью. Шукла нашел подходящую англо-индийскую семью в Вест Кенсингтоне, и я поселился там. Хозяйка была вдовой. Я рассказал ей о своем обете, и она обещала помочь мне. Но и здесь мне пришлось голодать. Я написал домой и просил выслать мне сласти и другие продукты, но посылка задерживалась в пути. Все было невкусно. Каждый день старушка-хозяйка спрашивала, нравятся ли мне кушанья. Но что она могла сделать? Я еще по-прежнему был робок и не решался за столом просить прибавки. У хозяйки были две дочери. Они настояли на том, чтобы мне подавали лишний кусочек или два хлеба, не понимая, что меня мог удовлетворить только целый каравай.

Но теперь я знал, что делать. Я еще не начал заниматься регулярно, но под влиянием адвоката Шуклы стал читать газеты. В Индии я никогда не читал газет, но здесь благодаря регулярному чтению сумел пристраститься к ним. Я постоянно просматривал «Дейли ньюс», «Дейли телеграф» и «Пелмель-газет». Это занимало у меня менее часа в день. Затем я начал бродить по городу. Я стал подыскивать вегетарианский ресторан. Хозяйка сказала мне, что в Сити имеются и такие. Я отмеривал в день по десять — двенадцать миль, заходил в дешевенький ресторан и наедался хлебом, но все же постоянно ощущал голод. Во время этих странствований я попал однажды в вегетарианский ресторан на Фаррингтон-стрит. При виде его я испытал чувство радости, какое испытывает ребенок, получив давно желанную игрушку. При входе я заметил в окне у дверей книги, выставленные для продажи. Среди них была книга Солта «В защиту вегетарианства». Я купил ее за шиллинг и прошел в столовую. Здесь я впервые со времени приезда в Англию сытно поел. Бог пришел мне на помощь.

Я прочел книгу Солта от корки до корки, и она произвела на меня большое впечатление. С тех пор я стал вегетарианцем по убеждению. Я благословил тот день, когда дал клятву матери. До сих пор я воздерживался от употребления мяса потому, что не хотел лгать и нарушать обета, но в то же время желал, чтобы все индийцы стали есть мясо, и предполагал, что со временем и сам буду свободно и открыто делать это и склонять к этому других. Теперь я сделал выбор в пользу вегетарианства, и распространение его стало моей миссией.

XV. Я СТАНОВЛЮСЬ АНГЛИЙСКИМ ДЖЕНТЛЬМЕНОМ

Моя вера в пользу вегетарианства крепла с каждым днем. Книга Солта пробудила во мне интерес к изучению диететики, и я стал читать всевозможные книги о вегетарианстве. Одна из таких книг — «Этика диетического питания» Говарда Уильямса — включала «историю литературы по гуманной диететике и биографии вегетарианцев с древнейших времен до наших дней». Автор пытался доказать, что все философы и пророки от Пифагора и Иисуса до наших дней — вегетарианцы. Книга Анны Кингсфорд «Пути усовершенствования диетического питания» также была увлекательной. Очень помогла мне книга доктора Аллинсона о здоровье и гигиене. Он пропагандирует оздоровительный метод, основанный на регулировании диеты пациентов. Будучи сам вегетарианцем, он предписывал своим пациентам строго придерживаться вегетарианской диеты. В результате чтения всей этой литературы диететические опыты заняли видное место в моей жизни. Для начала этих опытов основным принципиальным соображением послужила забота о здоровье. Но впоследствии главным мотивом стала религия.

Тем временем мой друг не переставал заботиться обо мне. Его любовь ко мне внушала ему мысль о том, что если я по-прежнему не буду употреблять в пищу мясо, то не только ослабею физически, но перестану развиваться и умственно, так как всегда буду чувствовать себя чужим в английском обществе. Узнав, что я начал интересоваться книгами о вегетарианстве, он испугался, как бы эти занятия не вызвали путаницы у меня в голове. Он считал, что, проводя эти опыты, я растрачиваю силы по мелочам, забываю о своей основной цели и становлюсь чудаком. Поэтому он предпринял последнюю попытку реформировать меня. Однажды он пригласил меня в театр. До начала спектакля мы договорились пообедать в ресторане «Холборн», который мне казался великолепным еще и потому, что я не бывал в таких крупных ресторанах с тех пор, как уехал из отеля «Виктория». Жизнь в этом отеле мало чему меня научила. Мой друг пригласил меня в ресторан в расчете на то, что я из скромности не буду задавать вопросов. Мы сели за стол, где уже обедали многие другие. На первое подали суп. Я не знал, из чего он приготовлен, но не решался спросить об этом моего друга. Поэтому я подозвал официанта. Друг, увидев это, спросил через стол, в чем дело. После длительного колебания я сказал ему, что хотел узнать, мясной это суп или вегетарианский.

«Ты ведешь себя слишком нетактично в приличном обществе! — гневно воскликнул он.— Если ты не умеешь вести себя, тебе лучше уйти. Поешь в другом ресторане и жди меня на улице». Это обрадовало меня. Я ушел. Поблизости находился вегетарианский ресторан, который, однако, оказался закрытым, и я остался голодным. Мы пошли в театр. Друг никогда больше не упоминал об этом инциденте. Я, разумеется, тоже молчал.

Это была наша последняя дружеская стычка. Она нисколько не повлияла на наши отношения. Я понимал, что все его поступки продиктованы любовью ко мне, и ценил это. Мое уважение к нему росло, несмотря на различия в образе мышления и поступках.

Я решил успокоить его и заверить, что больше не буду бестактным, что попытаюсь стать безукоризненным и придать своему вегетарианству такую форму, которая не мешала бы мне находиться в приличном обществе. Ради этого я взял на себя непосильную задачу — стать английским джентльменом.

Я решил, что костюмы, сшитые в Бомбее, не годятся для английского общества, и приобрел себе новые в магазине армии и флота. Я купил себе также цилиндр за девятнадцать шиллингов. Цена эта по тому времени была довольно высокой. Не удовольствовавшись этим, я истратил десять фунтов стерлингов на вечерний костюм в магазине на Бонд-стрит — центре лондонских мод. Кроме того, я заставил моего доброго и благородного брата выслать мне двойную золотую цепочку для часов. Носить готовые галстуки я считал неприличным и научился искусству завязывать изящный узел. В Индии зеркало было предметом роскоши. Мне разрешали пользоваться им только в те дни, когда наш семейный парикмахер брил меня. Здесь я ежедневно проводил по десять минут перед огромным зеркалом, приводя в порядок прическу и завязывая галстук. Волосы у меня были очень жесткие, и ежедневно я подолгу приглаживал их щеткой. Каждый день перед зеркалом я снимал и надевал шляпу, а другой рукой автоматически приглаживал волосы. Я усвоил и другие жесты, принятые в приличном обществе.

Но поскольку этого было недостаточно, чтобы стать английским джентльменом, я принял меры, приближавшие меня к цели. Мне сказали, что необходимо брать уроки танцев, французского языка и красноречия. Французский язык был не только языком соседней Франции, но и языком континента, о путешествии по которому я страстно мечтал.

Я решил поступить в танцевальный класс и уплатил за курс три фунта стерлингов. Мне должны были преподать шесть уроков в течение трех недель. Но ритмические движения были для меня чем-то совершенно недостижимым. Я не мог следить за музыкой и сбивался с такта. Что же было делать? В одной сказке говорится, что отшельник взял кошку, чтобы ловить крыс, потом корову, чтобы поить кошку молоком, потом человека, чтобы ухаживать за коровой и т. д. Мое честолюбие вело меня приблизительно по тому же пути. Я решил приучить ухо к западной музыке и стал учиться играть на скрипке. Я истратил три фунта на скрипку и несколько большую сумму уплатил за уроки. Затем я взял учителя красноречия и заплатил ему вперед гинею. Он рекомендовал мне учебник красноречия Белла. Я его купил и начал с речи Питта.

Но Белл[1] прозвучал как звонок будильника, и я проснулся.

Ведь я не собираюсь оставаться в Англии на всю жизнь, сказал я себе. Для чего же мне тогда обучаться красноречию? И разве уроки танцев сделают меня джентльменом? А играть на скрипке я могу научиться и в Индии. Я студент и должен заниматься своей наукой. Мне нужно готовиться

---

[1] По-английски «bell» — звонок.

к вступлению в корпорацию юристов. Если я уже стал джентльменом — хорошо, если нет — следует отказаться от этого намерения.

Такие и подобные мысли овладели мной, и я выразил их в письме, адресованном учителю красноречия. В нем также содержалась просьба избавить меня в дальнейшем от уроков. Я взял всего два или три урока. Аналогичное письмо я послал учителю танцев, а к преподавательнице игры на скрипке отправился сам и попросил ее продать мою скрипку за любую цену. Преподавательница относилась ко мне очень хорошо, и я рассказал ей, как я понял, что пошел по неверному пути. Она поддержала меня.

Мое ослепление продолжалось около трех месяцев. Щепетильность в отношении одежды сохранялась в течение многих лет. Но отныне я стал студентом.

XVI. ПЕРЕМЕНЫ

Я не хотел бы, чтобы создалось впечатление, будто мое увлечение танцами и тому подобными вещами было своего рода потворством моим желаниям. Даже тогда, в период увлечений, у меня было достаточно здравого смысла и я занимался в известной степени самоанализом. Я учитывал каждый истраченный мною фартинг и вел точную запись всех расходов. Всякие, даже небольшие расходы (например, оплата проезда в омнибусе или покупка почтовых марок, два медяка, истраченных на покупку газет) я подсчитывал ежевечерне перед сном. Эта привычка сохранилась у меня на всю жизнь, и, когда мне приходилось иметь дело с общественными средствами в сотни тысяч, я добился строжайшей экономии в их расходовании и вместо огромных долгов неизменно имел свободные средства во всех возглавляемых мною движениях. Пусть каждый молодой человек, прочитав эту страницу, возьмет себе за правило подсчитывать все свои доходы и расходы, и, подобно мне, он в конце концов почувствует преимущество этого.

Как только я взял под строжайший контроль свои расходы, то увидел, что необходимо экономить. Прежде всего я решил наполовину сократить их. В результате подсчетов выявились многочисленные расходы на проезд. В то же время, живя в семье, я должен был еженедельно оплачивать счета. Сюда входила стоимость обедов, на которые мне из вежливости приходилось приглашать членов семьи, а также посещение вечеров совместно с ними. Кроме того, сюда входила плата за экипаж, в особенности если я сопровождал женщин, так как, согласно английским обычаям, все расходы оплачивает мужчина. Обеды вне дома означали также дополнительные расходы, тем более что плата за несъеденные дома блюда все равно включалась в еженедельный счет. Мне казалось, что можно было избежать всех этих расходов, как и того, чтобы мой кошелек опустошался из-за ложного понимания правил приличия.

Поэтому я решил больше не жить в семье и снять квартиру за свой счет, менять ее в зависимости от места работы и таким образом приобрести некоторый жизненный опыт. Квартира была выбрана с таким расчетом, чтобы место занятий находилось не дальше чем в получасе ходьбы. Благодаря этому я не тратил денег на проезд. Раньше мне все время приходилось пользоваться различным транспортом, а для прогулок изыскивать дополнительное время. При новом порядке получалась экономия в деньгах и одновременно я имел возможность совершать прогулки по восемь—десять миль в день. Именно привычка подолгу ходить пешком спасала меня от заболеваний в течение моего пребывания в Англии и закалила мой организм.

Я снял две комнаты. У меня была гостиная и спальня. Так было ознаменовано начало второго периода моей жизни в Лондоне. О третьем будет сказано дальше.

Благодаря этим переменам мои расходы сократились наполовину. Но как распределить свое время? Я знал, что для сдачи экзаменов на звание адвоката не нужно заниматься слишком много, и поэтому не испытывал недостатка во времени. Но меня беспокоило слабое знание английского языка. Слова мистера Лели (впоследствии сэра Фредерика): «Сначала получите диплом, а потом уже приходите ко мне», все еще звучали у меня в ушах. «Мне надо, — думал я, — получить диплом не только адвоката, но и филолога». Я разузнал относительно программы занятий в Оксфордском и Кембриджском университетах, проконсультировался с несколькими приятелями и обнаружил, что, если я выберу одно из этих учебных заведений, это потребует больших расходов и более длительного, чем я предполагал, пребывания в Англии. Один из моих друзей предложил мне сдать в Лондоне экзамены для поступления в высшее учебное заведение, если у меня действительно есть потребность получить удовлетворение от сдачи трудных экзаменов. Это означало затрату огромного труда и повышение уровня общих знаний почти без дополнительных расходов. Я с радостью принял его совет. Но программы занятий напугали меня. Латынь и современный язык были обязательными! Разве мне удастся справиться с латынью? Но друг выступил в защиту латыни: «Латынь чрезвычайно нужна адвокату. Знание латыни очень полезно для понимания сводов законов. Свод римского права целиком написан на латинском языке. Кроме того, знание латинского языка поможет лучше овладеть английским». Это было достаточно убедительно, и я решил изучить латынь, каких бы трудов это ни стоило. Я уже начал заниматься французским и подумал, что сдам его как современный язык. Я поступил на частные курсы по подготовке к сдаче экзаменов в высшее учебное заведение. Экзамены принимали два раза в год, и у меня оставалось всего пять месяцев. Подготовиться за это время было почти непосильной задачей. Мне предстояло превратиться из английского джентльмена в серьезного студента. Я распланировал все мое время с точностью до минуты. Но мои способности и память вряд ли позволяли надеяться, что я смогу изучить латынь и французский язык, не говоря о других предметах, в столь короткий срок. И действительно, я провалился на экзамене по латыни. Я расстроился, но не упал духом. У меня уже появился вкус к латыни, и к тому же я надеялся, что при следующей попытке полнее будут и мои знания французского, а тему для моих научных занятий возьму новую. Первый раз я остановился на теме из области химии, но она, хотя и обещала быть очень интересной, не привлекала меня, так как разработка ее требовала проведения многочисленных опытов. Химия была одним из обязательных предметов в школе в Индии, и поэтому я избрал ее для сдачи экзаменов в Лондоне. Но теперь взял новую тему: свет и тепло. Мне говорили, что она более легкая, и это подтвердилось.

В период подготовки к новой попытке сдать экзамены я еще больше упростил свою жизнь. Я чувствовал, что живу шире, чем могут позволить скромные доходы моей семьи. Мысль о благородстве брата, который с трудом добывал средства к жизни и все же ни разу не отказал мне в просьбах о деньгах, ужасно мучила меня. Большинство студентов, которые жили на стипендии, тратили от восьми до пятнадцати фунтов в месяц. Мне приходилось встречаться со многими бедными студентами. Они жили еще скромнее, чем я. Один из них жил в трущобах, снимая комнату за два шиллинга в неделю и оставляя на еду всего два пенса, на которые можно было получить стакан какао с куском хлеба в дешевом кафе Локкарта. Я, разумеется, и не думал соревноваться с ним, но чувствовал, что вполне смогу обойтись одной комнатой и готовить некоторые блюда дома. Это даст экономию в четыре-пять фунтов в месяц. Мне попались книги, описывающие простой образ жизни. Я отказался от двух комнат и снял одну, обзавелся плитой и стал сам приготовлять завтрак. На это я тратил не более двадцати минут, так как варил только овсяную кашу и кипятил воду для какао. Второй завтрак я съедал в кафе, а вместо обеда опять пил какао с хлебом дома. При таком образе жизни мне удавалось расходовать всего один шиллинг и три пенса в день. Я усиленно занимался. Простая жизнь сберегла мне массу времени, и я успешно сдал экзамены.

Пусть читатель не думает, что моя жизнь была очень скучной. Как раз наоборот. Эти перемены привели в соответствие мою внутреннюю и внешнюю жизнь. Новый образ жизни более соразмерялся с материальными возможностями моей семьи. Жизнь стала правильнее, и на душе было хорошо.

XVII. ОПЫТЫ В ОБЛАСТИ ДИЕТЕТИКИ

Чем глубже изучал я самого себя, тем большей становилась у меня потребность во внутренних и внешних изменениях. Переменив образ жизни или даже до этого, я начал вносить изменения в мою диету. Я видел, что авторы книг о вегетарианстве очень подробно изучили предмет с религиозной, научной, практической и медицинской точек зрения. Рассматривая этот вопрос в этическом плане, они пришли к выводу, что превосходство человека над низшими животными вовсе не означает, что последние должны быть жертвами первых: наоборот, высшие существа должны защищать низшие, и те и другие должны помогать друг другу так же, как человек помогает человеку. Кроме того, они сформулировали положение о том, что человек ест не ради удовольствия, а для того, чтобы жить. И некоторые из них соответственно предлагали отказаться не только от мяса, но и от яиц и молока и проводили этот принцип в своей жизни. Изучая этот вопрос с научной точки зрения, некоторые авторы делали вывод, что физическая организация человека свидетельствует, что он плодоядное животное и не должен употреблять пищу в вареном виде. Он должен вначале питаться только материнским молоком, а когда у него появятся зубы, перейти к твердой пище. С медицинской точки зрения они обосновывали отказ от всевозможных специй и острых приправ. Их практический и экономический доводы в пользу вегетарианства состояли в том, что вегетарианская диета — самая дешевая. Все эти аргументы оказали на меня соответствующее влияние. К тому же я часто встречался с вегетарианцами в вегетарианских ресторанах. В Англии существовало вегетарианское общество, издававшее еженедельный журнал. Я подписался на него, вступил в общество и очень скоро стал членом его исполнительного комитета. Здесь я познакомился с теми, кого считали столпами вегетарианства, и начал производить собственные опыты в области диететики.

Я перестал употреблять сладости и острые приправы, присланные из дому. Я потерял к ним вкус, поскольку мои мысли приняли новое направление, и с удовольствием ел вареный шпинат, приготовленный без приправ, который в Ричмонде казался мне таким безвкусным. Эксперименты такого рода навели меня на мысль о том, что обитель вкуса не язык, а мозг.

Конечно, мною постоянно руководили соображения экономии. В те дни было распространено мнение, что кофе и чай вредны, и предпочтение отдавалось какао. А так как я был убежден, что человек должен есть только то, что укрепляет организм, то обычно отказывался от кофе и чая и пил какао.

В ресторанах, которые я посещал, было по два зала. В первом зале, где обедала зажиточная публика, предоставлялись на выбор блюда, которые надо было оплачивать отдельно. Здесь обед стоил от одного до двух шиллингов. Во втором зале подавали шестипенсовые обеды из трех блюд, к которым полагался кусок хлеба. В дни строжайшей экономии я обычно обедал во втором зале.

Наряду с основными опытами я проводил и частичные. Так, одно время я не употреблял пищи, содержавшей крахмал, в другое время ел только хлеб и фрукты или питался лишь сыром, молоком и яйцами. Последний опыт был совершенно ненужным. Он продолжался меньше двух недель. Один из реформаторов, проповедовавший отказ от продуктов, содержащих крахмал, весьма благосклонно отзывался о яйцах, доказывая, что яйца — не мясо и, употребляя их в пищу, мы не причиняем вреда живым существам. На меня подействовали его доводы, и я, несмотря на обет, стал есть яйца. Но заблуждение было кратковременным. Я не имел права по-новому истолковывать данный мною обет, а должен был руководствоваться тем толкованием, которое давала ему моя мать, взявшая с меня клятву. Я знал, что яйца в ее понимании также относились к мясной пище. Осознав истинный смысл обета, я перестал питаться яйцами.

В Англии я столкнулся с тремя определениями понятия «мясо». Согласно первому, к мясу относится только мясо птиц и животных. Вегетарианцы, придерживающиеся этого определения, не едят мяса животных и птиц, но едят рыбу, не говоря уже о яйцах. Согласно второму, к мясу относится мясо всех живых существ, поэтому рыба в данном случае также исключалась, но яйца есть разрешалось. Третье определение включало в категорию «мясо» мясо всех живых существ, а также такие производные продукты, как яйца и молоко. Если бы я принял первое определение, то мог бы есть не только яйца, но и рыбу. Но я был убежден, что определение моей матери и есть то определение, которого я должен придерживаться. Поэтому, чтобы соблюсти обет, я отказался и от яиц. В связи с этим возникли новые трудности, так как выяснилось, что даже в вегетарианских ресторанах многие блюда приготовлены на яйцах. Это означало, что я должен был заниматься неприятным процессом выяснения, не содержит ли то или иное блюдо яиц, поскольку многие пудинги и печенья делались на яйцах. Но хотя, выполняя свой долг, я и столкнулся с затруднениями, в целом это упростило мою пищу. Такое упрощение, в свою очередь, доставило мне неприятности, так как пришлось отказаться от некоторых блюд, к которым я пристрастился. Однако эти неприятности были временными, поскольку в результате точного соблюдения обета у меня выработался новый вкус, значительно более здоровый, тонкий и постоянный.

Действительно тяжелое испытание было еще впереди и касалось другого обета. Но кто осмелится причинить зло находящемуся под покровительством Бога?

Здесь уместно будет рассказать о нескольких наблюдениях относительно истолкования обетов или клятв. Толкование обетов — неисчерпаемый источник споров во всем мире. Как бы ясно ни был изложен обет, люди стараются исказить и повернуть его в угоду своим целям. И так делают все: и богатые, и бедные, и князь, и крестьянин. Эгоизм ослепляет их, и, используя двусмысленность формулировки, они обманывают самих себя и ищут возможности обмануть мир и Бога. Надо придерживаться золотого правила, которое состоит в том, чтобы принять обет в толковании лица, наложившего его. Другое правило заключается в принятии толкования более слабой стороны, если возможны два истолкования. Отказ от этих двух правил ведет к спорам и беззаконию, коренящимся в лживости. Действительно ищущий истину без труда следует золотому правилу. Он не нуждается в совете ученых для толкования обета. Определение моей матери понятия «мясо» является в соответствии с золотым правилом единственно правильным для меня. Всякое другое толкование, продиктованное моим опытом или гордостью, порожденной приобретенными знаниями, неправильно.

В Англии свои опыты в области диететики я проводил из соображений экономии и гигиены. Религиозные аспекты этого вопроса я не принимал во внимание до поездки в Южную Африку, где провел ряд сложных опытов, о которых расскажу в последующих главах. Однако семена их были посеяны в Англии.

Вновь обращенный гораздо с большим энтузиазмом выполняет предписания своей новой религии, чем тот, кто от рождения принадлежал к этой религии. Вегетарианство в то время было новым культом в Англии, оно стало новым культом и для меня, потому что, как мы уже видели, я приехал туда убежденным сторонником употребления в пищу мяса и позднее был интеллектуально обращен в вегетарианство. Полный рвения, присущего новичку, я решил основать клуб вегетарианцев в моем районе, Бейсвотере. Я пригласил сэра Эдвина Арнольда, проживавшего в этом районе, в качестве вице-президента. Редактор «Вегетарианца» доктор Олдфилд стал президентом, а я секретарем. Вначале клуб процветал, но через несколько месяцев прекратил свое существование, так как я переселился в другой район в соответствии с моим обычаем периодически переезжать с места на место. Но этот кратковременный и скромный опыт научил меня кое-чему в деле создания и управления подобными организациями.

XVIII. ЗАСТЕНЧИВОСТЬ — МОЙ ЩИТ

Я был избран членом исполнительного комитета Вегетарианского общества и взял себе за правило присутствовать на каждом его заседании, но всегда чувствовал себя как-то скованно. Однажды доктор Олдфилд сказал мне:

— Со мной вы говорите совсем хорошо. Но почему же вы не открываете рта на заседаниях комитета? Вы просто трутень.

Я понял эту шутку. Пчелы очень деловиты, трутень — ужасный бездельник. Ничего странного не было в том, что в то время, как другие на заседаниях выражали свое мнение, я лишь молча присутствовал на них. Я молчал не потому, что мне никогда не хотелось выступить. Но я не знал, как выразить свои мысли. Мне казалось, что все остальные члены комитета знают больше, нежели я. А часто случалось, что, пока я набирался смелости, переходили к обсуждению нового вопроса. Так продолжалось долгое время.

Как-то стали обсуждать очень серьезный вопрос. Я считал, что отсутствовать на заседании нехорошо, а молча проголосовать — трусливо. Спор возник следующим образом: президентом общества был мистер Хиллс, владелец железоделательного завода. Он был пуританином. Можно сказать, что общество существовало фактически благодаря его финансовой поддержке. Многие члены комитета были его ставленниками. В исполнительный комитет входил и известный вегетарианец доктор Аллинсон — сторонник только что зародившегося движения за ограничение рождаемости. Свои методы ограничения рождаемости он пропагандировал среди трудящихся классов. Мистер Хиллс считал, что применение этих методов подрывает основы морали. Он полагал, что Вегетарианское общество должно заниматься вопросами не только диеты, но и морали и что человеку с антипуританскими взглядами, подобными взглядам мистера Аллинсона, нет места в Вегетарианском обществе. Поэтому было выдвинуто предложение об его исключении. Я также считал взгляды мистера Аллинсона относительно искусственных методов контроля за рождаемостью опасными и полагал, что мистер Хиллс, как пуританин, обязан выступить против него. Я был очень высокого мнения о мистере Хиллсе и его великодушии. Но я думал, что нельзя исключать человека из общества вегетарианцев лишь потому, что он отказывается признавать одной из задач общества насаждение пуританской морали. Убежденность мистера Хиллса в необходимости исключения антипуритан из общества не имела ничего общего с объявленными целями общества — способствовать распространению вегетарианства, а не какой-либо системы моральных принципов. Поэтому я считал, что членом общества может быть любой вегетарианец независимо от его взглядов и моральных устоев.

В комитете были и другие лица, придерживавшиеся этого же мнения, но я ощущал потребность самому высказать свои идеи. Но как это сделать? У меня не хватало смелости выступить, и поэтому я решил изложить свои мысли в письменном виде. На заседание я отправился с готовым текстом в кармане. Помнится, я даже не решился прочесть написанное, и президент попросил сделать это кого-то другого. Доктор Аллинсон проиграл сражение. Таким образом, в первом же бою я оказался с теми, кто потерпел поражение. Но было приятно думать, что наше дело правое. Я смутно припоминаю, что после этого случая добровольно вышел из состава комитета.

Застенчивость не покидала меня во все время моего пребывания в Англии. Даже нанося визит, я совершенно немел от одного присутствия полдюжины людей.

Как-то я отправился с адвокатом Мазмударом в Вентнор. Мы остановились в одной вегетарианской семье. На том же курорте находился мистер Говард, автор «Этики диетического питания». Мы встретились с ним, и он пригласил нас выступить на митинге в защиту вегетарианства. Меня уверили, что прочесть свою речь вполне прилично. Я знал, что многие поступали так, стремясь выразить мысли короче и понятнее. О выступлении без подготовки нечего было и говорить. Поэтому я написал свою речь, вышел на трибуну, но прочесть ее не смог. В глазах помутилось, я дрожал, хотя вся речь уместилась на странице. Мазмудару пришлось читать ее вместо меня. Его собственное выступление было, разумеется, блестящим и встречено аплодисментами. Мне было стыдно за себя, а на душе тяжело от сознания своей бездарности.

Последнюю попытку выступить публично я предпринял накануне моего отъезда из Англии. Но и на этот раз я оказался в смешном положении. Я пригласил моих друзей-вегетарианцев на обед в ресторан «Холборн», о котором уже упоминалось в предыдущих главах. «Вегетарианский обед, — подумал я, — как правило, устраивают в вегетарианских ресторанах. Но почему бы его не устроить в обычном ресторане?» Я договорился с управляющим рестораном «Холборн» о том, что будут приготовлены исключительно вегетарианские блюда. Вегетарианцы были в восторге от такого эксперимента. Любой обед предназначен доставлять удовольствие, но Запад превратил это в своего рода искусство. Вокруг обедов устраивается большая шумиха, они сопровождаются музыкой и речами. Небольшой званый обед, устроенный мною, в этом отношении не отличался от всех остальных. Следовательно, на обеде должны были произносить речи. Я поднялся, когда наступила моя очередь говорить. Я очень тщательно заранее подготовил речь, состоявшую всего из нескольких фраз, но смог произнести только первую из них. Я как-то читал о том, как Эддисон, впервые выступая в палате общин, три раза повторял: «Я представляю себе...» — и когда он не смог продолжать, какой-то шутник встал и сказал: «Джентльмен зачал трижды, но ничего не родил»[1]. Я хотел произнести шутливую речь, обыграв этот анекдот, и начал выступление с этой фразы, но тут же замолк. Память совершенно изменила мне, и, пытаясь сказать шутливую речь, я сам попал в смешпое положснис.

— Я благодарю вас, джентльмены, за то, что вы приняли мое приглашение, — выговорил я и сел.

И только в Южной Африке я поборол эту робость, но еще не окончательно. Я совершенно не мог говорить экспромтом. Каждый раз, когда я видел незнакомую аудиторию, я испытывал колебания и всячески старался избежать выступлений. Даже теперь, мне кажется, я не смог бы занимать друзей пустой болтовней.

Должен заметить, что моя застенчивость не причиняла мне никакого вреда, кроме того, что надо мной иногда подсмеивались друзья. А иногда и наоборот: я извлекал выгоду из этого. Моя нерешительность в разговоре, раньше

---

[1] Игра слов: to conceive *(англ.)* — «представлять себе» и «зачать».

огорчавшая меня, теперь доставляет мне удовольствие. Ее величайшее достоинство состояло в том, что она научила меня экономить слова. Я научился кратко формулировать свои мысли. Теперь я могу выдать себе свидетельство в том, что бессмысленное слово вряд ли сорвется у меня с языка. Я не припомню, чтобы когда-либо сожалел о сказанном или написанном. Благодаря этой особенности я оградил себя от многих неудач и излишней траты времени. Опыт подсказал мне, что молчание — один из признаков духовной дисциплины приверженца истины. Склонность к преувеличению, замалчиванию или искажению истины, сознательно или бессознательно, — естественная слабость человека, а молчание необходимо для того, чтобы побороть эту слабость. Речь человека немногословного вряд ли бывает лишена смысла: ведь он взвешивает каждое слово. Очень многие люди невоздержанны в речи. Не было еще ни одного собрания, на котором председателя не осаждали бы записочками с просьбами предоставить слово. А когда эта просьба удовлетворяется, оратор обычно превышает регламент, просит дополнительное время, продолжает говорить и без разрешения. Выступления подобного рода вряд ли приносят пользу миру. Это в основном пустая трата времени. Моя застенчивость в действительности — мой щит и прикрытие. Она дает мне возможность расти. Она помогает мне распознавать истину.

XIX. ЗАРАЗА ЛЖИ

Сорок лет назад[1] в Англии было сравнительно мало студентов-индийцев. Те из них, кто был женат, обычно скрывали это. Учащиеся школ и студенты колледжей в Англии — холостяки, так как считается, что учение в колледже или школе невозможно совместить с жизнью женатого человека. В доброе старое время у нас существовала такая же традиция: учащийся обязательно был брахмачарья. А сейчас заключаются браки между детьми, совершенно немыслимые в Англии. Поэтому индийские студенты стеснялись признаваться, что они женаты. Была и другая причина для притворства. Если бы стало известно, что

---

[1] Автор имеет в виду 80-е годы XIX века. *(Прим. перев.)*

они женаты, то в семьях, в которых они жили, им нельзя было бы флиртовать с девушками. Флирт этот был более или менее невинным. Родители даже поощряли его, и такого рода общение между молодыми мужчинами и женщинами, пожалуй, необходимо в Англии, так как здесь каждый молодой человек сам выбирает себе супругу. Однако когда индийские юноши, приезжавшие в Англию, втягивались в эти взаимоотношения, совершенно естественные для английской молодежи, результат часто оказывался для них печальным. Я видел, как наши юноши подвергались соблазну и избирали жизнь, полную лжи, ради приятельских отношений, которые для английской молодежи были вполне невинны, но нежелательны для нашей.

Я также не избежал этого вредного влияния. Ни минуты не задумаясь, я выдал себя за неженатого, хотя имел жену и сына. Однако счастливее от такого притворства я не стал. Только скрытность и молчаливость не позволяли мне зайти слишком далеко. Если бы я не скрывал, что женат, ни одна девушка не стала бы со мной разговаривать и никуда не пошла бы со мной.

Трусостью я отличался не в меньшей степени, чем скрытностью. В семьях вроде той, в которой я жил в Вентноре, существовал обычай, чтобы дочь хозяйки приглашала на прогулку жильцов. Однажды дочь моей хозяйки пригласила меня на прогулку по живописным холмам в окрестностях Вентнора. Я был неплохой ходок, но спутница моя ходила быстрее меня. Она тащила меня за собой, без умолку болтая всю дорогу. Я в ответ только лепетал «да» или «нет» и в лучшем случае «да, очень красиво». Она летела вперед как птица, а я, идя сзади, все думал, когда же мы вернемся домой. Наконец мы взобрались на вершину холма. Но как теперь спуститься? Прыткая двадцатипятилетняя леди, несмотря на высокие каблуки, стрелой помчалась вниз, а я позорно полз за нею. Она стояла внизу, улыбаясь, подбадривала меня и предлагала прийти мне на помощь. Как я мог быть так труслив? Наконец с огромными трудностями, иногда на четвереньках, я сполз вниз. Она весело приветствовала меня возгласом «браво!» и стыдила, как только могла.

Бог хотел меня избавить от заразы лжи. Но не везде мне удавалось остаться невредимым. Однажды я отправился в Брайтон, в такой же курортный городок, как и Вентнор. Это произошло до поездки в Вентнор. Здесь в отеле я познакомился с пожилой женщиной, вдовой, располагавшей небольшими средствами. То был первый год моего пребывания в Англии. Меню в столовой было написано по-французски, и я ничего не мог понять. Я сел за столик вместе с пожилой дамой. Она догадалась, что я иностранец и ничего не понимаю, и тотчас пришла мне на помощь.

— Вы, должно быть, иностранец и не знаете, что делать? — спросила она. — Почему вы ничего не заказали?

Когда она ко мне обратилась, я как раз просматривал меню и собирался расспросить официанта о блюдах. Я поблагодарил ее и, объяснив ей свои затруднения, сказал, что не знаю, какие блюда здесь вегетарианские, так как не понимаю по-французски.

— Я помогу вам, — сказала она. — Сейчас все объясню и скажу, что вы можете есть.

Я с благодарностью воспользовался ее помощью. Так началось знакомство, которое перешло в дружбу, продолжавшуюся все время моего пребывания в Англии, а также и после отъезда. Дама дала мне свой лондонский адрес и пригласила обедать у нее по воскресеньям. Я получал приглашения и в торжественных случаях. Она старалась помочь мне преодолеть застенчивость, знакомя с молодыми женщинами и втягивая в разговор с ними. Мне особенно запомнились беседы с одной из девушек, которая жила у моей знакомой. Очень часто нас оставляли вдвоем.

Вначале я чувствовал себя неловко: не мог начать разговор, не умел принять участие в шутках. Она научила меня этому. Я стал с нетерпением ждать воскресных дней, так как мне нравилось разговаривать с этой девушкой.

Старая леди все шире расставляла свои сети. Она интересовалась нашими встречами. Возможно, у нее были свои планы в отношении нас.

Я был в затруднении.

«Лучше бы я с самого начала сказал старой леди, что женат, — думал я, — тогда она не старалась бы поженить нас. Но исправиться никогда не поздно. Сказав правду, по крайней мере, можно избавиться от неприятностей в будущем».

С этими мыслями я написал ей письмо следующего содержания:

«С того дня, как мы с Вами встретились в Брайтоне, Вы всегда были добры ко мне. Вы заботитесь обо мне, как мать. Вы решили женить меня и поэтому знакомили с молодыми девушками. Пока все это не зашло слишком далеко, я должен сознаться, что не достоин вашего внимания. Я обязан был в первый же день знакомства сообщить Вам, что женат. Я знал, что индийские студенты, приезжая в Англию, скрывают этот факт, и последовал их примеру. Теперь я вижу, что этого нельзя было делать. Должен добавить, что меня женили, когда я был еще мальчиком, а теперь у меня уже есть сын. Мне неприятно, что я так долго скрывал это от Вас. Но рад, что Бог дал мне наконец силу сказать правду. Простите ли Вы меня? Могу заверить Вас, что я не позволил себе ничего лишнего по отношению к молодой девушке, с которой Вы меня познакомили. Я знаю меру. Так как Вам не было известно, что я женат, Вы, естественно, хотели обручить нас. И вот, пока дело не зашло слишком далеко, я обязан сообщить Вам правду.

Если, прочтя это письмо, Вы сочтете, что я не достоин Вашего гостеприимства, уверяю Вас, что приму это как должное. Я бесконечно признателен Вам за Вашу любезность и внимание. Если после всего происшедшего Вы не отвергнете меня и удостоите своим гостеприимством (чтобы заслужить его, я не пожалею сил), я буду счастлив и сочту это лишним доказательством Вашей доброты».

Пусть читатель не думает, что я моментально написал такое письмо. Я без конца его переписывал. Но оно сняло с меня огромную тяжесть. С обратной почтой пришел примерно такой ответ:

«Я получила Ваше откровенное письмо. Мы обе были очень рады и сердечно посмеялись над ним. Ваша ложь, в которой Вы себя обвиняете, вполне простительна. Но очень хорошо, что Вы сообщили нам о действительном положении вещей. Мое приглашение остается в силе, и мы ждем Вас в следующее воскресенье. Собираемся выслушать рассказ о Вашем детском браке и посмеяться на Ваш счет. Мне нет надобности, конечно, уверять Вас, что этот инцидент нисколько не повлияет на нашу дружбу».

Так я очистился от заразы лжи и с тех пор никогда не скрывал, что женат.

XX. ЗНАКОМСТВО С РАЗЛИЧНЫМИ РЕЛИГИЯМИ

К концу второго года пребывания в Англии я познакомился с двумя братьями-холостяками — теософами. Они заговорили со мной о «Гите». Они читали «Небесную песнь» в переводе Эдвина Арнольда и предложили мне читать вместе с ними подлинник. Мне было стыдно сознаться, что я не читал этой божественной поэмы ни на санскрите, ни на языке гуджарати. Но я вынужден был сказать им, что не читал «Гиты» и с удовольствием прочту ее вместе с ними и что, хотя плохо знаю санскрит, надеюсь, сумею отметить те места, где переводчику не удалось передать подлинник. Мы начали читать «Гиту». Стихи из второй главы произвели на меня глубокое впечатление и до сих пор еще звучат у меня в ушах:

> Если думать об объекте чувства, возникает
> Влечение, влечение порождает желание,
> Желание воспламеняет безудержную страсть, страсть ведет к
> Безрассудству, потом останется лишь воспоминание —
> покажется, что все это был мираж.
> Пусть благородная цель исчезнет и испепелит разум
> До того, как цель, разум и человек погибнут.

Книга показалась мне бесценной. Со временем я еще более укрепился в этом мнении и теперь считаю эту книгу главным источником познания истины. Обращение к «Гите» неизменно помогало мне в минуты отчаяния. Я прочел почти все английские переводы «Гиты» и считаю перевод Эдвина Арнольда лучшим. Он очень точен, и все же вы не чувствуете, что это перевод. Читая «Гиту» в те времена, я не изучал ее. Только через несколько лет она стала моей настольной книгой.

Братья рекомендовали мне прочесть также «Свет Азии» Эдвина Арнольда, которого я до того знал только как автора «Небесной песни». Я прочел эту книгу с еще большим интересом, чем «Бхагаватгиту». Начав ее читать, я уже не мог оторваться.

Они свели меня также в ложу Блаватской и там познакомили с мадам Блаватской и миссис Безант. Последняя в то время только что вступила в теософское общество, и я с большим интересом слушал различные толки по поводу ее обращения. Друзья советовали мне также вступить в это общество, но я вежливо отказался, заявив, что, имея скудные познания в области своей собственной религии, я не хочу принадлежать ни к какому религиозному обществу. Помнится, по настоянию братьев я прочел «Ключ к теософии» мадам Блаватской. Книга эта вызвала во мне желание читать книги по индуизму.

Я не верил больше миссионерам, утверждавшим, что индуизм полон предрассудков.

Приблизительно в это же время я познакомился в вегетарианском пансионе с христианином из Манчестера. Он заговорил со мной о христианстве. Я поделился с ним своими воспоминаниями о Раджкоте. Ему было больно слушать. Он сказал:

— Я вегетарианец. Я не пью. Конечно, многие христиане едят мясо и пьют спиртные напитки, но ни то, ни другое не предписывается Священным Писанием. Почитайте Библию.

Я решил воспользоваться его советом. Сам он занимался продажей экземпляров Библии. Я купил у него издание с картами, предметным указателем и другим вспомогательным аппаратом и стал читать, но никак не мог осилить Ветхий Завет. Я прочел Книгу Бытия, а над остальными частями неизменно засыпал. Однако, чтобы иметь возможность сказать, что я прочел Библию, я корпел и над другими ее книгами. Это стоило мне огромного труда и не вызывало ни малейшего интереса. К тому же я абсолютно ничего не понимал. Особенно мне не понравилась Книга Чисел.

Новый Завет произвел на меня другое впечатление, в особенности Нагорная проповедь, тронувшая меня до глубины души. Я сравнивал ее с «Гитой». В неописуемый восторг привели меня следующие строки:

А я говорю вам: не противься злому. Если кто ударит тебя
в правую щеку твою, обрати к нему и другую;
И если кто захочет судиться с тобою и взять у тебя рубашку,
отдай ему и верхнюю одежду.

Я вспомнил строки Шамала Бхатта: «За чашу с водой воздай хорошей пищей» и т. д. Мой молодой ум пытался объединить учение «Гиты» и «Света Азии» с Нагорной проповедью. Я видел, что высшая форма религии — отречение, и это глубоко запало мне в душу.

Чтение Библии вызвало во мне желание познакомиться с жизнью и других основателей религий. Один приятель рекомендовал мне книгу Карлейля «О героях». Я прочел главу о герое как пророке и проникся сознанием величия пророков, был восхищен их мужеством и аскетизмом.

Дальше такого знакомства с религиями я в тот период пойти не мог, так как подготовка к экзаменам оставляла очень немного свободного времени для других занятий.

Однако я решил, что прочту впоследствии по возможности больше книг на религиозные темы и ознакомлюсь со всеми главнейшими религиями.

Но разве мог я избежать знакомства и с атеизмом? Всякий индиец знает имя Брадло и его так называемый атеизм. Я прочитал несколько атеистических книг, названия которых теперь забыл. Они не произвели на меня впечатления, так как я уже перешагнул пустыню атеизма. Тот факт, что миссис Безант, бывшая тогда в моде, отошла от атеизма к теизму, еще больше усилил мое отвращение к атеизму. Я прочел ее книгу «Как я стала теософом».

Приблизительно в это время умер Брадло. Он был похоронен на кладбище Уокинг. Я присутствовал на похоронах, и, по-моему, там были все индийцы, жившие в Лондоне. На похоронах было несколько священников, отдавших ему последнюю дань уважения. На обратном пути мы остановились на платформе в ожидании поезда. Какой-то атеист из толпы стал задевать одного из этих священников:

— Ну как, сэр, верите вы в существование Бога?

— Да, — ответил тот тихо.

— И вы знаете также, что окружность земли двадцать восемь тысяч миль? — спросил атеист с улыбкой уверенного в себе человека.

— Разумеется.

— Тогда скажите мне, пожалуйста, какова же величина вашего Бога и где он может находиться?

— О, если б мы знали. Он — в сердцах нас обоих.

— Ну-ну, не принимайте меня за ребенка! — сказал атеист и торжествующе посмотрел на нас.

Священник смиренно промолчал.

Эта беседа еще больше усилила мое предубеждение против атеизма.

XXI. ОПОРА БЕСПОМОЩНЫХ, СИЛА СЛАБЫХ

Я бегло познакомился с индуизмом и другими религиями мира, но знал, что этого недостаточно, чтобы быть спасенным во время испытаний, уготованных мне жизнью. Человек до определенного времени не подозревает и не знает о том, что́ ему предстоит пережить, через какие испытания пройти. Если он неверующий, то считает, что своей безопасностью обязан случаю. Если верующий, то скажет, что Бог спас его, и сделает вывод, что благодаря изучению религии или духовной дисциплине он снискал расположение Бога. Но в час избавления он не знает, чтó спасает его: духовная ли дисциплина или что-то другое. Разве людям, так гордившимся силой своего духа, не приходилось видеть, как эта сила превращается в прах? Знания в области религии в отличие от опыта кажутся пустяком в моменты испытаний.

Именно в Англии я впервые осознал бесполезность одних лишь религиозных знаний. Я не могу понять, каким образом совсем еще юным спасался от разных бед. Теперь мне уже исполнилось двадцать лет и за плечами был некоторый опыт мужа и отца.

В последний год моего пребывания в Англии, насколько я помню, это был 1890 год, в Портсмуте состоялась конференция вегетарианцев, на которую были приглашены один из моих друзей-индийцев и я. Портсмут — морской порт, и жизнь его населения тем или иным образом связана с жизнью порта. Там много домов, где живут женщины, пользующиеся дурной репутацией. Их нельзя назвать проститутками, но они не очень щепетильны в вопросах морали. Нас поместили в один из таких домов. Нечего и говорить, что подготовительный комитет этого не знал. В таком большом городе, как Портсмут, случайным путешественникам вроде нас трудно определить, какие квартиры хорошие, а какие плохие.

С заседания конференции мы возвратились вечером и, поужинав, сели играть в бридж. К нам присоединилась хозяйка, что принято даже в самых респектабельных домах. Обычно в ходе игры игроки обмениваются невинными шутками, но в данном случае мой приятель и хозяйка отпускали и неприличные шутки. Я не знал, что мой приятель был специалистом в подобных делах. Меня это увлекло, и я присоединился к ним. Но в момент, когда я готов был переступить границу приличия и бросить игру в карты, Бог устами моего доброго друга сделал мне предостережение: «Что за дьявол вселился в тебя, мой мальчик! Быстрее уходи отсюда!»

Мне стало стыдно. Я внял предостережению и мысленно поблагодарил друга. Помня об обете, данном матери, я удалился. Тяжело дыша, дрожащий, с бьющимся сердцем, подобно загнанному зверю, вошел я в свою комнату.

Вспоминаю об этом, как о первом в моей жизни случае, когда чужая женщина, не моя жена, возбудила во мне желание. Ночью я не мог заснуть, меня осаждали всевозможные мысли. Должен ли я покинуть этот дом? Должен ли я уехать отсюда? Куда я попал? Что бы случилось со мной, если бы я потерял рассудок? Я решил быть очень осторожным: не просто покинуть дом, а под каким-нибудь предлогом уехать из Портсмута. Конференция должна была продолжаться еще два дня, но я выехал из Портсмута вечером следующего дня, а мой приятель оставался там еще некоторое время.

В то время я не знал сущности религии или Бога и того, как он направляет нас. Я смутно понимал, что меня спас Бог. Во всех испытаниях он спасал меня. Я знаю, что фраза «Бог спас меня» сейчас для меня полна более глубокого смысла, и все же я чувствую, что еще не постиг всего смысла, заключенного в ней. Только более богатый опыт может помочь мне полнее понять ее. Но во всех испытаниях, через которые я прошел, — в духовной жизни, в мою бытность юристом, в период моей деятельности в качестве руководителя разных организаций, в сфере политики,— я могу сказать, что Бог спас меня. Когда всякая надежда утрачена, «когда никто не поможет и не утешит», я обнаруживал, что откуда-то появляется помощь. Просьба, богослужение, молитва — не религиозные предрассудки. Это действия более реальные, чем еда, питье, сидение или ходьба. Без преувеличения могу сказать, что только они реальны, а все остальное нереально.

Богослужение или молитва — это не плод красноречия или дань уважения. Они идут от сердца. Поэтому — если удастся достичь такой чистоты души, когда она «преисполнена одной лишь любви», если все струны настроить на один правильный лад, они «задрожат и незримо растворятся в музыке». Молитва не нуждается в словах. Она сама по себе не зависит от усилий каких бы то ни было чувств. У меня нет ни малейшего сомнения в том, что молитва — вечное средство очищения сердца от страстей. Но она должна сочетаться с полнейшим смирением.

XXII. НАРАЯН ХЕМЧАНДРА

В Англию приехал Нараян Хемчандра. Я уже слышал о нем как о писателе. Мы встретились у мисс Маннинг, состоявшей членом Национальной индийской ассоциации. Мисс Маннинг знала, что я необщителен. Когда я приходил к ней, то обычно молча сидел, почти никогда не говорил, отвечал только на вопросы. Она представила меня Нараяну Хемчандре. Нараян не знал английского языка. Одевался он странно: на нем были грубые брюки и мятый, грязный коричневый пиджак такого покроя, как носят парсы; воротничка и галстука он не признавал, на голове — шерстяная шапочка с кисточкой. Длинная борода.

Он был низкого роста, худощав, круглое лицо изрыто оспой, нос не острый, но и не тупой. Бороду он все время теребил рукой.

Этот странно выглядевший и странно одетый человек резко выделялся среди изысканного общества.

— Я много слышал о вас, — сказал я ему, — и читал некоторые ваши вещи. Я был бы очень рад, если бы вы зашли ко мне.

У Нараяна Хемчандры был довольно хриплый голос. Он, улыбаясь, спросил:

— Где вы живете?

— На Стор-стрит.

— Значит, мы соседи. Мне хочется учиться английскому языку. Не возьметесь ли вы обучать меня?

— С удовольствием. Рад научить вас всему, что сам знаю, и приложу к этому все свои силы. Если хотите, я приду к вам.

— О нет, я буду сам ходить к вам и приносить с собой учебники.

Итак, мы договорились, а вскоре стали и большими друзьями.

Нараян Хемчандра был совершенно «невинен» по части грамматики. «Лошадь» была у него глаголом, а «бегать» — именем существительным. Я мог бы привести много таких забавных примеров. Но это невежество ничуть не смущало его. Мои небольшие познания в грамматике не производили на него никакого впечатления. Он, разумеется, никогда не считал незнание грамматики чем-то позорным.

Он заявил мне с великолепным спокойствием: «В отличие от вас я никогда не посещал школу и никогда не ощущал нужды в грамматике, чтобы выразить свои мысли. Вы знаете бенгали? Нет. А я знаю. Я путешествовал по Бенгалии. Ведь это я дал возможность людям, говорящим на гуджарати, читать произведения Махарши Дебендраната Тагора. Я поставил себе целью перевести на гуджарати литературные сокровища многих других народов. Вы знаете, что мои переводы не дословны. Я довольствуюсь тем, что передаю дух подлинника. Впоследствии другие, более знающие, сделают больше меня. А я вполне доволен тем, чего достиг, не зная грамматики. Я владею маратхи, хинди, бенгали и теперь начал учиться английскому. Я стремлюсь приобрести больший запас слов. Вы думаете, я удовлетворюсь этим? Не бойтесь. Я хочу поехать во Францию и изучить французский язык. Мне говорили, что на этом языке имеется богатая литература. Я поеду и в Германию, если будет такая возможность, и изучу там немецкий язык».

На эту тему он мог говорить без конца. У него было ненасытное желание путешествовать и изучать языки.

— Значит, вы поедете и в Америку?

— Конечно, как же я вернусь в Индию, не повидав Новый Свет?

— Но где же вы возьмете деньги?

— А на что мне деньги? Ведь я не такой франт, как вы. Мне нужно минимальное количество пищи и кое-какая одежда, а поэтому вполне достаточно того немногого, что дают мне мои книги и помощь друзей. Путешествую я всегда третьим классом. И в Америку тоже поеду на палубе.

Нараян Хемчандра был сама простота, а его откровенность — под стать его простоте. У него не было и следа гордыни, за исключением разве его чрезвычайного самомнения о своих писательских способностях.

Мы виделись ежедневно. В наших мыслях и поступках было много общего. Мы оба были вегетарианцами и часто завтракали вместе. Это был период, когда я жил на семнадцать шиллингов в неделю и сам готовил пищу. Иногда я приходил к нему, иногда он — ко мне. Я приготовлял блюда английской кухни, ему нравилась только индийская кухня. Он не мог жить без дала. Я обычно готовил морковный суп или что-либо в этом роде, а его удручал мой вкус. Однажды, раздобыв где-то мунг (индийские бобы), он сварил их и принес мне. Я съел их с восторгом. Это послужило началом регулярного обмена. Я приносил мои деликатесы ему, а он свои — мне.

В то время на устах у каждого было имя кардинала Маннига. Лишь благодаря усилиям кардинала Маннига и Джона Бернса так быстро закончилась забастовка докеров. Я рассказал Нараяну Хемчандре о том, как Дизраэли восхищался простотой кардинала.

— Тогда я должен повидать этого мудреца, — сказал он.

— Он большой человек. Каким образом вы думаете увидеться с ним?

— Я знаю как. Я попрошу вас написать ему от моего имени. Напишите, что я писатель и лично хочу поздравить его с успешной деятельностью на благо человечества, а также скажите, что я возьму вас с собой в качестве переводчика, так как не владею английским языком.

Я написал письмо. Через два или три дня пришел ответ от Маннига с приглашением посетить его в определенный день. Мы оба отправились к кардиналу. Я надел визитку, а Нараян Хемчандра был в своем обычном костюме, все в том же пиджаке и тех же брюках. Я попытался поднять его на смех, но он в ответ только засмеялся и сказал:

— Вы, цивилизованная молодежь, трусы. Великие люди никогда не обращают внимания на внешний вид человека. Они думают о его сердце.

Мы вошли во дворец кардинала. Как только мы сели, в дверях появился высокий худой старик и пожал нам руки. Нараян Хемчандра приветствовал его следующим образом:

— Я не собираюсь отнимать у вас время. Я много слышал о вас и почувствовал, что должен прийти и поблагодарить за все хорошее, что вы сделали для бастовавших. У меня существует обычай наносить визиты мудрецам всего мира. Вот поэтому я и причинил вам беспокойство.

Это, разумеется, был мой перевод того, что он сказал на гуджарати.

— Я рад, что вы пришли. Надеюсь, ваше пребывание в Лондоне пойдет вам на пользу и вы познакомитесь с народом. Да благословит вас Господь!

С этими словами кардинал поднялся и попрощался с нами.

Однажды Нараян Хемчандра пришел ко мне в рубашке и дхоти. Моя добрая хозяйка открыла дверь и в ужасе прибежала ко мне. Это была новая хозяйка, которая не знала Нараяна Хемчандру.

— Какой-то бродяга хочет вас видеть.

Я вышел из комнаты и, к своему удивлению, обнаружил Нараяна Хемчандру. Я был поражен. Но на его лице не отразилось ничего, кроме обычной улыбки.

— А не дразнили вас ребятишки на улице?

— Ну, они бежали за мной, но я не обращал на них внимания, и они не шумели.

Пробыв несколько месяцев в Лондоне, Нараян Хемчандра отправился в Париж. Там он принялся изучать французский язык и переводить французские книги. К тому времени я уже довольно прилично знал французский, и он дал мне на просмотр свою работу. Это был не перевод, а краткий пересказ.

В конце концов он осуществил и свое намерение побывать в Америке. С большим трудом он получил билет для проезда на палубе. В Соединенных Штатах его привлекли к суду за «неприличную одежду», когда он однажды появился на улице, облаченный только в рубашку и дхоти. Насколько я помню, его оправдали.

XXIII. ВСЕМИРНАЯ ВЫСТАВКА В ПАРИЖЕ

В 1890 г. в Париже открылась Всемирная выставка. Я читал о большой подготовительной работе к ней и проникся горячим желанием увидеть Париж. Я подумал, что было бы хорошо осуществить оба мои желания: повидать Париж и выставку одновременно. Особое место на выставке отводилось Эйфелевой башне высотой триста метров, полностью сооруженной из металла. Конечно, на выставке было много других любопытных вещей, но Эйфелева башня была самым интересным. До этого считалось, что сооружение такой высоты не может быть прочным.

Я знал, что в Париже есть вегетарианский ресторан, снял комнату по соседству с ним и прожил в городе семь дней. Расходы на поездки и на осмотр достопримечательностей я вел очень экономно. Я осматривал Париж, пользуясь картой города, а также картой и путеводителем выставки. Этого было достаточно, чтобы познакомиться с главными улицами и наиболее интересными местами.

О выставке у меня осталось впечатление, как о чем-то огромном и многообразном. Я прекрасно помню Эйфелеву башню, так как дважды или трижды поднимался на нее. На вершине башни был устроен ресторан, и я позавтракал там, истратив семь шиллингов только для того, чтобы иметь право говорить, что я ел на такой большой высоте.

В моей памяти до сих пор сохранились старинные церкви Парижа. Их грандиозность и царящее в них спокойствие незабываемы. Удивительна архитектура собора Нотр-Дам, превосходно отделанный интерьер с изумительными скульптурами невозможно забыть. Я ощутил тогда, что сердца людей, тративших миллионы на строительство подобных храмов, были исполнены любви к Богу.

Я много читал о парижских модах и о легкомыслии парижан. Подтверждения этому можно было видеть на каждом шагу, но церкви занимали особое место. Каждый, кто входил в церковь, сразу же забывал о шуме и суете большого города. Менялись манеры человека, он исполнялся достоинством и благоговением, проходя мимо коленопреклоненного верующего у иконы Пресвятой Девы. С тех пор во мне все более укреплялось чувство, что коленопреклонение и молитвы — не просто предрассудки: набожные души, преклоняющиеся перед Пресвятой Девой, не могут обожествлять простой мрамор. В них горит подлинная любовь, и они поклоняются не камню, а Божеству, символом которого камень является. Я чувствовал тогда, что такое поклонение не уменьшает, а увеличивает славу Бога.

Должен сказать еще несколько слов об Эйфелевой башне. Не знаю, каким целям она служит сегодня, но в то время одни говорили о ней с пренебрежением, другие — с восторгом. Я помню, что Толстой больше других ругал ее. Он сказал, что Эйфелева башня — памятник глупости, а не мудрости человека. Табак, говорил он, худший из всех наркотиков. С того момента, как человек пристрастился к нему, он стал совершать преступления, на которые пьяница никогда не решится: алкоголь делает человека сумасшедшим, а табак затемняет его разум, и он начинает строить воздушные замки. Эйфелева башня — одно из сооружений человека, находившегося под таким влиянием. Искусство не имеет никакого отношения к Эйфелевой башне. О ней никак нельзя сказать, что она украшала выставку. Она привлекала новизной и уникальными размерами, и толпы людей устремлялись к ней. Она была игрушкой. А поскольку все мы — дети, игрушки привлекают нас. Башня еще раз доказала это. Этим целям, вероятно, Эйфелева башня и призвана была служить.

XXIV. «ДОПУЩЕН». – А ЧТО ПОТОМ?

Я до сих пор ничего не сказал о том, что делал для достижения цели, ради которой отправился в Англию, а именно для того, чтобы стать адвокатом. Пора вкратце коснуться этого.

Студент должен был выполнить два условия, чтобы получить диплом юриста и быть официально допущенным к адвокатской практике: «отмечать семестры» (их было двенадцать, общей продолжительностью около трех лет) и сдать экзамены. Вместо «отмечать семестры» существовало выражение «съедать семестры», ибо в каждый семестр полагалось присутствовать по крайней мере на шести обедах из примерно двадцати четырех. «Съедать семестры» не означало обязательно обедать. Необходимо было только являться к установленному часу и оставаться до окончания обеда. Но обычно все ели и пили, кухня была хорошая, вина отборные. Обед обходился от двух с половиной до трех с половиной шиллингов, т. е. две-три рупии. Это считалось умеренной ценой, так как в ресторане такую сумму пришлось бы заплатить за одно только вино. В Индии нас, т. е. тех, кто еще «не цивилизован», весьма удивляет, когда стоимость напитков превосходит стоимость пищи. И я поражался тому, как люди могли выбрасывать столько денег на спиртные напитки. Впоследствии я это понял. Чаще всего я ни к чему не притрагивался на этих обедах, так как из подававшихся блюд мог бы есть лишь хлеб, отварную картошку и капусту, но эти блюда мне не нравились. Однако впоследствии я освоился и осмеливался спрашивать для себя другие кушанья.

Обед для старшин юридической корпорации обычно был лучше, нежели обед для студентов. Один из студентов (парс, вегетарианец) и я попросили, чтобы нам подавали те же вегетарианские блюда, что и старшинам корпорации. Наша просьба была удовлетворена, и мы стали получать фрукты и овощи с адвокатского стола.

На четырех человек, сидевших за столом, полагалось две бутылки вина, а так как я не прикасался к вину, меня всегда приглашали составить четверку, с тем чтобы получилось две бутылки на троих. В конце каждого семестра устраивался торжественный вечер, и, кроме портвейна и хереса, подавали шампанское. В такие вечера на меня был особый «спрос».

Я не мог понять тогда, да и сейчас не понимаю, каким образом эти обеды могли в какой бы то ни было степени служить подготовкой к адвокатской профессии. Когда-то на этих обедах бывали лишь немногие студенты, имевшие поэтому возможность разговаривать с присутствовавшими на обеде старшинами корпорации. Это способствовало расширению их кругозора и приобретению внешнего лоска и изысканности. Здесь они совершенствовали также свое ораторское искусство. Все это стало невозможно в мое время, поскольку старшины корпорации сидели за отдельным столом. Обычай постепенно утратил прежнее значение, но консервативная Англия сохраняла его.

Учебный курс был несложным. Адвокатов шутливо называли «обеденными адвокатами». Все знали, что экзамены не имели практического значения. В мое время надо было сдать два экзамена: по римскому праву и по обычному. Имелись учебники, которые выдавались на дом, но почти никто не читал их. Я знал многих, которые поверхностно, в течение двух недель, ознакомились с конспектами по римскому праву, но тем не менее выдержали экзамены. Что касается экзамена по обычному праву, то студенты усваивали предмет при помощи такого же рода конспектов в течение двух-трех месяцев. Вопросы были легкими, а экзаменаторы великодушными. Процент сдавших экзамен по римскому праву обычно колебался от девяноста пяти до девяноста девяти, а сдавших последний экзамен доходил до семидесяти пяти и даже более. Так что мы почти не боялись провалиться на экзаменах, их можно было сдавать четыре раза в году. Таким образом, экзамены не представляли никакой трудности.

Но я сумел сделать их для себя трудными. Я счел необходимым прочесть все учебники. Мне казалось нечестным не читать их. Я потратил много денег на покупку книг. Римское право я решил читать на латыни. Знание латыни, приобретенное мною в период подготовки к вступительным экзаменам в высшее учебное заведение в Лондоне, сослужило мне хорошую службу. Впоследствии это пригодилось мне и в Южной Африке, где заимствованное из Голландии обычное право было основано на нормах римского права. Изучение кодекса Юстиниана значительно помогло мне в понимании южноафриканского права.

Для усвоения английского обычного права потребовалось девять месяцев упорного труда. Очень много времени ушло на чтение объемистой, но интересной книги Брума

«Обычное право». Весьма интересным, но довольно трудным для понимания оказалось «Право справедливости» Шелла. Интересной и полезной была книга «Судебные прецеденты» Уайта и Тюдора, из которой рекомендовались для изучения некоторые дела. С большим вниманием я прочел также книги Уильямса и Эдварда «Недвижимость» и Гудива «Движимое имущество». Книгу Уильямса я читал, как роман. Припоминаю, что лишь одна еще книга вызвала у меня такой же интерес — «Индусское право» Мейна. Я прочел ее по возвращении в Индию. Но здесь не время говорить о литературе по индийскому праву.

10 июня 1891 г. я выдержал экзамен и получил разрешение заниматься адвокатской практикой. 11 июня мое имя было занесено в официальные списки адвокатов при Верховном суде. 12 июня я отплыл на родину.

Невзирая, однако, на все мои занятия, я был бесконечно беспомощен и полон тревоги. Я не чувствовал себя достаточно подготовленным к юридической практике.

Но о своей беспомощности я расскажу в следующей главе.

XXV. БЕСПОМОЩНОСТЬ

Стать адвокатом было легко, но заниматься юридической практикой трудно. Я прочел законы, но не знал, как их применять. С большим интересом я штудировал «Принципы законности», но не представлял себе, как правильно применять их в своей деятельности. «Sic utere tuo ut alienum non laedas» (так пользуйся своей собственностью, дабы не наносить ущерба другим) — таков один из этих принципов, но я не знал, как извлечь из него пользу для клиента. Я прочел все судебные прецеденты, основанные на этом принципе, но так и не понял, как я мог бы применять его в юридической практике.

Кроме того, я не изучал индийского права и не имел ни малейшего представления об индусском и мусульманском праве. Я не знал даже, как должен предъявляться иск. Я слышал, что сэр Фирузшах Мехта был подобен льву во время заседаний в суде. Каким образом сумел он научиться этому искусству в Англии? О такой проницательности в юридических вопросах, какой обладал он, я не смел мечтать. У меня даже были серьезные опасения, смогу ли я, занимаясь адвокатской практикой, заработать себе на жизнь.

Изучая право в Англии, я терзался сомнениями и беспокойством. Как-то я рассказал об этом друзьям. Один из них посоветовал мне поговорить с Дадабхаем Наороджи. Я уже упоминал о том, что, уезжая в Англию, запасся рекомендательным письмом к нему, но считал неудобным беспокоить столь великого человека своими просьбами. Когда объявляли о его лекции, я садился, бывало, где-нибудь в уголке и по окончании уходил, насладившись всем виденным и слышанным. Чтобы сблизиться со студентами, Дадабхай основал ассоциацию. Я часто приходил на заседания ассоциации, восхищался его заботой о студентах. Они, в свою очередь, платили ему уважением. Наконец я осмелился вручить ему рекомендательное письмо. Он сказал:

— Вы можете зайти ко мне в любое время.

Но я так и не воспользовался этим приглашением, так как не считал возможным беспокоить его без острой необходимости. Поэтому я не решился внять совету моего друга и не посоветовался тогда с Дадабхаем. Я не помню, кто мне порекомендовал встретиться с мистером Фредериком Пинкаттом. Он был консерватором, но его отношение к индийским студентам было чистым и бескорыстным. Многие студенты обращались к нему за советом. Я также выразил желание встретиться с ним, и он согласился. Никогда не забуду беседы с ним. Он встретил меня как друг и посмеялся над моим пессимизмом.

— Не думаете ли вы, что все должны уподобляться Фирузшаху Мехте? Такие, как Фирузшах и Бандруддин, встречаются редко. Остальные считают, что можно стать рядовым адвокатом, не обладая особым мастерством. Честности и трудолюбия вполне достаточно для того, чтобы заработать на жизнь. Не все дела сложные. Расскажите мне о том, что вы вообще читали.

Когда я назвал то немногое, что прочел, он был, как я мог заметить, весьма разочарован. Но это длилось недолго. Вскоре его лицо озарилось приятной улыбкой, и он сказал:

— Я понял суть ваших затруднений. Вы читали явно недостаточно. У вас нет глубоких знаний о мире, которые являются sine qua non[1] для вакила. Вы не изучили даже

---

[1] Непременное условие *(лат.)*.

историю Индии. Вакил должен знать природу человека. Он должен уметь прочесть мысли человека по его лицу. И каждый индиец обязан знать историю Индии. Она не имеет прямого отношения к вашей юридической практике, но знание ее необходимо. Насколько я понял, вы даже не прочли историю восстания сипаев в 1857 г. Кея и Маллесона. Прочтите сначала ее, а потом еще две книги, для того чтобы лучше понять природу человека.

Это были книги по физиономике. Авторы их — Лаватор и Шеммельпенник.

Я был чрезвычайно благодарен моему высокочтимому другу. В его присутствии все мои страхи прошли, но, как только я ушел, чувство беспокойства вернулось. Как узнать сущность человека по его лицу? Этот вопрос не давал мне покоя на обратном пути домой. На другой день я приобрел книгу Лаватора. Книги Шеммельпенника в магазине не было. Я прочел книгу Лаватора и нашел, что она более трудная, нежели «Право справедливости» Шелла, и мало интересна. Я изучал лицо Шекспира, но не мог понять, откуда взялась у Шекспира привычка бродить по Лондону.

Книга Лаватора не прибавила мне новых знаний. Совет мистера Пинкатта практически мне ничего не дал, но его доброта мне пригодилась. Его улыбающееся открытое лицо сохранилось в моей памяти. Я положился на его мнение о том, что проницательность, память и способности Фирузшаха Мехты совсем не обязательны для того, чтобы стать преуспевающим юристом: вполне достаточно честности и трудолюбия. А поскольку этого у меня было достаточно, я стал чувствовать себя увереннее.

Я не смог прочесть фолиантов Кея и Маллесона в Англии, но сделал это в Южной Африке, так как решил прочесть их при первой возможности.

И так, с каплей надежды, смешанной с отчаянием, я сошел с парохода «Ассам» на пристани Бомбея. Море было бурным, и я вынужден был добираться до причала на катере.

ЧАСТЬ ВТОРАЯ

I. РАЙЧАНДБХАЙ

Я говорил в последней главе, что море в бомбейской гавани было бурным, но это обычно для Аравийского моря в июне и июле. Оно было неспокойно все время, пока мы плыли из Адена. Почти все пассажиры страдали морской болезнью; один я чувствовал себя превосходно и стоял на палубе, глядя на бушующие валы и наслаждаясь плеском волн. Во время завтрака на палубе, кроме меня, было еще два человека; они ели овсяную кашу из тарелок, которые держали на коленях, стараясь не вывалить содержимое на себя.

Шторм на море был как бы символом моей внутренней бури. Но я спокойно переносил шторм, и, думаю, мои волнения также не отражались на моем лице.

Беспокоила каста, которая могла противодействовать моей деятельности. Я уже говорил о мучившем меня чувстве собственной беспомощности. Я не знал, как приступить к делу. В Индии меня ожидало большее, чем я думал.

Старший брат пришел встретить меня на пристани. Он уже был знаком с доктором Мехтой и его старшим братом, и, так как доктор Мехта настаивал, чтобы я остановился в его доме, мы отправились к нему. Таким образом, знакомство, начавшееся в Англии, продолжалось в Индии, вылившись в постоянную дружбу между нашими семьями.

Мне очень хотелось увидеть мать. Я не знал, что ее уже нет в живых и она не сможет вновь прижать меня к груди. Только теперь мне сообщили эту печальную весть, и я совершил полагающиеся омовения. Брат не написал мне в Англию о ее смерти, так как не хотел, чтобы удар постиг меня на чужбине. Но и на родине эта весть была для меня тяжелым потрясением. Я переживал потерю матери гораздо сильнее, чем смерть отца. Большинство моих сокровенных надежд рухнули. Но, помнится, внешне я никак не проявлял своего горя, смог даже сдержать слезы и жить, словно ничего не случилось.

Доктор Мехта познакомил меня с некоторыми своими друзьями и братом Шри Ревашанкаром Джагдживаном, с которым мы навечно подружились. Но я должен особенно отметить знакомство с зятем старшего брата доктора Мехты поэтом Райчандом, или Раджчандром, участвовавшим на правах компаньона в ювелирном торговом доме, носившем имя Ревашанкара Джагдживана. Райчанду было тогда не более двадцати пяти лет, но уже с первой встречи я убедился, что это человек выдающегося характера и большой учености. Было известно, что он *шатавадани* (человек, обладающий способностью одновременно запоминать и следить за сотней вещей). Доктор Мехта посоветовал мне испытать его исключительную память. Я исчерпал свой запас слов из всех известных мне европейских языков и попросил поэта повторить эти слова. Он повторил, и даже точно в том порядке, в каком я их назвал. Я позавидовал такой способности, но не это очаровало меня. Свойства, действительно восхитившие меня, я открыл позже. Это были его глубокое знание Священного Писания, безупречность характера и горячее стремление к самопознанию. Впоследствии я убедился, что в самопознании он видел единственный смысл своей жизни. Следующие строки Муктананда никогда не сходили с его уст:

> Я буду считать себя счастливым только тогда,
> Когда увижу Его в каждом своем поступке.
> Поистине Он — нить,
> что поддерживает жизнь Муктананда.

Коммерческие операции Райчандбхая выражались в сотнях тысяч рупий. Он был знатоком жемчуга и бриллиантов. Он умел разрешить любой, даже самый запутанный деловой вопрос. Но все это не было главным в его жизни. Главным была страсть к созерцанию Бога. На его рабочем столе всегда лежали религиозные книги и дневник. Закончив дела, он тотчас брался за них. Многие его опубликованные сочинения представляют собой воспроизведение записей из дневника. Человек, который сразу после разговора о важной коммерческой сделке начинал писать о сокровенных тайнах духа, был, разумеется, не дельцом, а подлинным искателем истины. Не раз и не два, а очень часто я наблюдал, как в разгаре коммерческих дел он погружался в благочестивые размышления. Я никогда не видел, чтобы он утратил душевное равновесие. Нас не связывали деловые или другие эгоистичные отношения, я испытывал удовольствие от самого общения с ним. Я был в то время лишь не имеющим практики адвокатом, но, когда бы мы ни встретились, он заводил со мной беседы на религиозные темы. Я шел тогда ощупью, и нельзя сказать, что у меня был серьезный интерес к религиозным вопросам, но беседы с ним захватывали меня. С тех пор я встречался со многими религиозными деятелями и должен сказать, что ни один из них не произвел на меня такого сильного впечатления, как Райчандбхай. Его слова проникали мне в душу. Я преклонялся перед его умом, его моральным обликом и был убежден, что он никогда не стал бы преднамеренно сбивать меня с пути, что он вверит мне свои сокровенные мысли. Поэтому в моменты духовного кризиса я неизменно искал у него прибежища. Однако, несмотря на уважение к нему, я не смог отвести ему в своем сердце место гуру. Оно все еще не занято, и я продолжаю поиски.

Я верю в индусское учение о гуру, его значении для духовного познания. Несовершенный учитель может быть терпим в мирских делах, но не в вопросах духовных. Только совершенный гнани заслуживает, чтобы его считали гуру. Необходимо всегда стремиться к самоусовершенствованию, ибо каждый получает такого гуру, какого заслуживает. Бесконечное стремление к совершенству — право каждого. Оно его собственная награда. Остальное в руках Бога.

Итак, хотя я не мог возвести Райчандбхая на престол моего сердца в качестве гуру, он неоднократно, как увидите, направлял меня и помогал мне. Три современника оказали сильное влияние на мою жизнь: Райчандбхай — непосредственным общением со мной, Толстой — своей книгой «Царство Божие внутри нас» и Раскин — книгой «У последней черты». Но о них я скажу ниже.

II. КАК Я НАЧАЛ ЖИЗНЬ

Старший брат возлагал на меня большие надежды. Он страстно желал богатства, известности и славы. У него было благородное, чересчур доброе сердце. Это качество в сочетании с простотой привлекало к нему многих друзей, и с их помощью он надеялся обеспечить меня клиентами. Он надеялся, что у меня будет громадная практика, и в расчете на это чрезмерно увеличил домашние расходы. Он прилагал все старания, подготовляя сферу для моей деятельности.

Гроза, разразившаяся в касте в связи с моим отъездом за границу, все еще не утихла. Члены касты разделились на два лагеря: одни из них сразу же вновь признали меня, другие не были склонны допускать в касту. Для того чтобы польстить первому лагерю, брат повез меня в Насик, где я омылся в священной реке, а вернувшись в Раджкот, он дал обед в честь касты. Мне все это не нравилось. Но любовь брата ко мне была безгранична, а моя преданность ему — под стать этой любви, и поэтому я механически выполнял все его желания, принимая его волю как закон. Таким образом, беспокойства, связанные с возвращением в касту, остались позади.

Я никогда не пытался искать доступа в секту, не захотевшую принять меня, не было у меня и обиды на руководителей этой секты. Некоторые из них относились ко мне с неприязнью, но я щепетильно старался не задеть их чувства, уважая предписания касты об отлучении. Согласно этим предписаниям никто из моих родственников, включая тестя и тещу, и даже сестру и зятя, не должен был принимать меня; и я не позволил себе даже выпить воды в их доме. Они были готовы тайно обойти запрещение, но мне было не по душе делать тайно то, чего я не мог сделать открыто.

Своим поведением я ни разу не подал касте повода причинить мне беспокойство; мало того, я не испытывал ничего, кроме привязанности и великодушия со стороны основной части секты, которая все еще смотрела на меня как на отлученного. Мне даже помогали в моей работе, не ожидая, что я сделаю что-нибудь для касты. Я убежден, что все это добро — следствие моего непротивления. Если бы я шумно добивался приема в касту, пытался разбить ее еще на несколько лагерей, провоцировал бы членов касты, они наверняка отплатили бы мне тем же, и, вместо того чтобы остаться в стороне от бури, я, вернувшись из Англии, оказался бы в водовороте страстей, и, возможно, мне пришлось бы обманывать и лицемерить.

Мои отношения с женой были все еще не такими, как мне хотелось. Пребывание в Англии не излечило меня от ревности. Я по-прежнему был привередливым и подозрительным, и поэтому все мои благие намерения оставались невыполненными. Я решил, что жена должна научиться читать и писать и что я буду помогать ей в ее занятиях; но моя страсть мешала нам, и жена страдала из-за моих собственных недостатков. Однажды я не остановился перед тем, чтобы отослать жену в дом ее отца, и согласился на ее возвращение только после того, как причинил ей глубокие страдания. Лишь позже я понял, что поступал безрассудно.

Я намеревался провести «реформу» в воспитании детей брата и моего ребенка, которому было уже почти четыре года. Мне хотелось научить малышей физическим упражнениям, воспитать их выносливыми, причем самому быть их руководителем. Брат поддержал меня, и я более или менее преуспел в своих усилиях. Мне очень нравилось бывать с детьми, и привычка играть и забавляться с ними сохранилась у меня и по сей день. Я думаю, что мог бы стать хорошим учителем и воспитателем детей.

Необходимость проведения «реформы» в питании была очевидна. Чай и кофе уже имелись в доме. Брат считал нужным к моему возвращению создать в доме некоторое подобие английской атмосферы, и поэтому посуда и подобные вещи, использовавшиеся лишь в особых случаях, теперь употреблялись повседневно. Мои «реформы» призваны были завершить это начинание. Я ввел овсяную кашу и какао, которое должно было заменить чай и кофе. Но на деле оно стало дополнением к чаю и кофе. Ботинки и полуботинки уже были в ходу. Я завершил европеизацию своих близких введением для них европейской одежды.

В результате расходы наши росли. Новые вещи появлялись в доме каждый день. Нам удалось «привязать у своих дверей белого слона» — символ разорительности. Но как достать необходимые средства? Начинать практику в Раджкоте было бы смешно. У меня едва ли были познания квалифицированного вакила, а я рассчитывал, что мне будут платить в десять раз больше, чем ему! Но вряд ли найдется клиент, который будет настолько глуп, чтобы обратиться ко мне. А если бы такой и нашелся, могу ли я присовокупить к своему невежеству надменность и обман, увеличить тяжесть долгов, причитающихся с меня свету? Друзья советовали мне отправиться на некоторое время в Бомбей, чтобы приобрести опыт, поработав в Верховном суде, изучить индийское право и постараться получить какую-нибудь практику. Я согласился и уехал. Организацию своего хозяйства в Бомбее я начал с того, что нанял повара, неопытного, как и сам. Он был брахманом. Я держал себя с ним не как со слугой, а как с членом дома. Он никогда не умывался, но обливался водой. Его дхоти и даже священный шнур были грязными. Он был совершеннейшим младенцем в вопросах религии. Но я не мог рассчитывать на лучшего повара.

— Хорошо, Равишанкар (так звали его), — говорил я ему, — ты можешь не знать, как стряпать, но ведь ты должен знать свою сандхья.

— Сандхья, сэр? Плуг — наша сандхья, а лопата — наш ежедневный обряд. Вот какой я брахман. Я должен жить, пользуясь вашим милосердием, или пахать землю.

Итак, мне предстояло обучать Равишанкара. Времени для этого у меня было достаточно. Я начал частично стряпать сам, экспериментируя с вегетарианскими блюдами английской кухни. Я поставил плиту и стал хлопотать возле нее вместе с Равишанкаром. Пока мы не садились за стол, я не стыдился своей стряпни. Оказалось, что Равишанкара в этом отношении также не терзают угрызения совести, и все было бы хорошо, если бы не одно неудобство: Равишанкар поклялся оставаться грязным и не мыл продукты.

Однако жить на два дома было очень трудно. Не хватало средств, чтобы покрывать постоянно растущие расходы.

Вот как я начал жизнь. Я понял, что профессия адвоката — плохое занятие: много показного и мало знаний. Во мне росло чувство ответственности.

III. ПЕРВОЕ СУДЕБНОЕ ДЕЛО

Находясь в Бомбее, я начал изучать индийское право и в то же время продолжал свои опыты по диететике. К этому занятию присоединился Вирчанд Ганди, мой приятель. Брат со своей стороны делал все возможное, чтобы обеспечить мне адвокатскую практику.

Изучение индийского права оказалось скучным занятием. Я никак не мог сладить с кодексом гражданского судопроизводства. Иначе, правда, обстояло дело с теорией судебных доказательств. Вирчанд Ганди готовился к экзамену на стряпчего и много рассказывал мне об адвокатах и вакилах.

— Умение Фирузшаха, — не раз говорил он, — основывается на глубоком знании права. Он наизусть знает теорию судебных доказательств и все прецеденты по тридцать второму разделу. Чудесная сила аргументации Бадруддина Тьябджи внушает судьям благоговение.

Рассказы об этих столпах права лишали меня присутствия духа.

— Нередко случается, — добавлял он, — что адвокат влачит жалкое существование в течение пяти-семи лет. Вот почему я избрал карьеру стряпчего. Если вам удастся года через три стать независимым, можете почитать себя счастливчиком.

Расходы мои росли каждый месяц. Я был не в состоянии иметь адвокатскую контору и в то же время готовиться к профессии адвоката, так как не мог уделять занятиям нужного внимания. У меня появился известный вкус к теории судебных доказательств. Я прочитал с большим интересом «Индусское право» Мейна, но все никак не мог решиться вести какое-нибудь дело. Я чувствовал себя невероятно беспомощным, словно невеста, впервые входящая в дом будущего свекра.

Примерно в это время я взялся вести дело некоего Мамибая. Это было мелкое дело. Мне сказали:

— Вам придется заплатить комиссионные посреднику.

Я решительно запротестовал.

— Но даже такой известный адвокат по уголовным делам, как X, зарабатывающий три-четыре тысячи в месяц, тоже платит комиссионные.

— Мне незачем подражать ему, — возражал я. — С меня достаточно и трехсот рупий в месяц. Отец зарабатывал не больше.

— Теперь другие времена. Расходы в Бомбее чудовищно выросли. Надо быть практичным.

Но я был непреклонен. Я не заплатил комиссионных, тем не менее получил дело Мамибая. Оно было очень простым. Гонорар свой я определил в тридцать рупий. Дело, по-видимому, не могло разбираться дольше одного дня.

Мой «дебют» состоялся в суде по мелким гражданским делам. Я выступал со стороны ответчика и должен был подвергнуть перекрестному допросу свидетелей истца. Я встал, но тут душа у меня ушла в пятки, голова закружилась и показалось, будто помещение суда завертелось передо мной. Я не мог придумать ни одного вопроса. Судья, должно быть, смеялся, а адвокаты, конечно, наслаждались происходящим. Но я ничего не видел. Я сел и сказал доверителю, что не могу вести дело и что пусть он лучше наймет Пателя и возьмет у меня обратно гонорар. Мистер Патель был тут же нанят за пятьдесят одну рупию. Для него это дело было, разумеется, детской игрой.

Я поспешил уйти из суда, так и не узнав, выиграл или проиграл мой клиент. Мне было стыдно за себя, и я решил не брать никаких дел до тех пор, пока у меня не будет достаточно мужества, чтобы вести их. И действительно, я не выступал в суде до переезда в Южную Африку. Моя твердость в осуществлении этого решения была продиктована не моей добродетельностью, а объективными обстоятельствами. Не было такого глупца, который доверил бы мне дело, зная наверняка, что проиграет его.

В Бомбее для меня нашлось другое дело — составление прошений. В Порбандаре конфисковали землю одного бедного мусульманина. Он обратился ко мне как достойному сыну достойного отца. Дело его казалось безнадежным, но я согласился написать прошение, возложив на истца расходы по перепечатке текста. Я составил прошение и прочитал своим приятелям. Они его одобрили, и это до некоторой степени внушило мне уверенность, что я достаточно подготовлен для составления юридических бумаг, что и соответствовало действительности. Мое дело могло бы процветать, если бы я составлял прошения без всякого вознаграждения. Но тогда я не имел бы никакого дохода. Поэтому я стал подумывать о том, чтобы заняться преподаванием. Английский язык я знал довольно прилично и охотно обучал бы английскому языку юношей, готовящихся к поступлению в высшие учебные заведения вроде школ. Это позволило бы мне покрывать хоть часть своих расходов. В газетах я прочитал объявление: «Требуется преподаватель английского языка для занятий по часу в день. Вознаграждение 75 рупий». Объявление исходило от известной в городе средней школы. Я написал письмо, и меня пригласили на беседу. Я шел туда в приподнятом настроении, но когда директор школы узнал, что я не кончил университета, он с сожалением отказал мне.

— Но я выдержал в Лондоне экзамены, дающие право поступить в высшее учебное заведение, сдав латынь как второй язык.

— Правильно, но нам нужен преподаватель с высшим образованием.

Ничего нельзя было поделать. Я в отчаянии ломал себе руки. Брат мой тоже был очень огорчен. Мы решили, что не имеет смысла дальше оставаться в Бомбее. Я должен был обосноваться в Раджкоте, где брат, который сам был неплохим адвокатом, мог достать мне работу по составлению заявлений и прошений. А так как в Раджкоте у нас уже имелось хозяйство, то ликвидация хозяйства в Бомбее означала значительную экономию. Предложение мне понравилось. И таким образом, моя маленькая контора в Бомбее была закрыта, просуществовав шесть месяцев.

Пока жил в Бомбее, я ежедневно бывал в Верховном суде, но нельзя сказать, чтобы чему-нибудь там научился. Для этого у меня не было надлежащей подготовки. Часто я не мог уловить сущность рассматриваемого дела и начинал дремать. Другие посетители суда составляли мне в этом отношении компанию, облегчая тем самым бремя моего стыда. Скоро я утратил всякое чувство стыда, поняв, что дремать в Верховном суде — признак хорошего тона.

Если в Бомбее и теперь есть такие же адвокаты без практики, каким был я, мне хотелось бы дать им маленький практический совет. Я жил в Гиргауме, но почти никогда не брал экипажа и не ездил на трамвае. Я взял себе за правило ходить в суд пешком. На это уходило целых сорок пять минут, и, конечно, домой я также неизменно возвращался пешком. Я приучил себя к солнцепеку, кроме того, эти прогулки сберегали мне порядочную сумму денег. И в то время, как многие мои друзья в Бомбее нередко хворали, я не помню, чтобы хотя бы раз заболел. И даже когда я начал зарабатывать, привычка ходить пешком в контору и домой у меня сохранилась. Благие последствия этой привычки я ощущаю по сию пору.

IV. ПЕРВЫЙ УРОК

С чувством разочарования я покинул Бомбей и переехал в Раджкот, где открыл собственную контору. Устроился я сравнительно хорошо. Составлением заявлений и прошений я зарабатывал в среднем триста рупий в месяц. Работу эту я получал скорее благодаря связям, чем своим способностям. Компаньон брата имел постоянную практику. Все бумаги, которым он придавал серьезное значение, он направлял известным адвокатам, на мою же долю падало составление заявлений для его бедных клиентов.

Должен признаться, что мне пришлось отступиться от правила не платить комиссионных, которое я столь щепетильно соблюдал в Бомбее. Мне говорили, что здесь условия совсем иные, чем в Бомбее: там надо было платить за комиссию посреднику, здесь — вакилу, который поручал вам вести дело. Указывали также, что здесь, как и в Бомбее, все адвокаты без исключения отдают часть своего гонорара в виде комиссионных. Но самыми убедительными были для меня доводы брата.

— Ты видишь, я работаю в доле с другим вакилом. Я всегда буду стараться передавать тебе все наши дела, которые ты сумеешь вести, но если ты откажешься платить комиссионные моему компаньону, то поставишь меня в затруднительное положение. У нас с тобой общее хозяйство, и твой гонорар, естественно, поступает в общий котел; таким образом, я автоматически получаю свою долю. Ну а как же быть с компаньоном? Ведь если бы он передал дело другому адвокату, то, безусловно, получил бы за комиссию.

Этот аргумент был неопровержим. Я чувствовал, что если займусь адвокатской практикой, то мне нельзя будет в подобных случаях настаивать на своем принципе — не давать комиссионных. Так я убеждал или, говоря прямо, обманывал себя. Должен, впрочем, добавить, что не припомню случая, когда я платил бы комиссионные по какому-нибудь другому делу.

Работая таким образом, я начал понемногу сводить концы с концами, но примерно в это время я получил первый жизненный урок. Я слышал, что́ представляют собой британские чиновники, но еще ни разу не сталкивался с ними.

До восшествия на престол Порбандара покойного ранасахиба брат был его секретарем и советником. С тех пор над ним тяготело обвинение, что, пребывая в этой должности, он как-то подал неправильный совет. Дело поступило к политическому агенту, который имел предубеждение против моего брата. В бытность свою в Англии я познакомился с этим чиновником, и он относился ко мне весьма дружески. Брату хотелось, чтобы, пользуясь этой дружбой, я замолвил за него словечко и постарался рассеять предубеждение политического агента. Но мне это было не по душе. Я считал, что не следует пытаться использовать мимолетное знакомство. Если брат действительно виноват, то я ничего не смогу изменить. Если же он невиновен, то должен подать прошение в обычном порядке и, будучи уверен в своей невиновности, ждать результатов. Брату мои рассуждения, однако, не понравились.

— Ты не знаешь Катхиавара, — сказал он. — Ты еще не знаешь жизни. Здесь имеет значение только протекция. Тебе, как брату, нехорошо уклоняться от исполнения своего долга. Что тебе стоит замолвить за меня словечко перед знакомым чиновником?

Я не смог отказать ему и против своей воли пошел к чиновнику. Я знал, что у меня не было права обращаться к нему, и понимал, что компрометирую себя. Но я добивался приема и был принят. Я напомнил чиновнику о нашем прежнем знакомстве, но сразу увидел, что Катхиавар не Англия и что чиновник в отпуске и чиновник при исполнении служебных обязанностей — совершенно разные люди. Политический агент признал наше знакомство, но напоминание, по-видимому, покоробило его.

— Надеюсь, вы пришли сюда не для того, чтобы злоупотреблять этим знакомством, не так ли? — звучало в его холодном тоне и, казалось, было написано на его лице.

Тем не менее я приступил к изложению своего дела. Сахиб стал проявлять признаки нетерпения.

— Ваш брат интриган. Я не желаю вас больше слушать. У меня нет времени. Если у вашего брата есть что сказать, пусть он действует через соответствующие инстанции.

Ответ был достаточно ясен и, возможно, заслужен. Но эгоизм слеп. Я продолжал говорить. Сахиб встал и сказал:

— Теперь уходите.

— Но, пожалуйста, выслушайте меня, — попросил я.

Это его еще больше рассердило. Он позвал слугу и приказал вывести меня. Когда вошел слуга, я все еще медлил, тогда тот взял меня за плечи и вытолкал за дверь. Сахиб и его слуга удалились к себе. Я рвал и метал. Тотчас же я послал сахибу записку следующего содержания:

«Вы оскорбили меня. Ваш слуга по Вашему приказу учинил надо мной насилие. Если Вы не извинитесь, мне придется обратиться в суд».

Ответ пришел немедленно, доставленный его соваром: «Вы вели себя нагло. Я просил Вас уйти, а Вы не уходили. Мне ничего не оставалось, как приказать слуге вывести Вас. Вы не ушли, даже когда он попросил Вас выйти. Поэтому он должен был применить силу, чтобы выгнать Вас. Можете обращаться в суд, если Вам угодно».

С этим ответом в кармане, удрученный, я вернулся домой и рассказал брату о случившемся. Он был огорчен, растерян и не знал, как утешить меня. Он посоветовался со своими приятелями вакилами. Я не знал, как возбудить дело против сахиба. В это время в Раджкоте случайно находился Фирузшах Мехта, приехавший из Бомбея по какому-то делу. Но разве мог такой молодой адвокат, как я, осмелиться пойти к нему? Поэтому все бумаги по этому делу я переслал ему через вакила, который пригласил его, и просил дать совет.

— Передайте Ганди, — ответил он, — что подобные истории — удел многих вакилов и адвокатов. Он недавно приехал из Англии и горяч. Он не знает английских чиновников. Если он не хочет нажить себе неприятностей, пусть порвет письмо и примирится с оскорблением. Он ничего не выиграет от суда с сахибом, а, напротив, очень легко повредит себе. Скажите ему, что он еще не знает жизни.

Совет этот был для меня горек, как отрава, но я все же проглотил ее. Я стерпел обиду, но извлек из всего этого и пользу.

«Никогда больше не поставлю себя в такое положение, никогда не буду пытаться использовать подобным образом свои знакомства», — решил я и с тех пор ни разу не отступал от этого правила.

Этот урок оказал влияние на всю мою дальнейшую жизнь.

V. СБОРЫ В ЮЖНУЮ АФРИКУ

Я был, конечно, не прав, что пошел к чиновнику. Но моя ошибка не шла ни в какое сравнение с его раздражительностью и необузданным гневом. Я не заслужил того, чтобы меня выгнали. Едва ли я отнял у него больше пяти минут. Ему просто не хватило терпения выслушать меня. Он мог бы вежливо попросить меня уйти, но власть слишком опьянила его. Позже я узнал, что терпение не входит в число достоинств этого чиновника. Оскорблять посетителей было его обыкновением. Малейшее недоразумение, как правило, выводило сахиба из себя.

В тот период я, естественно, работал большей частью в его суде. Но примириться с сахибом было выше моих сил. Мне не хотелось заискивать перед ним. Однажды пригрозив ему судом, я уже не хотел молчать.

Тем временем я начал понемногу разбираться в местных политических делах. Катхиавар состоял из множества мелких государств, и для политиканов здесь было большое раздолье. Интриги между отдельными государствами, интрижки чиновников, боровшихся за власть, — все это было в порядке дня. Князья, всегда зависевшие от милости других, готовы были развесить уши перед сикофантами. Даже слуге сахиба надо было льстить, а ширастедар сахиба значил больше, чем его господин, так как был его глазами, ушами и толмачом. Воля ширастедара была законом, а что касается его доходов, то говорили, что они больше, чем у сахиба. Может быть, это преувеличение, но жил он, конечно, не только на жалованье. Эта атмосфера казалась мне отравленной, и я не переставал ломать себе голову, как остаться незапятнанным в такой обстановке.

Я был в отчаянии, и брат видел это. Мы оба понимали, что, если я получу работу, надо будет держаться в стороне от этих интриг. Но о получении должности министра или судьи, не прибегая к интригам, не могло быть и речи. А ссора с сахибом мешала мне заниматься прежней деятельностью.

Княжеством Порбандар в то время управляла британская администрация. Я получил поручение добиться расширения прав князя. Мне нужно было встретиться с администратором также по вопросу о снижении тяжелого поземельного налога — *вигхоти,* взимавшегося с мерсов. Этот чиновник был индийцем, однако по части высокомерия мог, на мой взгляд, поспорить с сахибом. Человек он был способный, но это не облегчало участи крестьян. Мне удалось добиться некоторого расширения прав для раджи, но для мерсов я не добился почти ничего. Меня поразило, что никто даже не захотел внимательно ознакомиться с их делом.

Таким образом, и здесь меня постигло разочарование. Я считал, что по отношению к моим клиентам поступили несправедливо, но вместе с тем ничем не мог помочь им. В лучшем случае я мог апеллировать к политическому агенту или губернатору, которые, однако, отклонили бы мое ходатайство, заявив: «Мы не хотим вмешиваться».

Если бы на этот счет существовали какие-либо законы или предписания, тогда такое обращение имело бы смысл, но здесь воля сахиба была законом. Я был вне себя.

Между тем один меманский торговый дом в Порбандаре обратился к моему брату со следующим предложением:

— У нас дела в Южной Африке. Наша фирма — солидное предприятие. Мы ведем там сейчас крупный процесс по иску в сорок тысяч фунтов стерлингов. Он тянется уже долгое время. Мы пользуемся услугами лучших вакилов и адвокатов. Если бы вы послали туда своего брата, это принесло бы пользу и нам, и ему. Он смог бы проинструктировать нашего доверенного лучше нас самих, а кроме того, получил бы возможность увидеть новую часть света и завязать новые знакомства.

Мы с братом обсудили это предложение. Для меня было не ясно, должен ли я буду просто инструктировать доверенного или выступать в суде. Но предложение было соблазнительным.

Брат представил меня ныне уже покойному шету Абдулле Кариму Джхавери, компаньону фирмы «Дада Абдулла и К°», о которой здесь идет речь.

— Эта работа не будет трудной, — убеждал меня шет. — Вы познакомитесь с нашими друзьями — влиятельными европейцами. Вы можете стать полезным человеком для нашего предприятия. Корреспонденция у нас в большинстве случаев ведется на английском языке, и вы сможете помочь нам и здесь. Вы, конечно, будете нашим гостем, и вам, таким образом, не придется нести никаких расходов.

— Как долго будут нужны вам мои услуги, — спросил я, — и сколько вы будете мне платить?

— Не больше года. Мы оплатим вам проезд туда и обратно в первом классе и дадим сто пять фунтов стерлингов на всем готовом.

Меня приглашали скорее в качестве служащего фирмы, чем адвоката. Но мне почему-то хотелось уехать из Индии. Кроме того, меня привлекала возможность увидеть новую страну и приобрести опыт. Я смог бы также выслать брату сто пять фунтов стерлингов и помочь ему в расходах на хозяйство. Не торгуясь, я принял предложение и стал готовиться к отъезду в Южную Африку.

VI. ПРИБЫТИЕ В НАТАЛЬ

Уезжая в Южную Африку, я не испытывал той щемящей боли при разлуке, которую пережил, отправляясь в Англию. Матери теперь не было в живых. Я приобрел некоторое представление о мире и о путешествии за границу, да и поездка из Раджкота в Бомбей стала уже обычным делом.

На этот раз я почувствовал лишь внезапную острую боль, расставаясь с женой. С тех пор как я вернулся из Англии, у нас родился еще один ребенок. Нельзя сказать, чтобы наша любовь уже стала свободной от оков похоти, но постепенно она становилась чище. Со времени моего возвращения из Европы мы очень мало жили вместе. А так как теперь я был ее учителем, хотя и не беспристрастным, и помогал ей реформировать ее жизнь, то мы оба чувствовали, что нам необходимо больше быть вместе, чтобы и дальше осуществлять эти реформы. Однако привлекательность поездки в Южную Африку делала разлуку терпимой.

— Мы обязательно увидимся через год, — сказал я жене, утешая ее, и выехал из Раджкота в Бомбей.

Здесь я должен был получить билет от агента фирмы «Дада Абдулла и К^0». Однако на корабле не оказалось мест, но не уехать немедленно значило бы застрять в Бомбее.

— Мы делали все, что могли, чтобы получить билет в первом классе, но безуспешно, — сказал агент. — Может быть, вы согласитесь ехать на палубе. Можно договориться, чтобы кушать вам подавали в салоне.

То было время, когда я считал, что путешествовать необходимо в первом классе, кроме того, я не представлял себе, чтобы адвокат мог ехать в качестве палубного пассажира, и отклонил это предложение. Я усомнился в правдивости слов агента, ибо не мог поверить, что в первый класс нет билетов. С согласия агента я сам приступил к поискам билета. Я отправился на судно и обратился к капитану. Тот совершенно откровенно рассказал мне, в чем дело:

— Обычно у нас не бывает такого наплыва. Но на нашем судне едет генерал-губернатор Мозамбика, и все места заняты.

— Вы не смогли бы меня куда-нибудь приткнуть? — спросил я.

Он осмотрел меня с головы до пят и улыбнулся:

— Выход, пожалуй, есть, — сказал он. — В моей каюте стоит еще одна койка, которая обычно не предоставляется пассажирам. Но я готов уступить ее вам.

Я поблагодарил его и предложил агенту приобрести билет. В апреле 1893 г., полный нетерпения, я отправился в Южную Африку попытать счастья.

Первым портом назначения был Ламу, куда мы прибыли на тринадцатый день путешествия. За это время мы с капитаном крепко подружились. Он любил играть в шахматы, но, так как был начинающим шахматистом, хотел, чтобы партнер был еще более неопытным, и поэтому пригласил меня. Я много слышал об этой игре, но никогда не пробовал свои силы. Игроки обычно считают, что шахматы предоставляют большие возможности для тренировки интеллекта. Капитан предложил обучить меня игре в шахматы. Он считал меня способным учеником, ибо терпение мое было безгранично. Я все время проигрывал, и это усиливало его желание обучать меня. Мне нравилась игра, но мои симпатии к ней так и остались на борту корабля, а познания не пошли дальше умения передвигать фигуры.

В Ламу корабль стоял на якоре три-четыре часа, и я сошел на берег посмотреть порт. Капитан также отправился в порт, предупредив меня, что гавань коварна и что я должен вернуться на корабль без опоздания.

Это было совсем небольшое местечко. Я зашел на почту и очень обрадовался, повстречав там индийских клерков. Мы разговорились. Я увидел также африканцев и попытался разузнать, как они живут, что меня очень интересовало. На все это ушло некоторое время.

Несколько знакомых мне уже пассажиров с палубы сошли на берег, чтобы приготовить себе еду и спокойно поесть. Когда я встретил их, они уже собирались вернуться на пароход. Мы все сели в одну лодку. Прилив в гавани достиг максимума, а лодка была перегружена. Сильное течение не позволяло удерживать лодку у трапа. Едва она касалась трапа, как течение относило ее прочь. Был уже дан первый гудок к отправлению. Я нервничал. Капитан со своего мостика наблюдал за нами. Он приказал задержать пароход на пять минут. У судна появилась еще одна лодка, которую он нанял для меня за десять рупий. Я пересел в нее. Трап был уже поднят. Поэтому мне пришлось подняться на палубу по веревке, после чего пароход тотчас отплыл. Другие пассажиры остались за кормой. Теперь я оценил предостережение капитана.

После Ламу корабль зашел в Момбасу, а затем в Занзибар. Стоянка здесь была долгая — восемь или десять дней, а затем мы пересели на другое судно.

Капитан питал ко мне большие симпатии, но они приняли нежелательный оборот. Он пригласил своего приятеля-англичанина и меня составить ему компанию во время прогулки, и мы отправились на берег в его лодке. Я не имел ни малейшего представления о цели прогулки. А капитан и не подозревал, что за невежда я в таких делах. Сводник повел нас к негритянским женщинам. Каждого провели в отдельную комнату. Сгорая от стыда, я стоял посреди комнаты. Одному Богу известно, что должна была думать обо мне несчастная женщина. Когда капитан окликнул меня, я вышел таким же невинным, каким и вошел. Он понял это. Сначала мне было очень стыдно, но так как я не мог думать о случившемся иначе как с отвращением, то чувство стыда исчезло, и я благодарил Бога, что вид женщины не побудил меня к худшему. Слабость моя вызвала во мне негодование. Мне было жаль себя за то, что я не нашел мужества отказаться войти в комнату.

Это было уже третье в моей жизни злоключение такого рода. Должно быть, многие невинные юноши впали в грех из-за ложного чувства стыда. Я не мог считать своей заслугой, что вышел неоскверненным. Я заслуживал бы уважения, если бы отказался войти в эту комнату. За свое спасение я должен всецело благодарить Всемилостивейшего. Этот случай укрепил мою веру в Бога и до некоторой степени научил преодолевать ложное чувство стыда.

Поскольку мы должны были пробыть в порту неделю, я снял комнаты и, бродя по городу, узнал много интересного. Только Малабарское побережье может дать какое-то представление о роскошной растительности Занзибара. Меня поразили гигантские деревья и размеры плодов.

Следующим портом назначения был Мозамбик, оттуда к концу мая мы прибыли в Наталь.

VII. НЕКОТОРЫЕ ВПЕЧАТЛЕНИЯ

Портовым городом провинции Наталь является Дурбан, его называют также Порт-Наталь. Там и встретил меня Абдулла Шет. Когда пароход подошел к причалу и на палубу взошли друзья и знакомые прибывших, я заметил, что с индийцами обращались не очень почтительно. Я не мог не обратить внимания на то, что знакомые Абдуллы Шета проявляли в обращении с ним какое-то пренебрежительное высокомерие. Меня это задело за живое, а Абдулла Шет привык к этому. На меня смотрели с некоторым любопытством. Одежда выделяла меня среди прочих индийцев. На мне был сюртук и тюрбан наподобие бенгальского *пагри*.

Меня провели в помещение фирмы и показали комнату, отведенную для меня рядом с комнатой Абдуллы Шета. Он не понимал меня. Я не мог понять его. Он прочел письма, которые я привез от его брата, и недоумение его возросло. Он решил, что брат прислал к нему «белого слона». Моя одежда и манеры поразили его, он подумал, что я расточителен, как европеец. Какого-нибудь определенного дела, которое он мог бы мне поручить, не было. Процесс происходил в Трансваале. Немедленно посылать меня туда не было смысла. Да он и не знал, в какой мере можно положиться на мое умение и честность. Ведь его самого не будет в Претории, чтобы наблюдать за мной. В Претории находились ответчики, и, насколько ему было известно, они могли предпринять попытки воздействовать на меня в нежелательном направлении. Но если мне нельзя доверить работу в связи с процессом, то что же мне можно было поручить, ибо все остальное гораздо лучше выполнят его служащие. Если клерк ошибется, его можно призвать к ответу. Можно ли сделать то же самое в отношении меня, если мне случится допустить ошибку? Таким образом, если мне нельзя поручить работу в связи с процессом, то от меня вообще не будет никакого проку.

Абдулла Шет фактически был неграмотен, но имел богатый жизненный опыт. Он обладал острым умом и знал об этом. Он на практике научился немного говорить по-английски. Однако этого ему было достаточно, чтобы вести все дела: столковаться с директорами банков и европейскими купцами, а также объяснить свое дело юрисконсульту. Индийцы очень уважали его. Фирма его была самой крупной или, по крайней мере, одной из самых крупных индийских фирм. При всех этих достоинствах он имел один недостаток — был слишком подозрителен.

Он с уважением относился к исламу и любил рассуждать о философии ислама. Не зная арабского языка, он тем не менее был прекрасно знаком с Кораном и литературой по исламу вообще. Примеров он знал множество, и они всегда были у него под рукой. Общение с ним дало мне великолепный запас практических сведений об исламе. Познакомившись ближе, мы стали вести длинные беседы на религиозные темы.

На второй или третий день после моего приезда он повел меня посмотреть дурбанский суд. Здесь он представил меня некоторым лицам и посадил рядом со своим поверенным. Мировой судья пристально разглядывал меня и наконец предложил снять тюрбан. Я отказался сделать это и вышел из здания суда.

Таким образом, и здесь меня ожидала борьба.

Абдулла Шет объяснил мне, почему некоторым индийцам предлагают снимать тюрбан.

— Те, кто носит одежду мусульман, — сказал он, — могут оставаться в тюрбанах, но все остальные индийцы при входе в суд должны, как правило, снимать чалму.

Для того чтобы это тонкое различие стало понятным, я должен остановиться на некоторых подробностях. За эти два-три дня я понял, что индийцы делятся на несколько групп. Одна из них, называвшая себя «арабами», состояла из купцов-мусульман. Другую составляли индусы, наконец, была еще группа парсов, служащих. Клерки-индусы не примыкали ни к одной группе, если только не связали свою судьбу с «арабами». Клерки-парсы называли себя «персами». Эти три группы находились в известных социальных отношениях друг с другом. Но наиболее многочисленной была группа законтрактованных или свободных рабочих — тамилов, телугу, выходцев из Северной Индии. Законтрактованные рабочие приехали в Наталь по договорным обязательствам и должны были отработать пять лет. Их называли здесь «гирмитья», от слова «гирмит» — исковерканное английское «эгримент» (agreement). Первые три группы вступали с этой группой только в деловые отношения. Англичане называли этих людей «кули», а так как большинство индийцев принадлежало к трудящемуся классу, то и всех индийцев стали называть «кули», или «сами». Сами — тамильский суффикс, встречающийся в виде добавления ко многим тамильским именам и представляющий не что иное, как «свами», что в переводе с санскрита означает «господин». Поэтому, когда индиец возмущался, что к нему обращаются «сами», и был достаточно остроумен, он старался возвратить комплимент таким образом:

— Можете называть меня «сами», но вы забываете, что «сами» означает господин. А я не господин ваш.

Одни англичане принимали это с кислой миной, другие сердились, ругали индийца и при случае даже колотили его: ведь «сами» в их представлении было презрительной кличкой, и выслушивать от этого «сами» объяснение, что слово означает «господин», казалось им оскорбительным!

Меня стали называть «адвокат-кули». Купцов называли «купец-кули». Первоначальное значение слова «кули» было забыто, и оно превратилось в обычное обращение к индийцам. Купец-мусульманин мог возмутиться и сказать: «Я не кули, а араб», или «Я купец», и англичанин, если он учтив, извинялся перед ним.

При таком положении вещей ношение тюрбана приобретало особое значение. Подчиниться требованию снять чалму было для индийца все равно что проглотить оскорбление. Поэтому я решил распрощаться с индийским тюрбаном и носить английскую шляпу. Это избавило бы меня от оскорблений и неприятных пререканий.

Но Абдулла Шет не одобрил моего намерения. Он сказал:

— Если вы так поступите, это будет иметь плохие последствия. Вы скомпрометируете тех, кто настаивает на ношении индийского тюрбана. К тому же тюрбан вам очень к лицу, а в английской шляпе вы будете похожи на лакея.

В его совете сказались его практическая мудрость, патриотизм, но и некоторая узость взгляда. Мудрость совета очевидна: только чувство патриотизма побудило его настаивать на индийском тюрбане. Намекая на то, что английскую шляпу носят лишь индийцы-лакеи, он обнаружил узость взгляда. Среди законтрактованных индийцев были индусы, мусульмане и христиане. Христианство исповедовали потомки законтрактованных индийцев, обращенные в христианство. Их было много уже в 1893 г. Они носили английское платье, и большинство из них, чтобы заработать на жизнь, служили лакеями в гостиницах. Именно этих людей имел в виду Абдулла Шет, ополчившись против английской шляпы. Служить лакеем в гостинице считалось унизительным. Это мнение многие разделяют и поныне.

В целом мне понравился совет Абдуллы. Я написал письмо в газеты, где изложил инцидент с моим тюрбаном, и настаивал на своем праве не снимать его в суде. Вопрос этот оживленно обсуждался в газетах, которые называли меня «нежеланным гостем». Таким образом, инцидент с тюрбаном неожиданно создал мне рекламу в Южной Африке через несколько дней после приезда. Некоторые были на моей стороне, другие жестоко осуждали за безрассудство.

Я носил тюрбан фактически все время пребывания в Южной Африке. Когда и почему я вообще перестал надевать головной убор в Южной Африке, увидим ниже.

VIII. ПОЕЗДКА В ПРЕТОРИЮ

Вскоре я познакомился с индийцами-христианами, жившими в Дурбане. Среди них — с судебным толмачом господином Полем, который был католиком, а также с покойным ныне господином Субханом Годфри, тогда учителем при протестантской миссии, отцом господина Джеймса Годфри, посетившего Индию в 1924 г. в качестве члена депутации из Южной Африки. Примерно в это же время я встретился с покойными ныне парсом Рустомджи и Адамджи Миякханом. Все эти люди, которые ранее не встречались, не считая деловых свиданий, в конце концов, как увидим ниже, установили друг с другом тесный контакт.

В то время как я расширял круг знакомых, фирма получила письмо от своего юрисконсульта, в котором сообщалось, что надо готовиться к процессу и что Абдулла Шет должен поехать в Преторию сам или прислать своего представителя.

Абдулла Шет показал мне это письмо и спросил, согласен ли я ехать в Преторию.

— Я смогу вам ответить только после того, как разберусь в деле, — сказал я. — Сейчас мне не ясно, что я там должен делать.

Он тут же приказал служащим ознакомить меня с делом. Приступив к его изучению, я почувствовал, что начинать следует с азов. Еще в Занзибаре я несколько дней посещал суд, чтобы ознакомиться с его работой. Адвокат-парс допрашивал свидетеля, задавая ему вопросы о записях в кредит и дебет в расчетных книгах. Все это было для меня тарабарской грамотой. Я не изучал бухгалтерии ни в школе, ни во время пребывания в Англии.

Дело, ради которого я приехал в Африку, заключалось главным образом в бухгалтерских расчетах. Только тот, кто знал бухгалтерский учет, мог понять и объяснить его. Служащий Абдуллы толковал мне о каких-то записях в дебет и кредит, а я чувствовал, что все больше запутываюсь. Я не знал, что означает Д. О. В словаре мне не удалось найти этой аббревиатуры. Я признался в своем невежестве клерку и узнал от него, что Д. О. — долговое обязательство. Тогда я купил учебник бухгалтерии и, проштудировав его, почувствовал себя увереннее и разобрался в существе дела. Я видел, что Абдулла Шет, который не умел вести бухгалтерских записей, свободно разбирался во всех хитросплетениях бухгалтерии благодаря своему практическому опыту. Я сказал ему, что готов ехать в Преторию.

— Где вы там остановитесь? — спросил меня Шет.

— Где вы пожелаете, — ответил я.

— В таком случае я напишу нашему юрисконсульту, и он позаботится о помещении. Кроме того, я напишу своим друзьям меманцам, но останавливаться у них я бы не советовал. Наши противники пользуются большим влиянием в Претории. Если кому-нибудь из них попадет в руки наша частная переписка, это может принести нам много неприятностей. Чем меньше вы будете сближаться с ними, тем лучше для нас.

— Я остановлюсь там, где меня поместит ваш юрисконсульт, или устроюсь самостоятельно. Пожалуйста, не беспокойтесь. Ни одна душа ничего не будет знать о наших с вами секретах. Но я намерен познакомиться с нашими противниками и поддерживать с ними связь. Я хотел бы установить с ними дружеские отношения и постараюсь, если это только возможно, уладить дело несудебным порядком. В конце концов, Тайиб Шет — ваш родственник.

Шет Тайиб Ходжи Хан Мухаммад был близким родственником Абдуллы Шета.

Упоминание о возможности полюбовного соглашения, как я мог заметить, несколько озадачило Шета. Но я находился в Дурбане уже дней шесть или семь, и мы знали и понимали друг друга. Я не был для него больше «белым слоном». Поэтому он сказал:

— Н-да, я понимаю. Конечно, соглашение без суда было бы самым лучшим исходом. Но мы, родственники, прекрасно знаем друг друга. Тайиб Шет не такой человек, чтобы легко пойти на соглашение. При малейшей оплошности с нашей стороны он выжмет из нас все и в конце концов утопит. Поэтому, пожалуйста, подумайте дважды, прежде чем что-нибудь предпринять.

— На этот счет не беспокойтесь, — сказал я. — Мне нет надобности говорить с Тайибом Шетом или с кем-либо еще по существу дела. Я только подам ему мысль о соглашении и возможности избавления таким образом от ненужной тяжбы.

На седьмой или восьмой день после моего прибытия я выехал из Дурбана. Для меня приобрели билет в первом классе. При этом обычно доплачивали еще пять шиллингов за постельные принадлежности. Абдулла Шет настаивал, чтобы я заказал себе постель, но из упрямства, гордости и желания сэкономить пять шиллингов я отказался. Абдулла Шет предостерегал меня.

— Смотрите, здесь не Индия, — сказал он. — Слава богу, такие расходы нам по средствам. Пожалуйста, не отказывайте себе в необходимом.

Я поблагодарил его и просил не беспокоиться.

Примерно в девять часов вечера поезд пришел в Марицбург, столицу Наталя. Постельные принадлежности обычно выдавались на этой станции. Ко мне подошел железнодорожный служащий и спросил, возьму ли я их. Я ответил:

— Нет, у меня есть свои.

Он ушел. Но вслед за ним в купе вошел новый пассажир и стал рассматривать меня с ног до головы. Ему не понравилось, что я «цветной». Он вышел и вернулся с одним или двумя чиновниками. Все они молча смотрели на меня, потом пришел еще один чиновник и сказал:

— Выходите, вам следует пройти в багажное отделение.

— Но у меня билет в первом классе, — сказал я.

— Это ничего не значит, — возразил он, — ступайте в багажное отделение.

— А я вам говорю, что в Дурбане получил место в этом вагоне, и настаиваю на том, чтобы остаться здесь.

— Нет, вы здесь не останетесь, — сказал чиновник. — Вы должны покинуть этот вагон, иначе мне придется позвать констебля, и он вас высадит.

— Пожалуйста, зовите. Я отказываюсь выйти добровольно.

Явился констебль, взял меня за руку и выволок из вагона. Мой багаж тоже вытащили. Я отказался перейти в другой вагон, и поезд ушел. Я пошел в зал ожидания и сел там, имея при себе чемодан. Остальной багаж я оставил на произвол судьбы. О нем позаботилось железнодорожное начальство.

Дело было зимой, а зима в высокогорных районах Южной Африки суровая и холодная. Марицбург расположен высоко над уровнем моря, и холода здесь бывают ужасные. Мое пальто находилось в багаже, но я не решался спросить о вещах, чтобы не подвергнуться новым оскорблениям. Я сидел и дрожал от холода. Зал был не освещен. Около полуночи вошел какой-то пассажир и, кажется, хотел заговорить со мной. Но мне было не до разговоров.

Я думал о том, как поступить: бороться ли за свои права, или вернуться в Индию, или, быть может, продолжать путь в Преторию, не обращая внимания на оскорбления, и вернуться в Индию только по окончании дела? Убежать назад в Индию, не исполнив своего обязательства, было бы трусостью. Лишения, которым я подвергался, были проявлением серьезной болезни расовых предубеждений. Я должен попытаться искоренить этот недуг, если только это возможно, и вынести для этого все предстоящие лишения. Удовлетворения за обиду я должен требовать лишь постольку, поскольку это необходимо для устранения расовых предрассудков.

Поэтому я решил ехать в Преторию ближайшим поездом.

На следующее утро я отправил длинную телеграмму главному управляющему железной дорогой и одновременно известил о происшедшем Абдуллу Шета, который немедленно посетил управляющего железной дорогой. Последний оправдывал действия железнодорожных властей, но заверил, что уже отдал распоряжение начальнику станции проследить, чтобы я беспрепятственно доехал до места назначения. Абдулла Шет протелеграфировал индийским купцам в Марицбурге и своим друзьям в других пунктах следования, чтобы они встретили и позаботились обо мне. Купцы пришли на станцию и старались утешить меня, рассказывая о собственных обидах; инцидент, происшедший со мной, оказался совершенно обычным явлением. Они рассказывали, что индиец, едущий в первом или втором классе, всегда должен ожидать неприятностей со стороны железнодорожных служащих или белых пассажиров. Целый день провел я, слушая эти скорбные истории. Наконец пришел вечерний поезд. Место для меня было заказано заранее. Теперь я купил в Марицбурге билет на постельные принадлежности, который не пожелал приобрести в Дурбане.

Поезд доставил меня в Чарлстаун.

IX. НОВЫЕ УНИЖЕНИЯ

Поезд пришел в Чарлстаун утром. В то время между Чарлстауном и Йоханнесбургом еще не было железнодорожного сообщения. Приходилось ехать в почтовой карете, которая останавливалась en route[1] на ночь в Стандертоне. У меня был билет на дилижанс, и он еще не утратил силу, несмотря на мою задержку на день в Марицбурге. Кроме того, Абдулла Шет телеграфировал обо мне агенту компании дилижансов в Чарлстауне.

Чтобы не пустить меня, агенту нужен был предлог, и он нашел его. Увидев, что я иностранец, он сказал:

— Ваш билет недействителен.

Я разъяснил ему, в чем дело. Но он настаивал на своем, и не потому, что в дилижансе не было места, а совсем по другой причине. Пассажиров надо было разместить внутри дилижанса, но так как я был для них кули, да к тому же еще, как видно, не здешний, то проводник, как называли белого, распоряжавшегося дилижансом, решил, что меня не следует сажать с белыми пассажирами. В дилижансе было еще два сиденья по обе стороны от козел. Проводник обыкновенно занимал одно из наружных мест. На этот раз он сел внутри дилижанса, а меня посадил на свое место. Я понимал, что это полнейший произвол и издевательство, но счел лучшим для себя промолчать. Я не смог бы добиться, чтобы меня пустили в дилижанс, а если бы я стал протестовать, дилижанс ушел бы без меня. Я потерял бы еще

[1] В пути *(фр.)*.

день, и одному Небу известно, не повторилась ли бы эта история и на следующий день. Поэтому, как ни кипело у меня все внутри от раздражения, я благоразумно уселся рядом с кучером.

Приблизительно в три часа дня дилижанс приехал в Пардекоф. Теперь проводнику захотелось сесть на мое моего. Он хотел курить, а может быть, просто подышать свежим воздухом. Взяв у кучера кусок грязной мешковины, он разостлал его на подножке и, обращаясь ко мне, сказал:

— Сами, садись сюда, я хочу сесть рядом с кучером.

Такого оскорбления я не мог снести. Дрожа от негодования и страха, я сказал ему:

— Вы посадили меня здесь, хотя обязаны были поместить внутри дилижанса. Я стерпел это оскорбление. Теперь, когда вам хочется курить, вы заставляете меня сидеть у ваших ног. Этого я не сделаю, но готов перейти в дилижанс.

Пока я с трудом выговаривал эти слова, этот мужчина набросился на меня и надавал хороших пощечин, затем схватил за руку и пытался стащить вниз. Я ухватился за медные поручни козел и решил не выпускать их, хотя бы мне переломали руки. Пассажиры были свидетелями этой сцены, они видели, как этот человек бранил и бил меня, в то время как я не произносил ни слова. Он был гораздо сильнее меня. Некоторым пассажирам стало жаль меня, и они увещевали проводника:

— Да оставьте его. Не бейте его. Он ни в чем не виноват. Он прав. Если ему нельзя сидеть там, пустите его к нам в дилижанс.

— Не беспокойтесь! — крикнул мужчина, но, по-видимому, несколько струхнул и перестал бить.

Он выпустил меня и, продолжая браниться, приказал слуге-готтентоту, сидевшему по другую сторону от кучера, пересесть на подножку, а сам занял его место.

Пассажиры заняли свои места; раздался свисток, и дилижанс загромыхал по дороге. Сердце мое сильно билось. Я уже сомневался, что доберусь живым до места назначения. Человек все время злобно поглядывал на меня и ворчал:

— Берегись, дай только добраться до Стандертона, там я тебе покажу!

Я не произносил ни слова и молил Бога о помощи.

Когда уже стемнело, мы приехали в Стандертон, и я облегченно вздохнул, увидев индийские лица. Как только я сошел вниз, мои новые друзья сказали:

— Мы получили телеграмму от Дады Абдуллы и пришли, чтобы отвести вас в лавку Исы-шета.

Я очень обрадовался. Мы пошли в лавку шета Исы Гаджи Сумара. Шет и его клерки окружили меня. Я рассказал обо всем, что со мной случилось. Горько было слушать это, и они старались утешить меня рассказами о такого же рода неприятностях, которые приходилось переживать им.

Мне хотелось поставить в известность обо всем происшедшем агента компании дилижансов. Поэтому я написал ему письмо с изложением всех подробностей и обратил его внимание на угрозы его подчиненного в мой адрес. Я просил также гарантировать, чтобы меня поместили вместе с другими пассажирами в дилижансе завтра утром, когда мы вновь отправимся в путь. На это агент ответил мне:

— Из Стандертона пойдет дилижанс большего размера, его сопровождают другие лица. Человека, на которого вы жаловались, завтра здесь не будет, а вы сядете вместе с другими пассажирами.

Это несколько успокоило меня. Я, конечно, не собирался возбуждать дело против человека, который нанес мне оскорбление действием, так что инцидент можно было считать исчерпанным.

Утром служащий Исы-шета проводил меня к дилижансу. Я получил хорошее место и в тот же вечер благополучно прибыл в Йоханнесбург.

Стандертон — небольшая деревушка, а Йоханнесбург — крупный город. Абдулла Шет телеграфировал уже туда и сообщил мне адрес тамошней фирмы Мухаммада Касама Камруддина. Служащий этой фирмы должен был встретить меня на станции, но я его не увидел, а он меня тоже не опознал. Поэтому я решил направиться в отель. Я знал названия нескольких отелей. Взяв извозчика, я велел везти себя в Большую национальную гостиницу. Там я прошел к управляющему и попросил комнату. Он с минуту разглядывал меня, потом вежливо ответил:

— Очень жаль, но у нас нет свободных номеров, — и откланялся.

Тогда я поехал в магазин Мухаммада Касама Камруддина. Абдул Гани шет уже ждал меня здесь и сердечно приветствовал.

Он от души смеялся над моим приключением в гостинице.

— Неужели вы думали, что вас пустят в гостиницу?

— А почему бы нет? — спросил я.

— Это вы поймете, когда побудете здесь несколько дней, — сказал он. — Только мы можем жить в такой стране, потому что, стремясь заработать деньги, не обращаем внимания на оскорбления. Деньги — вот что нам нужно.

Затем он рассказал о лишениях индийцев в Южной Африке. (О шете Абдулле Гани мы еще узнаем многое.) Он сказал:

— Эта страна не для таких, как вы. Вот, например, завтра вам надо будет поехать в Преторию. Вам придется ехать третьим классом. В Трансваале наше положение еще хуже, чем в Натале. Здесь индийцам никогда не дают билетов первого и второго класса.

— Вы, наверное, не добивались этого упорно?

— Мы посылали депутации, но, признаюсь, обычно наши люди не желают ехать первым или вторым классом.

Я попросил достать мне железнодорожные правила и прочел их. Они были запутанны. Старое трансваальское законодательство не отличалось точностью формулировок, а железнодорожные правила тем более. Я сказал шету:

— Я хочу ехать первым классом, а если это невозможно, то предпочту нанять экипаж до Претории, ведь до нее тридцать семь миль.

Шет Абдул Гани заметил, что это потребует больше времени и денег, но одобрил мое намерение ехать первым классом. Я послал записку начальнику станции, в которой указал, что я адвокат и всегда езжу первым классом. Кроме того, я написал, что мне нужно быть в Претории как можно скорее, что я лично приду за ответом на вокзал, так как у меня нет времени ждать, и что надеюсь получить билет первого класса. Я намеренно подчеркнул, что приеду за ответом, так как полагал, что письменный ответ скорее будет отрицательным: ведь у начальника станции могло быть своеобразное представление о «кули-адвокате». Если же я явлюсь к нему в безукоризненном английском костюме и поговорю с ним, мне, возможно, удастся убедить его дать билет первого класса.

Итак, я отправился на вокзал в сюртуке и галстуке, положил на конторку соверен в качестве платы за проезд и попросил дать мне билет первого класса.

— Это вы прислали мне записку? — спросил он.

— Да, вы очень меня обяжете, если дадите билет. Мне нужно быть в Претории сегодня же.

Он улыбнулся и, сжалившись, сказал:

— Я не трансваалец. Я голландец. Я понимаю ваши чувства и сочувствую вам. Я дам вам билет, однако обещайте мне, что, если проводник потребует, чтобы вы перешли в третий класс, вы не будете впутывать меня в это дело, то есть я хочу сказать, вы не будете возбуждать судебного дела против железнодорожной компании. Желаю вам благополучно доехать. Я вижу, вы джентльмен.

С этими словами он вручил мне билет. Я поблагодарил и дал требуемое обещание.

Шет Абдул Гани пришел проводить меня на вокзал. Он был приятно удивлен, узнав о происшедшем, но предупредил:

— Буду рад, если вы доберетесь благополучно до Претории. Боюсь только, проводник не оставит вас в покое. А если даже оставит, пассажиры не потерпят, чтобы вы ехали в первом классе.

Я занял свое место в купе первого класса, и поезд тронулся. В Гермистоне проводник пришел проверять билеты. Увидев меня, он рассердился и знаками предложил мне отправиться в третий класс. Я показал ему свой билет.

— Все равно, — сказал он, — переходите в третий класс.

В купе, кроме меня, был только один пассажир — англичанин. Он обратился к проводнику:

— Зачем вы беспокоите джентльмена? Разве не видите, что у него билет первого класса? Я нисколько не возражаю, чтобы он ехал со мной.

И повернувшись ко мне, сказал:

— Устраивайтесь поудобнее.

— Если желаете ехать с кули, то мне нет до этого дела, — проворчал проводник и ушел.

Около восьми часов вечера поезд прибыл в Преторию.

X. ПЕРВЫЙ ДЕНЬ В ПРЕТОРИИ

Я ожидал увидеть на вокзале в Претории кого-нибудь из служащих поверенного Дады Абдуллы. Я знал, что никто из индийцев меня не будет встречать, так как я обещал, в частности, не останавливаться в доме у индийца.

Но поверенный не приехал. Потом я узнал, что, так как я прибыл в воскресенье, неудобно было послать служащего встретить меня. Я был озадачен и раздумывал, куда пойти, опасаясь, что ни в одном отеле меня не примут.

Вокзал в Претории в 1893 г. был совершенно не похож на то, чем он стал в 1914 г. Освещение было скудное. Пассажиров мало. Я подождал, пока все вышли, рассчитывая попросить контролера, отбирающего билеты, когда он освободится, указать мне маленькую гостиницу или какое-нибудь другое место, где я мог бы остановиться, чтобы не пришлось ночевать на вокзале. Должен признаться, мне было трудно собраться с духом и обратиться к нему даже с такой просьбой из-за опасения подвергнуться оскорблениям.

Вокзал опустел. Я отдал билет контролеру и начал его расспрашивать. Он отвечал вежливо, однако я понял, что пользы от него будет мало. В разговор вмешался стоявший около нас американский негр.

— Я вижу, — сказал он, — вы здесь совсем чужой, без друзей. Хотите, пойдемте со мной, я провожу вас в маленькую гостиницу. Хозяин ее — американец, которого я очень хорошо знаю. Думаю, что он устроит вас.

У меня были свои опасения в отношении этого предложения, но я принял его и поблагодарил негра. Он повел меня в гостиницу Джонстона. Там он отвел хозяина в сторону, что-то сказал ему, и тот согласился пустить меня на ночь, но с условием, что я буду обедать у себя в комнате.

— Уверяю вас, — сказал он, — у меня нет никаких расовых предрассудков. Но все мои постояльцы — европейцы, и, если я пущу вас в столовую, они могут оскорбиться и даже покинуть гостиницу.

— Благодарю вас уже за то, что вы согласились приютить меня на ночь, — сказал я. — Со здешними порядками я более или менее знаком и понимаю ваши затруднения. Я не возражаю против того, чтобы обедать у себя в комнате. Надеюсь, завтра мне удастся устроиться где-нибудь еще.

Мне отвели комнату, и я задумался в ожидании обеда. В гостинице было немного постояльцев, и я предполагал, что официант принесет обед очень скоро. Но вместо него пришел господин Джонстон. Он сказал:

— Мне стало стыдно, что я попросил вас обедать в комнате. Поэтому я переговорил с другими постояльцами и спросил, не согласятся ли они, чтобы вы обедали в столовой. Они сказали, что не возражают и что вы вообще можете оставаться здесь сколько вам заблагорассудится. Пожалуйста, если вам угодно, пойдемте в столовую и оставайтесь у меня.

Я снова поблагодарил его, пошел в столовую и с аппетитом принялся за обед.

На следующий день я отправился к адвокату А. У. Бейкеру. Абдулла Шет рассказывал мне о нем, и я не удивился оказанному мне радушному приему. Бейкер отнесся ко мне очень тепло и любезно расспрашивал. Я рассказал ему о себе все. Потом он сказал:

— У нас нет здесь работы для вас как для адвоката, так как мы пригласили лучшего поверенного. Дело это затянувшееся и сложное, и я буду пользоваться вашей помощью только для получения нужной информации. Вы облегчите мне сношения с клиентом, так как теперь все сведения, которые мне понадобятся от него, я буду получать через вас. Это будет несомненным плюсом. Помещения для вас я пока не подыскал. Я считал, что лучше это сделать, познакомившись с вами. Здесь страшно распространены расовые предрассудки, и поэтому найти помещение для таких, как вы, нелегко. Но я знаю одну бедную женщину, жену пекаря, которая, думаю, устроит вас у себя и таким образом увеличит свой доход. Пойдемте к ней.

Он повел меня к ней. Переговорил обо мне, и она согласилась взять меня на полный пансион за тридцать пять шиллингов в неделю.

Господин Бейкер был не только поверенным, он постоянно выступал в качестве нецерковного проповедника. Он еще жив и теперь занимается исключительно миссионерской деятельностью, оставив юридическую практику. Он вполне состоятелен как проповедник. Мы до сих пор переписываемся. В своих письмах он всегда подробно излагает одну и ту же тему. Он доказывает превосходство христианства с различных точек зрения и утверждает, что невозможно обрести вечный мир иначе, как признав Иисуса единственным сыном Бога и спасителем человечества.

Уже во время первой беседы Бейкер поинтересовался моими религиозными воззрениями. Я сказал ему:

— По рождению я индус. Но я еще мало знаю индуизм и еще меньше другие религии. По существу, я не знаю, где я, в чем моя вера и во что следует верить. Я собираюсь тщательно изучить мою религию, а по возможности и другие религии.

Бейкер обрадовался услышанному и сказал:

— Я здесь являюсь одним из духовников южноафриканской генеральной миссии. Я выстроил церковь на собственные средства и регулярно произношу там проповеди. Я свободен от расовых предрассудков. У меня есть единомышленники. Ежедневно в час дня мы собираемся на несколько минут и молимся о даровании нам мира и света. Буду рад, если вы присоединитесь к нам. Я познакомлю вас со своими единомышленниками, которые будут счастливы встретить вас, и, осмелюсь сказать, вам тоже понравится их общество. Я дам вам, кроме того, почитать несколько религиозных книг, хотя, конечно, Библия — это Книга книг, и ее я особенно рекомендовал бы вам.

Я поблагодарил мистера Бейкера и согласился посещать молитвенные собрания в час дня по возможности регулярно.

— В таком случае я жду вас здесь завтра в час дня, и мы вместе отправимся молиться, — сказал Бейкер.

Мы распрощались.

Пока у меня было мало времени для размышлений.

Я отправился к мистеру Джонстону, заплатил ему по счету и позавтракал уже на новой квартире. Хозяйка оказалась хорошей женщиной. Она готовила мне вегетарианскую пищу. Скоро я стал чувствовать себя у нее как дома.

Затем я отправился навестить человека, к которому Дада Абдулла дал мне записку. От него я многое узнал о лишениях индийцев в Южной Африке. Он настаивал, чтобы я остановился у него, но я поблагодарил, сказав, что уже устроился. Он убеждал обращаться к нему, не стесняясь, по любому делу.

Стемнело. Я возвратился домой, покушал, прошел в свою комнату, лег в постель и глубоко задумался. У меня не было безотлагательной работы. Я сообщил об этом Абдулле Шету. «Что может означать проявленный ко мне мистером Бейкером интерес? — думал я. — Какую пользу принесет мне знакомство с его религиозными единомышленниками? Насколько глубоко мне следует изучать христианство? Каким образом достать литературу по индуизму? И смогу ли я понять действительное место христианства, не зная как следует свою собственную религию?»

Я смог прийти только к одному выводу: надо беспристрастно изучать все, с чем мне придется столкнуться, и вести себя с группой мистера Бейкера так, как Бог направит меня; но не следует помышлять о принятии другой религии, пока я целиком не пойму свою собственную.

С этими мыслями я заснул.

XI. ЗНАКОМСТВА С ХРИСТИАНАМИ

На следующий день в час дня я пришел к мистеру Бейкеру на молитвенное собрание. Там меня представили мисс Гаррис, мисс Габб, мистеру Коатсу и другим собравшимся на молебен людям. Все они опустились на колени для молитвы, и я последовал их примеру. Молитвы представляли собой обращенные к Богу просьбы применительно к личным желаниям каждого. Так, обычно просили, чтобы день прошел благополучно или чтобы Бог раскрыл врата души.

На сей раз была присоединена молитва о моем благополучии:

— Господи, укажи путь новому брату, присоединившемуся к нам. Дай ему, Боже, мир, который ты дал нам. Пусть Иисус Христос, спасший нас, спасет и его. Все это мы просим ради Христа.

На этом молебне не пелись гимны. После молитвы, которая ежедневно посвящалась чему-нибудь особенному, мы разошлись: каждый отправился завтракать, так как настало время приема пищи. Молитва продолжалась не более пяти минут.

Мисс Гаррис и мисс Габб были пожилыми старыми девами. Мистер Коатс был квакером. Обе дамы жили вместе и пригласили меня заходить к ним по воскресеньям на вечерний чай.

Когда мы встречались, я обычно рассказывал мистеру Коатсу о своих религиозных переживаниях за неделю, обсуждал с ним прочитанные книги и делился впечатлениями о них. Дамы обычно говорили о своих богоугодных делах и об обретенном ими мире.

Мистер Коатс был радушным и искренним молодым человеком. Мы вместе совершали прогулки, кроме того, он водил меня к своим приятелям-христианам.

Когда мы сошлись ближе, он стал давать мне книги по своему выбору, пока полка моя не заполнилась ими. Он буквально засыпал меня книгами. Я добросовестно читал все, а потом мы обсуждали прочитанное.

В 1893 г. я прочел ряд его книг. Не помню названия всех, но тут были «Комментарии» доктора Паркера, члена лондонского общества адвокатов. «Многочисленные непогрешимые доказательства» Пирсона и «Аналогия» Батлера. Некоторые места в этих книгах показались мне непонятными. Кое-что в них мне нравилось, а кое-что нет. «Многочисленные непогрешимые доказательства» содержали в себе доказательства в пользу библейской религии в авторском понимании ее. Эта книга не оказала на меня никакого влияния. «Комментарии» Паркера вдохновляли морально, но для тех, кто не верил в общеизвестные христианские верования, эта книга была бесполезна. «Аналогия» Батлера показалась мне чересчур мудреной и трудной, ее надо прочесть четыре-пять раз, чтобы правильно понять. Мне думалось, что она написана с целью обратить атеистов в веру. Приведенная в ней аргументация в пользу существования Бога была для меня излишней, так как я прошел стадию неверия; но доказательства в пользу Иисуса, представлявшего лишь олицетворение Бога и посредника между Богом и человеком, не произвели на меня впечатления.

Однако мистер Коатс не был человеком, легко принимающим поражение. Он сильно привязался ко мне. Однажды он увидел висящее у меня на шее ожерелье вишнуита из туласси нского бисера. Он думал, что это признак суеверия, и это покоробило его.

— Суеверие не к лицу вам, — сказал он. — Давайте я разорву ожерелье.

— Нет, я не позволю сделать этого. Ожерелье — священный дар моей матери.

— Но разве вы верите в него?

— Я не знаю о его таинственном значении. Не думаю, что мне причинят зло, если я не буду носить его. Но я не могу без достаточных оснований отказаться от ожерелья, которое она надела мне на шею из любви ко мне, убежденная, что это будет способствовать моему благополучию. Когда со временем оно перетрется и рассыпется само собой, я не надену другого. Но это ожерелье нельзя порвать.

Мистер Коатс не оценил моих аргументов, так как не считался с моей религией. Он предвкушал, что вызволит меня из тьмы невежества, и старался убедить, что независимо от того, есть ли доля истины в других религиях, для меня спасение невозможно, пока я не приму христианство, которое есть сама истина. Он уверял, что грехи мои могут быть прощены лишь благодаря заступничеству Христа, в противном случае бесполезны все добрые дела.

Он не только знакомил меня с книгами, но представил и своим друзьям, которых считал настоящими христианами. Среди этих друзей была семья, принадлежавшая к христианской секте плимутских братьев.

Многие знакомства, состоявшиеся благодаря мистеру Коатсу, были приятными. Большинство новых знакомых поразили меня своей богобоязнью. Но как-то во время моего посещения этой семьи один из плимутских братьев выдвинул аргумент, к которому я не был готов.

— Вы не можете понять красоты нашей религии. Из того, что вы говорите, следует, что вы должны каждое мгновение размышлять над своими проступками, всегда стараться исправить и искупить их. Разве можно так обрести мир? Вы считаете, что все мы грешники. Теперь поймите совершенство нашей веры. Мы считаем, что попытки самоусовершенствования и искупления — тщетны. И все же мы получим искупление. Человеку непосильно бремя его грехов. Но мы можем переложить его на Иисуса. Только он безгрешный сын Бога. Он сказал, что те, кто верит в него, будут жить вечно. В этом безграничная милость Бога. И так как мы верим в искупление Иисуса, наши собственные грехи не связывают нас. Грешить мы должны. В этом мире невозможно не грешить. И потому Иисус страдал и искупил за нас грехи человечества. Только тот, кто приемлет его великое искупление, обретает вечный мир. Подумайте, что за беспокойную жизнь вы ведете и какая надежда на мир есть у нас.

Эта речь совершенно не убедила меня. Я смиренно ответил:

— Если это есть христианство, признанное всеми христианами, то я не в состоянии принять его. Я не ищу искупления за совершенные грехи. Я стараюсь освободиться от самих грехов или, скорее, от самой мысли о грехе. До тех пор, пока не достигну этой цели, я согласен не знать покоя.

На это плимутский брат возразил:

— Уверяю вас, ваши старания бесплодны. Подумайте еще раз над тем, что я сказал.

И брат доказал, что слово у него не расходится с делом. Он сознательно совершал проступки и демонстрировал мне, что его не волнует мысль о них.

Еще до встречи с плимутскими братьями я знал, что не все христиане верят в эту теорию искупления. Сам мистер Коатс ходил под страхом Божьим. Его душа была чиста, и он верил в возможность самоочищения. Обе дамы разделяли эту веру. Некоторые книги, попавшие мне в руки, были полны набожности. Поэтому, увидев, что мистер Коатс очень обеспокоен моим последним экспериментом, я смог успокоить его, сказав, что извращенная вера плимутских братьев не предубедила меня против христианства.

Мои трудности были в другом. Они касались Библии и ее принятого толкования.

XII. ПОПЫТКИ СБЛИЗИТЬСЯ С ИНДИЙЦАМИ

Прежде чем писать дальше о знакомствах с христианами, я должен рассказать о других переживаниях этого же периода.

Шет Тайиб Хаджи Хан Мухаммад занимал в Претории такое же положение, как Дада Абдулла в Натале. Ни одно общественное начинание не обходилось без него. Я познакомился с ним в первую же неделю и сказал, что намерен сблизиться со всеми индийцами в Претории. Я выразил желание ознакомиться с их положением и просил его помочь мне, на что он охотно согласился.

Я начал с того, что созвал собрание, пригласив всех индийцев Претории, и нарисовал им картину их положения в Трансваале. Собрание состоялось в доме шета Хаджи Мухаммада Хаджи Джоосаба, к которому у меня было рекомендательное письмо. На собрании присутствовали главным образом купцы-меманцы, но было и несколько индусов. Впрочем, индусов в Претории вообще было очень мало.

Речь, произнесенная мною на этом собрании, была, можно сказать, моим первым публичным выступлением. Я хорошо подготовился к докладу, посвятив его вопросу о добросовестности в коммерции. Я постоянно слышал от купцов, что правдивость невозможна в коммерческих делах. Я этого мнения не разделял и не разделяю до сих пор. И теперь у меня есть друзья среди коммерсантов, которые утверждают, что правдивость несовместима с коммерцией. Коммерция, говорят они, дело весьма практическое, а правдивость — это из области религии. Они доказывают, что практические дела — одно, а религия — совсем другое. Не может быть и речи о том, считают они, чтобы в коммерческих предприятиях быть до конца правдивым. В моей речи я решительно оспаривал это мнение, старался пробудить в купцах сознание долга, которое им вдвойне необходимо. Их обязанность быть добросовестными была тем важнее в чужой стране, что по поступкам немногих индийцев здесь судят о миллионах наших соотечественников.

Я обнаружил, что быт нашего народа антисанитарен по сравнению с образом жизни окружающих нас англичан, и привлек внимание собравшихся к этому факту. Я подчеркнул необходимость забыть всякие различия между индусами, мусульманами, парсами, христианами, гуджаратцами, мадрасцами, пенджабцами, синдхами, качхами, суратцами и т. д.

В заключение я предложил организовать ассоциацию, от имени которой можно было бы делать представления властям относительно притеснений, испытываемых индийскими поселенцами, и изъявил готовность отдать этому делу столько времени и сил, сколько смогу.

Я видел, что произвел значительное впечатление на собравшихся.

Вокруг моей речи возникла дискуссия. Некоторые из присутствовавших предложили снабдить меня фактами. Я чувствовал, что меня поддерживают.

Очень немногие из собравшихся умели говорить по-английски. Понимая, что знание английского языка очень пригодится в этой стране, я предложил, чтобы все, у кого есть время, изучали английский язык. Я сказал, что овладеть языком можно даже в преклонном возрасте, и сослался на соответствующие примеры. Кроме того, я обещал взять группу, если она будет создана, для обучения языку, а также помогать консультациями лицам, желающим заниматься языком.

Группа не была создана, но три молодых человека выразили готовность учиться при условии, что я буду приходить к ним. Двое из них были мусульмане — один парикмахер, другой клерк, а третий — индус, мелкий лавочник. Я согласился помочь им. Я не сомневался в своих преподавательских способностях. Бывало, что мои ученики уставали, но я не знал устали. Иногда случалось, что я приходил к ним только за тем, чтобы застать их занятыми своими делами. Но я не терял терпения. Никто из трех не стремился к глубокому знанию языка, но двое сделали очень большие успехи примерно за восемь месяцев. Они приобрели знания, позволившие им вести бухгалтерские книги и писать обычные деловые письма. Парикмахер ограничился познаниями в английском языке достаточными, чтобы обслуживать клиентов. Итак, за время учебы двое учеников овладели языком настолько, чтобы преуспевать в делах.

Я был удовлетворен результатами собрания. Было решено созывать такие собрания, насколько мне помнится, раз в неделю или, может быть, раз в месяц. Они устраивались более или менее регулярно, и на них происходил свободный обмен мнениями. Вскоре в Претории не было такого индийца, которого я не знал бы и с условиями жизни которого не был бы знаком. Это побудило меня познакомиться с британским агентом в Претории мистером Джакобом де Ветом. Он сочувственно относился к индийцам, но пользовался очень малым влиянием. Однако он все же согласился помогать нам по мере возможности и просил приходить к нему во всякое время.

Я снесся также с железнодорожной администрацией и сообщил ей, что те притеснения, которым подвергаются индийцы в поездах, не могут быть оправданы даже утвержденными ею правилами. На это мне ответили письмом, в котором сообщали, что впредь индийцам, если они одеты соответствующим образом, будут выдаваться билеты первого и второго класса. Это было далеко не удовлетворительное решение вопроса, так как за начальником станции оставалось право решать, «одет ли человек соответствующим образом».

Британский агент в Претории показал мне некоторые документы, касающиеся индийского вопроса. Тайиб Шет также предоставил мне соответствующие документы. Из них я узнал, как жестоко обошлись с индийцами в Оранжевой республике.

Короче говоря, мое пребывание в Претории позволило мне глубоко изучить социальное, экономическое и политическое положение индийцев в Трансваале и Оранжевой республике. Я и не предполагал, что это изучение окажет мне неоценимую услугу в будущем. Я думал вернуться домой к концу года или даже раньше, в случае если бы судебный процесс закончился до истечения года.

Но Бог располагал иначе.

XIII. ЧТО ЗНАЧИТ БЫТЬ КУЛИ

Здесь не место подробно описывать положение индийцев в Трансваале и Оранжевой республике. Желающие получить полное представление об этом могут обратиться к моей «Истории сатьяграхи в Южной Африке». Однако остановиться на этом вопросе в общих чертах необходимо.

В Оранжевой республике индийцы были лишены всех прав специальным законом, изданным в 1888 г. или даже раньше. Индийцу разрешалось поселиться здесь только в том случае, если он служил лакеем в гостинице или занимал другую должность того же рода. Торговцы были изгнаны, получив лишь номинальную компенсацию. Они протестовали, подавали петиции, но безрезультатно.

Весьма суровый закон был издан в Трансваале в 1885 г. В 1886 г. в него были внесены некоторые изменения. Этот закон с принятыми к нему поправками обязывал индийцев при въезде в Трансвааль платить подушную подать в сумме трех фунтов стерлингов. Им разрешалось приобретать земли только в специально для них отведенных местах, причем правом собственности они и там фактически не пользовались. Индийцы были лишены также избирательного права. Все это предусматривалось специальным законом для «азиатов», на которых распространялись, кроме того, все законы, установленные для «цветных». Согласно законам для «цветных», индийцы не имели права ходить по тротуару и появляться без разрешения на улице после девяти часов вечера. Правда, на тех индийцев, которых принимали за арабов, эта регламентация не распространялась.

Таким образом, освобождение от действия закона, естественно, зависело от произвола полиции.

Мне пришлось на собственном опыте познакомиться с обоими этими правилами. Я часто ходил вечером гулять вместе с мистером Коатсом, и мы редко возвращались домой раньше десяти часов. Что, если полиция арестует меня? Мистера Коатса это беспокоило еще больше, чем меня. Своим слугам-неграм он должен был выдавать разрешение. Но разве мог он дать его мне? Разрешение мог получить только слуга от своего хозяина. Если бы даже я пожелал взять такое разрешение, а Коатс согласился бы дать мне его, это все равно было бы невозможно, так как являлось бы подлогом.

Поэтому мистер Коатс или кто-то из его знакомых свел меня к государственному прокурору доктору Краузе. Оказалось, что в Лондоне мы состояли в одной юридической корпорации. Он был вне себя, узнав, что мне нужно иметь разрешение для того, чтобы выходить на улицу после девяти часов вечера. Он выразил мне свое сочувствие. Вместо того чтобы приказать выдать мне пропуск, он сам написал письмо, разрешавшее выходить в любое время, не подвергаясь преследованиям полиции. Выходя на улицу, я всегда брал это письмо с собой. И если мне не пришлось ни разу предъявить его, то это чистая случайность.

Доктор Краузе пригласил меня к себе, и мы, можно сказать, стали друзьями. Иногда я заходил к нему и через него познакомился с его знаменитым братом, который был государственным прокурором в Йоханнесбурге. Во время Бурской войны он был предан военному суду за участие в подготовке убийства английского офицера и приговорен к тюремному заключению на семь лет. Старшина юридической корпорации лишил его звания адвоката. По окончании военных действий он был освобожден и, будучи с почестями восстановлен в трансваальской адвокатуре, возобновил практику.

Впоследствии эти связи принесли мне пользу в общественной деятельности и во многом облегчили работу.

Запрещение ходить по тротуарам имело для меня более серьезные последствия. Я всегда ходил гулять в открытое поле через Президентскую улицу. На этой улице находился дом президента Крюгера. Это было весьма скромное здание, без сада, ничем не отличающееся от соседних домов. Многие дома в Претории были гораздо более претенциозны, их окружали сады. Простота президента Крюгера вошла в поговорку. Только наличие полицейской охраны у дома свидетельствовало о том, что здесь живет какое-то должностное лицо. Я почти всегда беспрепятственно проходил по тротуару мимо полицейского.

Но дежурные менялись. Однажды полицейский без всякого предупреждения, даже не попросив меня сойти с тротуара, грубо столкнул меня на мостовую. Я испугался. Прежде чем я успел спросить его, что это значит, меня окликнул мистер Коатс, который случайно проезжал здесь верхом.

— Ганди, я видел все. Я охотно буду вашим свидетелем на суде, если вы возбудите дело против этого человека. Очень расстроен, что с вами так грубо обошлись.

— Не стоит огорчаться, — сказал я. — Что понимает этот бедный парень? Все цветные для него одинаковы. Он наверняка поступил со мной так же, как обращается с неграми. Я взял себе за правило не обращаться в суд с жалобами личного характера. Поэтому я не собираюсь подавать на него в суд.

— Это на вас похоже! — сказал Коатс. — Но все-таки подумайте. Его следует проучить.

Затем он обратился к полицейскому и сделал ему выговор. Я не понял, что они говорили, так как полицейский оказался буром, и они разговаривали по-голландски. Но полицейский извинился передо мной, в чем не было никакой надобности. Я уже простил ему.

Но с тех пор я никогда больше не ходил по этой улице: на месте этого человека мог оказаться другой, который, не зная о происшедшем инциденте, мог учинить то же самое. Зачем без нужды рисковать быть снова сброшенным на мостовую? Я избрал другой путь.

Этот случай усилил мое сочувствие к индийским поселенцам. Я обсудил с ними целесообразность попробовать возбудить дело в связи с этими законами, если это оказалось бы необходимым после свидания с британским агентом.

Таким образом, я изучал тяжелые условия жизни индийских поселенцев, не только читая и слушая рассказы, но и на личном опыте. Я видел, что Южная Африка не та страна, где может жить уважающий себя индиец, и меня все больше занимал вопрос о том, как изменить это положение вещей.

Однако моей главной обязанностью в данный момент было заниматься делом Дады Абдуллы.

XIV. ПОДГОТОВКА К ПРОЦЕССУ

Годичное пребывание в Претории обогатило мою жизнь очень ценным опытом. Именно здесь я получил возможность научиться общественной деятельности и овладел кое-какими навыками для этой деятельности. Именно здесь религиозный дух стал во мне жизненной силой, и здесь также я приобрел истинное знание юридической практики. Здесь я научился вещам, которые молодой адвокат узнаёт в кабинете старшего адвоката, и здесь в меня вселилась уверенность, что в конце концов из меня получится адвокат. В Претории я узнал, в чем секрет успеха адвоката.

Дело Дады Абдуллы было весьма крупным. Исковая сумма составляла сорок тысяч фунтов стерлингов. Возникшее из коммерческих сделок, оно складывалось из бесконечных лабиринтов расчетов. Частично иск основывался главным образом на долговых обязательствах. Защита базировалась на том, что долговые обязательства были составлены мошеннически и не имели достаточных оснований. К этому запутанному делу относились многочисленные прецеденты и применялись различные законы.

Обе стороны наняли лучших защитников и поверенных. Таким образом, у меня была прекрасная возможность изучить их работу. Мне была поручена подготовка дела истца для поверенного и отбор фактов, говорящих в пользу истца. Я учился, наблюдая, что́ поверенный принимает и что́ он отвергает, а также что использует защитник из досье, подготовленного поверенным. Я понимал, что подготовка к процессу — прекрасное мерило моих умственных сил и способности отбирать доказательства.

Я проявлял огромный интерес к делу, весь ушел в него. Я перечитал все документы по сделкам, имевшие отношение к иску. Мой клиент был человек очень способный и абсолютно доверял мне, что облегчало мне работу. Я тщательно изучил бухгалтерию и совершенствовался в искусстве переводов, так как мне приходилось переводить корреспонденцию, которая большей частью велась на гуджарати.

Хотя, как уже говорилось выше, я очень интересовался вопросами вероисповедания и общественной деятельностью и всегда уделял этому некоторую часть своего времени, в тот период все это не было для меня главным. Главным была подготовка дела к процессу. Чтение законов и поиски, когда это было необходимо, судебных прецедентов всегда занимали бо́льшую часть моего времени. В результате, поскольку я располагал документами обеих сторон, я приобрел такое знание фактов, относящихся к делу, какого, по-видимому, не имели даже сами тяжущиеся стороны.

Я помнил слова покойного мистера Пинкатта: факты — это три четверти закона. Позже это со всей силой подтвердил известный адвокат Южной Африки, тоже покойный теперь, мистер Леонард. Как-то, изучая порученное мне дело, я увидел, что, хотя справедливость на стороне моего клиента, закон оборачивается против него. В отчаянии я обратился за помощью к мистеру Леонарду. Он также почувствовал, что обстоятельства дела очень вески.

— Ганди, — воскликнул он, — я знаю одно: если мы позаботимся о фактах, закон позаботится о себе. Давайте глубже вникнем в факты, — и посоветовал мне продолжить изучение дела, а затем вновь прийти к нему.

При новом исследовании фактов я увидел их совершенно в новом свете, раскопал также старое южноафриканское дело, имевшее отношение к данному случаю. Обрадованный, отправился к мистеру Леонарду и все рассказал ему.

— Прекрасно, — сказал он, — мы выиграем дело. Только надо знать, какой судья будет рассматривать его.

Когда я готовил дело Дады Абдуллы к процессу, я не понимал до конца первостепенного значения фактов. Факты подразумевают истину, и если мы придерживаемся истины, закон, естественно, приходит нам на помощь. Я видел, что в деле Дады Абдуллы факты действительно очень вески и что закон обязан быть на его стороне. Но вместе с тем я видел, что эта тяжба, если в ней упорствовать, разорит обе стороны — истца и ответчика, которые были родственниками и земляками. Никто не знал, как долго может тянуться процесс. Если допустить, чтобы дело решалось в суде, оно могло бы продолжаться до бесконечности и без всякой пользы для сторон. Обе стороны, следовательно, желали немедленного прекращения дела, если это возможно.

Я посоветовал Тайибу Шету согласиться на третейский суд и рекомендовал переговорить об этом с его адвокатом. Я намекнул, что, если найти арбитра, пользующегося доверием обеих сторон, дело быстро закончится. Гонорар адвокатов рос столь стремительно, что вполне мог пожрать все средства даже таких состоятельных купцов, какими были клиенты. Дело требовало от них так много внимания, что не оставалось времени для другой работы. Между тем возрастала взаимная недоброжелательность. Я чувствовал отвращение к своей профессии. Как адвокаты, поверенные обеих сторон обязаны были выискивать пункты закона в поддержку своих клиентов. Я в первый раз понял, что выигравшая сторона никогда не возмещает всех понесенных расходов. Согласно предписанию о судебных гонорарах существовала твердая шкала судебных издержек, допустимых в расчетах между сторонами, но издержки в расчетах между клиентом и адвокатом были значительно выше. Я чувствовал, что мой долг состоит в том, чтобы помочь обеим сторонам и привести их к примирению. Я прилагал все усилия, чтобы добиться компромисса, и Тайиб Шет наконец согласился. Стороны избрали третейского судью, перед которым изложили свои доводы, и Дада Абдулла выиграл дело.

Но это не удовлетворило меня. Если бы мой клиент потребовал немедленного выполнения решения, Тайиб Шет был бы не в состоянии уплатить всю присужденную сумму, а у порбандарских меманцев, проживавших в Южной Африке, существовал неписаный закон, что смерть предпочтительнее банкротства. Тайиб Шет был не в состоянии уплатить полную сумму примерно в тридцать семь тысяч фунтов стерлингов и судебные издержки, но намеревался уплатить всю сумму до последнего паи: ему не хотелось, чтобы его объявили банкротом. Оставался только один выход. Дада Абдулла должен был разрешить ему платить сравнительно небольшими взносами. Он оказался на высоте и рассрочил платежи на весьма продолжительный период времени. Мне было труднее добиться этой уступки, чем уговорить обе стороны согласиться на третейский суд. Но теперь они были довольны исходом дела, а общественный престиж каждого из них вырос. Моей радости не было предела. Я научился правильному применению закона. Я приобрел умение находить лучшие свойства человеческой природы и завоевывать сердца людей. Я понял, что настоящая задача адвоката заключается в том, чтобы примирить тяжущиеся стороны.

Этот урок неизгладимо врезался мне в память и в течение последующих двадцати лет моей адвокатской практики я имел сотни случаев, когда мне удавалось заканчивать дела частным соглашением. При этом я не потерял ничего — даже денег и, конечно, души.

XV. РЕЛИГИОЗНЫЙ ФЕРМЕНТ

Теперь пора снова вернуться к тем переживаниям, которые я испытал, вращаясь среди друзей-христиан.

Мистер Бейкер стал беспокоиться о моем будущем. Он взял меня с собой на веллингтонское моление. Протестантские христиане устраивают такие собрания раз в несколько лет с целью религиозного просвещения или, говоря иначе, самоочищения. Это собрание можно назвать религиозным восстановлением или возрождением. Веллингтонское моление было как раз такого типа. Председательствовал известный богослов города преподобный Андрю Меррей. Мистер Бейкер надеялся, что атмосфера религиозной экзальтации на молении, а также энтузиазм и ревность молящихся неизбежно приведут меня к принятию христианства.

Но свою последнюю надежду он возлагал на действенность молитвы. Он твердо верил в молитву. Бог, по его глубокому убеждению, не мог не услышать пылкую молитву. Он ссылался на факты из жизни людей, подобных Джорджу Мюллеру из Бристоля, который всецело полагался на молитву даже в своих мирских делах. Я внимательно и без предубеждения выслушал его рассказ о действенности молитвы и заверил его, что ничто не сможет помешать мне принять христианство, если я почувствую влечение к нему. Давая такое заверение, я не колебался, так как давно научился следовать внутреннему голосу. Мне доставляло наслаждение покоряться ему. Действовать вопреки ему мне было бы трудно и мучительно.

Итак, мы отправились в Веллингтон. Имея в качестве компаньона «цветного», каким был я, мистер Бейкер пережил трудные минуты. Много раз ему пришлось испытывать неудобства только из-за меня. В пути мы должны были прервать поездку, так как один из дней оказался воскресным, а мистер Бейкер и его единоверцы не совершают поездок по воскресеньям. Хозяин гостиницы при станции после долгой перебранки согласился впустить меня в отель, но категорически отказался позволить мне обедать в столовой. Мистер Бейкер был не из тех, кто легко сдается. Он отстаивал права постояльцев гостиницы. Но я понимал, как неловко он себя чувствовал. В Веллингтоне я также остановился вместе с мистером Бейкером. Несмотря на все его старания скрыть от меня те маленькие неудобства, которые ему приходилось испытывать, я видел все.

На моление собралось множество благочестивых христиан. Я был восхищен их верой. Я встретился с преподобным Мерреем. Многие молились за меня. Мне понравились некоторые из их гимнов, очень мелодичные.

Моление длилось три дни. Я получил возможность понять и оценить благочестие собравшихся. Однако я не видел никаких оснований для того, чтобы переменить мою веру — мою религию. Я не мог поверить, что могу попасть в рай и спастись, только став христианином. Когда я откровенно сказал об этом некоторым добрым христианам, они были поражены. Однако ничего нельзя было поделать.

Мои затруднения были гораздо серьезнее. Поверить в то, что Иисус — олицетворенный Сын Бога и что только тот, кто верит в него, получит в награду вечную жизнь, было выше моих сил. Если Бог мог иметь сыновей, то тогда все мы его сыновья. Если Иисус подобен Богу или является самим Богом, тогда все люди подобны Богу и могут быть самим Богом. Мой разум не был подготовлен к тому, чтобы поверить, что Иисус своей смертью и кровью искупил грехи мира. Метафорически в этом могла быть какая-то истина.

Согласно христианству, только человеческие существа имеют душу, а у всех остальных живых существ, для которых смерть означает полное исчезновение, ее нет. Я не разделял эту точку зрения. Я мог принять Иисуса как мученика, воплощение жертвенности, как божественного учителя, а не как самого совершенного человека, когда-либо рождавшегося на земле, однако моя душа не могла принять того, что в этом была какая-нибудь таинственная или сверхъестественная добродетель. Набожная жизнь христианина не дала бы мне ничего такого, чего не могла бы дать жизнь человека другого вероисповедания. Я видел в жизни всех людей именно ту самую реформацию, о которой наслышался среди христиан. С точки зрения философии, в христианских принципах нет ничего необычайного. Пожалуй, даже в смысле жертвенности индусы значительно превосходят христиан. Я не мог воспринимать христианство как совершенную религию или как величайшую из религий.

При всякой возможности я делился этими сомнениями с моими друзьями-христианами, но их ответы не удовлетворяли меня.

Но если я не мог принять христианство как совершенную или величайшую религию, то и индуизм не был для меня в то время такой религией. Недостатки индуизма были совершенно очевидны. Если неприкасаемость освящалась индуизмом, то это могло быть лишь его нравственно испорченной частью или наростом. Я не в состоянии был понять raison d'être[1] множественности сект и каст. В чем состоит смысл утверждения, что Веды представляют собой вдохновленное слово Бога? Если Веды вдохновлены Богом, то почему этого нельзя сказать также о Библии и Коране?

В тот период, когда друзья-христиане пытались обратить меня в свою веру, такие же попытки предпринимали и друзья-мусульмане. Абдулла Шет побуждал меня к изучению Корана, и, конечно, у него всегда находились слова о его красоте.

Я написал о своих сомнениях Райчандбхаю. Я переписывался и с другими лицами, авторитетными в вопросах религии в Индии. Письмо Райчандбхая несколько успокоило меня. Он советовал быть терпеливым и более глубоко изучить индуизм. Вот одна из фраз его письма:

«Беспристрастно рассматривая вопрос, я убедился, что ни в одной другой религии не заложена столь острая и основательная мысль, как в индуизме, ни в одной религии нет его видения души или его милосердия».

Я купил сейловский перевод Корана и начал его читать. Приобрел и другие книги по исламу. Я связался со своими друзьями-христианами в Англии. Один из них познакомил меня с Эдвардом Мейтлендом, с которым я начал переписываться. Он прислал мне книгу «Безупречный путь», которую написал совместно с Анной Кингсфорд. В этой книге отрицалась современная христианская вера. Я получил от него и другую книгу «Новая интерпретация Библии». Обе книги мне понравились. Они, казалось, говорили в пользу индуизма. Книга Толстого «Царство божие внутри вас» захватила меня. Она оставила неизгладимое впечатление. Перед независимым мышлением, глубокой нравственностью и правдивостью этой книги, казалось, потускнели все другие, рекомендованные мне мистером Коатсом.

---

[1] Разумное основание *(фр.)*.

Таким образом, мои занятия увели меня в направлении, о котором и не помышляли друзья-христиане. Моя переписка с Эдвардом Мейтлендом была очень продолжительной, а с Райчандбхаем я переписывался до его смерти. Я прочел ряд присланных им книг. Среди них были «Панчикаран», «Маниратнамал», «Мумукшу Пракаран от Иогавасиштха», «Шаддаршана Самуччая» Гарибхадра Сури и другие.

Несмотря на то что я пошел не тем путем, который мои друзья-христиане предназначали для меня, я навсегда остался у них в долгу за то, что они пробудили во мне стремление к религиозным исканиям. Я буду всегда хранить воспоминания об общении с ними. В последующие годы меня ожидали еще многие такие же приятные знакомства.

XVI. ЧЕЛОВЕК ПРЕДПОЛАГАЕТ, А БОГ РАСПОЛАГАЕТ

Процесс закончился, и у меня не было причин оставаться в Претории. Я вернулся в Наталь и начал готовиться к отъезду в Индию. Но Абдулла Шет был не таким человеком, чтобы отпустить меня без проводов. Он устроил прощальный прием в мою честь в Сайденхеме.

Предполагалось провести там целый день. Просматривая газеты, оказавшиеся там, я случайно натолкнулся на заметку в углу газетной полосы под заголовком «Избирательное право индийцев». В ней упоминалось о находившемся на рассмотрении парламента законопроекте, по которому индийцы лишались права избирать членов парламента Наталя. Я ничего не знал об этом законопроекте, да и остальные гости не имели о нем понятия.

Я обратился за разъяснением к Абдулле Шету. Он сказал:

— Что мы понимаем в этих вопросах? Мы разбираемся только в том, что касается нашей торговли. Вы знаете, что в Оранжевой республике уничтожили всю нашу торговлю. Мы тогда протестовали, но из этого ничего не вышло. Мы ведь беспомощны и необразованны. Как правило, просматриваем газеты только для того, чтобы узнать сегодняшние рыночные цены и тому подобное. Что мы знаем о законодательстве? Ушами и глазами нам служат европейские адвокаты.

— Но многие молодые индийцы родились и воспитывались здесь. Разве они не могут вам помочь? — спросил я.

— Ах, эти! — воскликнул Абдулла Шет. — У них никогда нет желания прийти к нам, да, по правде сказать, и мы не хотим их знать. Они христиане и находятся всецело под влиянием белых священнослужителей, действующих по указке правительства.

Я многое понял. Я чувствовал, что эту группу индийцев следует рассматривать как свою. Разве, став христианами, они перестали быть индийцами? Но я собирался вернуться на родину и не решался поделиться мыслями, роившимися у меня в голове, а только сказал Абдулле Шету:

— Наше положение чрезвычайно осложнится, если законопроект станет законом. Для нас это подобно смерти. Он в корне подрывает наше чувство собственного достоинства.

— Возможно, — отозвался шет Абдулла. — Я расскажу вам историю этого вопроса. Мы не имели понятия об избирательном праве, пока мистер Эскомб, один из наших лучших адвокатов, вы его знаете, не открыл нам глаза. Произошло это так. Он большой забияка и не ладил с инженером порта. Боясь, что на выборах инженер отобьет у него избирателей и нанесет поражение, он познакомил нас с нашим положением, и по его настоянию мы все зарегистрировались в качестве избирателей и голосовали за него. Теперь вы видите, что избирательное право не представляет для нас той ценности, какую вы ему придаете. Но мы понимаем, что вы говорите. Ну, так что вы посоветуете?

Остальные гости внимательно слушали наш разговор. Один из них сказал:

— Сказать вам, что нужно сделать? Вы отменяете вашу поездку, остаетесь здесь еще на месяц, и мы под вашим руководством начинаем борьбу.

Остальные поддержали его:

— Правильно, правильно! Абдулла Шет, вы должны задержать Гандибхая.

Шет был человек умный. Он сказал:

— Я уже не могу его задерживать. У меня теперь на него такие же права, как и у вас. Но вы совершенно правы. Давайте вместе уговорим его остаться. Только ведь он адвокат. Как быть с его гонораром?

Упоминание о гонораре задело меня, и я прервал его:

— Абдулла Шет, не будем говорить о гонораре. За общественную работу нельзя платить гонорар. Если уж на то пошло, я могу остаться как служащий. Вы знаете, что я незнаком со всеми, присутствующими здесь. Однако, если вы уверены, что они будут помогать мне в работе, я готов остаться еще на месяц. Но вот что: хотя вам не придется платить мне, некоторые средства для начала все же понадобятся. Необходимо будет посылать телеграммы, печатать кое-какую литературу, совершать разные поездки, советоваться с местными адвокатами. Нужно будет приобрести юридические справочники, так как я незнаком с вашими законами. Все это требует денег. Ясно, что один человек со всем этим не справится. Ему должны помогать многие.

— Аллах велик и милосерден, — раздался хор голосов. — Деньги будут. Люди у нас есть — сколько хотите. Пожалуйста, останьтесь, и все будет хорошо.

Прощальный прием превратился в рабочую комиссию. Я предложил поскорее закончить обед и вернуться домой. В уме я уже выработал план кампании. Я установил имена тех, кто был занесен в списки избирателей, и решил остаться еще на месяц.

Так, в Южной Африке Господь заложил фундамент моей жизни и посеял семена борьбы за национальное достоинство.

XVII. Я ПОСЕЛЯЮСЬ В НАТАЛЕ

В 1893 г. шета Хаджи Мухаммада Хаджи Даду считали крупнейшим руководителем индийской общины в Натале. По богатству первое место занимал шет Абдулла Хаджи Адам, но в общественных делах он и другие всегда уступали первое место шету Хаджи Мухаммаду. Поэтому собрание, на котором было решено организовать оппозицию против избирательного закона, проводилось под его председательством в доме шета Абдуллы.

Мы провели запись добровольцев. На собрание были приглашены также и индийцы, родившиеся в Натале. По большей части это была молодежь, обращенная в христианство. На собрании присутствовали дурбанский судебный толмач мистер Поль и директор школы при христианской миссии мистер Субхан Годфри. Именно эти люди привели на собрание большинство христианской молодежи. Все они записались добровольцами.

Записывались, конечно, и многие местные купцы. Среди них следует упомянуть шета Дауда Мухаммада, шета Мухаммада Казама Камруддина, шета Адамджи Миякхана, А. Колондавеллу Пиллаи, С. Лачхирама, Рангазами Падиачи и Амада Джива. Среди записавшихся был, конечно, парс Рустомджи, а из клерков Манекджи, Джоши, Нарсинхрам и другие служащие фирмы «Дада Абдулла и К°» и еще нескольких крупных фирм. Все они были приятно удивлены, почувствовав себя участниками общественного дела. Это было для них ново. Перед лицом бедствия, обрушившегося на общину, были забыты различия: между людьми знатными и низкого происхождения, между богатыми и бедными, господами и слугами, между индусами, мусульманами, парсами и христианами, между гуджаратцами, синдхами и т. д. Все одинаково были детьми и слугами родины.

Законопроект уже прошел в первом чтении, и предстояло второе обсуждение его. В речах, произнесенных по этому случаю, тот факт, что индийцы не заявили протеста против ограничительного закона, приводился как подтверждение их неспособности пользоваться избирательным правом.

Я объяснил собранию создавшееся положение. Прежде всего мы отправили телеграмму председателю законодательного собрания с требованием приостановить дальнейшее обсуждение законопроекта. Такая же телеграмма была послана премьер-министру сэру Джону Робинсону и еще одна другу Дады Абдуллы — мистеру Эскомбу. Председатель законодательного собрания немедленно ответил, что обсуждение будет отложено на два дня. Это вселило радость в наши сердца.

Мы составили петицию для представления в законодательное собрание. Надо было подготовить три копии и одну для печати. Поступило предложение собрать как можно больше подписей. И все это следовало сделать в течение одной ночи. Добровольцы, знавшие английский язык, и еще несколько человек просидели всю ночь. Мистер Артур — пожилой мужчина, известный своим каллиграфическим почерком, написал первый экземпляр петиции. Остальные экземпляры писались под диктовку. Таким образом, одновременно удалось составить пять экземпляров. Добровольцы-купцы в собственных экипажах или в колясках, нанятых за свой счет, отправились собирать подписи. Это было сделано быстро, и петицию послали по назначению. Газеты напечатали ее, сопроводив сочувственными комментариями. На членов законодательного собрания она также произвела впечатление. Петиция обсуждалась в парламенте. Сторонники законопроекта, по общему признанию, неудачно возражали против доводов, приведенных в петиции. Однако законопроект все же прошел.

Мы все знали, что такой исход был предрешен, но проведенная работа вдохнула новую жизнь в общину и вселила в нее убеждение, что она едина и неделима и должна бороться за свои политические права в такой же мере, как за право торговли.

В то время министром колоний был лорд Рипон. Ему решили направить подробную петицию.

Задача была непростой, и решить ее за день было невозможно. Записались добровольцы, которые и внесли свой вклад в это дело.

Я немало потрудился над составлением петиции, предварительно перечитав всю литературу по этому вопросу. Я оперировал доводами принципиального порядка и соображениями целесообразности, указывая, что в Натале за нами следует оставить избирательное право, поскольку мы пользуемся таковым в Индии. Настаивая на сохранении избирательного права, я аргументировал это и тем, что индийское население, могущее воспользоваться им, весьма немногочисленно.

За две недели было собрано десять тысяч подписей под петицией. Собрать такое число подписей по всей провинции было нелегко, особенно если принять во внимание, что дело это для его участников было совершенно новым. Для такой работы отобрали особо компетентных добровольцев, так как решили не брать ни одной подписи, не убедившись в том, что подписавшийся полностью понял петицию. Деревни располагались на большом расстоянии друг от друга. Только при условии добросовестного отношения к делу можно было сделать его быстро. Так и действовали. Каждый выполнял возложенную на него задачу с энтузиазмом. Теперь, когда я пишу эти строки, передо мною встают образы шета Дауда Мухаммада Рустомджи, Адамджи Миякхана и Амада Джива. Они больше всех собрали подписей. Дауд-шет целыми днями не покидал экипажа. И все они трудились из любви к делу, ни один не просил компенсировать свои расходы. Дом Дады Абдуллы стал одновременно и караван-сараем, и общественным учреждением. У него обедали многие мои помощники, и это, естественно, требовало значительных расходов.

Наконец петицию подали. Тысячу экземпляров напечатали для распространения среди населения. Она явилась документом, впервые познакомившим индийцев с политическими условиями в Натале. Я разослал экземпляр петиции всем газетам и знакомым публицистам.

«Таймс оф Индиа» в передовой статье, посвященной петиции, энергично поддерживала требования индийцев. Отправили петицию и в Англию в редакции газет и публицистам различных партий. Лондонская газета «Таймс» поддержала наши требования, и у нас появилась надежда, что на законопроект будет наложено вето.

Теперь я никак не мог покинуть Наталь. Мои индийские друзья со всех сторон осаждали меня просьбами поселиться здесь окончательно. Я ссылался на всякого рода затруднения. Я решил не жить на общественный счет и думал обзавестись собственным хозяйством. Мне казалось необходимым иметь хороший дом в хорошей местности. Кроме того, я полагал, что смогу способствовать поднятию престижа общины только в том случае, если буду вести такой образ жизни, какой принят у адвокатов.

Мне представлялось невозможным вести такое хозяйство, расходуя менее трехсот фунтов стерлингов в год. Поэтому я решил, что останусь только в том случае, если члены общины гарантируют мне юридическую практику, приносящую доход в пределах этого минимума, и сообщил им об этом.

— Но мы готовы, — говорили они, — платить вам эту сумму за общественную деятельность и легко можем собрать ее. Конечно, это кроме гонорара, который вы будете получать за частную юридическую практику.

— Нет, я не могу допустить, чтобы вы несли такое бремя ради того, чтобы я занимался общественной работой, — заявил я. — Ведь она не потребует приложения моих адвокатских знаний. Моя деятельность будет заключаться главным образом в том, чтобы заставить работать всех вас. Как же я могу брать с вас за это деньги? Мне придется нередко обращаться к вам за деньгами для дела, и, если я буду существовать на ваш счет, мне будет неловко просить у вас большие суммы, и мы в конце концов окажемся в тупике. Кроме того, я хочу, чтобы община сумела выделить больше трехсот фунтов стерлингов в год для общественных нужд.

— Но мы уже знаем вас некоторое время и уверены, что вы возьмете только то, что вам крайне необходимо. А если вы захотите остаться здесь ради нас, неужели мы не должны вас обеспечить?

— Вы говорите так, побуждаемые любовью ко мне и энтузиазмом, которым вы сейчас охвачены. Но разве можно быть уверенным, что эта любовь и этот энтузиазм будут вечны? Как ваш друг и слуга, я порою буду вынужден говорить вам неприятные вещи. Одному Небу известно, сохраню ли я тогда ваше расположение. Во всяком случае, плату за общественную работу я брать не должен. Для меня достаточно, чтобы вы согласились поручить мне ваши юридические дела. Даже это будет вам трудно. Ибо, во-первых, я не белый адвокат. Разве я могу быть уверен, что суд отнесется ко мне с уважением? Я также не могу быть уверен, что буду удачливым адвокатом. Поэтому, даже заключая со мной договор о ведении дела, вы идете на известный риск. Но тот факт, что вы заключаете со мной договор о ведении дела, я уже мог бы рассматривать как вознаграждение за мою общественную работу.

В результате этой дискуссии десятка два купцов поручили мне на год ведение своих дел. Кроме того, Абдулла подарил мне необходимую обстановку вместо кошелька, который намеревался передать мне при отъезде.

Так я поселился в Натале.

XVIII. ЦВЕТНАЯ АДВОКАТУРА

Символ справедливого суда — весы, которые спокойно держит беспристрастная, слепая на оба глаза, но проницательная женщина. Судьба преднамеренно ослепила ее — для того, чтобы она судила стоящего перед ней, основываясь не на внешнем виде его, а на внутренних достоинствах. Но общество адвокатов в Натале намеревалось убедить Верховный суд отказаться от этого принципа во искажение символа справедливости.

Я подал прошение о приеме в адвокатуру Верховного суда. У меня было свидетельство о приеме в адвокатуру бомбейского Верховного суда. Английское свидетельство я должен был депонировать в бомбейский Верховный суд, когда получил там право выступать в качестве защитника. К прошению о приеме необходимо было приложить две письменные рекомендации. Полагая, что эти рекомендации будут более весомы, если их дадут европейцы, я взял их у двух крупных европейских купцов, с которыми познакомился через шета Абдуллу. Прошение надо было вручить через члена адвокатуры. Как правило, генеральный атторней вручал такие прошения бесплатно. Генеральным атторнем был мистер Эскомб, который, если помните, являлся юрисконсультом фирмы «Дада Абдулла и К°». Я нанес ему визит, и он охотно согласился вручить мое прошение.

Общество адвокатов сразу же обрушилось на меня, официально уведомив, что опротестовывает мое прошение. Во-первых, потому, что к прошению не приложено подлинное английское свидетельство, а во-вторых, и это главное, правила о приеме адвокатов не предусматривали возможности подачи прошения «цветным». Считалось, что Наталь обязан своим развитием предприимчивости европейцев и поэтому необходимо, чтобы европейские элементы преобладали в адвокатуре. Если принимать «цветных», постепенно их число превысит число адвокатов-европейцев и европейцы-предприниматели лишатся своей опоры.

Для защиты своего протеста Общество наняло известного адвоката. Но он также был связан с фирмой «Дада Абдулла и К°» и переслал мне с шетом Абдуллой записку с просьбой зайти к нему. Он говорил со мной совершенно откровенно и расспрашивал о моем прошлом. Потом сказал:

— Я ничего не имею против вас. Опасался только, не авантюрист ли вы, родившийся в колониях. И тот факт, что к вашему прошению не приложено подлинное свидетельство, подкрепляло мои подозрения. Встречались люди, которые использовали чужие дипломы. Представленные вами рекомендации от европейских торговцев не имеют для меня никакого значения. Что они знают о вас? Насколько они знакомы с вами?

— Но любой человек здесь для меня чужой, — возразил я. — Даже с шетом Абдуллой я познакомился здесь.

— Но ведь вы говорите, он ваш земляк? Если ваш отец был премьер-министром, шет Абдулла обязательно должен знать вашу семью. Если вы сможете представить его письменное показание под присягой, у меня не будет абсолютно никаких возражений. Тогда я с удовольствием сообщу Обществу адвокатов о невозможности опротестовать ваше прошение.

Этот разговор возмутил меня, но я сдержал свои чувства.

«Если я приложу рекомендацию Дады Абдуллы, — подумал я, — ее отвергнут и потребуют рекомендаций от европейцев. Какое отношение имеют мое рождение и мое прошлое к приему меня в адвокатуру? Разве можно использовать мое рождение против меня?»

Однако я сдержался и спокойно ответил:

— Я не считаю, что Общество адвокатов имеет право требовать от меня все эти подробности, но готов представить нужное вам письменное показание под присягой.

Показание шета Абдуллы было подготовлено и в должном порядке передано поверенному Общества адвокатов. Тот заявил, что вполне удовлетворен. Иначе обстояло дело с Обществом. Оно опротестовало мое прошение перед Верховным судом, который, однако, отклонил протест, не предложив даже высказаться мистеру Эскомбу. Верховный судья заявил:

— Протест по поводу того, что проситель не приложил подлинного свидетельства, неоснователен. Если он представил ложное показание, то его можно преследовать в судебном порядке и, если вина его будет доказана, лишить права защиты. Закон не делает различий между белыми и цветными. Поэтому суд не имеет права препятствовать тому, чтобы мистер Ганди выступал в качестве защитника. Мы предоставляем ему право адвокатской практики в суде. Мистер Ганди, вы можете дать присягу.

Я встал и дал присягу архивариусу. Как только я произнес слова клятвы, верховный судья, обращаясь ко мне, сказал:

— Теперь снимите тюрбан, мистер Ганди. Вы должны подчиниться принятым у нас правилам в отношении одежды выступающих в суде адвокатов.

Я понял, что обезоружен. Повинуясь требованию Верховного суда, я снял тюрбан, право на ношение которого отстаивал в суде магистрата. Дело было не в том, что если бы я воспротивился требованию, то мое сопротивление нельзя было бы оправдать. Я хотел сберечь силы для более значительных боев. Я не должен был растрачивать мое мастерство бойца, настаивая на праве носить тюрбан. Оно заслуживало лучшего применения.

Шету Абдулле и другим друзьям не понравилась моя покорность (не слабость ли это?). Они считали, что я должен отстаивать право не снимать тюрбан во время выступлений в суде. Я пытался образумить их, убедить в правоте изречения: «В Риме надо жить как римляне».

В Индии отказ подчиниться требованию английского чиновника или судьи снять тюрбан был бы правильным, но чиновнику суда провинции Наталь, которым я теперь был, неблагоразумно не уважать обычай этого суда.

При помощи этих и подобных аргументов я несколько успокоил своих друзей, но не думаю, что в данном случае полностью убедил их в том, что на вещи надо смотреть по-разному в различных условиях. Однако на протяжении всей моей жизни именно верность истине научила меня высоко ценить прелесть компромисса. Позже я увидел, что дух компромисса представляет собой существенную часть сатьяграхи. Часто это угрожало моей жизни и вызывало недовольство друзей. Но истина тверда, как алмаз, и нежна, как цветок.

Протест Общества адвокатов создал мне широкую рекламу в Южной Африке. Большинство газет осудило протест и обвинило Общество в подозрительности. Реклама до некоторой степени облегчила мне работу.

XIX. ИНДИЙСКИЙ КОНГРЕСС НАТАЛЯ

Адвокатская практика была и осталась для меня второстепенным делом. Мне необходимо было сосредоточиться целиком на общественной работе, чтобы оправдать свое дальнейшее пребывание в Натале. Одной петиции относительно законопроекта, лишавшего нас избирательных прав, было недостаточно. Чтобы повлиять на министра колоний, требовалось развернуть агитацию в поддержку этой петиции. Для этого нужна была постоянная организация. Я обсудил этот вопрос с шетом Абдуллой и другими друзьями, и мы решили создать такую общественную организацию.

Очень трудно было выбрать для нее название. Ее нельзя было отождествлять ни с одной другой партией. Название «Конгресс» имело, как я знал, неприятный привкус для консерваторов в Англии, но Конгресс являлся жизненным центром Индии. Я хотел популяризировать эту идею в Натале. Было бы трусостью отказаться от такого названия. Поэтому, приведя все свои соображения, я рекомендовал назвать новую организацию Индийский конгресс Наталя. 22 мая Конгресс начал свой жизненный путь.

В этот день обширное помещение в доме Дады Абдуллы было переполнено. Присутствовавшие восторженным одобрением встретили учреждение Конгресса. Его устав был прост, а взносы — высокие. Только тот, кто платил пять шиллингов в месяц, мог быть членом Конгресса. Зажиточных людей убедили платить, сколько они смогут. Шет Абдулла начал подписной лист взносом в два фунта стерлингов. Двое других знакомых подписались на такую же сумму. Я считал, что мне не следует портить подписной лист, и подписался на один фунт — сумму по моим средствам немалую. Но я подумал, что если только устроюсь, то это будет мне по силам. И Господь помог мне. В общем, у нас получилось довольно много членов, подписавшихся на фунт в месяц. Еще больше было подписавшихся на десять шиллингов. Кроме того, некоторые пожелали сделать пожертвования, которые были с благодарностью приняты.

Впоследствии, как показал опыт, никто не платил взносов по первому требованию. По нескольку раз обращаться за этим к членам, находившимся за пределами Дурбана, было невозможно. Энтузиазм, вспыхнувший вначале, повидимому, стал потом затухать. Даже жившим в Дурбане членам Конгресса надо было настойчиво напоминать о необходимости уплатить взносы.

Так как я был секретарем, на мне лежала обязанность собирать членские взносы. И наступило время, когда я вместе со своим помощником вынужден был заниматься этим целыми днями напролет. Он устал от такой работы, и я подумал, что, для того чтобы исправить положение, нужно брать взносы не ежемесячно, а раз в год. Я созвал собрание Конгресса. Все одобрили мое предложение; минимальный годовой взнос был определен в три фунта стерлингов. Это значительно облегчило работу по сбору взносов.

С самого начала я решил не вести общественную работу на одолженные средства. На обещания любого человека можно положиться во многих вопросах, за исключением денежных. Я никогда не встречал людей, которые без проволочек уплатили бы обещанную сумму, и натальские индийцы не составляли исключения из этого правила. Индийский конгресс Наталя не начинал никакой работы без наличных средств и поэтому никогда не был в долгу.

Мои сотрудники проявили исключительный энтузиазм в привлечении в организацию новых членов. Эта работа увлекала их и в то же время обогащала чрезвычайно ценным опытом. Многие охотно шли нам навстречу и уплачивали взносы вперед. В деревнях, расположенных в глубине страны, работать было труднее. Там не знали, что такое общественная деятельность. Тем не менее к нам поступали приглашения посетить весьма отдаленные места, и всюду крупные торговцы гостеприимно встречали нас.

Во время одного такого турне произошел случай, поставивший нас в довольно трудное положение. Мы надеялись, что наш хозяин внесет шесть фунтов стерлингов, но он отказался платить больше трех. Если бы мы приняли от него эту сумму, другие последовали бы его примеру и наши сборы уменьшились бы. Был поздний час, все мы проголодались. Но разве могли мы сесть за стол, не получив обещанной ранее суммы? Никакие доводы не помогали. Хозяин казался непреклонным. Его убеждали и купцы из этого же города, но напрасно. Мы просидели всю ночь, а хозяин не желал прибавить ни пенса. Мы также стояли на своем. Большинство моих коллег были вне себя от гнева, но сдерживали свои чувства. Наконец, когда уже настало утро, хозяин уступил. Он уплатил шесть фунтов и накормил нас. Все это произошло в Тонгаате, однако молва достигла даже Станджера на Северном побережье и Чарлстауна в глубине страны, что облегчило нашу работу по сбору взносов.

Но сбор денежных средств был не единственной формой деятельности Конгресса. Я давно уже усвоил принцип: не иметь в своем распоряжении денег больше, чем это необходимо.

Обычно раз в месяц, а иногда, если в том была надобность, и еженедельно мы устраивали собрания. На собраниях читали протокол предыдущего собрания и обсуждали всякого рода вопросы. Люди не привыкли принимать участие в открытых дебатах и говорить коротко и по существу. Никто не решался взять слово. Я объяснял присутствующим, как следует вести собрание, и они подчинялись этим правилам, понимая, что это имеет для них воспитательное значение. И многие, никогда не выступавшие перед аудиторией, научились публично обсуждать вопросы, представляющие общественный интерес.

Зная, что в общественной работе маловажные нужды временами поглощают большие суммы, я в целях экономии решил вначале не печатать даже квитанционных книжек. В моей конторе был множительный аппарат, на котором я снимал копии с квитанций и докладов. Но и это я начал делать лишь тогда, когда казна Конгресса наполнилась, а число членов и объем работы увеличились. Такая экономия очень важна для любой организации, и все же мне известно, что она не всегда соблюдается. Вот почему я счел уместным остановиться на этих маленьких деталях начального периода деятельности маленькой, но растущей организации.

Люди никогда не заботятся о том, чтобы получить квитанцию за уплаченную сумму, но мы всегда настаивали, чтобы такие квитанции выдавались. Таким образом удавалось учитывать каждый пая (1/12 анны), и я осмелюсь утверждать, что даже сегодня в архивах Индийского конгресса Наталя можно найти в целости и сохранности конторские книги за 1894 год. Тщательное ведение книг — sine qua non работы любой организации. Без них она может навлечь на себя дурную славу. Без должного ведения счетов невозможно сохранить истину в ее первобытной непорочности.

Одной из сторон деятельности Конгресса была опека над получившими образование индийцами, родившимися в колонии. Под покровительством Конгресса была создана Ассоциация по вопросам образования индийцев — уроженцев колонии. Членами Ассоциации являлись главным образом молодые люди. С них взимались номинальные членские взносы. Ассоциация была призвана выявлять их нужды и жалобы, содействовать их духовному развитию, способствовать сближению с индийскими купцами, а также привлечь их к общественной деятельности. Члены Ассоциации регулярно собирались, читали и обсуждали статьи по различным вопросам. При Ассоциации была организована небольшая библиотека.

В задачу Конгресса входила также пропаганда. Она заключалась в разъяснении англичанам Южной Африки и Англии и нашим соотечественникам в Индии действительного положения вещей в Натале. С этой целью я написал две брошюры. Первая называлась «Обращение ко всем британцам Южной Африки». Она знакомила на основании фактов с общим положением индийцев в Натале. Другая — «Избирательное право индийцев. Воззвание». В ней излагалась краткая история избирательного права индийцев в Натале и приводились соответствующие цифры и факты. Я затратил много труда на составление этих брошюр, но результаты оправдали мои усилия. Брошюры получили широкое распространение.

В результате этой деятельности мы завоевали многочисленных друзей для индийцев в Южной Африке и приобрели активную поддержку всех политических партий Индии. Перед южноафриканскими индийцами была также раскрыта четкая линия действий.

XX. БАЛАСУНДАРАМ

Честные и чистые веления сердца всегда осуществляются. В том, что это так, я часто убеждался на личном опыте. Служение бедным — таково веление моего сердца, и оно всегда толкало меня к бедным и позволяло солидаризироваться с ними.

В Индийский конгресс Наталя входили индийцы — уроженцы колонии и конторские служащие, но неквалифицированные рабочие, а также законтрактованные рабочие оставались за его пределами. Конгресс все еще не стал для них своим. Они не в состоянии были платить взносы и не вступали в Конгресс. Конгресс мог завоевать их симпатии, только если бы стал служить им. Такая возможность представилась, когда ни Конгресс, ни я не были готовы к этому. Я проработал всего три или четыре месяца, и Конгресс переживал еще младенческий возраст. Ко мне явился тамил в оборванной одежде, с головным убором в руках. У него были выбиты два передних зуба и рот в крови. Плача и дрожа всем телом, он рассказал, что его избил хозяин. Рассказ его во всех подробностях мне перевел мой конторщик, тоже тамил. Баласундарам — так звали посетителя — был законтрактованным рабочим у известного в Дурбане европейца. Рассерженный чем-то хозяин жестоко избил Баласундарама, выбив ему два зуба.

Я отправил рабочего к доктору. В то время доктора были только белые. Я хотел получить медицинское свидетельство с указанием характера нанесенных Баласундараму побоев. Получив свидетельство, я немедленно свел потерпевшего к судье, которому передал показания Баласундарама, данные под присягой. Прочитав их, судья возмутился и вызвал повесткой хозяина в суд.

Я отнюдь не стремился к тому, чтобы хозяин подвергся наказанию, а хотел только, чтобы он отпустил Баласундарама. Я читал закон о законтрактованных рабочих. Если обыкновенный слуга бросал службу без предупреждения, хозяин мог предъявить ему иск через гражданский суд. Положение же законтрактованного рабочего было совсем иным. При подобных обстоятельствах он отвечал перед уголовным судом и в случае обвинительного приговора подлежал тюремному заключению. Вот почему, как сказал сэр Уильям Хантер, система вербовки рабочих почти то же, что и рабство. Как и рабы, законтрактованные рабочие были собственностью хозяев.

Освободить Баласундарама можно было только двумя способами: либо заставить протектора по делам законтрактованных рабочих аннулировать контракт, либо передать этот контракт кому-нибудь другому, либо заставить хозяина Баласундарама освободить его. Я зашел к хозяину и сказал ему:

— Я не хочу возбуждать против вас дело и добиваться, чтобы вас наказали. Полагаю, вы понимаете, что жестоко избили человека. Я удовольствуюсь тем, что вы передадите контракт кому-нибудь другому.

Он охотно согласился. Тогда я обратился к протектору по делам законтрактованных рабочих. Тот тоже дал свое согласие при условии, что я найду нового предпринимателя для Баласундарама.

Я занялся поисками предпринимателя. Нужен был европеец, так как индийцы не имели права держать у себя законтрактованных рабочих. У меня в то время было не много знакомых среди европейцев. Я обратился к одному из них, и он согласился взять к себе Баласундарама. Я поблагодарил его за любезность. Мировой судья признал виновным хозяина Баласундарама и занес в протокол, что он обязался передать законтрактованного рабочего другому лицу.

Дело Баласундарама стало известно всем законтрактованным рабочим, и они стали считать меня своим другом. Я от всей души приветствовал эту дружбу. Ко мне в контору направился целый поток законтрактованных рабочих, и я получил блестящую возможность ознакомиться с их радостями и горестями.

Весть о деле Баласундарама дошла даже до Мадраса. Рабочие из разных мест этой провинции, прибывшие в Наталь по контрактам, узнавали об этом от своих законтрактованных собратьев.

Само по себе дело не представляло ничего особенного, но уже тот факт, что в Натале нашелся человек, занявшийся делом законтрактованных рабочих и публично выступивший в их защиту, был для них событием радостным и обнадеживающим.

Я уже отметил, что Баласундарам вошел ко мне в контору, держа головной убор в руках. Эта черточка характерна для поведения человека, привыкшего к унижению. Я упоминал об инциденте в суде, когда от меня потребовали снять тюрбан. Все законтрактованные рабочие и вообще индийцы обязаны были снимать головной убор в присутствии европейца, была ли то фуражка, тюрбан или шарф, обмотанный вокруг головы. Приветствие, хотя бы обеими руками, считалось недостаточным. Баласундарам полагал, что должен соблюсти это правило, явившись даже ко мне. Это был первый случай в моей практике. Я почувствовал себя неловко и попросил его надеть шарф. Он не сразу решился это сделать, но я заметил выражение удовольствия на его лице. Для меня всегда было загадкой, как могут люди усматривать что-то почетное для себя в унижении ближних.

XXI. НАЛОГ В ТРИ ФУНТА СТЕРЛИНГОВ

Дело Баласундарама свело меня с законтрактованными индийцами. Однако серьезно заняться изучением их положения меня побудила кампания об установлении для них специального тяжелого налога.

В том же 1894 г. правительство Наталя попыталось обложить законтрактованных индийцев ежегодным налогом в двадцать пять фунтов стерлингов. Это предложение поразило меня. Я поставил вопрос на обсуждение Конгресса, и было решено немедленно организовать оппозицию этому мероприятию.

Но надо вкратце объяснить происхождение этого налога.

Приблизительно в 1860 г. европейцы в Натале очень нуждались в рабочей силе для возделывания сахарного тростника и производства сахара. А это было невозможно без ввоза рабочих из других стран, так как зулусы, жившие в Натале, для такой работы не годились. Правительство в Натале снеслось с индийским правительством и получило разрешение вербовать рабочих. Завербованные рабочие должны были подписывать контракт, обязывавший их работать в Натале пять лет. По истечении этого срока им предоставлялась возможность поселиться в Натале и приобрести землю на правах полной собственности. Обещание таких прав служило приманкой, использование которой необходимо было в то время белым, так как они рассчитывали поднять свое сельское хозяйство при помощи индийских рабочих, отслуживших срок по контракту.

Но индийцы дали больше, чем от них ожидали. Они разводили в большом количестве овощи, стали возделывать многие культуры, привезенные из Индии, обеспечили возможность выращивать дешевле местные сорта, внедрили культуру манго. При этом индийцы не ограничились сельским хозяйством, а занялись и торговлей. Они покупали земельные участки и для строительства. Многие простые рабочие стали землевладельцами и домовладельцами. За ними из Индии последовали купцы. Покойный шет Абубакар Амод был первым среди них. Он быстро основал большое дело.

Белые торговцы забили тревогу. Когда они приветствовали индийских рабочих, то не учитывали их деловых способностей. Они готовы еще были примириться с тем, что индийцы станут независимыми землевладельцами, но не могли допустить конкуренции с их стороны в торговле.

Так были посеяны семена вражды к индийцам. Многие другие факторы способствовали ее углублению. Наш особый образ жизни, наша простота, умение довольствоваться небольшой прибылью, равнодушие к правилам гигиены и санитарии и скаредность, когда речь заходила о необходимости поддерживать наши дома в хорошем состоянии, — все это в сочетании с религиозными различиями раздувало пламя вражды. В законодательстве вражда эта нашла отражение в законопроектах о лишении нас избирательных прав и об обложении налогом законтрактованных индийцев. Помимо этого, был уже проведен ряд других мер, направленных на ущемление прав и достоинства индийцев.

Вначале предлагалось принудительно репатриировать индийских рабочих с таким расчетом, чтобы срок их контрактации истекал уже в Индии. Но на это не согласилось бы индийское правительство. Тогда было внесено другое предложение:

1) законтрактованный рабочий по истечении срока контракта должен возвратиться в Индию; или же

2) подписывать каждые два года новый контракт, причем при возобновлении контракта он получает прибавку;

3) в случае отказа вернуться в Индию или возобновить контракт рабочий должен платить ежегодный налог в двадцать пять фунтов стерлингов.

В Индию была послана делегация в составе сэра Генри Биннса и мистера Мейсона с целью добиться одобрения этого предложения индийским правительством.

Вице-королем Индии был в то время лорд Элджин. Он отверг налог в двадцать пять фунтов, но согласился на установление подушной подати в три фунта. Я считал тогда и убежден до сих пор, что это был серьезный промах со стороны вице-короля. Давая свое согласие, он совершенно не подумал об интересах Индии. В его обязанности совсем не входило оказывать услуги европейцам в Натале. Законтрактованный рабочий, имеющий жену, сына старше шестнадцати лет и дочь старше тринадцати лет, должен был платить налог с четырех человек — двенадцать фунтов в год, а между тем средний доход главы семьи никогда не превышал четырнадцати шиллингов в месяц. Такого чудовищного налога не существовало ни в одной другой стране.

Мы развернули бурную кампанию против него. Если бы не вмешался Индийский конгресс Наталя, вице-король, пожалуй, согласился бы и на налог в двадцать пять фунтов. Снижение его до трех фунтов было, по-видимому, всецело результатом агитации Конгресса. Впрочем, возможно, я ошибаюсь. Возможно, что независимо от оппозиции Конгресса индийское правительство с самого начала отвергло бы налог в двадцать пять фунтов стерлингов и сократило его до трех фунтов стерлингов. Во всяком случае, санкционирование налога представляло собой злоупотребление доверием со стороны индийского правительства. Вице-королю, как лицу ответственному за благосостояние Индии, ни в коем случае не следовало бы одобрять этот бесчеловечный налог.

Конгресс не мог расценить сокращение налога с двадцати пяти до трех фунтов стерлингов как большое достижение. Все сожалели, что не удалось полностью отстоять интересы законтрактованных индийцев. Конгресс не отказался от решимости освободить индийцев от уплаты этого налога, однако прошло двадцать лет, прежде чем этого удалось добиться. Но это явилось результатом усилий индийцев уже не только Наталя, а всей Южной Африки. Вероломство по отношению к ныне покойному мистеру Гокхале стало поводом для широкой кампании, в которой приняли участие все законтрактованные индийцы. В ходе борьбы некоторые из них были расстреляны, а свыше десяти тысяч брошены в тюрьмы.

Однако истина в конце концов восторжествовала. Страдания индийцев были выражением этой истины. Но истина не победила бы, если бы не было твердой веры, огромного терпения и постоянных усилий. Если бы община прекратила борьбу, если бы Конгресс свернул кампанию и принял налог как нечто неизбежное, ненавистную подать продолжали бы взимать с законтрактованных индийцев до сего дня к вечному стыду индийцев Южной Африки и всей Индии.

XXII. СРАВНИТЕЛЬНОЕ ИЗУЧЕНИЕ РЕЛИГИЙ

Если я оказался всецело поглощен служением общине, то причина этого заключалась в моем стремлении к самопознанию. Я сделал своей религией религию служения, так как чувствовал, что только так можно познать Бога. Служение было для меня служением Индии. Это пришло ко мне без моих поисков, просто потому, что я имел склонность к этому. Я отправился в Южную Африку, чтобы попутешествовать, а также избежать катхиаварских интриг и добыть себе средства к жизни, но результаты поездки оказались значительнее: я обрел себя в поисках Бога и в стремлении к самопознанию.

Друзья-христиане пробудили во мне жажду знаний, которая стала совершенно неутолимой, и даже если бы мне захотелось быть равнодушным, они не оставили бы меня в покое. Меня разгадал глава южноафриканской генеральной миссии в Дурбане мистер Спенсер Уолтон. Я стал почти что членом его семьи. Конечно, предпосылкой для этого знакомства явились мои связи с христианами в Претории. Мистер Уолтон действовал весьма своеобразно. Я не помню, чтобы он когда-либо предлагал мне принять христианство. Но он раскрыл передо мной свою жизнь, как книгу, и предоставил мне возможность проследить все его поступки. Миссис Уолтон была кроткая и одаренная женщина. Мне нравилось отношение ко мне этой пары. Мы знали, что между нами глубокие различия. Никакие дискуссии не могли бы сгладить их. Но и различия оказываются полезными там, где есть терпимость, милосердие и истина. Мне нравились смирение и настойчивость мистера и миссис Уолтон, их преданность делу. Мы встречались очень часто.

Эта дружба поддерживала мой интерес к религии. Теперь я уже не мог уделять столько времени изучению религиозных вопросов, как в Претории. Но я использовал в своих интересах и тот небольшой досуг, каким располагал. Моя переписка по вопросам религии продолжалась. Райчандбхай по-прежнему направлял меня. Какой-то приятель прислал мне книгу Нармадашанкара «Дхарма Вичар». Предисловие к ней очень помогло мне. Я слышал о жизни богемы, в среде которой вращался поэт, и описание в предисловии переворота, происшедшего в его жизни благодаря изучению религии, пленило меня. Я полюбил эту книгу и внимательно перечитывал ее. С интересом прочел я и книгу Макса Мюллера «Индия. Чему она может научить нас?», а также опубликованный теософическим обществом перевод «Упанишад». Эти книги способствовали росту моего уважения к индуизму, его очарование все более захватывало меня. Однако я не стал предубежденно относиться к другим религиям. Я прочел «Жизнь Магомета и его преемников» Вашингтона Ирвинга и панегирик Карлейля в честь пророка. Эти книги возвысили Мухаммеда в моих глазах. Я также прочел книгу, называвшуюся «Изречения Заратустры».

Таким образом, я приобрел больше знаний о различных религиях. Изучение их способствовало развитию самоанализа и привило мне привычку осуществлять на практике все, что привлекало меня во время занятий. Так, я начал делать некоторые упражнения по системе йогов в той мере, в какой смог понять, в чем они заключаются из описания, приведенного в индусских книгах. Мне не удалось далеко продвинуться в освоении этих упражнений, и я решил, что, когда вернусь в Индию, продолжу свои занятия под руководством какого-нибудь специалиста. Но это желание так и осталось неосуществленным.

Я усиленно изучал также произведения Толстого. «Краткое изложение Евангелия», «Что делать?» и другие книги произвели на меня сильное впечатление. Я все глубже понимал безграничные возможности всеобъемлющей любви.

Примерно в это же время я познакомился еще с одной христианской семьей. По ее предложению я каждое воскресенье посещал методистскую церковь. В этот же день меня всегда приглашали и на обед. Церковь не произвела на меня благоприятного впечатления. Проповеди показались невдохновляющими. Прихожане не поразили своей религиозностью. Они не представляли собой собрания набожных душ, а были скорее по-мирски мыслящими людьми, которые ходят в церковь ради развлечения или в соответствии с обычаем. Подчас я невольно дремал во время службы в церкви. Мне было стыдно, но чувство стыда облегчалось тем, что некоторые из моих соседей тоже клевали носом. Я не смог посещать подобные богослужения долгое время.

Моя связь с семьей, которую я обычно навещал каждое воскресенье, порвалась внезапно. Можно сказать, что мне предложили прекратить визиты. Случилось это так. Хозяйка была добрая и простая, но несколько ограниченная женщина. Мы много говорили на религиозные темы. Я тогда перечитывал «Свет Азии» Арнольда. Однажды мы начали сравнивать жизнь Иисуса с жизнью Будды.

— Вдумайтесь в сострадание Гаутамы! — сказал я. — Оно распространялось не только на человечество, но на все живые существа. Разве душа не переполняется умилением при взгляде на агнца, лежащего на его плечах? Этой любви ко всем живым существам нет у Иисуса.

Такое сравнение огорчило добрую женщину. Я понял ее чувства, прекратил разговор, и мы перешли в столовую. Ее сын, херувим, едва достигший пяти лет, тоже был с нами. Я чувствую себя самым счастливым человеком, когда нахожусь среди детей, а с этим малышом мы давно стали друзьями. Я с пренебрежением отозвался о куске мяса, лежавшем на его тарелке, и принялся расхваливать яблоко, лежавшее на моей. Невинное дитя было увлечено. Малыш вслед за мной стал восхвалять фрукты.

А мать? Она была в ужасе.

Мне сделали замечание. Я переменил тему разговора. На следующей неделе я, как обычно, навестил семью, не понимая, что мне следует прекратить визиты, да и не считая, что это было бы правильно. Но добрая женщина внесла ясность в создавшееся положение.

— Мистер Ганди, — сказала она, — пожалуйста, не обижайтесь на меня. Я считаю своим долгом сказать вам, что ваше общество не лучшим образом воздействует на мальчика. Каждый день он колеблется, кушать ли мясо, и просит фрукты, напоминая мне о ваших доводах. Это уже слишком. Если он не будет кушать мясо, он станет слабым, если не больным. И я не в состоянии переносить это. Отныне вы должны говорить только с нами, взрослыми. Ваши разговоры, очевидно, плохо влияют на детей.

— Миссис, — ответил я, — мне очень жаль, что все так получилось. Я могу понять ваши родительские чувства, так как у меня самого есть дети. Мы можем очень просто покончить с этим неприятным положением. То, что я ем и от чего я отказываюсь, больше влияет на ребенка, чем мои слова. Поэтому лучше всего мне прекратить свои посещения. Это, конечно, не должно повлиять на нашу дружбу.

— Благодарю вас, — сказала она с явным облегчением.

XXIII. В КАЧЕСТВЕ ХОЗЯИНА

Обзаводиться хозяйством было для меня не ново. Однако хозяйство мое в Натале отличалось от того, какое было у меня в Бомбее и Лондоне. На этот раз часть расходов предпринималась исключительно ради престижа. Мне казалось необходимым, чтобы мое хозяйство соответствовало моему положению индийского адвоката в Натале и представителя общественности. Поэтому я занял прекрасный маленький домик в хорошем районе. Он был также соответственным образом обставлен. Еда была проста, но так как я обычно приглашал к себе на обед друзей-англичан и индийских товарищей по работе, то счета расходов на ведение домашнего хозяйства всегда были очень велики.

В каждом хозяйстве нужен хороший слуга. Но я не представлял себе, что можно обращаться с кем бы то ни было как со слугой.

У меня был приятель — мой компаньон и помощник, а также повар, который стал членом моей семьи. Были у меня и конторские служащие. Они также столовались и жили вместе со мной.

Я полагаю, что преуспел, экспериментируя таким образом, но успех мой был несколько омрачен горькими жизненными переживаниями.

Мой компаньон был очень умен и, как я считал, предан мне. Но оказалось, что я заблуждался. Он воспылал завистью к одному из конторских служащих, который жил у меня, и сплел вокруг него такую паутину, что я стал подозрительно относиться к клерку. Клерк был человек с характером. Увидев, что является объектом моих подозрений, он тотчас оставил мой дом и службу. Меня это огорчило. Я чувствовал, что был, возможно, несправедлив к нему, и мучился угрызениями совести.

Тем временем повару потребовалось несколько дней отпуска. На время его отсутствия пришлось пригласить другого. Позже я узнал, что новый повар был бездельником. Но для меня он оказался посланником Божьим. Поселившись у меня, он уже через два или три дня обнаружил непорядки, творившиеся под моей крышей без моего ведома, и решил предупредить меня. Я прослыл доверчивым и прямым человеком. Поэтому эти непорядки тем более потрясли его. Я приходил из конторы домой завтракать всегда к часу дня. Однажды, примерно часов в двенадцать, повар, запыхавшись, вбежал в контору.

— Пожалуйста, немедленно идите домой,— сказал он.— Там творится неладное.

— Но что там такое? — спросил я.— Скажите же, в чем дело. Я ведь не могу оставить в этот час контору.

— Вы пожалеете, если не пойдете. Это все, что я могу сказать.

На меня подействовала его настойчивость. Я направился домой в сопровождении клерка и повара, который шел впереди нас. Он провел меня прямо на верхний этаж, указал на комнату моего компаньона и сказал:

— Откройте эту дверь и смотрите сами.

Я все понял. Я постучал в дверь. Никакого ответа! Я постучал сильнее, так, что затряслись стены. Дверь открылась. В комнате я увидел проститутку. Я велел ей оставить дом и никогда не возвращаться.

Обратившись к компаньону, я сказал:

— С этого момента между нами все кончено. Я жестоко обманут и одурачен. Вот как вы отплатили мне за доверие!

Вместо того чтобы раскаяться, он угрожал мне разоблачением.

— Меня не в чем разоблачать, — сказал я. — Можете рассказывать о любых моих поступках. Но немедленно оставьте мой дом.

Это еще больше озлобило его. У меня не оставалось выхода, кроме как сказать клерку, стоявшему внизу:

— Пожалуйста, пойдите и передайте старшему полицейскому офицеру, что человек, живущий в моем доме, дурно ведет себя. Я не желаю, чтобы он оставался в моем доме, но он отказывается покинуть его. Я буду очень благодарен, если мне пришлют на помощь полицию.

Поняв, что я не шучу, он испугался своего проступка и, извинившись передо мной, умолял не сообщать полиции о происшедшем и согласился немедленно оставить мой дом, что и сделал.

Этот случай оказался своевременным предупреждением мне. Только теперь я понял, как жестоко был обманут этим злым гением. Приютив его, я избрал плохое средство для достижения хорошей цели. Я намеревался «собирать фиги с чертополоха». Я знал, что компаньон мой — темная личность, и все же верил в его преданность мне. Пытаясь перевоспитать его, я чуть не обесчестил себя. Я пренебрег предостережением добрых друзей. Безрассудство совершенно ослепило меня.

Не появись в доме новый повар, я никогда не узнал бы истины и, находясь под влиянием компаньона, по-видимому, был бы не в состоянии вести независимую жизнь, которую я тогда начинал. Мне пришлось бы всегда попусту тратить время на него. А он держал бы меня в неведении и обманывал.

Но Бог, как и прежде, пришел мне на помощь. Мои намерения были чисты, и поэтому я был спасен, несмотря на мои ошибки. Этот жизненный урок послужил мне предостережением на будущее.

Повар был мне послан Небом. Он не умел готовить и не мог оставаться у меня в качестве повара. Но никто другой не смог открыть мне глаза. В первый раз я задним числом узнавал, что в мой дом приводили женщину. Значит, она приходила часто и раньше, но ни у кого не нашлось храбрости сказать об этом, ибо все знали, как слепо доверял я компаньону. Повар был послан мне как бы лишь для того, чтобы исполнить эту службу, а потом тотчас же попросил разрешения уйти от меня.

— Я не могу оставаться в вашем доме, — сказал он. — Вас так легко провели. Здесь не место для меня.

Я отпустил его.

Теперь я вспомнил, что именно компаньон нашептывал мне на клерка. Я всячески старался загладить свою вину перед клерком за мою несправедливость к нему, но чувствовал, что так и не смог добиться этого, о чем всегда сожалел. Трещина остается трещиной, как бы вы ни старались заделать ее.

XXIV. ДОМОЙ

Вот уже прошло три года, как я приехал в Южную Африку. Я узнал живущих здесь индийцев, и они узнали меня. В 1896 г. я попросил разрешения поехать на полгода домой, в Индию, так как чувствовал, что останусь в Южной Африке надолго. Я создал себе довольно хорошую практику и убедился, что нужен людям. Поэтому я решил отправиться на родину, взять жену и детей, затем вернуться и обосноваться здесь. Вместе с тем я считал, что, приехав в Индию, сумею проделать там некоторую работу в целях воздействия на общественное мнение и пробуждения интереса к положению индийцев в Южной Африке. Вопрос о налоге в три фунта стерлингов все еще был открытой раной. Пока не отменен этот налог, не могло быть мира.

Но кто в мое отсутствие возглавит работу Конгресса и Ассоциации по вопросам образования? Я думал о двух кандидатурах: Адамджи Миякхане и парсе Рустомджи. Среди коммерсантов теперь было много подходящих для дела работников. Но наиболее выдающимися из тех, кто мог бы регулярно выполнять обязанности секретаря, а также пользовался уважением индийской общины, были эти двое. Конечно, секретарь должен прилично знать английский язык. Я рекомендовал Конгрессу Адамджи Миякхана, и Конгресс утвердил его назначение в качестве секретаря. Опыт показал, что этот выбор был очень удачен. Адамджи Миякхан отличался настойчивостью, терпимостью, любезностью и учтивостью и доказал всем, что для работы секретарем не обязательно нужен человек, имеющий диплом адвоката или получивший высшее образование в Англии.

Примерно в середине 1896 г. я отплыл домой на судне «Понгола», направлявшемся в Калькутту.

Пассажиров на борту было совсем немного. Среди них — два английских чиновника, с которыми я близко познакомился. С одним из них мы по часу в день играли в шахматы. Корабельный врач дал мне самоучитель языка тамилов, который я начал изучать. Мой опыт работы в Натале показал, что мне нужно изучить урду, чтобы сблизиться с мусульманами, и тамильский язык, чтобы сблизиться с мадрасскими индийцами.

По просьбе приятеля-англичанина, вместе с которым мы читали на урду, я отыскал среди палубных пассажиров хорошего переводчика, владевшего этим языком, и мы добились блестящих успехов в наших занятиях. У чиновника память была лучше моей. Только раз встретив слово, он уже не забывал его. Мне же нередко с трудом удавалось разобрать буквы в тексте урду. Я проявлял большую настойчивость, но не смог превзойти чиновника.

Успешно шло у меня изучение тамильского языка. Помочь мне никто не мог, однако самоучитель оказался хорошим учебником, и я не чувствовал необходимости в посторонней помощи.

Я надеялся продолжить изучение языков в Индии, но это оказалось невозможным. Большую часть того, что я читал начиная с 1893 г., я прочел в тюрьме. Там я достиг некоторых результатов в изучении языков тамили и урду: тамили — в южноафриканских тюрьмах, урду — в Йервадской тюрьме. Но я никогда не научился говорить на языке тамилов, а то немногое, что я в состоянии был делать благодаря умению читать по-тамильски, теперь забывается из-за недостатка практики.

До сих пор я чувствую, какой помехой в моей деятельности является это незнание языка тамили или телугу. Любовь, которой меня окружили в Южной Африке дравиды, осталась светлым воспоминанием. Встретив тамила или телугу, я не могу не вспомнить, с какой верой, настойчивостью, самопожертвованием многие их соотечественники включились в борьбу в Южной Африке. Причем в большинстве своем и мужчины, и женщины были неграмотны. Борьба в Южной Африке шла ради них, и вели ее неграмотные солдаты; это была борьба ради бедняков, и бедняки участвовали в ней. Однако незнание их языка никогда не мешало мне завоевывать сердца этих простых и добрых моих соотечественников. Они говорили на ломаном хиндустани или на ломаном английском языке, и нам было нетрудно работать сообща. Но мне хотелось завоевать любовь тамилов и телугу знанием их языка. В овладении тамили, как уже говорилось, я добился небольших успехов, однако в языке телугу, которым я пытался заниматься в Индии, я не продвинулся дальше освоения алфавита. Боюсь, что теперь я никогда уже не выучу эти языки, но надеюсь, что дравиды выучат хиндустани. В Южной Африке те из них, кто не знает английского, действительно говорят, пусть посредственно, на хинди или хиндустани. Лишь владеющие английским языком не хотят учить хиндустани, словно знание английского является препятствием к изучению наших собственных языков.

Однако я отвлекся. Позвольте мне закончить рассказ о моем путешествии. Я должен представить читателям капитана судна «Понгола». Мы с ним стали друзьями. Капитан принадлежал к секте плимутских братьев. Наши разговоры больше касались духовных, чем мирских тем. Капитан проводил различие между моралью и верой. Библейское учение в его трактовке было детской игрой. Обаяние этого учения заключалось для него в его простоте. Пусть все — мужчины, женщины, дети, говорил он, верят в Иисуса и его жертву, и их грехи обязательно будут отпущены. Новый друг оживил в моей памяти образ плимутского брата из Претории. Религию, которая накладывала какие-нибудь моральные ограничения, он считал никуда не годной. Поводом для наших дискуссий послужила моя вегетарианская пища. Почему я не ем мяса? Разве Бог не создал всех низших животных для удовольствия человека, подобно тому как он создал, например, царство растений? Эти вопросы неизбежно приводили нас к спорам на религиозные темы.

Мы не могли убедить друг друга. Я отстаивал свое мнение, что религия и мораль синонимичны. Капитан не сомневался в правильности своего противоположного убеждения.

После двадцатичетырехдневного приятного плавания я высадился в Калькутте, восхищаясь красотой Хугли, и в тот же день поездом выехал в Бомбей.

XXV. В ИНДИИ

По дороге в Бомбей поезд остановился на сорок пять минут в Аллахабаде. Я решил воспользоваться остановкой, чтобы посмотреть город. Кроме того, мне нужно было купить лекарство. Полусонный аптекарь долго провозился, отпуская мне его, и, когда я вернулся на вокзал, поезд уже ушел. Начальник станции ради меня любезно задержал поезд на минуту, но, видя, что меня нет, распорядился, чтобы вынесли из вагона на платформу мой багаж.

Я остановился в гостинице Кельнера и решил немедленно приняться за дело. Я много слышал о журнале «Пайонир», издававшемся в Аллахабаде, и считал его органом, враждебно относящимся к устремлениям индийцев. Помнится, редактором его в то время был мистер Чесни. Мне хотелось заручиться поддержкой всех партий, и я начал с того, что написал мистеру Чесни записку, в которой, объяснив, что опоздал на поезд, просил принять меня, прежде чем я уеду завтрашним поездом. Он немедленно пригласил меня к себе, чем я был очень обрадован, особенно когда убедился, что он внимательно слушает меня. Чесни обещал отмечать в своем журнале все, что я буду писать, но добавил, что не может гарантировать мне поддержку всех требований индийцев, так как должен считаться также с точкой зрения англичан.

— Достаточно, если вы займетесь изучением вопроса и обсудите его в вашем журнале. Я прошу и хочу только справедливости, на которую мы имеем право, — сказал я.

Остаток дня я провел, любуясь великолепным зрелищем — слиянием трех рек — Тривени и обдумывая планы предстоящей работы.

Неожиданная беседа с редактором «Пайонир» положила начало ряду инцидентов, которые в конечном итоге привели к линчеванию меня в Натале.

Не останавливаясь в Бомбее, я проехал прямо в Раджкот и начал подготовлять брошюру о положении в Южной Африке. На работу над брошюрой и печатание ее ушло около месяца. Брошюра вышла в зеленой обложке и потому впоследствии стала известна под названием «Зеленая брошюра». Изображая положение индийцев в Южной Африке, я нарочно смягчил краски. Тон был взят более умеренный, чем в тех двух брошюрах, о которых я уже рассказывал. Я знал, что факты, переданные на расстоянии, приобретают более внушительный вид, чем имеют в действительности.

Брошюра вышла тиражом десять тысяч экземпляров и была разослана в редакции всех газет и лидерам всех партий Индии. Первым редакционную статью о ней поместил «Пайонир». Агентство Рейтер передало в Англию по телеграфу краткое изложение брошюры, а лондонское агентство Рейтер послало его в еще более сокращенном виде в Наталь. Телеграмма в Наталь была не длиннее трех строк.

Мое описание того, как обращаются с индийцами в Натале, было доведено до минимального размера и искажено. Кроме того, все излагалось уже не моими словами. Дальше мы увидим, к каким последствиям это привело в Натале. А пока что все газеты подробно комментировали поднятый мною вопрос.

Разослать экземпляры брошюры почтой было нелегким делом. Я вынужден был бы прибегнуть к платным услугам по упаковке и т. п., и это обошлось бы слишком дорого. Но я собрал детей, живших по соседству, и попросил их пожертвовать на упаковку часа два-три утром, до школьных занятий. Они охотно согласились. Я обещал подарить им за это погашенные почтовые марки, которые собирал. Они справились с работой необыкновенно быстро. То был мой первый опыт привлечения детей в качестве добровольцев. Двое из этих маленьких друзей стали впоследствии моими товарищами по работе.

Примерно в это время в Бомбее вспыхнула чума. Началась паника. Опасались, что эпидемия распространится и на Раджкот. Я считал, что могу принести некоторую пользу в санитарном отряде, и предложил правительству свои услуги. Они были приняты, и меня ввели в состав комиссии, которая должна была исследовать этот вопрос. Я особенно настаивал на очистке отхожих мест, и комиссия решила сама проверить их состояние во всем городе. Бедняки не возражали против осмотра и, что еще важнее, выполняли указания, которые делала комиссия относительно улучшения состояния отхожих мест. Но когда мы добрались до домов богачей, то некоторые отказывались даже впустить нас и, уж конечно, совершенно не обращали внимания на наши указания. В общем, у нас у всех создалось впечатление, что уборные в богатых домах были гораздо грязнее. Они были темными, зловонными и кишели червями. Улучшения, предложенные нами, были очень просты, например: иметь бадью для экскрементов, вместо того чтобы выбрасывать их на землю; следить за тем, чтобы моча также собиралась в бадье, а не выливалась на землю; снести перегородку между наружной стеной и уборной, чтобы обеспечить в уборную больший доступ света и воздуха и создать мусорщику возможность чистить уборные надлежащим образом. Высшие классы выдвинули многочисленные возражения против последнего мероприятия и в большинстве случаев не осуществляли его.

Комиссия должна была также осмотреть кварталы неприкасаемых. Только один из членов комиссии изъявил согласие сопровождать меня туда. Остальным посещение этих кварталов представлялось какой-то несообразностью, тем более осмотр отхожих мест там. Но для меня кварталы неприкасаемых оказались приятным сюрпризом. Я впервые заглянул туда. Мужчины и женщины были удивлены нашим посещением. Я попросил разрешения осмотреть уборные.

— У нас — уборные? — с изумлением воскликнули они — Мы отправляем наши нужды на открытом воздухе. Уборные нужны вам, важным людям.

— Ну хорошо, в таком случае вы разрешите нам осмотреть ваши дома? — осведомился я.

— Милости просим, сэр. Вы можете осмотреть все углы и закоулки в наших домах. У нас не дома, а норы.

Я вошел и с удовольствием увидел, что внутри была такая же чистота, как снаружи. Перед входом было чисто выметено, полы намазаны коровьим пометом, а немногочисленные горшки и блюда блестели и сверкали. Можно было не бояться, что в этом квартале вспыхнет эпидемия.

В кварталах высшего класса мы натолкнулись на уборную, которую я не могу не описать с некоторыми подробностями. В каждой комнате был сделан сток, который использовали и для воды, и для мочи. В результате весь дом был наполнен зловонием. В другом доме сток, использовавшийся и для мочи, и для кала, шел из спальни, расположенной на втором этаже, и соединялся с трубой, спускавшейся на первый этаж. Вынести отвратительную вонь, стоявшую в этой комнате, было невозможно. Каким образом жильцы умудрялись спать там, пусть представит себе сам читатель.

Комиссия посетила также хавели вишнуитов. Жрец хавели был в дружественных отношениях с моей семьей. Поэтому он согласился дать нам возможность полностью осмотреть храм и обещал сделать все необходимые улучшения. Мы обнаружили в храме места, которые он и сам видел впервые. В углу у стены была свалка отбросов и листьев, использованных вместо тарелок, гнездились вороны и коршуны. Уборные были, конечно, грязны. Я вскоре уехал из Раджкота и не знаю, какие из предложенных нами мероприятий были выполнены жрецом.

Мне было неприятно видеть такую грязь в месте, где отправлялось богослужение. Казалось бы, можно было ожидать тщательного соблюдения чистоты и гигиены в помещении, считавшемся святым. Авторы смрити, насколько я знал, уже тогда особенно настаивали на необходимости внутренней и внешней чистоты.

XXVI. ДВЕ СТРАСТИ

Я, пожалуй, не знаю никого, кто так лояльно относился бы к британской конституции, как я. Я понимаю теперь, что был при этом совершенно искренен. Я никогда не мог бы симулировать лояльность, как и всякую другую добродетель. На каждом собрании, которое я посещал в Натале, исполнялся государственный гимн. Тогда я чувствовал, что также должен принять участие в его исполнении. Нельзя сказать, чтобы я не замечал недостатков британского управления, но я считал в ту пору, что в целом оно вполне приемлемо и даже благодетельно для управляемых.

Я думал, что расовые предрассудки, с которыми я столкнулся в Южной Африке, явно противоречат британским традициям и что это явление временное и местного характера.

Поэтому в лояльности по отношению к трону я соперничал с англичанами. Я тщательно заучил мотив национального гимна и всегда принимал участие в его исполнении. Всюду, где представлялся случай выказать лояльность без суеты и показного хвастовства, я охотно делал это.

Никогда в жизни я не спекулировал на своей лояльности, никогда не стремился добиться таким путем личной выгоды. Лояльность была для меня больше обязательством, которое я выполнял, не рассчитывая на вознаграждение.

Когда я приехал в Индию, там готовились к празднованию шестидесятилетия царствования королевы Виктории. Меня пригласили участвовать в комиссии, образованной для этой цели в Раджкоте. Я принял предложение, но у меня зародилось ощущение, что празднество получится показным. Я увидел вокруг подготовки к нему много пустой шумихи, и это произвело на меня тягостное впечатление. Я начал раздумывать, следует ли мне работать в комиссии, но в конце концов решил удовольствоваться той лептой, которую смогу внести в это дело, оставаясь в комиссии.

Среди подготовительных мероприятий была посадка деревьев. Я видел, что многие делают это только напоказ или стараясь угодить властям. Я пытался убедить членов комиссии, что посадка деревьев не обязательна, а только рекомендуется; этим надо заниматься серьезно или совсем не браться за дело. У меня было такое впечатление, что над моими идеями насмехались. Я очень серьезно отнесся к делу, когда сажал свое деревцо, тщательно поливал его и ухаживал за ним.

Я научил своих детей петь национальный гимн. Помню, что обучал тому же учащихся местного педагогического колледжа, но забыл, было ли это по случаю шестидесятилетия царствования королевы Виктории или по случаю коронования короля Эдуарда VII императором Индии. Впоследствии от слов гимна меня стало коробить. Когда мое понимание ахимсы вылилось в более зрелую форму, я стал бдительнее относиться к моим мыслям и словам. Особенно расходилось с моим пониманием ахимсы то место в гимне, где поют:

Рассей своих врагов
И добейся их гибели,
Спутай их политику,
Разоблачи их мошеннические хитрости.

Я поделился своими чувствами с доктором Бутом, и он согласился, что верящему в ахимсу едва ли стоит петь эти строки.

Почему так называемые враги являются мошенниками? Или потому что они враги, они обязательно должны быть неправы? Справедливости мы можем просить только у Бога. Доктор Бут всецело одобрил мои чувства и сочинил новый гимн для своей паствы. Но о докторе Буте речь пойдет ниже.

Склонность ухаживать за людьми глубоко коренилась в моем характере. Я любил ухаживать за людьми — знакомыми и незнакомыми.

В то время как я писал в Раджкоте брошюру о Южной Африке, мне представился случай на короткое время съездить в Бомбей. Я хотел воздействовать на общественное мнение в городах по этому вопросу посредством организации митингов и для начала избрал Бомбей.

Прежде всего я обратился к судье Ранаде, который внимательно выслушал меня и посоветовал обратиться к Фирузшаху Мехте. Затем я встретился с судьей Бадруддином Тьябджи, и он мне посоветовал то же самое.

— Мы с судьей Ранаде можем помочь вам в очень немногом,— сказал он.— Вы знаете наше положение. Мы не можем принимать активного участия в общественных делах, но наши симпатии принадлежат вам. Сэр Фирузшах Мехта — вот кто может быть вашим руководителем.

Я, разумеется, хотел повидать сэра Фирузшаха Мехту, а тот факт, что эти почтенные люди рекомендовали мне действовать в соответствии с его советом, еще яснее свидетельствовал о его огромном влиянии. В назначенный час я встретился с ним. Я ожидал, что испытаю в его присутствии благоговейный трепет. Я слышал о популярных прозвищах, которыми его наделяли, и приготовился увидеть «льва Бомбея», «некоронованного короля округа». Но король не подавлял. Он встретил меня как любящий отец взрослого сына. Свидание происходило в его комнате. Он был окружен друзьями и последователями. Среди них были мистер Д. Е. Вача и мистер Кама, с которыми меня познакомили. О Вача я уже слышал. Его называли правой рукой Фирузшаха, и адвокат Вирчанд Ганди охарактеризовал его мне как крупного статистика. Прощаясь, Вача сказал:

— Ганди, мы должны встретиться еще раз.

Чтобы представиться друг другу, потребовалось едва ли больше двух минут. Сэр Фирузшах внимательно слушал меня. Я сообщил ему, что я уже встречался с судьями Ранаде и Тьябджи.

— Ганди, — сказал он, — я вижу, что должен помочь вам. Я созову публичный митинг.

С этими словами он повернулся к своему секретарю мистеру Мунши и велел ему назначить день митинга. Дата была установлена, затем он простился со мной и попросил зайти накануне митинга. Эта встреча рассеяла все мои опасения, и я радостный вернулся домой.

В Бомбее я навестил своего зятя, заболевшего в то время. Он не был богатым человеком, а моя сестра (его жена) не умела ухаживать за ним. Болезнь была серьезна, и я предложил отвезти его в Раджкот. Он согласился, и я вернулся домой с сестрой и ее мужем. Болезнь затянулась дольше, чем я предполагал. Я поместил зятя в своей комнате и просиживал у его постели дни и ночи. Я вынужден был не спать ночами и на время его болезни оставить работу, связанную с моими интересами в Южной Африке. Пациент умер, но я утешал себя тем, что имел возможность ухаживать за ним до его последнего часа.

Склонность моя ухаживать за людьми постепенно развилась в страсть. Случалось, что я пренебрегал ради этого своей работой и по возможности вовлекал в это дело не только жену, но и всех домашних.

Подобное занятие не имеет смысла, если не находить в нем удовольствия. А когда выполняется напоказ или из страха перед общественным мнением, вредит человеку и подавляет его дух. Служение без радости не помогает ни тому, кто служит, ни тому, кому служат. Но все другие удовольствия превращаются в ничто перед лицом служения, которое обращается в радость.

XXVII. МИТИНГ В БОМБЕЕ

На следующий день после смерти зятя я должен был уехать в Бомбей на публичный митинг. У меня почти не было времени обдумать свою речь. Я чувствовал себя изнуренным после дней и ночей беспокойного бодрствования, голос у меня охрип. Однако я отправился в Бомбей, всецело доверившись Богу. Я и не помышлял о том, чтобы написать свою речь.

Следуя указанию сэра Фирузшаха, я явился к нему в контору накануне митинга к пяти часам.

— Ваша речь готова, Ганди? — спросил он меня.

— Нет, — сказал я, дрожа от страха. — Я собираюсь говорить ex tempore[1].

— В Бомбее это не годится. Репортеры здесь плохие, и, если мы хотим извлечь пользу из нашего митинга, вам следует предварительно написать речь, и надо успеть напечатать ее к утру завтрашнего дня. Надеюсь, вы сможете справиться с этим?

Я очень нервничал, но сказал, что попытаюсь.

— Тогда скажите, когда мой секретарь может зайти к вам за рукописью?

— В одиннадцать часов вечера, — сказал я.

На следующий день, придя на митинг, я понял, насколько мудрым был совет Фирузшаха. Митинг происходил в зале института сэра Коваеджи Джехангира. Я слышал, что, если на митинге собирается выступить Фирузшах Мехта, зал всегда бывает переполнен, главным образом студентами, желающими послушать его. Я впервые присутствовал на таком митинге. Я видел, что лишь немногим слышно меня. Я дрожал, когда начал читать свою речь. Фирузшах все время меня подбадривал и просил говорить громче, еще громче. Но от этого я робел еще сильнее и голос мой становился все глуше и глуше. Мой старый друг, адвокат Кешаврао Дешпанде, пришел мне на выручку. Я передал ему текст. У него голос был как раз подходящий. Но аудитория не желала его слушать. Зал оглашался криками:

— Вача, Вача!

Тогда встал мистер Вача и прочел речь. Результат был изумительный. Аудитория совершенно успокоилась и прослушала речь до конца, прерывая ее в должных местах аплодисментами и возгласами «позор!». Все это радовало меня.

Фирузшаху речь понравилась. Я был несказанно счастлив.

Я завоевал деятельные симпатии адвоката Дешпанде и одного приятеля-парса, чье имя не решаюсь назвать, так

---

[1] Без подготовки *(лат.)*.

как он сейчас занимает высокий пост в правительстве. Оба обещали сопровождать меня в Южную Африку. Однако мистер Курсетджи, в то время судья, занимавшийся мелкими гражданскими делами, отговорил парса от поездки, так как задумал женить его. Мой приятель-парс должен был выбирать между женитьбой и поездкой в Южную Африку и предпочел первое. Рустомджи компенсировал ущерб, который я понес вследствие нарушения парсом обещания, а сестры парса, посвятив себя работе кхади, тем самым искупили вину дамы, ради которой парс отказался от поездки. Я с радостью простил этой паре. У адвоката Дешпанде не было соблазна жениться, но он также не смог поехать. Сегодня он сам в достаточной мере расплачивается за нарушенную клятву. Возвращаясь в Южную Африку, я встретил в Занзибаре одного из Тьябджи. Он также обещал приехать и помочь мне, но не приехал. Мистер Аббас Тьябджи искупает этот проступок. Таким образом, ни одна из моих трех попыток склонить адвокатов к поездке в Южную Африку не увенчалась успехом.

В этой связи я вспоминаю мистера Пестонджи Падшаха. Мы были в дружеских отношениях со времени моего пребывания в Англии. Встретились мы в вегетарианском ресторане в Лондоне. Я слышал о его брате мистере Барджорджи Падшахе, который слыл чудаком. Я никогда не видел его, но друзья говорили, что он эксцентричный человек. Из жалости к лошади он никогда не ездил на конке; отказался получить ученую степень, хотя обладал необыкновенной памятью; выработал в себе независимый дух, ел только вегетарианскую пищу, несмотря на то что был парсом. Пестонджи не имел такой репутации, но своей эрудицией был знаменит даже в Лондоне. Однако общим у нас была приверженность к вегетарианству, а не ученость; в последнем догнать его было мне не по силам.

В Бомбее я снова разыскал Пестонджи. Он служил первым нотариусом в Верховном суде. Когда я нашел его, он работал над словарем верхнего гуджарати. Не было ни одного приятеля, к которому я не обращался бы с просьбой помочь мне в моей работе в Южной Африке. Но Пестонджи Падшах не только отказался помочь, но посоветовал и мне не возвращаться в Южную Африку.

— Вам невозможно помочь, — заявил он. — И я скажу откровенно — мне не нравится ваша поездка в Южную Африку. Разве мало работы у нас в стране? Взгляните, сколько надо сделать для нашего языка. Я вот поставил себе целью найти научные термины. Но это только одна область деятельности. Подумайте о бедности страны. Индийцы в Южной Африке, конечно, живут в трудных условиях, но мне не хотелось бы, чтобы такой человек, как вы, принес себя в жертву этой работе. Давайте добьемся самоуправления здесь, и этим мы автоматически поможем нашим соотечественникам там. Я знаю, что не могу переубедить вас, но я не стану поощрять подобного вам человека разделить с вами свою судьбу.

Мне не понравился его совет, но мое уважение к мистеру Пестонджи Падшаху возросло. Меня поразила его любовь к Индии и родному языку. Эта встреча сблизила нас. Мне понятна была его точка зрения. Но, будучи и прежде далек от мысли бросить работу в Южной Африке, теперь я еще больше укрепился в своем решении. Патриот не может позволить себе пренебрегать какой бы то ни было стороной служения родине. И для меня ясны и полны значения строки «Гиты»:

> Когда каждый выполняет свое дело так, как может, если даже ему это не удается, это все же лучше, чем брать на себя чужие обязанности, какими бы хорошими они ни казались. Умереть, выполняя долг, не есть зло, но ищущий других путей будет бродить по-прежнему.

XXVIII. ПУНА И МАДРАС

Благодаря сэру Фирузшаху дело мое наладилось. Из Бомбея я отправился в Пуну. Здесь действовали две партии. Я добивался поддержки со стороны людей любых взглядов. Прежде всего я посетил Локаманью Тилака.

— Вы совершенно правы, что стремитесь заручиться поддержкой всех партий. В вопросе, касающемся Южной Африки, не может быть разных мнений. Но вам нужно взять председателем беспартийного человека. Повидайте профессора Бхандаркара. Он давно не принимает участия в общественном движении. Но возможно, что этот вопрос заставит его раскачаться. Повидайте его и сообщите мне, что он вам ответит. Я хочу всячески помочь вам. Конечно, мы с вами встретимся, как только вы захотите. Я в вашем распоряжении.

Это была моя первая встреча с Локаманьей. Она открыла мне секрет его исключительной популярности.

Потом я пошел к Гокхале. Я нашел его в парке колледжа Фергассона. Он очень любезно меня принял, и его манера держаться покорила мое сердце. С ним я также встретился впервые, но казалось, будто мы возобновили старую дружбу. Сэр Фирузшах представлялся мне Гималаями, Локаманья — океаном, а Гокхале — Гангом. В священной реке можно искупаться и освежиться. На Гималаи нельзя взобраться, по океану нелегко плавать, но Ганг манит в свои объятия. Так приятно плавать по нему на лодке и грести веслом.

Гокхале устроил мне тщательный экзамен, как учитель ученику, желающему поступить в школу. Он сказал, кому мне следует обратиться за помощью и как это сделать. Он попросил разрешения взглянуть на текст моей речи. Затем показал мне колледж, заверил, что всегда будет в моем распоряжении, попросил сообщить ему о результатах переговоров с доктором Бхандаркаром, и, когда проводил меня, я ликовал от счастья. В области политики Гокхале на протяжении всей своей жизни занимал в моем сердце совершенно особое место, да и теперь занимает его.

Доктор Бхандаркар принял меня с отеческим радушием. Был полдень, когда я пришел к нему. Уже самый факт, что в такой час я занят деловыми свиданиями, очень тронул этого неутомимого ученого, а мои настояния, чтобы на митинге председательствовал беспартийный, встретили с его стороны полное одобрение, которое он выражал восклицаниями:

— Так, так!

Выслушав меня, он сказал:

— Все скажут вам, что я стою в стороне от политики. Но я не могу отказать вам. Вы делаете такое важное дело и проявляете такую восхитительную энергию, что я просто не в состоянии уклониться от участия в вашем митинге. Вы правильно поступили, что посоветовались с Тилаком и Гокхале. Пожалуйста, скажите им, что я охотно возьму на себя председательствование на собрании, которое организуется при покровительстве двух партий сабха. Я не назначаю часа начала собрания. Любое время, удобное вам, будет удобно и мне.

С этими словами он распрощался со мной, напутствовав всяческими благословениями.

Без всякой шумихи эти ученые и самоотверженные люди организовали в Пуне митинг в скромном небольшом зале. Я уехал в приподнятом настроении, еще тверже верящий в свою миссию.

Затем я отправился в Мадрас. Там митинг прошел с небывалым энтузиазмом. Рассказ о Баласундараме произвел большое впечатление на собравшихся. Моя речь была напечатана и показалась мне очень длинной. Но аудитория с неослабевающим вниманием ловила каждое слово. После митинга публика буквально расхватала «Зеленую брошюру». Я выпустил второе, исправленное, издание ее тиражом десять тысяч экземпляров. Они распродавались, как горячие пирожки, но я убедился, что тираж все же был велик. Я увлекся и переоценил спрос. Моя речь предназначалась для людей, говорящих по-английски, и десять тысяч экземпляров было слишком много для Мадраса.

Большую поддержку мне оказал ныне покойный адвокат Г. Парамешваран Пиллей, редактор «Мадрас стандард». Он тщательно изучал вопрос, часто приглашал меня к себе в контору и помогал советом. Адвокат Г. Субрахманьям из «Хинду» и доктор Субрахманьям также очень сочувственно относились к моему делу. Адвокат Г. Парамешваран Пиллей предоставил полностью в мое распоряжение страницы «Мадрас стандард», и я не преминул воспользоваться этим. Доктор Субрахманьям председательствовал на митинге, насколько мне помнится, в «Пачаяппа холл».

Любовь, проявленная ко мне большинством друзей, с которыми я встречался, и их энтузиазм в отношении моего дела были столь велики, что, хотя мы говорили по-английски, я чувствовал себя совсем как дома. Да разве существуют помехи, которых не устранила бы любовь!

XXIX. «ВОЗВРАЩАЙТЕСЬ СКОРЕЕ»

Из Мадраса я направился в Калькутту, где столкнулся с рядом затруднений. Я никого не знал в этом городе и поэтому поселился в Большой восточной гостинице. Здесь я познакомился с представителем «Дейли телеграф», мистером Эллерторпом. Он пригласил меня в Бенгальский клуб, где остановился. Однако Эллерторп не учел, что индийца не пустят в гостиную клуба. Узнав об этом, он увел меня в свою комнату. Он выразил сожаление по поводу предрассудков, господствующих среди местных англичан, и извинился передо мной, что не смог провести меня в гостиную.

Я посетил, конечно, Сурендранатха Банерджи, «идола Бенгалии». Я застал его окруженным группой друзей. Он сказал:

— Боюсь, наша публика не заинтересуется вашей работой. Вы знаете, что у нас и так немало трудностей. Но попытайтесь сделать все возможное. Вам следует заручиться поддержкой махараджей. Повидайте представителей Британской индийской ассоциации. Побывайте также у раджи сэра Пьяримохана Мукерджи и махараджи Тхакура. Оба они либерально настроенные люди и принимают активное участие в общественных делах.

Я посетил этих господ, но безрезультатно. Оба приняли меня холодно и сказали, что в Калькутте нелегко созвать публичный митинг и если что-нибудь можно сделать, то практически это зависит всецело от Сурендранатха Банерджи.

Я понял, как трудно мне будет достигнуть своей цели. Я зашел в редакцию «Амрита базар патрика». Господин, встретивший меня там, принял меня за бродячего еврея.

«Бангабаси» перещеголяла всех. Редактор заставил ждать себя целый час. У него было много посетителей, но, даже освободившись, он не обращал на меня внимания. Когда после долгого ожидания я попытался несколько подробно изложить цель своего прихода, он сказал:

— Разве вы не видите, что у нас уйма дел? Таких посетителей, как вы, не оберешься. Уходите-ка лучше. У меня нет ни малейшего желания выслушивать вас.

Сначала я почувствовал себя обиженным, но потом понял положение редактора. Я знал, какой популярностью пользовалась «Бангабаси». Я наблюдал постоянный поток посетителей. И все это были знакомые ему люди. Газета не испытывала недостатка в темах, а о Южной Африке в то время мало кто знал.

Какой серьезной ни казалась бы обида потерпевшему, он был всего лишь одним из многих людей, приходивших в редакцию со своими бедами. Разве мог редактор удовлетворить всех? Более того, обиженная сторона воображала, что редактор представляет силу в стране. Но только сам редактор знал, что его сила едва ли сможет переступить порог его учреждения. Я не был обескуражен и продолжал навещать редакторов других газет. Я побывал также у редакторов англо-индийской прессы. «Стейтсмен» и «Инглишмен» поняли важность вопроса. Я дал им обширные интервью, которые они напечатали полностью.

Для Сондерса, редактора газеты «Инглишмен», я стал совсем своим человеком. Он предоставил в мое распоряжение редакционное помещение и газету. Он даже разрешил мне внести по моему усмотрению поправки в корректуру написанной им передовой статьи о положении в Южной Африке. Мы, без преувеличения можно сказать, подружились. Он обещал оказывать мне всяческое содействие и в точности выполнил свое обещание и поддерживал со мной переписку, пока ему не помешала серьезная болезнь.

В моей жизни мне удавалось не раз завязывать такие дружеские отношения совершенно неожиданно. Сондерсу понравилось во мне отсутствие склонности к преувеличению и приверженность истине.

Прежде чем сочувственно отнестись к моему делу, он подверг меня строжайшему допросу и убедился, что я стараюсь совершенно беспристрастно обрисовать не только положение индийцев в Южной Африке, но даже позицию белых.

Опыт научил меня, что справедливости скорее всего можно добиться, если справедливо относиться и к противнику.

Неожиданная помощь, оказанная мне Сондерсом, обнадежила меня, и я стал думать, что мне, может быть, все-таки удастся устроить митинг в Калькутте. Но в это время я получил телеграмму из Дурбана: «Парламент начинает работу в январе. Возвращайтесь скорее».

Тогда я написал письмо в газету, в котором объяснил причину своего внезапного отъезда из Калькутты, и выехал в Бомбей. Предварительно я дал телеграмму агенту фирмы «Дада Абдулла и К°» с просьбой достать мне билет на первый пароход, отходивший в Южную Африку. Дада Абдулла тогда как раз купил пароход «Курлянд» и настаивал, чтобы я отправился на этом пароходе, предложив бесплатный проезд для меня и семьи. Я с благодарностью принял это предложение и в начале декабря вторично отправился в Южную Африку, на этот раз с женой, двумя сыновьями и единственным сыном овдовевшей сестры. Одновременно с нами в Дурбан отошел еще один пароход, «Надери». Обслуживала его компания, представителем которой была фирма «Дада Абдулла и К°». На обоих пароходах было около восьмисот человек, половина из которых направлялась в Трансвааль.

ЧАСТЬ ТРЕТЬЯ

I. ПРИБЛИЖЕНИЕ ШТОРМА

Это было мое первое путешествие с женой и детьми. Я уже говорил, что в результате детских браков между индусами, принадлежащими к средним слоям населения, только муж мог получить какое-то образование, а жена оставалась фактически неграмотной. Вследствие этого они оказывались разделенными глубокой пропастью и обучать жену должен был муж. Я вынужден был думать о туалетах для жены и детей, следить, чтобы их питание и манеры держаться соответствовали правилам поведения в новом для них обществе. Некоторые воспоминания, относящиеся к тому времени, довольно занимательны.

Жена индуса считает своим высшим религиозным долгом беспрекословно подчиняться мужу. Муж-индус чувствует себя господином и повелителем жены, обязанной прислуживать ему.

Я полагал тогда, что быть цивилизованным — значит возможно больше подражать в одежде и манерах европейцам. Я думал, что только таким путем можно обрести вес, необходимый для служения общине. Поэтому я тщательно выбирал одежду для жены и детей. Мне не хотелось, чтобы их считали катхиаварскими бания. В то время наиболее цивилизованными людьми среди индийцев считали парсов, и, если не удавалось целиком перенять европейский стиль, мы придерживались стиля парсов. Моя жена носила сари парсов, а сыновья — такие же, как у парсов, куртки и штаны и, разумеется, ботинки и чулки. К этой обуви они еще не привыкли и натирали себе ноги, мозоли болели, а от носков пахло потом. У меня всегда были наготове ответы на все их возражения. Правда, это были не столько ответы, сколько окрики, предполагавшие полное подчинение. Мое семейство мирилось с новшествами в одежде только потому, что не было иного выбора. С тем же чувством и даже большим нежеланием они стали пользоваться вилками и ножами. Когда же прошло мое увлечение этими атрибутами цивилизации, вилки и ножи вновь вышли из употребления. От них легко отказались даже после длительного пользования. Теперь я вижу, что мы чувствуем себя гораздо свободнее, когда не обременяем свой быт блеском «цивилизации».

Тем же пароходом, что и мы, ехали наши родственники и знакомые. Я часто навещал их и пассажиров других классов, так как пароход принадлежал друзьям моего клиента и мне разрешалось ходить куда угодно.

Поскольку пароход направлялся прямо в Наталь, не заходя в другие порты, наше путешествие продолжалось всего восемнадцать дней. Но как бы в предзнаменование уготованной нам бури на суше разразился ужасный шторм. Мы были тогда всего в четырех днях пути от Наталя.

Декабрь — месяц летних муссонов в южном полушарии, и на море в это время часто бывают штормы. Но шторм, в который мы попали, был особенно сильный и продолжительный. Пассажиры начали волноваться. Атмосфера была накаленной, и люди сплотились перед лицом грозившей им опасности. Мусульмане, индусы, христиане и все остальные забыли о религиозных различиях в мольбе, обращенной к единому Богу. Некоторые брали на себя обеты. Капитан стал уверять молящихся, что, хотя шторм и опасен, ему приходилось бывать в еще более сильных; он убеждал пассажиров, что хорошо построенный корабль может выдержать почти любую непогоду. Но люди были невменяемы. От непрерывного грохота и треска создавалось впечатление, что корабль рушится. Его кружило и бросало из стороны в сторону, казалось, он вот-вот перевернется. На палубе, разумеется, никого не было. «Да исполнится воля Господня», — было у каждого на устах. Насколько я помню, мы находились в таком положении около суток. Наконец небо прояснилось, появилось солнце, и капитан сказал, что шторм кончился. Лица людей озарили улыбки, опасность миновала, и имя Бога исчезло с уст. Они опять ели и пили, пели и веселились. Страха смерти как не бывало, и кратковременное состояние искренней молитвы уступило место *майя*. Пассажиры, разумеется, регулярно свершали *намаз* и читали другие молитвы, но все это утратило торжественность, которой обладало в те ужасные часы.

Шторм весьма сблизил меня с остальными пассажирами. Я не очень боялся шторма, у меня в этом отношении уже накопился некоторый опыт. Я хорошо переношу качку и не подвержен морской болезни, поэтому свободно мог переходить от одного пассажира к другому, ухаживая за ними и ободряя их. Каждый час я приносил известия от капитана. Дружба, приобретенная таким образом, как увидим, сослужила мне хорошую службу.

18 или 19 декабря пароход бросил якорь в порту Дурбан. В тот же день прибыл и «Надери».

Но настоящий шторм был еще впереди.

II. БУРЯ

Как я уже сказал, оба парохода пришли в Дурбан 18 или 19 декабря. В южноафриканских портах пассажирам не разрешается высаживаться, пока их не подвергнут тщательному медицинскому осмотру. Если на корабле имеется пассажир, больной заразной болезнью, то объявляется карантин. В Бомбее, когда мы оттуда отправлялись, была чума, и мы опасались, что нам придется посидеть некоторое время в карантине. До медицинского осмотра на корабле должен быть поднят желтый флаг, который спускают только после выдачи врачом соответствующего удостоверения. Родственникам и знакомым доступ на палубу разрешается только после спуска желтого флага.

На нашем пароходе тоже вывесили желтый флаг. Прибыл доктор, осмотрел нас и назначил пятидневный карантин. Он исходил из расчета, что бациллам чумы для полного развития требуется двадцать три дня и поэтому мы должны оставаться в карантине до истечения этого срока, считая со дня нашего отплытия из Бомбея. На этот раз карантин был объявлен не только из гигиенических соображений.

Белое население Дурбана требовало отправки нас обратно на родину. Это и явилось одной из причин установления карантина. Фирма «Дада Абдулла и К°» регулярно сообщала нам о том, что делалось в городе. Белые устраивали ежедневно огромные митинги, всячески угрожали нам и пытались соблазнить «Дада Абдулла и К°» предложением возместить убытки, если оба парохода будут отосланы обратно. Но на фирму не так легко было повлиять.

Управляющим фирмой был тогда шет Абдул Карим Ходжи Адам. Он решил отвести суда на верфь и любой ценой добиться высадки пассажиров. Ежедневно он присылал мне подробные сообщения обо всем происходившем. К счастью, покойный ныне адвокат Мансухлал Наазар находился тогда в Дурбане. Он приехал, чтобы встретить меня. Это был способный и бесстрашный человек. Он возглавлял индийскую общину в Дурбане. Адвокат общины мистер Лаутон тоже был не из робких. Он осуждал поведение белых и помогал индийской общине не только как состоящий на жалованье адвокат, но как истинный друг.

Таким образом, Дурбан стал ареной неравной борьбы. С одной стороны была горсточка бедных индийцев и их немногочисленных друзей из англичан, с другой — белые, сильные своим оружием, численностью, образованием и богатством, пользовавшиеся к тому же поддержкой государства (правительство Наталя открыто помогало им). Мистер Гарри Эскомб, самый влиятельный член кабинета, принимал участие в митингах.

Таким образом, подлинная цель установления карантина состояла в том, чтобы, запугав пассажиров и пароходную компанию, принудить нас вернуться в Индию. Нам угрожали:

— Если вы не поедете назад, мы вас выбросим в море. Но если вы согласитесь вернуться, то можете даже получить обратно деньги за проезд.

Я все время обходил своих товарищей-пассажиров, всячески их подбадривал. Кроме того, я посылал успокоительные послания пассажирам «Надери». Люди держались спокойно и мужественно.

Для развлечения мы устраивали на корабле различные игры. На Рождество капитан пригласил пассажиров первого класса на обед. Я со своей семьей оказался в центре внимания. После обеда я произнес речь, в которой говорил о западной цивилизации. Я знал, что серьезная тема неуместна в данном случае, но иначе поступить не мог. Я принимал участие в развлечениях, а душою был в Дурбане, где происходила борьба. Она была направлена главным образом против меня. Мне предъявлялись два обвинения: во-первых, в том, что во время пребывания в Индии я позволил себе несправедливые обвинения по адресу белых в Натале, и, во-вторых, — что нарочно привез два парохода с колонистами, чтобы наводнить Наталь индийцами.

Я понимал, какая на мне лежит ответственность. Взяв меня на борт своего корабля, фирма «Дада Абдулла и К⁰» пошла на большой риск. Жизнь пассажиров, так же как и членов моей семьи, подвергалась опасности.

Но я был совершенно ни в чем не виновен. Я не побуждал никого из пассажиров ехать в Наталь. Я даже не знал их, когда они садились на пароход, да и теперь, за исключением своих родственников, едва ли знал по имени одного из сотни. Во время моего пребывания в Индии я не говорил о белых ничего нового по сравнению с тем, что уже сказал раньше в самом Натале. На все это у меня были бесспорные доказательства.

В своем выступлении на обеде я оплакивал цивилизацию, продуктом, представителями и поборниками которой являлись белые в Натале. Я уже давно и много думал об этой цивилизации и теперь в речи изложил свои соображения на эту тему перед собравшимся небольшим обществом. Капитан и остальные мои друзья терпеливо слушали меня и поняли мою речь именно в том смысле, который я хотел вложить в нее. Не знаю, оказала ли она на них влияние. Впоследствии только с капитаном и другими офицерами мне случалось беседовать о западной цивилизации. В своей речи я утверждал, что западная цивилизация в отличие от восточной основана главным образом на насилии. Задававшие вопросы стремились поколебать мою убежденность в этом. Кто-то, кажется капитан, сказал:

— Допустим, белые осуществят свои угрозы. Как вы будете проводить тогда ваш принцип ненасилия?

Я ответил:

— Надеюсь, Господь даст мне смелость и разум простить им и воздержаться от того, чтобы судить их. Я не сержусь на них, а только скорблю по поводу их невежества и ограниченности. Я знаю, что они искренне верят, будто бы все, что делают в настоящее время, справедливо и оправданно. У меня поэтому нет оснований сердиться на них.

Вопрошавший улыбнулся и, может быть, не поверил мне.

Дни тянулись уныло: когда кончится карантин, было все еще неизвестно. Начальник порта говорил, что вопрос изъят из его компетенции и он может позволить нам сойти на берег, только когда получит распоряжение от правительства.

Под конец пассажирам и мне был предъявлен ультиматум. Нам предлагали подчиниться, если нам дорога жизнь. В своем ответе мы настаивали на нашем праве высадиться в Порт-Натале и заявили, что решили добиться доступа в Наталь, чем бы это нам ни угрожало.

По истечении двадцати трех дней было разрешено ввести пароходы в гавань, а пассажирам сойти на берег.

III. ИСПЫТАНИЕ

Итак, суда были поставлены в док, а пассажиры сошли на берег. Но мистер Эскомб послал сказать капитану, что белые крайне озлоблены против меня и что моя жизнь в опасности, а поэтому лучше, чтобы я с семьей сошел на берег, когда стемнеет, и тогда старший полицейский офицер порта мистер Татум проводит нас домой. Капитан передал мне это, и я решил последовать совету. Но не прошло и получаса, как к капитану явился Лаутон и заявил:

— Если вы не возражаете, я хотел бы забрать мистера Ганди с собой. Как юрисконсульт пароходной компании, я должен сказать вам, что вы не обязаны следовать указаниям мистера Эскомба.

Затем он обратился ко мне приблизительно со следующими словами:

— Если вы не боитесь, то я предложил бы, чтобы миссис Ганди с детьми поехала к мистеру Рустомджи, а мы пойдем вслед за ними пешком. Мне не хотелось бы, чтобы вы проникли в город ночью, словно вор. Я не думаю, чтобы вам угрожала какая-нибудь опасность. Теперь все успокоилось. Белые разошлись. Во всяком случае я убежден, что вам не нужно пробираться в город тайком.

Я охотно согласился.

Жена с детьми благополучно отправилась к Рустомджи, а я с разрешения капитана сошел на берег вместе с Лаутоном. Дом Рустомджи находился на расстоянии двух миль от порта.

Как только мы сошли на берег, какие-то мальчишки узнали меня и стали кричать:

— Ганди! Ганди!

К ним присоединилось еще с полдюжины человек. Лаутон испугался, что образуется толпа, и подозвал рикшу. Я не любил пользоваться рикшей и первый раз прибег к этому способу передвижения, но мальчишки не дали мне сесть. Они так испугали рикшу, что он сбежал. По мере того как мы двигались дальше, толпа все росла и наконец загородила нам дорогу. Лаутона оттесняли в сторону, а меня забросали камнями, осколками кирпичей и тухлыми яйцами. Кто-то стащил с моей головы тюрбан, меня стали бить. Я почувствовал себя дурно и старался опереться на ограду дома, чтобы перевести дух. Но это было невозможно. Меня продолжали избивать. Случайно мимо проходила жена старшего полицейского офицера, которая знала меня. Эта смелая женщина пробралась ко мне, открыла свой зонтик, хотя никакого солнца уже не было, и стала между мною и толпою. Это остановило разъяренную толпу, меня невозможно было достать, не задев миссис Александер.

Тем временем какой-то индийский мальчик, видевший всю эту сцену, сбегал в полицейский участок. Старший полицейский офицер, мистер Александер, послал полицейский отряд, чтобы окружить меня и в сохранности доставить к месту назначения. Отряд пришел как раз вовремя. Полицейский участок находился по дороге к дому Рустомджи. Когда мы дошли до участка, мистер Александер предложил мне укрыться там. Но я с благодарностью отклонил его предложение.

— Они, наверное, успокоятся, когда поймут свою ошибку,— сказал я.— Я верю в их чувство справедливости.

Под эскортом полиции я без дальнейших приключений дошел до дома Рустомджи. Все мое тело было покрыто синяками и кровоподтеками, но ссадин почти не было. Судовой врач Дадибарджор тут же оказал мне необходимую медицинскую помощь.

В доме было тихо, но вокруг собралась толпа белых. Надвигалась ночь, а из толпы неслись крики:

— Подать сюда Ганди!

Предусмотрительный старший полицейский офицер уже прибыл к дому и старался образумить толпу не при помощи угроз, а вышучивая ее. Но все-таки послал сказать мне:

— Если вы не хотите, чтобы вашей семье, а также дому и имуществу вашего друга нанесли ущерб, я советовал бы вам покинуть дом, предварительно переодевшись в чужое платье.

Таким образом, в один и тот же день я последовал двум совершенно противоположным советам. Когда опасность для жизни существовала только в воображении, мистер Лаутон посоветовал мне выступить открыто, и я принял его совет. Когда же опасность стала вполне реальной, другой друг дал мне совет противоположный, и его я тоже принял. Почему я так поступил? Потому ли, что моя жизнь была в опасности, или потому, что я не хотел подвергать риску жизнь жены и детей, жизнь и имущество друга? И в каком случае я поступил правильно? Тогда ли, когда в первый раз смело вышел к толпе, или во второй раз, когда скрылся, предварительно переодевшись?

Но нет смысла судить о правильности или неправильности совершенных уже поступков. Необходимо разобраться во всем происшедшем, с тем чтобы по возможности извлечь урок на будущее. Трудно с уверенностью сказать, как тот или иной человек будет вести себя в определенных обстоятельствах. Но трудно и оценить человека по его поступкам, поскольку такая оценка недостаточно обоснована.

Как бы там ни было, подготовка к побегу заставила меня забыть об ушибах. По предложению мистера Александера я надел форму индийского полицейского, а голову обернул мадрасским шарфом так, чтобы он мог защитить меня от взглядов. Один из двоих сопровождавших меня агентов сыскной полиции переоделся в костюм индийского купца и даже загримировался, чтобы быть похожим на индийца. Как был одет другой, я забыл. Узеньким переулком мы пробрались в соседнюю лавку; через склад товаров, набитый джутовыми мешками, вышли в наружную дверь и, проложив себе дорогу через толпу, подошли к экипажу, который ждал нас в конце улицы. На нем мы поехали в тот самый полицейский участок, где недавно мистер Александер предлагал мне укрыться. Я был благодарен ему и агентам сыскной полиции.

В то время как я осуществлял свой побег, мистер Александер развлекал толпу песенкой:

Повесьте старого Ганди
На дикой яблоне!

Узнав, что мы благополучно прибыли в полицейский участок, он преподнес эту новость толпе:

— Вашей жертве удалось улизнуть через соседнюю лавку. Ступайте-ка лучше по домам!

Некоторые рассердились, другие рассмеялись, а кое-кто отказывался верить.

— Ну хорошо, — сказал мистер Александер, — если вы мне не верите, выберите одного-двух представителей, и я готов пустить их в дом: если они там найдут Ганди, я охотно его вам выдам. Но если его там не окажется, вы должны будете разойтись. Ведь не собираетесь же вы разрушить дом Рустомджи или причинять беспокойство жене и детям Ганди?

Толпа послала своих представителей обыскать дом. Вскоре они вернулись и сказали, что никого не нашли. Толпа стала расходиться, большинство высказывало одобрение старшему офицеру, но некоторые ворчали и злились.

Ныне покойный мистер Чемберлен, который был тогда министром колоний, телеграфировал правительству Наталя, предложив ему возбудить дело против лиц, участвовавших в нападении. Мистер Эскомб пригласил меня к себе и сказал:

— Поверьте, я очень сожалею обо всех, даже самых незначительных из нанесенных вам оскорблений. Вы были вправе принять предложение мистера Лаутона и пойти на риск, но я уверен, что если бы вы более благосклонно отнеслись к моему предложению, то этой печальной истории не произошло бы. Если вы сможете опознать виновных, я готов арестовать их и привлечь к суду. Мистер Чемберлен тоже хочет, чтобы я так поступил.

На это я ответил:

— Я не желаю возбуждать никакого дела. Возможно, что я и сумел бы опознать одного или двух виновных, но какая польза от того, что они будут наказаны? Кроме того, осуждать следует не тех, кто на меня нападал. Им сказали, будто я распространял в Индии неверные сведения относительно белых в Натале и оклеветал их. Они поверили этим сообщениям, и не удивительно, что пришли в бешенство. Осуждать надо их руководителей и вас, с вашего позволения. Вам следовало бы должным образом направлять народ, а не верить агентству Рейтер, сообщившему, будто я позволил себе преувеличения. Я не собираюсь никого привлекать к суду и уверен, что когда они узнают истину, то пожалеют о своем поведении.

— Не изложите ли вы это в письменном виде? — спросил Эскомб. — Дело в том, что мне нужно ответить на телеграмму мистеру Чемберлену. Я не хочу, чтобы вы делали поспешные заявления. Вы можете, если хотите, посоветоваться с мистером Лаутоном и другими вашими друзьями, прежде чем примете окончательное решение. Но должен признаться, что, если вы откажетесь от вашего права привлечь виновных к суду, вы в значительной степени поможете мне восстановить спокойствие и, кроме того, поднимете свой престиж.

— Благодарю вас, мне не надо ни с кем советоваться. Я принял решение еще раньше, чем пришел к вам. Я убежден, что не должен привлекать виновных к ответу, и готов хоть сейчас изложить свое убеждение в письменной форме.

И я написал требовавшееся заявление.

IV. СПОКОЙСТВИЕ ПОСЛЕ БУРИ

За мной прислали от мистера Эскомба на третий день моего пребывания в полицейском участке. Эскомб позаботился, чтобы меня охраняли двое полицейских, хотя необходимость в этом уже отпала.

В тот день, когда нам разрешили сойти на берег, сразу же после спуска желтого флага ко мне явился представитель газеты «Наталь адвертайзер», чтобы взять интервью. Он задал мне ряд вопросов, и своими ответами я сумел опровергнуть все выдвинутые против меня обвинения. Следуя совету сэра Фирузшаха Мехты, я произносил в Индии только предварительно написанные речи и сохранил копии их, как и всех моих прочих писаний. Я передал корреспонденту весь этот материал и доказал ему, что не говорил в Индии ничего такого, чего не было бы сказано мною раньше в Южной Африке в еще более резкой форме. Я доказал также, что совершенно непричастен к прибытию пассажиров на пароходах «Курлянд» и «Надери». Многие из прибывших жили здесь уже с давних пор, а большинство не собиралось оставаться в Натале, намереваясь отправиться в Трансвааль. В то время в Трансваале перспективы для обогащения были заманчивее, чем в Натале, и индийцы предпочитали ехать туда.

Это интервью и мой отказ привлечь к суду лиц, напавших на меня, произвели такое сильное впечатление, что европейцы в Дурбане устыдились своего поведения. Печать стала говорить, что я невиновен, и осуждала толпу. Таким образом, попытка линчевать меня в конечном счете пошла на пользу мне, т. е. моему делу. Этот инцидент поднял престиж индийской общины в Южной Африке и облегчил мне работу.

Дня через три или четыре я вернулся домой и вскоре вновь принялся за свои дела. Происшествие способствовало расширению моей юридической практики.

Однако последствия были не только благоприятными. Обострилась расовая ненависть к индийцам. Убедившись, что индийцы способны мужественно бороться, белые усмотрели в этом опасность для себя. В Натальское законодательное собрание было внесено два законопроекта: один был направлен против индийских торговцев, другой устанавливал строгие ограничения иммиграции индийцев. Существовало постановление, принятое в результате борьбы за избирательные права, которое запрещало издание законов, направленных исключительно против индийцев. Это означало, что законы должны были быть одинаковыми для всех независимо от цвета кожи и расовой принадлежности. Оба упомянутых законопроекта были составлены таким образом, что распространялись якобы на всех, но по существу предусматривали новые ограничения именно для индийского населения Наталя.

Борьба против этих законопроектов значительно расширила сферу моей общественной деятельности и еще более усилила среди членов индийской общины сознание их долга. Законопроекты были переведены на индийские языки с подробными комментариями, для того чтобы индийцы смогли понять весь скрытый в них смысл. Мы пробовали апеллировать к министру колоний, но он отказался вмешиваться, и законы вошли в силу.

Общественная деятельность поглощала большую часть моего времени. Адвокат Мансухлал Наазар, который тогда был уже в Дурбане, поселился у меня и тоже отдался общественной работе. Тем самым он несколько облегчил мою ношу.

Во время моего отсутствия шет Адамджи Миякхан с честью исполнял свой долг. При нем увеличилось число членов Индийского конгресса Наталя, а касса выросла почти на тысячу фунтов стерлингов. Я воспользовался возбуждением, вызванным законопроектами, а также демонстрацией против прибывших со мной пассажиров и обратился к индийцам с воззванием, в котором призывал вступать в члены Индийского конгресса Наталя и делать взносы в его пользу. Денежный фонд Конгресса вскоре увеличился до пяти тысяч фунтов стерлингов. Я стремился создать для Конгресса постоянный фонд, чтобы приобрести недвижимость, на доходы от которой Конгресс мог бы развивать свою деятельность. Это был мой первый опыт руководства общественной организацией. Я поделился своими соображениями с товарищами по работе, и они одобрили мой план. Недвижимость была приобретена, сдана в аренду, и рента дала нам возможность покрывать текущие расходы Конгресса. Недвижимость была вверена попечению большой группы доверенных лиц, которая управляет ею и сейчас. Но со временем между доверенными лицами возникли дрязги, так что теперь доход от недвижимости поступает в суд.

Это неприятное положение создалось уже после моего отъезда из Южной Африки. Но еще задолго до этого я изменил свое мнение о пользе постоянных фондов для общественных учреждений. Теперь, опираясь на большой опыт руководства многочисленными общественными организациями, я пришел к твердому убеждению, что общественным организациям не следует иметь постоянных фондов. Такие фонды являют собою источник морального разложения организации. Общественные организации создаются при поддержке и на средства общественности. Там, где они лишаются такой поддержки, они утрачивают и право на существование. Между тем организации, функционирующие за счет постоянных фондов, нередко игнорируют общественное мнение и часто ответственны за действия, противоречащие интересам общественности. В нашей стране мы сталкиваемся с этим на каждом шагу. Некоторые так называемые религиозные организации перестали отчитываться перед общественностью в своей деятельности. Доверенные лица, управляющие их имуществом, стали фактически собственниками этого имущества и ни перед кем не несут никакой ответственности. Я убежден, что общественная организация должна жить сегодняшним днем. Так живет природа. Организация, не пользующаяся поддержкой общественности, как таковая не имеет права на существование. Ежегодные пожертвования в фонд организации являются проверкой ее популярности и честности ее руководства; и я считаю, что каждая организация должна пройти эту проверку. Но я хочу, чтобы меня поняли правильно. Мои замечания не относятся к организациям, которые по своей природе не могут существовать на временной основе. Здесь я имею в виду текущие расходы, которые должны производиться за счет добровольных пожертвований, получаемых из года в год.

Такие воззрения укрепились во мне в период проведения сатьяграхи в Южной Африке. Эта замечательная кампания, продолжавшаяся более шести лет, велась без всяких постоянных фондов, хотя для нее требовались сотни тысяч рупий. Я помню, что бывали случаи, когда я не знал, что мы будем делать завтра, если не поступят пожертвования. Но я не буду здесь предвосхищать события. Читатель найдет обоснования моих взглядов в следующих главах.

V. ОБУЧЕНИЕ ДЕТЕЙ

Когда я прибыл в Дурбан в январе 1897 г., со мною было трое детей: десятилетний сын моей сестры и двое моих сыновей девяти и пяти лет. Возник вопрос — где их обучать.

Я мог послать их в школы, предназначенные для детей европейцев, но это было возможно только по протекции и в виде исключения. Детям индийцев не разрешалось посещать такие школы. Для них существовали школы, созданные христианскими миссиями, но я не хотел посылать своих детей и туда, так как мне не нравилась постановка преподавания там. Оно велось исключительно на английском языке или же на неправильном хинди или тамильском. Причем принятия и в эти школы нелегко было добиться. Я никак не мог примириться с таким положением вещей и пытался обучить детей сам. Но я мог делать это в лучшем случае нерегулярно, а подходящего учителя, знающего гуджарати, найти не удавалось.

Я не знал, как быть. Я поместил в газетах объявление, что ищу преподавателя-англичанина, который согласился бы обучать детей под моим руководством. Ему можно было бы поручить систематическое обучение некоторым дисциплинам, а в остальном достаточно было бы и тех немногих нерегулярных уроков, которые мог давать детям я. В результате моих поисков я пригласил английскую гувернантку за семь фунтов стерлингов в месяц. Так продолжалось некоторое время. Но я был недоволен. Благодаря тому что я говорил с детьми только на родном языке, они немного научились гуджарати. Отослать их обратно в Индию я не хотел, так как считал, что малолетние дети не должны расставаться со своими родителями. Воспитание, которое естественно прививается детям в семье, невозможно получить в обстановке школьных общежитий. Поэтому я держал детей при себе. Правда, я пробовал посылать племянника и старшего сына на несколько месяцев в школу-интернат в Индию, но вскоре вынужден был взять их домой. Впоследствии старший сын, когда он уже был взрослым, отправился в Индию с целью поступить в среднюю школу в Ахмадабаде. Племянник же, мне кажется, удовлетворился тем, что я сумел ему дать. К сожалению, он умер в расцвете молодости после непродолжительной болезни. Остальные три сына никогда не посещали общественной школы, но получили некоторую систематическую подготовку в импровизированной школе, организованной мною для детей участников сатьяграхи в Южной Африке.

Все мои опыты были, однако, недостаточны. Я не имел возможности посвящать детям столько времени, сколько хотел бы. Невозможность уделить им достаточно внимания и другие неустранимые причины помешали мне дать им то общее образование, какое мне хотелось, и все мои сыновья выражали недовольство по этому поводу. Каждый раз, когда им приходилось встречаться с магистром или бакалавром или даже с выдержавшим экзамен на аттестат зрелости, они чувствовали себя неловко оттого, что им недостает школьного образования.

Тем не менее я считаю, что если бы я настоял на их обучении в общественных школах, они не получили бы того, что могла им дать только школа жизненного опыта или постоянное общение с родителями. Я никогда не чувствовал бы себя спокойным за них, как теперь, и искусственное воспитание, которое они могли получить в Англии или в Южной Африке, будучи оторваны от меня, никогда не научило бы их той простоте и готовности служить обществу, которую они проявляют теперь. Искусственные жизненные навыки, которые они вынесли бы оттуда, могли явиться серьезной помехой для моей общественной деятельности. Но хотя мне не удалось дать детям общее образование, которое отвечало бы их и моим запросам, все же, оглядываясь на прошлое, я не могу сказать, что не сделал всего, что обязан был сделать для них по мере моих сил. Не сожалею я и о том, что не послал их в школу. Мне всегда кажется, что нежелательные для меня черты в старшем сыне до некоторой степени — результат моих собственных недостатков, свойственных мне в юные годы, когда не было еще самодисциплины и определенной цели жизни. Я считаю это время периодом незрелости ума и потакания своим слабостям. Но оно совпало с наиболее впечатлительным возрастом сына. Он, естественно, не хочет признать, что то был период потакания его слабостям и неопытности, а, наоборот, полагает, что это самое светлое время моей жизни и что изменения, происшедшие впоследствии, вызваны заблуждением, которое я неправильно называю просветлением. И действительно, почему бы ему не думать, что мои юные годы представляли собой период пробуждения, а последующие были годами радикальной перемены, годами заблуждений и самомнения. Друзья часто задавали мне трудные вопросы. Например, что плохого случилось бы, если бы я дал сыновьям академическое образование? Какое право имел я обрезать им крылья? Зачем я помешал им приобрести ученые степени и избрать карьеру по собственному вкусу?

Вопросы эти не кажутся мне особенно разумными. Мне приходилось встречаться со многими учащимися. Я пытался сам или через посредство других применять по отношению к другим детям мои «новшества» в области образования и видел результаты этого. Я знаю много молодых людей, сверстников моих сыновей, и не нахожу, что они лучше их или что мои сыновья могут у них многому научиться.

Будущее покажет окончательный результат моих экспериментов. Цель обсуждения этого предмета в данной главе заключается в том, чтобы предоставить возможность изучающему историю цивилизации проследить разницу между обучением дома и в школе и познакомиться с вопросом о значении изменений, вносимых родителями в жизнь детей. Эта глава призвана также показать приверженцу истины, куда приведут его поиски ее, и продемонстрировать приверженцу свободы, как много жертв требует эта суровая богиня.

Если бы я был лишен чувства собственного достоинства и позволил бы желать, чтобы мои дети получили такое образование, которое не могут получить другие, то я, наверное, дал бы им общее образование, но лишил бы их наглядного урока свободы и уважения к своей личности, который я им преподал за счет общего образования.

Когда приходится выбирать между свободой и учением, кто же станет отрицать, что свобода в тысячу раз предпочтительнее учения?

Юноши, которых я в 1920 г. вырвал из школ и колледжей — этих оплотов рабства — и которым я во имя свободы советовал лучше остаться необразованными и быть каменщиками, чем получать общее образование в цепях рабства, вероятно, сумеют понять, чем был вызван такой совет.

VI. ДУХ СЛУЖЕНИЯ

Моя профессиональная деятельность развивалась довольно успешно, но я не испытывал удовлетворения от этого. Меня постоянно волновал вопрос, как бы еще упростить свой образ жизни. К тому же мне хотелось совершить какой-нибудь конкретный акт служения моим соотечественникам. Однажды ко мне в дверь постучался прокаженный. У меня не хватило духу ограничиться только тем, чтобы накормить его, и я приютил его у себя, перевязывал ему раны и ухаживал за ним. Но это не могло продолжаться бесконечно: не было материальных возможностей, да и не хватало силы воли держать его у себя постоянно. В конце концов я отправил его в государственную больницу для законтрактованных рабочих.

Я продолжал испытывать чувство неудовлетворенности. Мне хотелось гуманистической деятельности постоянного характера.

Доктор Бут был главой миссии Св. Эйдана. Он был добрым человеком и лечил своих пациентов безвозмездно. Благодаря щедрости парса Рустомджи оказалось возможным открыть небольшую больницу, которую доктор Бут возглавил. Мне очень хотелось служить в больнице в качестве брата милосердия. Отпуск лекарств отнимал ежедневно один-два часа, и я решил выкроить это время от занятий в конторе, чтобы исполнять обязанности фармацевта в больничной аптеке. Большую часть моей профессиональной деятельности составляли юридические консультации в моей конторе, дела по передаче недвижимостей и третейское разбирательство. Правда, у меня обычно бывало несколько дел в городском суде, но большинство из них не имело спорного характера. Мистер Хан, вслед за мной приехавший в Южную Африку и живший вместе со мной, согласился взять часть этих дел на себя. Таким образом, я получил время для работы в маленькой больнице. На это уходило два часа ежедневно, включая время на дорогу до больницы и обратно. Работа с больными несколько успокоила меня. Я опрашивал пациентов, выслушивал их жалобы, докладывал о них доктору и отпускал лекарства по рецептам. Все это позволило мне ближе познакомиться с больными индийцами, которые в большинстве своем были законтрактованными рабочими — тамилами, телугу и выходцами из Северной Индии.

Приобретенный опыт сослужил мне хорошую службу во время Бурской войны, когда я предложил свои услуги по уходу за больными и ранеными солдатами.

Воспитание детей по-прежнему занимало меня. У меня родилось двое сыновей в Южной Африке, и опыт работы в больнице оказался полезным и в вопросах, касающихся воспитания. Моя привычка стараться ни от кого не зависеть была для меня источником постоянных осложнений. Мы с женой решили обратиться к лучшим врачам во время родов, но что я стал бы делать, если бы доктор и няня оставили нас на произвол судьбы в критический момент? Кроме того, няня должна была быть индианкой. Между тем достать опытную няню-индианку в Южной Африке было во всяком случае не менее трудно, чем в самой Индии. Я стал изучать все необходимое для обеспечения надлежащего ухода. Я прочел книгу доктора Трибхувандса «Мане Шикхаман» («Советы матери») и ухаживал за своими детьми, следуя указаниям книги, а в отдельных случаях руководствуясь ранее приобретенными познаниями. Услугами няни я пользовался не более двух месяцев, каждый раз главным образом для оказания помощи жене, но не для ухода за детьми, за которыми следил сам.

Рождение последнего ребенка было для меня серьезным испытанием. Роды наступили внезапно. Вызвать немедленно врача не удалось, и некоторое время было потрачено на поиски акушерки. Но если бы даже ее застали дома, то и тогда она не поспела бы к родам. На мою долю выпало следить за благополучным течением родов. Внимательное изучение вопроса по книге доктора Трибхувандса принесло мне неоценимую пользу. Я даже не нервничал.

Я убежден, что для правильного воспитания детей родители должны обладать общими познаниями по уходу за ними. На каждом шагу я наблюдал, какую пользу принесло мне тщательное изучение этого вопроса. Мои дети не были бы такими здоровыми, если бы я не изучил это дело и не применял приобретенные знания на практике.

Мы страдаем от своего рода суеверия, будто ребенку нечему учиться в течение первых пяти лет его жизни. Между тем в действительности происходит как раз обратное. Ребенок никогда уже не научится тому, что он приобретает в течение первых пяти лет. Воспитание детей начинается с зачатия. На ребенке отражается физическое и духовное состояние родителей в момент зачатия. Затем в период беременности ребенок находится под влиянием настроений матери, ее желаний и темперамента, а также ее образа жизни. После рождения ребенок начинает подражать родителям, и в течение многих лет его развитие всецело зависит от них.

Супруги, отдающие себе отчет в упомянутых вещах, никогда не будут вступать в половую связь только для удовлетворения похоти, а лишь при желании иметь потомство. Думать, что половой акт — функция, в такой же степени необходимая, как сон и еда, по моему мнению, признак величайшего невежества. Существование мира зависит от действий поколений, а поскольку мир является ареной деятельности Бога и отражением его славы, действия поколений должны контролироваться с точки зрения упорядочения роста населения всего мира. Тот, кто отдает себе в этом отчет, сумеет овладеть своим вожделением любой ценой, вооружится знаниями, необходимыми для обеспечения физического, духовного и морального здоровья своему потомству и поделится этими знаниями ради процветания человечества.

VII. БРАХМАЧАРИЯ-I

Мы уже достигли в нашем повествовании момента, когда я стал серьезно думать о принятии обета *брахмачарии*. Единобрачие было моим идеалом со времени женитьбы, и верность жене вытекала для меня из любви к правде. Но в Южной Африке я стал сознавать важность соблюдения брахмачарии даже по отношению к жене. Я затрудняюсь в точности определить, какое обстоятельство или какая книга вызвали такое направление моих мыслей, но помнится, что решающим фактором было влияние Райчандбхая, о котором уже рассказывал. До сих пор хорошо помню разговор с ним на эту тему. Как-то раз в беседе я превозносил преданность миссис Гладстон своему мужу. Я где-то читал, что миссис Гладстон настаивала на праве приготовлять чай для мужа даже в палате общин и это стало строго соблюдаемым правилом в жизни замечательной супружеской четы, которая в своих действиях руководствовалась преданностью друг другу. Я рассказал об этом поэту, попутно восхваляя супружескую любовь.

— Что вы цените выше, — спросил Райчандбхай, — любовь миссис Гладстон как жены к своему мужу или ее преданное служение ему независимо от ее отношения к мистеру Гладстону? Допустим, она была бы его сестрой или преданной служанкой и обслуживала бы его с таким же вниманием. Что бы вы на это сказали? Разве не бывает таких преданных сестер или служанок? Допустим, вы встретили бы такую же любвеобильную преданность слуги-мужчины, понравилось бы это вам так же, как поведение миссис Гладстон? Попробуйте проанализировать высказанные мною мысли.

Сам Райчандбхай был женат. Эти слова сначала показались мне проявлением его бесчувственности, но они произвели на меня неотразимое впечатление. Я понял, что преданность прислуги в тысячу раз больше достойна похвалы, чем преданность жены мужу. Нет ничего удивительного в преданности жены мужу, так как они связаны неразрывными узами. Следовательно, такая преданность вполне естественна. Чтобы отношения, исполненные такой же преданности, установились между хозяином и слугой, требуется особое усилие. Мнение поэта все больше нравилось мне.

Я задавал себе вопрос: как же в таком случае должен я относиться к жене? Разве моя верность ей состоит в том, что я использую только ее как средство для удовлетворения похоти? Пока я раб вожделения, моя верность ничего не стоит. Я должен отдать справедливость жене: она никогда не была обольстительницей. Для меня поэтому не представляло никакой трудности принять обет брахмачарии, если бы я этого захотел. Однако слабая воля и чувственное влечение были тому помехой.

Даже после того, как сознание мое в этом вопросе пробудилось, я дважды потерпел неудачу. Мои поражения объясняются тем, что мотивы, руководившие мною, были невысокого порядка. Я стремился главным образом к тому, чтобы не иметь больше детей. В Англии я читал о противозачаточных средствах. В главе о вегетарианстве я уже говорил о деятельности доктора Аллинсона по пропаганде методов контроля за рождаемостью.

На какой-то период его деятельность оказала известное влияние на меня. Но мистер Хиллс, бывший его противником и настаивавший на внутренних усилиях в противоположность внешним средствам, т. е. на воздержании, произвел на меня гораздо большее впечатление, и со временем я стал его убежденным сторонником. Не желая больше иметь детей, я стал стремиться к воздержанию. Эта задача оказалась бесконечно трудной. Мы стали спать на разных кроватях. Я решил ложиться спать лишь тогда, когда чувствовал себя изможденным после проделанной за день работы. Все эти усилия не давали, на первый взгляд, существенных результатов, но теперь, оглядываясь назад, я вижу, что к окончательному результату пришел через совокупность этих отдельных неудачных попыток.

Твердое решение я принял только в 1906 г. Сатьяграха еще не начиналась, и я не помышлял о том, что она может начаться. Я занимался адвокатской практикой в Йоханнесбурге, когда произошло восстание зулусов в Натале[1], вспыхнувшее вскоре после Бурской войны. Я чувствовал, что должен предложить свои услуги правительству Наталя. Мое предложение было принято, о чем будет сказано в другой главе. Работа, требовавшая всей моей энергии и времени, заставляла постоянно думать о необходимости воздержания, и я, как обычно, поделился мнением на этот счет со своими товарищами по работе. Я пришел к убеждению, что произведение потомства и постоянная забота о детях несовместимы со служением обществу. Я должен был ликвидировать свое домашнее хозяйство в Йоханнесбурге, для того чтобы быть в состоянии нести службу во время восстания. По истечении месяца после того, как я предложил свои услуги, я вынужден был отказаться от дома, столь заботливо мною обставленного. Я отправил жену и детей в Феникс, а сам возглавил индийский санитарный отряд, приданный вооруженным силам Наталя. Во время трудных переходов, которые нам приходилось проделывать, меня осенила мысль, что

---

[1] Народное восстание зулусов в 1906 г. — крупнейшее после установления английского господства в Зуленде.

я, если хочу посвятить себя общественному служению, должен забыть о желании иметь детей и пользоваться богатством, должен вести жизнь *ванапрастха* — человека, отказавшегося от забот о доме.

Делами, связанными с восстанием, я занимался не более шести недель. Но этот кратковременный период оказался очень важным в моей жизни. Я в большей степени, чем когда-либо ранее, начал осознавать значение обетов. Я понял, что обет не только не закрывает доступ к действительной свободе, но открывает его. До этого времени мне не удавалось достигнуть успеха из-за отсутствия силы воли, неверия в себя и в благоволение Бога. Поэтому мой разум метался по бурному морю сомнений. Я понял, что, отказываясь принять обет, человек вводит себя в искушение. Обет же служит ему как бы средством перехода от распущенности к действительно моногамной супружеской жизни. «Я верю в усилие; я не хочу себя связывать обетами» — это умонастроение слабости, и в нем проявляется предательское желание того, от чего надо отказаться. В чем же трудность принятия окончательного решения? Давая обет избежать змеи, которая, я знаю, укусит меня, я просто не предпринимаю усилия убежать от нее. Я знаю, что простое усилие может означать верную смерть, так как усилие — игнорирование того очевидного факта, что змея обязательно ужалит. Если я могу довольствоваться только усилием, значит, я еще не до конца уяснил себе необходимость определенного действия. Нас часто пугают сомнения такого рода: «Предположим, мои взгляды в будущем изменятся, как же могу я связывать себя обетом?» Но такое сомнение часто выдает отсутствие ясного понимания необходимости отказаться от определенного предмета. Вот почему Нишкулананд пел:

> Отказ от чего-либо без отвращения к тому же предмету
> непродолжителен.

Следовательно, обет отречения — естественный и неизбежный результат исчезновения желания.

VIII. БРАХМАЧАРИЯ-II

В 1906 г. после всестороннего обсуждения и обдумывания я принял обет. До этого момента я не делился своими мыслями с женой и посоветовался с ней только тогда, когда уже принимал обет. Она не возражала. Однако мне очень трудно было прийти к окончательному решению. Недоставало силы воли. Сумею ли овладеть своими страстями? Отказ мужа от половых сношений с женой казался тогда странным явлением. Но я решился предпринять этот шаг, веря, что меня поддержит Бог.

Оглядываясь назад на те двадцать лет, которые прошли со времени принятия обета, я испытываю удовольствие и изумление. Начиная с 1901 г. мне удавалось с большим или меньшим успехом проводить в жизнь воздержание. Но чувства свободы и радости, появившегося после принятия обета, я никогда не испытывал до 1906 г. До принятия обета я всегда находился под угрозой соблазна. Теперь клятва стала верной защитой от него. Огромная потенциальная сила брахмачарии с каждым днем становилась для меня все очевиднее. Я принял обет во время пребывания в Фениксе. Освободившись от работы в санитарном отряде, я отправился в Феникс, откуда мне нужно было вернуться в Йоханнесбург. Приблизительно по истечении месяца со времени возвращения в Йоханнесбург были заложены основы сатьяграхи. Обет брахмачарии подготовлял меня к этому помимо моего сознания. Сатьяграха не была продуктом заранее обдуманного плана. Она родилась внезапно помимо моей воли. Однако я ясно видел, что все предшествующие мои шаги неизбежно вели к принятию сатьяграхи. Я сократил свои расходы по дому в Йоханнесбурге и отправился в Феникс, так сказать, для того чтобы принять там обет брахмачарии.

Своим сознанием, что точное соблюдение брахмачарии ведет к достижению состояния *брахман,* я не был обязан изучению шастр. Я пришел к этому постепенно, благодаря жизненному опыту. Тексты шастр я прочел гораздо позднее.

Приняв обет, я с каждым днем все более убеждался в том, что брахмачария — защита тела, разума и души. Ибо брахмачария не была теперь для меня процессом тяжелого раскаяния, а доставляла утешение и радость. Каждый день я обнаруживал в ней новую красоту.

Однако не подумайте, что соблюдение обета, хотя оно и приносило большую радость, давалось мне легко. Даже теперь, когда мне пятьдесят шесть лет, чувствую, какое это трудное испытание. Все более убеждаюсь, что соблюдение обета напоминает хождение по острию ножа, и ежеминутно вижу, как необходимо быть постоянно бдительным.

Контроль над чревоугодием — главное условие при соблюдении обета брахмачарии. Я убедился в том, что наиболее строгий контроль над чревоугодием чрезвычайно облегчает соблюдение обета, и стал проводить мои диететические опыты не только как вегетарианец, но и как *брахмачари*. В результате этих опытов я пришел к выводу, что пища брахмачари должна быть не чересчур обильной, простой, без пряностей, по возможности невареной.

Шесть лет опыта показали мне, что идеальная пища для брахмачари — свежие фрукты и орехи. При такой пище я совершенно не знал страстей. Следование брахмачарии не требовало никаких усилий с моей стороны в Южной Африке, когда я питался одними фруктами и орехами. Но с тех пор как я начал пить молоко, мне стало значительно труднее соблюдать обет. О том, как случилось, что я вновь стал употреблять в пищу молоко, расскажу позже. Здесь же отмечу только, что нисколько не сомневаюсь в том, что молоко затрудняет соблюдение брахмачарии. Однако не следует делать вывод, что все брахмачари должны отказаться от молока. Действие различного рода пищи на брахмачари можно определить лишь после многочисленных опытов. Мне предстоит еще найти замену для молока, приготовленную из фруктов, которая в такой же степени, как и молоко, содействовала бы развитию мускулатуры и в то же время легко усваивалась бы организмом. Врачам, вайдья и хакимам не удалось просветить меня на этот счет. Поэтому, хотя мне известно, что молоко отчасти и возбуждающее средство, я пока никому не могу посоветовать отказаться от него.

Чтобы облегчить соблюдение брахмачарии, необходимо не только правильно подбирать пищу и ограничивать себя в еде, но и поститься. Наши страсти столь интенсивны, что ими можно управлять лишь при условии, если заключить их как внутренне, так и внешне в строгие рамки. Всем известно, что страсти затухают, если вовсе не принимать пищи, и таким образом пост в целях овладения страстями, без сомнения, очень полезен. Правда, есть люди, которым пост не поможет, ибо они полагают, что могут стать невосприимчивыми к жизненным соблазнам, чисто механически соблюдая пост. Они лишают организм необходимой пищи, но в то же время питают свой разум мечтами о всякого рода лакомствах, думая все время о том, что они будут есть и пить по окончании поста. Такого рода пост не поможет им овладеть ни чревоугодием, ни вожделением. Пост полезен лишь тогда, когда разум и испытывающее голод тело находятся в гармонии, другими словами, когда пост вызывает отвращение к предметам, от которых отказалось тело. Разум — источник всякой чувственности. Поэтому эффективность поста ограничена, так как человек, соблюдающий пост, может быть тем не менее обуреваем страстями. Однако можно с уверенностью утверждать, что умерщвление плоти, как правило, невозможно без поста, который для соблюдения брахмачарии абсолютно необходим.

Многие стремившиеся соблюдать брахмачарию терпели неудачу лишь потому, что поступали в отношении своих остальных чувств как люди, не являющиеся брахмачари. Их попытка поэтому подобна попытке испытать зимний холод в изнуряющие летние месяцы. Весьма важно осознать различие между жизнью брахмачари и жизнью человека, не давшего обета брахмачарии. Сходство между ними только кажущееся. Между тем различие должно быть ясно, как дневной свет. И тот и другой пользуются своим зрением, но брахмачари пользуется им, чтобы видеть славу Божью, а другой — чтобы видеть окружающее ее легкомыслие. И тот и другой пользуются своими ушами, но в то время как один не слышит ничего, кроме восхваления Бога, другой сосредоточивает свой слух на сквернословии. Оба часто бодрствуют до глубокой ночи, но тогда как один посвящает эти часы молитве, другой коротает их в диком изнурительном веселье. Оба питают свой дух, но первый ради чистоты храма Божьего, второй же — для того чтобы насытиться и превратить священный сосуд в зловонную клоаку. Таким образом, оба живут на противоположных полюсах, и расстояние, разделяющее их, с течением времени увеличивается, а не сокращается.

Брахмачария означает контроль над чувствами в области мысли, слов и поступков. С каждым днем я все более убеждался в необходимости уже упомянутых форм воздержания. Нет предела возможностям отречения, точно так же как нет предела возможностям брахмачарии. Состояние брахмачари нельзя достигнуть благодаря частичным усилиям. Для многих людей брахмачария должна остаться лишь идеалом. Человек, стремящийся к брахмачарии, всегда будет отдавать себе отчет в своих недостатках, он будет выискивать страсти, таящиеся в глубине его души, и постоянно стараться освободиться от них. До тех пор, пока воля не полностью контролирует мысль, нет брахмачари в настоящем смысле слова.

Непроизвольно возникающая мысль — болезнь разума; обуздание ее означает обуздание разума, что еще более трудно, чем обуздание ветра. Тем не менее сущий в нас Бог позволяет контролировать даже разум. Не следует думать, что это невозможно только потому, что трудно. Это наивысший идеал, и потому вполне естественно, что необходимо приложить максимум усилий, чтобы достигнуть его.

Лишь вернувшись в Индию, я убедился, что достигнуть такого рода состояния брахмачарии при помощи одних человеческих усилий невозможно. Раньше я заблуждался, полагая, что диета, состоящая из одних фруктов, позволит мне искоренить все страсти, и льстил себя надеждой, что ничего другого мне делать не нужно.

Однако не буду забегать вперед. Позвольте только разъяснить. Те, кто хочет соблюдать брахмачарию, стремясь познать Бога, не должны отчаиваться. Их вера в Бога равносильна их вере в собственные силы.

Для отрешенного человека исчезают предметы, не вкус к ним,
Но для узревшего высшее и вкус исчезает.

Поэтому его имя и его благоволение являются последними источниками для того, кто стремится достичь состояния *мокша*. Эту истину я постиг только после возвращения в Индию.

IX. ПРОСТАЯ ЖИЗНЬ

Я стал вести спокойную и удобную жизнь, но продолжалось это недолго. Дом мой был обставлен уютно, но не прельщал меня. Вскоре я вновь стал сокращать свои расходы. Счета из прачечной были огромными, а поскольку прачка не отличался пунктуальностью, мне не хватало даже двух или трех дюжин рубашек и воротничков. Воротнички приходилось менять ежедневно, а рубашки если не каждый день, то по крайней мере через день. Все это было связано с расходами, которые показались мне ненужными, и в целях экономии я обзавелся принадлежностями для стирки белья. Я купил руководство по стирке, изучил это искусство сам и обучил ему жену. Работы, конечно, мне прибавилось, но новизна этого занятия делала его приятным.

Никогда не забуду первого выстиранного мною воротничка. Я накрахмалил его больше, чем нужно, и из опасения сжечь лишь слегка прикасался к нему чуть нагретым утюгом. Воротничок оказался довольно жестким, а лишний крахмал все время осыпался. Я отправился в суд, надев этот воротничок, и вызвал смех своих коллег-адвокатов. Но уже тогда я умел не обращать внимания на насмешки.

— Что же, — говорил я, — ведь это мой первый опыт стирки воротничков, а отсюда и излишний крахмал. Он осыпается, но это меня нисколько не беспокоит, к тому же я доставил вам столько удовольствия.

— Но ведь у нас нет недостатка в прачечных! — сказал один из приятелей.

— Прачечные берут за стирку очень дорого, — ответил я. — Стирка воротничка стоит почти столько же, сколько новый воротничок, да еще приходится постоянно зависеть от прачки. Я предпочитаю стирать свои вещи сам.

Но я не в силах был заставить друзей понять красоту самообслуживания. С течением времени я стал заправским прачкой и стирал не хуже, чем в прачечной. Мои воротнички были не менее твердыми и блестящими, чем у других.

Когда Гокхале приехал в Южную Африку, он привез с собой галстук, полученный им в подарок от Махадева Говинды Ранаде. Гокхале очень берег эту вещь как память: он надевал галстук лишь в исключительных случаях. Как-то ему понадобилось надеть его на банкет, который давали в его честь индийцы в Йоханнесбурге. Галстук был помят, и его следовало выгладить. Отдать его в прачечную и своевременно получить обратно уже не было возможности. Я предложил испробовать мое искусство.

— Я верю в ваши способности как адвоката, но не верю в ваши таланты по части стирки, — сказал Гокхале, — что же будет, если вы испортите мне галстук? Вы понимаете, что он для меня значит?

И он рассказал, как получил этот подарок. Но я продолжал настаивать, поручился за качество работы и добился разрешения выгладить галстук. В результате я получил похвальный аттестат. После этого мне совершенно безразлично, если все прочие люди мира откажут мне в выдаче такого аттестата.

Я освободился не только от ига прачечной, но достиг также независимости и от парикмахера. Люди, побывавшие в Англии, нередко научаются там бриться самостоятельно, но никто, насколько мне известно, не научился стричь себе волосы. Мне пришлось освоить и это. Однажды я зашел к английскому парикмахеру в Претории. Он с презрением отказался стричь меня. Я почувствовал себя обиженным, однако немедленно купил ножницы и остриг волосы перед зеркалом. Стрижка передней части головы более или менее удалась, но затылок я испортил. Друзья в суде надрывались от хохота.

— Что с вашими волосами, Ганди? Не обгрызли ли их крысы?

— Нет, белый парикмахер не снизошел до того, чтобы дотронуться до моих черных волос, — ответил я, — и я предпочел сам стричь их, как бы плохо у меня ни получилось.

Ответ мой не удивил друзей.

Парикмахер был тут ни при чем. Обслуживая черных, он рисковал потерять свою клиентуру. В Индии мы не разрешаем нашим парикмахерам обслуживать наших неприкасаемых братьев. Мне отплатили за это в Южной Африке — и неоднократно. Мысль о том, что это наказание за наши грехи, удерживала меня от возмущения.

Те крайние формы, которые в конце концов приняла моя страсть к самообслуживанию и к простоте, опишу в другом месте. Семена были брошены. Они нуждались в поливе, чтобы прорасти, зацвести и дать плоды. И я понял это в нужный момент.

X. БУРСКАЯ ВОЙНА

Я вынужден опустить здесь многое из пережитого мною между 1897 и 1899 гг. и перейти прямо к Бурской войне.

Когда война была объявлена, мои личные симпатии были целиком на стороне буров. Но тогда я думал, что не имею права проявлять свои индивидуальные убеждения. Я подробно разобрал пережитую мною внутреннюю борьбу в книге по истории сатьяграхи в Южной Африке и теперь не хочу повторяться. Интересующихся отсылаю к этой книге. Здесь достаточно сказать, что моя лояльность по отношению к английскому правительству побудила меня принять участие в войне на стороне англичан. Я считал, что если требую прав как британский гражданин, то обязан участвовать в защите Британской империи. Я полагал тогда, что Индия может стать независимой только в рамках Британской империи и при ее содействии. Поэтому я собрал как можно больше товарищей и с большим трудом добился, чтобы нас приняли на службу в армию санитарами.

Рядовой англичанин считает, что индийцы трусливы, не способны рисковать собой или быть выше своих личных интересов.

Скепсис моих друзей-англичан, к которым я явился со своим планом, должен был подействовать на меня, по их мысли, как ушат холодной воды. Но доктор Бут горячо поддержал меня. Он обучил нас работе санитарами, и мы получили свидетельства о годности к медицинской службе. Мистер Лаутон и мистер Эскомб с энтузиазмом поддержали мой план, и мы попросили послать нас на фронт. Правительство поблагодарило нас, но сообщило, что в данный момент не нуждается в наших услугах.

Однако я не удовлетворился этим отказом. Воспользовавшись рекомендацией доктора Бута, я посетил епископа Наталя. В нашем отряде было много индийцев-христиан. Епископ был в восторге от моего предложения и обещал помочь нам.

Время также работало на нас. Буры проявили большую храбрость, мужество и решительность, нежели от них ожидали, и в конце концов наши услуги оказались необходимыми.

Наш отряд состоял из тысячи ста человек, из них сорок занимались руководящей работой. Около трехсот человек были свободными, а остальные законтрактованными рабочими. Доктор Бут также был с нами. Отряд хорошо справлялся со своей задачей. Мы действовали за линией огня и находились под защитой Красного Креста, но в критический момент нас попросили перейти на передовые позиции. Пребывание в тылу обусловливалось не нашим желанием: сами власти не хотели пускать нас на фронт. Но после поражения у Спион-Копа положение изменилось, и генерал Буллер известил нас, что хотя мы и не обязаны подвергать себя риску, но правительство будет нам признательно, если мы согласимся подбирать раненых на поле боя. Мы не колебались и во время операций у Спион-Копа работали на линии огня. В эти дни нам приходилось совершать переходы по двадцать — двадцать пять миль ежедневно, неся раненых на носилках. Нам выпала честь переносить и таких воинов, как генерал Вудгейт.

После шести недель службы отряд был распущен. Потерпев неудачу у Спион-Копа и Ваалькранца, британский главнокомандующий отказался от попытки взять Ледисмит и другие пункты внезапной атакой и решил продвигаться медленно в ожидании подкреплений из Англии и Индии.

Скромная работа, которую мы делали в то время, принесла нам широкую популярность, и это подняло престиж индийцев. В газетах были опубликованы хвалебные стихи в нашу честь, содержащие рефрен: «Мы все же сыны Империи».

Генерал Буллер в официальном донесении отметил работу отряда, и всех руководителей его наградили боевыми медалями.

Организация индийской общины постепенно улучшалась. Я ближе сошелся с законтрактованными индийцами. Они стали сознательнее, и убеждение, что индусы, мусульмане, христиане, тамилы, гуджаратцы и сикхи — индийцы и дети одной родины, глубоко укоренилось в их умах. Все верили, что белые постараются загладить свою вину за нанесенные индийцам обиды. В то время нам казалось, что позиция белых существенным образом изменилась. Отношения, установившиеся с ними во время войны, были самые теплые. Нам приходилось иметь дело с тысячами английских солдат. Они относились к нам по-дружески и благодарили за услуги.

Не могу не отметить приятного воспоминания о событии, которое может служить примером того, как человеческая натура проявляет себя с лучшей стороны в моменты испытаний. Мы совершали переход в направлении Чивели-Кэмпа, где лейтенант Робертс, сын лорда Робертса, получил смертельную рану. Нашему отряду выпала честь нести его тело с поля сражения. Был знойный день. Всех мучила жажда. По дороге нам попался маленький ручеек, где мы могли утолить жажду. Но кому пить первому? Мы предложили, чтобы сначала пили английские солдаты. Однако они настаивали, чтобы раньше напились мы. И некоторое время длилось это приятное соревнование в предоставлении первенства друг другу.

XI. САНИТАРНАЯ РЕФОРМА И ПОМОЩЬ ГОЛОДАЮЩИМ

У меня не укладывалось в голове, что гражданин государства может жить, не принося пользы обществу. Я никогда не любил скрывать недостатки общины или настаивать на ее правах, предварительно не очистив ее от позорящих пятен. Поэтому с момента моего поселения в Натале я старался снять с общины справедливое до некоторой степени обвинение в том, что индийцы неаккуратны, что в доме у них грязно. Видные члены общины уже начали наводить порядок в своих домах, но обследование санитарного состояния каждого дома началось лишь после того, как в Дурбане вспыхнула чума. К обследованию приступили, предварительно обсудив этот вопрос с отцами города и заручившись их одобрением. Наше участие в обследовании всячески приветствовалось, так как оно облегчало работу отцов города и в то же время уменьшало наши трудности. Во время эпидемии власти, как правило, теряют терпение, предпринимают излишние меры и вызывают неудовольствие населения своей суровостью. Община оградила себя от подобных действий, добровольно согласившись провести ряд санитарных мероприятий.

Но на мою долю выпало несколько неприятностей. Я понимал, что, требуя от общины исполнения ее обязанностей, не могу рассчитывать на такую же помощь, какая мне была оказана в период, когда я добивался прав для общины. В некоторых местах меня встречали оскорблениями, в других — вежливым равнодушием.

Было очень трудно расшевелить людей и заставить их следить за чистотой своих жилищ. Нечего было и думать, что они изыщут средства для проведения этой работы. Я по опыту знал, что надо иметь неистощимое терпение, чтобы заставить людей что-нибудь делать. Осуществить реформу жаждет всегда сам реформатор, а не общество, от которого нельзя ожидать ничего, кроме противодействия, недовольства и даже самого жесткого осуждения. В самом деле, почему бы обществу не считать регрессом то, что для реформаторов дороже жизни?

И все-таки в результате моей деятельности индийская община постепенно в большей или меньшей степени стала осознавать необходимость содержать свои дома в чистоте. Я заслужил уважение властей. Они поняли, что, хотя я вменил себе в обязанность расследовать недовольство и требовать прав для общины, я не менее ревностно добивался от нее самоочищения.

Оставалась еще одна задача — пробудить у индийских поселенцев чувство долга по отношению к родине. Индия была бедной страной, индийские поселенцы приехали в Южную Африку в поисках богатства, и нужно, чтобы в час бедствия они были готовы отдать часть заработанных денег в пользу своих соотечественников, оставшихся на родине. Индийские поселенцы так и поступили во время ужасного голода, постигшего страну в 1897 и 1899 гг. Они внесли значительный вклад в фонд помощи голодающим, причем в 1899 г. больше, чем в 1897-м. Мы обращались с просьбой о помощи и к англичанам, и они живо откликнулись. Свою лепту внесли даже законтрактованные индийцы. Организация по сбору средств в помощь голодающим, возникшая в 1897 г., существует и поныне, и мы знаем, что индийцы Южной Африки всегда оказывали существенную денежную помощь Индии в годины национальных бедствий.

Так служение индийцам Южной Африки на каждом этапе открывало мне существо истины. Истина подобна огромному дереву, которое приносит тем больше плодов, чем больше за ним ухаживают. Чем более глубокие поиски в кладезе истины вы будете производить, тем больше сокровищ, похороненных там, откроется вам. Они облечены в форму многообразных возможностей служения обществу.

XII. ВОЗВРАЩЕНИЕ В ИНДИЮ

Освободившись от военных обязанностей, я почувствовал, что местом моей дальнейшей деятельности должна быть не Южная Африка, а Индия. Нельзя сказать, что в Южной Африке не нашлось бы для меня больше дела. Но я боялся, что моя работа сведется в основном к работе ради денег.

Друзья на родине также настаивали на моем возвращении, и я сам чувствовал, что смогу принести больше пользы в Индии. Что же касается Южной Африки, то там оставались мистер Хан и мистер Мансухлал Наазар. Поэтому я просил товарищей по работе освободить меня. После долгого сопротивления они согласились наконец удовлетворить мою просьбу, но при условии, что я вернусь в Южную Африку, если в течение года понадоблюсь общине. Я считал это трудным условием, но любовь к общине заставила меня принять его.

Господь связал меня
Нитью любви —
Я его раб.

Так пела Мирабай. Нить любви, связавшая меня с общиной, была крепка и нерасторжима. Глас народа — глас Божий, а в данном случае голос друзей был голосом истины, и я не мог не внять ему. Я принял условие и получил разрешение уехать.

В тот период я был тесно связан только с Наталем. Индийцы Наталя буквально купали меня в нектаре любви. Повсюду они организовывали прощальные собрания и одаривали меня ценными подарками.

Подарки мне делали и раньше, до отъезда в Индию в 1899 г., но на этот раз меня совершенно засыпали ими. Среди подарков, разумеется, были изделия из золота, серебра, бриллиантов.

Имел ли я право принимать эти подарки? А приняв, смог ли бы убедить себя, что бескорыстно служу общине? Все подарки, за исключением немногих, полученных от моих клиентов, были преподнесены мне за службу общине, и таким образом стиралась разница между клиентами и товарищами по работе, так как клиенты также помогали мне в моей общественной деятельности.

Одним из подарков было золотое ожерелье, стоимостью шестьдесят гиней, предназначавшееся моей жене. Но даже и оно было преподнесено мне за общественную деятельность, и его нельзя было отделить от других.

Я провел бессонную ночь после вечера, когда меня одарили вещами. Взволнованно ходил по комнате, но не мог найти никакого решения. Мне было трудно отказаться от вещей, стоивших сотни рупий, но еще труднее было оставить их у себя.

Допустим, я приму их, но как быть тогда мне с детьми, женой? Я приучал их к мысли, что жизнь должна быть отдана служению обществу и что полезность этого служения и есть награда за труды.

У меня не было драгоценных украшений в доме. Мы все более упрощали нашу жизнь. В таком случае разве могли мы пойти на то, чтобы иметь золотые часы? Разве могли мы согласиться носить золотые цепочки и кольца с бриллиантами? Уже тогда я призывал людей бороться против пристрастия к драгоценностям. Как же теперь должен был поступить я с драгоценностями, свалившимися на меня?

Я решил, что не могу принять подарки, и составил письмо, которым передавал их в распоряжение общины, назначив парса Рустомджи и других доверенными лицами. Утром я посоветовался с женой и детьми и окончательно избавился от наваждения.

Я знал, что убедить жену будет довольно трудно, но с детьми получится иначе, поэтому я решил заручиться их поддержкой в качестве своих адвокатов.

Дети тут же согласились с моим предложением.

— Нам не нужны эти дорогие подарки, мы вернем их общине, а если когда-нибудь нам понадобятся такие вещи, мы сможем купить их, — сказали они.

Я был восхищен.

— Вы поговорите с мамой? — спросил я детей.

— Конечно, — ответили они. — Это наше дело. Ведь ей не нужны украшения. Она, вероятно, захочет оставить их для нас, но, если мы скажем, что они не нужны нам, почему бы ей не согласиться расстаться с ними?

Но на словах все было гораздо проще, чем оказалось на деле.

— Тебе они, конечно, не нужны, — сказала жена. — Детям они, возможно, тоже не нужны. Ведь дети обмануты и пляшут под твою дудку. Я могу понять, почему ты не разрешаешь носить украшения мне. Ну а невестки? Им-то обязательно понадобятся драгоценности. И потом, кто знает, что случится завтра? Я буду последним человеком, если расстанусь с подарками, преподнесенными с такой любовью.

Аргументы следовали один за другим, подкрепленные в конце слезами. Но дети были непоколебимы. На меня же все это вообще не оказало никакого влияния.

Я тихо вставил:

— Детям еще надо жениться. Мы ведь не хотим, чтобы они женились рано. А когда вырастут, они сами смогут позаботиться о себе. И мы, разумеется, не пожелаем нашим сыновьям невест, которые обожают драгоценности. Но все же, если понадобится, мы достанем украшения, ведь я всегда и всецело в распоряжении детей. Ты тогда попросишь меня.

— Попросить тебя? Я достаточно хорошо изучила тебя. Ты отнял у меня мои собственные украшения и не успокоился бы, если бы не сделал этого. Можно себе представить, как ты будешь дарить украшения невесткам! Ты, который уже сейчас пытается превратить моих сыновей в *садху!* Нет, украшения не будут возвращены. И какое право ты имеешь на мое ожерелье?

— Но, — возразил я, — разве ожерелье подарено тебе за твою службу?

— Нет. Но твоя служба в равной степени и моя. Я работаю на тебя день и ночь. Разве это не служба? Ты взвалил на меня все, заставлял горько плакать и превратил в рабыню!

Удары были направленными и некоторые попали в цель. Но я не отказался от решения вернуть украшения. Мне кое-как удалось вырвать у нее согласие. Все подарки, преподнесенные мне в 1896 и 1901 гг., были возвращены. Была приготовлена доверенность, и драгоценности положены в банк для использования их в интересах общины в соответствии с моими пожеланиями или желаниями доверенных лиц.

Когда мне нужны бывали средства для проведения общественных мероприятий, я считал, что могу взять требующуюся сумму из этого фонда, оставив нетронутым основной капитал. Деньги до сих пор находятся в банке, и сумма их постоянно растет за счет процентов. Мы пользовались ими по мере надобности.

Впоследствии я никогда не жалел о том, что передал драгоценности общине, и по прошествии ряда лет жена тоже осознала мудрость моего поступка. Он спас нас от многих искушений.

Я твердо придерживаюсь мнения, что человек, посвятивший себя служению обществу, не должен принимать дорогих подарков.

XIII. СНОВА В ИНДИИ

Итак, я отправился домой. Корабль заходил по пути в порт острова Св. Маврикия. Стоянка была длительной, и я сошел на берег, чтобы подробно познакомиться с местными условиями. В один из вечеров я побывал в гостях у сэра Чарльза Бруса, губернатора колоний.

По прибытии в Индию я некоторое время разъезжал по стране. В 1901 г. в Калькутте собиралось заседание Конгресса под председательством ныне покойного мистера (впоследствии сэра) Диншоу Вачи. Я, конечно, отправился на заседание Конгресса и там впервые познакомился с его работой.

Из Бомбея я выехал одним поездом с сэром Фирузшахом Мехтой, так как должен был поговорить с ним о делах в Южной Африке. Я знал, что он живет по-царски. Ехал он в специальном, для него заказанном салон-вагоне, и, чтобы побеседовать, мне было предложено поехать вместе с ним один перегон. На условленной станции я подошел к салон-вагону и попросил доложить о себе. С Мехтой ехали мистер Вача и мистер (теперь сэр) Чиманлал Сеталвад. Они вели разговор на политические темы. Увидев меня, сэр Фирузшах Мехта сказал:

— Ганди, кажется, ничего нельзя сделать для вас. Конечно, мы примем резолюцию, которую вы предложите. Но какими мы располагаем правами в своей стране? Я думаю, что пока мы не обладаем властью в собственной стране, вы не сможете добиться улучшения положения в колониях.

Его слова привели меня в смущение. Мистер Сеталвад, казалось, был согласен с ним. Мистер Вача бросил на меня сочувственный взгляд.

Я пытался возражать сэру Фирузшаху, но такому человеку, как я, было совершенно немыслимо переубедить некоронованного короля Бомбея. Я удовлетворился тем, что мне разрешат внести на обсуждение резолюцию.

— Вы, конечно, покажете мне резолюцию, — сказал мистер Вача, чтобы приободрить меня.

Я поблагодарил его и на следующей остановке вышел из вагона.

Мы прибыли в Калькутту. Организационный комитет устроил пышную встречу президенту. Я спросил добровольца[1], куда мне идти. Он довел меня до Рипон-колледжа, где разместилась часть делегатов. Судьба мне благо-

---

[1] Добровольцами Конгресса называли лиц, сочувствующих ему и входивших в отряды, задачей которых было поддерживать порядок и дисциплину во время массовых собраний, демонстраций, бойкота иностранных товаров и т. д.

приятствовала. В том же здании, что и я, поселился Локаманья. Насколько помнится, он прибыл днем позже.

Локаманью, разумеется, нельзя представить себе без его дурбара. Будь я художником, я нарисовал бы его сидящим на кровати. Таким он запечатлелся в моей памяти. Из бесчисленных людей, заходивших к нему, припоминаю лишь одного — ныне покойного Бабу Мотилала Гхозе, редактора «Амрита базар патрика». Громкий смех присутствовавших и разговоры о преступных делах правящих кругов забыть невозможно.

Расскажу подробнее об обстановке, в которой работал Конгресс. Добровольцы ругались друг с другом. Если вы просили одного из них сделать что-либо, он перепоручал это другому, а тот, в свою очередь, третьему и т. д. Что касается делегатов, то они вообще были не у дел.

Я подружился с несколькими добровольцами и рассказал им кое-что о Южной Африке; они немного устыдились своей бездеятельности. Я попытался разъяснить им тайну служения обществу. Они, казалось, понимали меня. Но дух служения быстро не вырабатывается. Он предполагает наличие в первую очередь желания, а потом уже опыта. У этих простодушных хороших юношей не было недостатка в желании, но совершенно отсутствовал опыт. Конгресс собирался раз в год на три дня, а остальное время бездействовал. Какой опыт можно было приобрести, лишь участвуя в его заседаниях? Делегаты не отличались от добровольцев. У них также не было опыта. Они ничего не делали сами.

— Доброволец, сделай это. Доброволец, сделай то, — постоянно приказывали они.

Даже здесь я столкнулся с проблемой неприкасаемости. Кухня тамилов была расположена на далеком расстоянии от всех остальных. Делегаты-тамилы чувствовали себя оскверненными даже при одном взгляде постороннего на их обед. Поэтому для них и была построена специальная кухня в компаунде колледжа, отгороженная от всех остальных стенами. Там всегда было дымно и душно. Это была одновременно кухня, столовая и умывальная комната — тесный ящик, лишенный даже окон. Мне она казалась пародией на Варнадхарму. Если существует неприкасаемость между делегатами Конгресса, думал я, вздыхая, можно себе представить степень ее распространенности среди их избирателей.

Условия жизни были ужасно антисанитарны. Повсюду стояли лужи. Имелось всего несколько общественных уборных; воспоминание о вони, исходившей оттуда, до сих пор вызывает у меня отвращение. Я указал на это добровольцам. Они резко ответили мне:

— Это дело не наше, а мусорщика.

Я попросил метлу. Человек, к которому я обратился, посмотрел на меня с удивлением. Я достал метлу и вычистил уборную. Но людей было так много, а уборных так мало, что их надо было чистить очень часто, а это было мне уже не по силам. Поэтому я был вынужден обслуживать только себя. А остальные, по-видимому, не обращали внимания на грязь и вонь.

Но это еще не все. Некоторые делегаты не стеснялись пользоваться верандами своих комнат для отправления естественных потребностей по ночам. Утром я все это показал добровольцам. Но никто не согласился заняться уборкой, не захотел разделить эту честь со мной. С тех пор условия заметно изменились к лучшему, но даже теперь некоторые легкомысленные делегаты позорят Конгресс, отправляя естественные потребности, где им заблагорассудится, а добровольцы не всегда хотят убирать за ними.

Если бы сессии Конгресса были более продолжительными, могли бы вспыхнуть эпидемии, так как условия вполне благоприятствовали этому.

XIV. КЛЕРК И СЛУГА

До начала сессии Конгресса оставалось еще два дня. Желая приобрести некоторый опыт, я решил предложить свои услуги бюро Конгресса. Поэтому, закончив по прибытии в Калькутту ежедневные омовения, я тотчас отправился в бюро.

Секретарями бюро были Бабу Бупендранат Басу и адвокат Госал. Я подошел к первому из них и предложил свои услуги. Он посмотрел на меня и сказал:

— У меня нет работы, но, может быть, у Госала-бабу что-нибудь найдется для вас. Зайдите, пожалуйста, к нему.

Я направился к Госалу. Он пристально посмотрел на меня и сказал с улыбкой:

— Я могу предложить вам только канцелярскую работу. Возьметесь вы за нее?

— Разумеется, — ответил я, — я явился сюда, чтобы выполнять любую работу, которая окажется мне по силам.

— Вот такой разговор, молодой человек, мне нравится, — сказал он и, обращаясь к окружавшим его добровольцам, добавил: — Вы слышали, что он говорит?

Затем, снова повернувшись ко мне, сказал:

— Вот кипа писем, на которые нужно ответить. Берите стул и начинайте. Как видите, ко мне здесь приходят сотни людей. Что я должен делать: принимать их или отвечать на этот бесконечный поток писем? У меня нет служащих, которым я мог бы доверить эту работу. Во многих письмах нет ничего интересного, но вы все-таки, пожалуйста, просмотрите их. Отметьте те, которые заслуживают внимания, и доложите мне о тех, которые требуют серьезного ответа.

Я был счастлив оказанным мне доверием.

Адвокат Госал не знал меня, когда поручал мне работу. Только потом он спросил, кто меня рекомендовал.

Работа оказалась очень легкой. Я весьма быстро справился с разборкой писем, и Госал остался мною очень доволен. Он был разговорчивым человеком, способным говорить часами. Когда он узнал некоторые подробности моей жизни, то пожалел, что поручил мне канцелярскую работу. Но я успокоил его:

— Пожалуйста, не беспокойтесь. Что я по сравнению с вами? Вы поседели на службе Конгрессу и намного старше меня. А я всего лишь неопытный молодой человек. Вы меня чрезвычайно обязали, поручив эту работу. Я хочу принять участие в работе Конгресса, а вы дали мне возможность познакомиться с ней во всех деталях.

— Сказать вам по правде, — ответил Госал, — это самый верный путь. Но современная молодежь не понимает этого. Конечно, я знаю Конгресс с момента его возникновения и действительно имею некоторое основание считать себя вместе с мистером Юмом одним из его организаторов.

Мы стали друзьями. Он настаивал на том, чтобы я завтракал с ним.

Обычно рубашку Госала застегивал его слуга. Я добровольно предложил свои услуги. Мне нравилось делать это, так как я всегда очень уважал старших. Узнав об этом, он не стал возражать, чтобы я оказывал ему небольшие услуги. Я был доволен. Обращаясь ко мне с просьбой застегнуть пуговицы на рубашке, он обычно говорил:

— Вы теперь сами видите, что у секретаря Конгресса нет времени даже застегнуть рубашку. Ему всегда надо что-либо делать.

Меня забавляла некоторая наивность Госала, но у меня никогда не пропадало желание оказывать ему подобные услуги. Служба у него принесла мне неоценимую пользу.

За несколько дней я познакомился с работой Конгресса и получил возможность встретиться с большинством его лидеров, в частности с такими выдающимися деятелями, как Гокхале и Сурендранат. Я убедился, что значительная часть времени работы Конгресса тратилась впустую. Уже тогда я с сожалением отмечал, какое огромное место мы отводим в нашей деятельности английскому языку. Чрезвычайно неэкономно расходовались силы. Несколько человек выполняли работу, которую мог сделать один, а многие важные дела оставались совсем без внимания.

Несмотря на критическое отношение ко всему происходившему, я был достаточно мягкосердечным, чтобы думать, что, вероятно, в подобных обстоятельствах невозможно действовать лучше. Эта мысль спасла меня от опасности недооценить работу.

XV. НА КОНГРЕССЕ

Наконец открылся Конгресс. Огромный павильон, стройные ряды добровольцев и старейшины, сидящие на возвышении, — все это произвело на меня сильное впечатление. Я не знал, куда деваться на таком многолюдном собрании.

Обращение президента составило целую книгу. Прочесть ее от начала до конца не представлялось возможным. Поэтому были прочитаны лишь отдельные места.

Затем состоялись выборы Организационного комитета. Гокхале брал меня на его заседания.

Сэр Фирузшах Мехта дал свое согласие внести на обсуждение мою резолюцию, но я совершенно не представлял себе, кто и когда должен будет предложить ее комитету. Дело в том, что по поводу каждой резолюции произносились длинные речи, к тому же на английском языке, и требовалось, чтобы каждую резолюцию поддерживал какой-нибудь известный лидер. Мой голос прозвучал бы как слабый писк среди грома барабанов ветеранов Конгресса.

К концу дня сердце у меня учащенно забилось. Насколько помню, резолюции, выносимые на обсуждение в конце дня, пропускались с молниеносной быстротой. Все спешили покинуть собрание. Было одиннадцать часов. У меня не хватило духу произнести речь. Я уже виделся с Гокхале, и он просмотрел мою резолюцию. Я пододвинул свой стул к нему и шепнул:

— Пожалуйста, сделайте что-нибудь для меня.

Он ответил:

— Я не забыл о вашей резолюции. Вы видите, как они спешат. Но я не допущу, чтобы ваша не была поставлена на обсуждение.

— Итак, мы кончили? — спросил Фирузшах Мехта.

— Нет, нет, осталась еще резолюция по Южной Африке. Мистер Ганди ждет уже давно, — крикнул Гокхале.

— А вы читали эту резолюцию? — спросил Фирузшах Мехта.

— Конечно.

— Вы одобряете ее?

— Она вполне приемлема.

— Хорошо, пусть Ганди нам ее прочитает.

Я с трепетом в голосе прочитал. Гокхале поддержал меня.

— Принята единогласно, — закричали все.

— У вас будет пять минут для выступления, Ганди, — сказал мистер Вача.

Вся эта процедура мне очень не понравилась. Никто и не подумал вникнуть в содержание резолюции. Все спешили уйти, а так как Гокхале уже ознакомился с резолюцией, то остальные не считали нужным прочесть ее и понять.

С утра я начал беспокоиться о моей речи. Что я смогу сказать за пять минут? Я хорошо подготовился, но слова были не те. Я решил не читать речь, а говорить экспромтом. Но легкость речи, которую я приобрел в Южной Африке, видимо, изменила мне на этот раз. Когда очередь дошла до моей резолюции, мистер Вача назвал мое имя. Я встал. Голова кружилась. Я кое-как прочитал резолюцию. Кто-то отпечатал и раздал делегатам оттиски поэмы, в которой воспевалась эмиграция из Индии. Я прочел поэму и начал говорить о горестях поселенцев в Южной Африке. Как раз в этот момент мистер Вача позвонил в колокольчик. Я был уверен, что не говорил еще пяти минут. Я не знал, что это предупреждение и у меня осталось еще две минуты. Я слышал, как другие говорили по полчаса, по три четверти часа, и их не прерывали звонком. Я почувствовал себя обиженным и сел сразу же, как председатель перестал звонить. Но мой детский разум подсказывал мне тогда, что в поэме содержался ответ сэру Фирузшаху Мехте.

Моя резолюция не встретила никаких возражений. В те дни между гостями и делегатами почти не делалось различия. Все участвовали в голосовании, и все резолюции принимались единогласно. Моя резолюция была принята таким же образом и потеряла поэтому для меня всякое значение. И тем не менее то обстоятельство, что она принята Конгрессом, вселило радость в мое сердце. Сознание, что *санкция* Конгресса означает одобрение всей страны, могло порадовать кого угодно.

XVI. ДУРБАР ЛОРДА КЕРЗОНА

Заседания Конгресса окончились, но, поскольку мне надо было посетить Торговую палату и встретиться с некоторыми людьми, имевшими отношение к моей работе в Южной Африке, я прожил в Калькутте еще месяц. Предпочитая не останавливаться в отеле, я запасся рекомендательным письмом для получения комнаты в Индийском клубе. Членами этого клуба состояли многие видные индийцы, и я хотел познакомиться с ними, дабы заинтересовать их работой в Южной Африке. Гокхале часто приходил в клуб играть на бильярде. Узнав, что я задержусь в Калькутте на некоторое время, он пригласил меня поселиться у него. Я поблагодарил за приглашение, но не считал удобным самому отправиться к нему. Гокхале ждал день или два, а потом пришел ко мне сам. Отыскав меня в моем убежище, он сказал:

— Ганди, вы должны остаться в стране. А помещение надо переменить. Вам следует установить контакт с как можно большим числом людей. Я хотел бы, чтобы вы занимались работой для Конгресса.

Прежде чем перейти к описанию моей жизни у Гокхале, я хочу рассказать об инциденте, происшедшем в Индийском клубе.

Приблизительно в это время лорд Керзон созвал дурбар. Некоторые раджи и махараджи из числа приглашенных на дурбар были членами клуба. Я всегда встречал их в клубе, одетых в прекрасные бенгальские *дхоти,* рубашки и шарфы. Отправляясь на дурбар, они надевали брюки, которые под стать было носить только *хансама* (лакеям), и блестящие ботинки. Мне было больно видеть это, и я спросил одного из них о причинах таких изменений в одежде.

— Нам одним известно, насколько жалко наше положение. Только мы знаем об оскорблениях, которые должны сносить, чтобы не лишиться своих богатств и титулов, — ответил он.

— А что вы скажете об этих тюрбанах хансама и блестящих ботинках? — спросил я.

— А есть ли разница между нами и хансама? — спросил он и добавил: — Есть наши хансама, а мы — хансама лорда Керзона. Если я не буду присутствовать на приеме, мне вскоре дадут почувствовать неприятные последствия этого. Если же я приду в своей обычной одежде, это будет воспринято как оскорбление. Но, может быть, вы думаете, что я собираюсь поговорить об этом с лордом Керзоном? Ничего подобного!

Мне стало жаль этого откровенного человека, и я вспомнил еще об одном дурбаре. Он состоялся по поводу закладки фундамента Индийского университета, первый кирпич в который положил лорд Гардингджи. На дурбаре, разумеется, присутствовали раджи и махараджи. Пандит Малавиджи специально пригласил меня, и я пришел.

Я расстроился при виде махарадж, разодетых, подобно женщинам, — в шелковых пижамах и ачканах, с жемчужными ожерельями вокруг шеи, браслетами на запястьях, жемчужными и бриллиантовыми подвесками на тюрбанах. В добавление ко всему с поясов свисали сабли с золотыми эфесами.

Я чувствовал, что все это знаки не королевского достоинства, а рабства. Я думал, что они надевали эти знаки бессилия по своей воле, но мне сказали, что раджи обязаны надевать все свои драгоценности при подобных обстоятельствах. Я обнаружил даже, что некоторые не любят носить драгоценности и никогда не надевают их, за исключением особых случаев, вроде дурбара. Не знаю, насколько верны мои сведения, но вне зависимости от того, надевают они драгоценности в других случаях или нет, обычай посещать дурбары вице-короля в украшениях, надевать которые к лицу только женщинам, довольно унизителен.

Как тягостна плата за грехи и проступки, совершенные человеком во имя богатства, власти и престижа!

XVII. МЕСЯЦ ЖИЗНИ У ГОКХАЛЕ-I

С первого дня пребывания у Гокхале я почувствовал себя совершенно как дома. Он обращался со мной как с младшим братом, изучил мои привычки и следил за тем, чтобы у меня было все необходимое. К счастью, мои потребности были очень скромны, и так как я привык делать все сам, то чрезвычайно мало нуждался в посторонних услугах. Моя привычка все делать самому, опрятность, аккуратность и внутренняя дисциплина произвели на него сильное впечатление, и он часто буквально захваливал меня.

Мне кажется, у него не было от меня секретов. Он знакомил меня со всеми выдающимися людьми, которые его посещали. Лучше всего я запомнил доктора (теперь сэра) П. Рая. Он жил совсем рядом и очень часто навещал Гокхале.

Гокхале представил его следующим образом:

— Это профессор Рай. Он зарабатывает восемьсот рупий в месяц, но себе оставляет только сорок рупий, остальное отдает на общественные нужды. Он не женат и не собирается жениться.

Доктор Рай мало изменился с тех пор. Он одевался тогда почти так же просто, как и теперь, с той только разницей, разумеется, что теперь он носит платье, сделанное из кхади, а тогда — из индийского фабричного сукна. Я мог без конца слушать Гокхале и доктора Рая, так как их беседа всегда касалась вопросов общественного блага и имела воспитательный характер. Но порою мне было неприятно, когда они критиковали общественных деятелей. В результате некоторые люди, раньше казавшиеся мне стойкими борцами, лишались своего ореола.

Было и радостно, и поучительно наблюдать работу Гокхале. Он никогда не терял ни минуты, свои частные отношения и дружеские связи всецело подчинял интересам общественного блага. Все его разговоры касались блага Индии, и в них не было и следа лжи или неискренности. Он постоянно думал и говорил о нищенском и порабощенном состоянии Индии. Многие пытались заинтересовать его другими вещами, но он неизменно отвечал:

— Делайте это сами и позвольте мне продолжать мою работу. Я хочу свободы для Индии. Когда мы добьемся этого, можно будет подумать и о других вещах. На сегодняшний день этого дела достаточно, чтобы поглотить все мое время и всю мою энергию.

Его благоговение перед Ранаде проявлялось на каждом шагу. Мнение Ранаде по любому вопросу было для него решающим. Он часто цитировал его. Гокхале регулярно отмечал годовщину со дня смерти (или рождения, не помню) Ранаде. Так было и в период моей жизни у Гокхале. Кроме меня, в то время с ним были его друзья — профессор Катавате и помощник судьи. Гокхале пригласил нас принять участие в торжестве. Рассказывая о Ранаде, он провел, между прочим, параллель между Ранаде, Телангом и Мандликом. Он превозносил чарующий стиль Теланга и величие Мандлика как реформатора. Вспоминая заботу Мандлика о своих клиентах, он рассказал нам анекдот о том, как однажды, опоздав на поезд, которым обычно ездил, Мандлик заказал специальный поезд, чтобы вовремя попасть в суд, где должен был защищать своего клиента. Но Ранаде, говорил Гокхале, возвышается над ними своей разносторонней гениальностью. Он был не только великим судьей, но в равной степени и великим историком, экономистом и реформатором. Будучи судьей, он все же смело посещал заседания Конгресса, где все так верили в его прозорливость, что без обсуждения принимали предложенные им решения. Описывая умственные и душевные качества своего учителя, Гокхале испытывал бесконечное наслаждение.

Гокхале ездил в те времена в экипаже. Я не понимал, какая была в этом надобность, и однажды упрекнул его:

— Неужели вы не можете ездить в трамвае? Или это унижает достоинство лидера?

Его, видимо, несколько огорчило мое замечание, и он сказал:

— Значит, и вы не поняли меня. Я не трачу своего жалованья на личные удобства. Я завидую вашей свободе, благодаря которой вы можете ездить в трамвае, но, к сожалению, не могу поступать так же. Если бы вы были жертвой такой широкой популярности, как я, вы почувствовали бы, как трудно и даже невозможно ездить в трамвае. Нельзя думать, что лидеры все делают для личного удобства. Мне нравится простота вашего образа жизни, и я стараюсь жить как можно проще, но некоторые расходы на себя неизбежны для такого человека, как я.

Таким образом, одно из моих сомнений было легко разрешено, но осталась еще одна претензия.

— Но вы даже не выходите погулять, — сказал я. — Неудивительно, что вы всегда больны. Неужели служение обществу не оставляет времени для физических упражнений?

— А вы видели когда-нибудь, чтобы у меня было свободное время для прогулки? — ответил он.

Я настолько уважал Гокхале, что никогда не возражал ему. Я промолчал и на этот раз, хотя его ответ не удовлетворил меня. Я считал тогда, да и теперь считаю, что вне зависимости от того, сколько работы у человека, он должен найти время для физических упражнений, как он находит его для еды. Я полагаю, что физические упражнения не только не уменьшают работоспособности, но, наоборот, увеличивают ее.

XVIII. МЕСЯЦ С ГОКХАЛЕ-II

Живя под одной крышей с Гокхале, я отнюдь не сидел на месте.

Своим друзьям-христианам в Южной Африке я обещал повидаться с индийцами-христианами в Индии и познакомиться с условиями их жизни. Я слышал о Бабу Каличаране Банерджи и был о нем высокого мнения. Он принимал деятельное участие в работе Конгресса, и я не испытывал по отношению к нему того предубеждения, которое внушили мне рядовые индийцы-христиане, стоявшие в стороне от работы Конгресса и чуждавшиеся как индусов, так и мусульман. Когда я сообщил Гокхале о своем желании увидеться с Банерджи, он спросил:

— Зачем это вам? Он очень хороший человек, но, боюсь, не удовлетворит вас. Я очень хорошо его знаю. Но если уж вы так хотите, то, разумеется, можете с ним повидаться.

Я просил Банерджи принять меня, и он с готовностью согласился. Когда я пришел, оказалось, что его жена лежит на смертном одре. Домашняя обстановка была чрезвычайно проста. На Конгрессе Банерджи был в пиджаке и брюках, а теперь, к своему удовольствию, я увидел его в бенгальских *дхоти* и рубашке. Мне понравилась простота его одежды, хотя сам я тогда носил сюртук и брюки парсов. Без всяких предисловий я заговорил с ним о своих сомнениях. Он спросил:

— Верите ли вы в учение о первородном грехе?

— Да, верю, — ответил я.

— Ну так вот, индуизм не обещает искупление этого греха, а христианство обещает. И добавил: — Возмездие за грех — смерть, и Библия говорит, что единственный путь искупления — довериться Христу.

Я ссылался на «Бхакти-Марга» и «Бхагаватгиту», но это было бесполезно. Я поблагодарил его за доброту. Беседа с ним не удовлетворила меня, но все же я извлек из нее некоторую пользу.

Я исходил (большей частью я передвигался пешком) улицы Калькутты вдоль и поперек. Я встретился с судьей Миттером и сэром Гуруджем Банерджи, чья помощь мне была нужна для связи с работой в Южной Африке. Примерно в это же время я познакомился с раджой сэром Пьяркмоханом Мукарджи.

Каличаран Банерджи рассказывал мне о храме Кали, который я очень хотел посетить, в особенности после того, как прочитал о нем в книгах. В один прекрасный день я отправился туда. В этом же районе находится дом судьи Миттера. Поэтому я посетил храм в тот день, когда заходил к Миттеру. По дороге я увидел большое стадо овец, которых гнали в храм Кали, чтобы принести в жертву. Ряды нищих выстроились вдоль дороги, ведущей к храму. Среди них были нищие монахи, но я уже тогда был решительным противником того, чтобы подавать милостыню здоровым нищим. Толпа их преследовала меня. Нищий, сидевший на веранде, остановил меня вопросом:

— Куда вы направляетесь, сын мой?

Я ответил.

Он попросил меня и моего спутника присесть, что мы и сделали.

Я спросил его:

— Считаете ли вы жертвоприношение религией?

— Кто может считать религией убийство животных?

— Тогда почему вы не проповедуете против этого?

— Это не мое дело. Наше дело молиться Богу.

— Но разве нет другого места, где бы вы могли молиться Богу?

— Все места одинаково хороши для нас. Люди подобны стаду овец, они идут туда, куда их ведут вожди. Это не наше дело. Мы *садху*.

Мы не стали продолжать спора и пошли дальше. Навстречу нам текли потоки крови. Я не мог вынести этого зрелища. Я был возмущен и взволнован. Никогда не забуду этой картины.

В тот самый вечер я был приглашен на обед к бенгальским друзьям. Я заговорил с одним из них об этой жестокой форме богослужения. Но он ответил:

— Овцы ничего не чувствуют. Шум и барабанный бой заглушают ощущение боли.

Я не мог стерпеть и возразил ему, что если бы овцы обладали даром речи, то, наверное, сказали бы что-нибудь другое. Я чувствовал, что необходимо положить конец этому жестокому обычаю. Я вспомнил историю Будды, но понял также, что задача эта мне не по силам.

Я и теперь не отказался от этих своих убеждений. Для меня жизнь ягненка не менее драгоценна, чем жизнь человеческого существа. И я не согласился бы отнять жизнь у ягненка ради человека. Я считаю, что чем беспомощней существо, тем больше у него прав рассчитывать на защиту со стороны человека от человеческой жестокости. Но тот, кто не подготовил себя к такому служению, не способен защитить. Я должен пройти через бóльшее самоочищение и жертву, прежде чем смогу надеяться спасти ягнят от нечестивого заклания. Я готовлюсь умереть, заботясь о самоочищении и жертве, и неустанно молюсь, чтобы на земле родился сильный духом человек — мужчина или женщина,— исполненный божественным милосердием, который освободил бы нас от этого омерзительного греха, спас жизнь невинных существ и очистил храм. Непонятно, как Бенгалия с присущими ее населению знаниями, умом, жертвенностью и эмоциональностью может терпеть подобную бойню.

XIX. МЕСЯЦ С ГОКХАЛЕ-III

Зрелище ужасного жертвоприношения в храме Кали, совершенного во имя религии, еще более усилило мое желание познакомиться с жизнью Бенгалии. Я много читал и слышал о Брахмо Самадже. Я знал кое-что о жизни Пратапа Чандра Мазумдара и присутствовал на нескольких митингах, где он выступал. О его жизни я узнал из «Кешав Чандра Сен», которую прочел с большим интересом. Эта книга помогла мне понять разницу между Садхаран Брахмо Самаджем и Ади Брахмо Самаджем. Я встретился с пандитом Шиванапом Шастри и в сопровождении профессора Катавате отправился повидать махараджу Девендраната Тагора, но нам это не удалось, так как к нему тогда никого не пускали. Все же нас пригласили на празднование Брахмо Самаджа в его доме, и там я услышал прекрасную бенгальскую музыку, которую очень люблю с тех пор.

Мы вдоволь насмотрелись на Брахмо Самадж, но для полного удовлетворения необходимо было увидеть Свами Вивекананду. С большим душевным подъемом я направился в Белур Матх, причем основную часть пути, если не весь путь, шел пешком. Мне нравились уединенные окрестности Матха. Я был разочарован и опечален, когда узнал, что Свами лежит больной в своем доме в Калькутте и мы не сможем повидать его.

Тогда я разузнал о местопребывании сестры Ниведиты и встретился с ней во дворце Чоуринги. Меня поразило окружавшее ее великолепие, но общей темы для разговора мы не нашли. Я рассказал об этом Гокхале, а он нисколько не удивился, что в беседе между мной и этой мятущейся женщиной не нашлось точек соприкосновения.

В другой раз я встретился с нею в доме мистера Пестонджи Падшаха. Я вошел как раз в тот момент, когда она разговаривала с его старушкой-матерью, и мне пришлось выступить в роли переводчика. Несмотря на то что мне не удалось найти общего языка с Ниведитой, я должен отметить, что меня восхитило ее безграничное преклонение перед индуизмом, которое стало мне очевидно впоследствии из ее книг.

Свое время я делил между визитами к людям, занимавшим видное положение в Калькутте и имевшим отношение к моей деятельности в Южной Африке, и изучением религиозных и общественных учреждений Калькутты. Однажды я выступил на митинге, на котором председательствовал доктор Муллик, с рассказом о работе индийского санитарного отряда во время войны с бурами. Мое знакомство с редакцией «Инглишмен» и на этот раз сослужило мне полезную службу. Мистер Сондерс был тогда болен, но тем не менее сумел помочь мне не меньше, чем в 1896 г. Гокхале понравилась моя речь, и он был очень доволен, когда доктор Рай похвалил ее.

Таким образом, мое пребывание в доме Гокхале значительно облегчило мою работу в Калькутте, дало возможность установить контакты с самыми видными бенгальскими семействами и положило начало моей тесной связи с Бенгалией.

Мне придется, однако, опустить многое из воспоминаний об этом незабываемом месяце. Я только вкратце упомяну о поездке в Бирму и о тамошних *фунги*. Меня поразила их апатичность. Я осмотрел золотую пагоду. Мне не понравилось, что в храме горят маленькие свечи, а крысы, бегавшие около святая святых, навеяли мысли о переживаниях Свами Даянанды в Морви.

Свободные и энергичные женщины Бирмы мне понравились, а бездеятельные мужчины произвели тягостное впечатление. За время краткого пребывания я успел убедиться, что подобно тому как Бомбей — не Индия, так и Рангун — не Бирма и что совершенно так же, как мы в Индии стали посредниками между английскими купцами и народом, здесь, в Бирме, совместно с английскими купцами мы используем бирманцев в качестве таких посредников.

По возвращении из Бирмы я распрощался с Гокхале. Расставаться было тяжело, но работу в Бенгалии, вернее, в Калькутте я закончил, и не было оснований оставаться там дольше.

Прежде чем обосноваться где-либо, я решил предпринять небольшое путешествие по Индии в третьем классе, чтобы ознакомиться с мытарствами пассажиров, едущих в этих вагонах. Я сказал об этом Гокхале. Сначала он высмеял мою идею, но, когда я объяснил, с какой целью собираюсь это сделать, с радостью одобрил мой план. Я предполагал поехать в первую очередь в Бенарес и отдать дань уважения миссис Безант, которая в то время была больна.

Мне необходимо было кое-что приобрести для поездки в третьем классе. Гокхале подарил мне коробочку для завтрака и наполнил ее сладостями и пури. Я купил холщовую сумку за двенадцать анн и длинный сюртук из чхайяской[1] шерсти. В сумку я собирался положить этот сюртук, дхоти, полотенце и рубашку. Кроме того, у меня было одеяло и кувшин для воды. С этими пожитками я и начал свое путешествие. Гокхале и доктор Рай пришли на станцию проводить меня. Я просил их не беспокоиться, но они настояли на своем. Гокхале сказал:

— Я мог бы и не прийти, если бы вы ехали первым классом, но в данном случае я считаю себя обязанным сделать это.

Гокхале не остановили при выходе на платформу. Он был в своем обычном дхоти и шелковом тюрбане на голове. Доктор Рай оделся по-бенгальски. Когда контролер задержал его, Гокхале объяснил, что это его друг, и Рая тотчас пропустили.

Напутствуемый их благими пожеланиями, я отправился в путешествие.

XX. В БЕНАРЕСЕ

Мой путь лежал из Калькутты в Раджкот. По дороге я собирался остановиться в Бенаресе, Агре, Джайпуре и Паланпуре. Повидать другие места у меня не было времени. В каждом городе, за исключением Паланпура, я оставался не более дня, жил, как все богомольцы, в *дхармашала* или у *панда*. Помнится, я истратил на это путешествие тридцать одну рупию (включая стоимость проезда по железной дороге).

Путешествуя в третьем классе, я отдавал предпочтение пассажирским поездам, так как почтовые были всегда переполнены, а проезд в них обходился дороже.

Купе третьего класса тогда были так же грязны, а уборные так же плохи, как теперь. Может быть, какие-то улучшения и произошли, но во всяком случае между удобствами, которыми пользуются пассажиры в первом и третьем классе, огромная разница, совершенно не соответствующая разнице в стоимости билета. С пассажирами третьего класса обращаются как со стадом баранов, и удобства им предоставляют те же, что баранам. В Европе я тоже ездил в тре-

[1] *Чхайя* — местечко в штате Порбандар, славящееся производством грубых шерстяных тканей.

тьем классе и как-то раз в первом, желая посмотреть, что это такое. Такой огромной разницы между первым и третьим классом я там не обнаружил. В Южной Африке в третьем классе ездят преимущественно негры, и все же третий класс там лучше, чем в Индии. В некоторых местах Южной Африки в вагонах третьего класса мягкие сиденья, пассажирам выдают спальные принадлежности. Там следят также, чтобы вагоны не переполнялись, в то время как в Индии установленная норма, по моим наблюдениям, всегда превышается.

Равнодушие железнодорожной администрации к удобствам пассажиров третьего класса в сочетании с грязью и неаккуратностью самих пассажиров превращали путешествие в третьем классе для людей, привыкших к чистоте, в настоящую пытку. Мусор бросали тут же на пол; повсюду и в любое время курили, жевали табак и бетель. Все было заплевано, все кричали, вопили, ругались, нисколько не считаясь с удобствами и привычками других пассажиров. Я не заметил большой разницы между моей первой поездкой в третьем классе в 1902 г. и беспрерывными путешествиями в этом же классе с 1915-го по 1919 г.

Я вижу только один путь к улучшению условий в третьем классе: более культурные люди должны взять себе за правило ездить в этих вагонах и перевоспитывать народ; надо также не оставлять в покое железнодорожную администрацию и в случае необходимости жаловаться, перестать давать взятки и не пользоваться другими незаконными средствами ради личных удобств. Кроме того, ни при каких обстоятельствах нельзя смотреть сквозь пальцы на нарушение кем бы то ни было железнодорожных правил. Это, я уверен, приведет к значительному улучшению положения.

Серьезная болезнь в 1918—1919 гг. вынудила меня отказаться от поездок в третьем классе, о чем я крайне сожалел, тем более что эти поездки стали для меня невозможными именно тогда, когда кампания за устранение неудобств пассажиров третьего класса начинала давать положительные результаты. Мытарства, претерпеваемые на железных дорогах и пароходах неимущими пассажирами, усугубляются их дурными привычками, а также тем, что правительство несправедливо предоставляет льготы иностранной торговле. Все это важно и заслуживает того, чтобы этим делом специально занялись один-два энергичных и упорных работника, которые могли бы целиком отдаться ему.

Но сейчас мне придется оставить своих пассажиров третьего класса и перейти к рассказу о пребывании в Бенаресе. Я приехал туда утром и решил остановиться у *панда.* Как только я вышел из поезда, меня окружила толпа брахманов. Я выбрал одного, который выглядел чище и лучше остальных. Выбор оказался удачным. Он имел корову, а в доме был второй этаж, где мне и предложили поселиться. Я не хотел прикасаться к пище, прежде чем не совершу омовения в Ганге по всем правилам правоверных. Панда приступил к приготовлениям. Я предупредил, что не смогу дать больше одной рупии и четырех анн в качестве *дакшины,* чтобы он имел это в виду при приготовлении.

Панда охотно на это согласился.

— Беден или богат паломник, — сказал он, — служба одна и та же. Но размер дакшины, который мы получаем, зависит от желания и возможностей богомольца.

Я не заметил, чтобы мой панда сколько-нибудь сократил обычные обрядности. *Пуджа* закончилась в двенадцать часов, затем я отправился в храм Каши Вишванат на *даршан.* То, что я увидел там, произвело на меня крайне тягостное впечатление. Когда я занимался адвокатской практикой в Бомбее в 1891 г., мне довелось в зале Прартхана Самадж прослушать лекцию на тему «Паломничество в Каши». Таким образом, я уже был до некоторой степени подготовлен, но все же разочарование оказалось сильнее, чем я предполагал.

Идти нужно было по узкому и скользкому переулку. Никто не соблюдал тишины. Тучи мух и шум, производимый лавочниками и паломниками, были просто нестерпимы.

Ожидалось, что здесь обстановка, располагающая к размышлению и причастию, и тем сильнее поражало ее отсутствие. Приходилось искать такую обстановку в самом себе. Я видел монахинь, погруженных в размышления и не замечавших происходившего вокруг. Но деятельность блюстителей храма едва ли заслуживала одобрения. На их обязанности лежало создать и поддерживать вокруг храма атмосферу чистоты, благодушия и спокойствия, физического и морального. Вместо этого я нашел *базар,* на котором пронырливые лавочники продавали сладости и модные безделушки.

Когда я подошел к храму, в нос ударил запах увядших цветов. Пол был выстлан прекрасным мрамором. Но какие-то святоши, лишенные эстетического вкуса, выломали отдельные куски и пустые места заделали рупиями. Там теперь скоплялась грязь.

Я приблизился к Джинана вапи, я искал там Бога, но не нашел его. Настроение у меня было не очень хорошее. Вокруг Джинана вапи также было грязно.

Я не собирался давать дакшина и предложил только паи. Панда рассердился, отшвырнул монету, выругал меня и пригрозил:

— За это оскорбление вы попадете в ад.

Меня не смутили его слова.

— Махарадж, — сказал я, — что бы судьба ни уготовила мне, но особе вашего звания не приличествует говорить такие слова. Если хотите, возьмите эту паи или не получите и ее.

— Ступайте вон, — ответил он, — я не нуждаюсь в вашей паи.

И последовал новый поток ругательств.

Я поднял паи и пошел своей дорогой, утешаясь тем, что брахман потерял паи, а я сберег ее. Но махарадж был не такой человек, чтобы упустить хотя бы паи. Он позвал меня обратно и сказал:

— Ладно, давайте сюда вашу паи. Я не хочу уподобляться вам. Ведь если я не возьму паи, вам придется плохо.

Я молча отдал монету и со вздохом удалился.

С тех пор я еще дважды побывал в Каши Вишванат, но после того, как мне присвоили титул *махатмы,* причинив этим душевную боль. Происшествия, подобные упомянутому, стали уже невозможны. Люди, жаждавшие обладать моим *даршаном*, не разрешали мне иметь даршан храма. Беды махатм известны только махатмам. А грязь и шум были прежними.

Если кто-нибудь усомнится в бесконечном милосердии Бога, пусть взглянет на эти святые места. Сколько лицемерия и неверия, совершаемых от святого имени Бога, терпит князь йогов! Очень давно он провозгласил: «Что посеешь, то и пожнешь».

Закон кармы неумолим, и его невозможно обойти. Поэтому едва ли есть необходимость во вмешательстве Бога. Он установил закон и как бы устранился.

После посещения храма я решил навестить миссис Безант, зная, что она только что оправилась после болезни. Я послал ей визитную карточку. Она сразу же вышла. Поскольку я намеревался только засвидетельствовать свое уважение к ней, я сказал:

— Знаю, вы чувствуете себя не очень хорошо, и хочу лишь засвидетельствовать вам мое уважение. Очень благодарен, что вы настолько добры, что приняли меня, несмотря на плохое самочувствие. Не буду больше беспокоить вас.

И ушел.

XXI. УСТРАИВАЮСЬ В БОМБЕЕ

Гокхале очень хотелось, чтобы я обосновался в Бомбее, работал там в качестве адвоката и помогал ему в общественной деятельности. Общественная деятельность в то время означала работу в Конгрессе, а основной задачей учреждения, основанного при содействии Гокхале, было вести дела Конгресса.

Совет Гокхале пришелся мне по душе, но я не верил в свой успех на адвокатском поприще. Мне были слишком памятны прошлые неудачи, и я все еще, как отраву, ненавидел необходимость прибегать к лести, чтобы получить практику.

Поэтому начать я решил в Раджкоте. Кевалрам Мавджи Даве, мой давний доброжелатель, уговоривший меня в свое время ехать в Англию, сразу достал мне три дела. Два из них были апелляциями юридическому помощнику при политическом агенте в Катхиаваре. Третье было необычным, довольно серьезным и подлежало рассмотрению в Джамнагаре. Когда я сказал Кевалраму Даве, что не могу поручиться за успех дела, он воскликнул:

— Не думайте о том, выиграете или проиграете. Делайте, что в ваших силах, а я, разумеется, всегда помогу.

Адвокатом противной стороны был ныне покойный Самарт. Я неплохо подготовился. Нельзя сказать, чтобы я очень хорошо знал индийское право. Просто Кевалрам Даве основательно меня проинструктировал. Еще до отъезда в Южную Африку я слышал от друзей, что Фирузшах Мехта прекрасно разбирался в теории судебных доказательств и в этом секрет его успеха. Я помнил об этом и во время путешествия по морю тщательно изучил индийскую теорию судебных доказательств и комментарии к нему. Кроме того, мне пригодился адвокатский опыт, приобретенный в Южной Африке.

Дело я выиграл, и это придало мне некоторую уверенность в себе. Я не испытывал страха в отношении апелляционных жалоб, эти два дела также завершились успешно. Все это вселило в меня надежду, что, может быть, и в Бомбее я не потерплю неудач.

Но прежде чем изложить обстоятельства, окончательно побудившие меня переехать в Бомбей, расскажу об одном случае, свидетельствующем о легкомыслии и невежестве английских чиновников. Суд юридического помощника постоянно переезжал из одного места в другое, а вакилы и их клиенты должны были повсюду следовать за ним. Каждый раз, когда вакилам приходилось уезжать, они брали за услуги дороже, а поэтому клиенты, естественно, несли двойные расходы. Но это мало беспокоило судью.

Апелляционная жалоба по одному из дел, которое я вел, должна была слушаться в Веравале, где свирепствовала чума. В этом местечке с населением в пять тысяч пятьсот человек регистрировалось по пятидесяти заболеваний в день. Местечко фактически опустело, и я поселился недалеко от города в покинутом *дхармашала*. Но где должны были искать себе пристанища клиенты? Если они были бедны, им оставалось только положиться на милость Божию.

Приятель, который тоже вел дела в суде, телеграфировал мне, чтобы я подал заявление о переносе присутствия суда в другое место, мотивируя свою просьбу тем, что в Веравале чума.

— Вы боитесь? — спросил сахиб, когда я подавал заявление.

— Дело совсем не в этом, — ответил я, — сам-то я, пожалуй, устроюсь. Но что будут делать мои клиенты?

— Чума прочно обосновалась в Индии, — заявил сахиб, — зачем бояться ее? А климат в Веравале хороший. (Сахиб жил далеко от города в роскошной палатке, раскинутой на морском берегу.) Люди, разумеется, должны научиться жить на открытом воздухе.

Возражать против подобных доводов было бесполезно. Сахиб все же отдал распоряжение ширастедару:

— Запишите, что сказал мистер Ганди, и, если это действительно неудобно для вакилов и клиентов, сообщите мне.

Сахиб честно делал то, что считал правильным. Откуда ему было знать о страданиях бедной Индии? Разве он мог понять нужды, нравы, взгляды и обычаи народа? И как мог он, привыкший оценивать вещи в золотых соверенах, начать считать на медные гроши? Подобно тому как слон бессилен мыслить по-муравьиному, несмотря на самые лучшие намерения, так и англичанин бессилен мыслить понятиями индийцев, а следовательно, и устанавливать законы для них.

Но возвращаюсь к своему повествованию. Несмотря на успехи, я подумывал о том, чтобы остаться в Раджкоте еще некоторое время. Вдруг в один прекрасный день ко мне явился Кевалрам Даве и заявил:

— Ганди, мы не потерпим, чтобы вы прозябали здесь, вы должны обосноваться в Бомбее.

— Но кто найдет мне там работу? — спросил я. — Будете ли вы помогать мне?

— Да, да, буду, — ответил он. — Изредка мы вас будем привозить сюда, но уже как известного адвоката из Бомбея, а подготавливать дела вы будете в Бомбее. Прославить или очернить адвоката зависит отчасти от нас, вакилов. Вы показали себя с хорошей стороны в Джамнагаре и Веравале, и поэтому я уже нисколько не беспокоюсь о вас. Судьба предназначила вас для общественной деятельности, и мы не позволим вам похоронить себя в Катхиаваре. Итак, скажите мне, когда вы переедете в Бомбей.

— Я жду перевод из Наталя, — ответил я. — Как только получу, немедленно выеду.

Приблизительно через две недели я получил деньги и отправился в Бомбей. Там снял помещение в бюро Пейна, Джилберта и Саяни. Получалось, что я прочно обосновываюсь в Бомбее.

XXII. ИСПЫТАНИЕ СУДЬБЫ

Я арендовал помещение в Форте и дом Гиргауме, но Бог не позволил мне обосноваться там. Едва я переехал в новый дом, как мой второй сын, Манилал, который несколько лет назад уже перенес острую форму оспы, заболел брюшным тифом, сопровождавшимся воспалением легких и бредом по ночам.

Позвали доктора. Он сказал, что лекарства вряд ли помогут, но куриный бульон и яйца будут полезны.

Манилалу минуло всего десять лет, поэтому нельзя было руководствоваться его желаниями. Я же считал себя его наставником и должен был решать. Я объяснил доктору — очень хорошему парсу, — что мы вегетарианцы и я не могу дать сыну ни одно из упомянутых блюд. Может быть, он порекомендует что-нибудь другое?

— Жизнь вашего сына в опасности, — сказал добрый доктор. — Мы можем дать ему молоко, разбавленное водой, но это недостаточно питательно. Как вам известно, меня вызывают во многие индусские семьи и нигде не отказываются от того, что я прописываю. Думаю, и вам не следует быть столь суровым по отношению к сыну.

— Все, что вы говорите, совершенно верно, — сказал я. — Как доктор, вы не можете поступить иначе, но на мне лежит огромная ответственность. Если бы сын был взрослым, я, разумеется, спросил бы о его желаниях и отнесся бы к ним с уважением. Но в данном случае я должен все обдумать сам и решить за него. На мой взгляд, только в такие моменты судьба человека действительно подвергается испытанию. Я не знаю, правильно это или нет, но в соответствии со своими религиозными убеждениями я считаю, что человек может обходиться без мяса, яиц и тому подобных вещей. Следует ограничивать себя и в той пище, которая поддерживает в нас жизнь. Даже ради самой жизни не должно совершать определенных поступков. Религия в моем понимании не разрешает мне или моим близким есть мясо и яйца и при подобных обстоятельствах. Поэтому я обязан пойти на риск, о котором вы говорите. Но прошу вас об одном. Поскольку я не могу воспользоваться вашими советами, я предлагаю попробовать водолечение. Я знаю, как им пользоваться, но не знаю, как наблюдать за пульсом и дыханием. Если вы время от времени будете выслушивать моего сына и сообщать мне о его состоянии, буду вам очень благодарен.

Доктор понял меня и согласился удовлетворить мою просьбу. Несмотря на то что Манилал не мог еще самостоятельно сделать выбор, я рассказал ему о разговоре с доктором и спросил о его мнении.

— Попробуйте свое водолечение, — сказал он. — Я не хочу ни бульона, ни яиц.

Это обрадовало меня, хотя я чувствовал, что, если бы ему предложить любое из этих блюд, он, вероятно, съел бы его.

Мне было известно о лечении по методу Куне, и я испробовал его. Кроме того, я знал, что пост также очень полезен в подобных случаях. Применяя метод Куне, я сажал Манилала в воду до пояса и держал в ванне не более трех минут. Затем в течение трех дней давал ему только апельсиновый сок, разбавленный водой.

Но температура не спадала и доходила до 38°. По ночам Манилал бредил. Я начал беспокоиться. Что скажут обо мне люди? Что подумает старший брат? Не позвать ли другого доктора? Почему бы не воспользоваться услугами аюрведического врача? Какое право имеют родители распространять свои причуды на детей?

Подобные мысли не давали мне покоя. Потом начался обратный процесс. Богу, разумеется, приятно было видеть, что я лечу сына тем же способом, каким лечился бы сам. Я верил в водолечение и не очень доверял аллопатам. Доктор не ручался за благополучный исход. Он в лучшем случае шел на эксперимент. Нить жизни находилась в руках Бога. Почему же не вверить эту жизнь ему и во имя его не продолжать лечение, которое я считал правильным. Противоречивые мысли измучили мой мозг.

Наступила ночь. Я лежал рядом с Манилалом на его кровати. Не завернуть ли его в мокрую простыню? Я встал, намочил простыню, обернул ею Манилала, оставив только голову, а затем накрыл его двумя одеялами. На голову положил мокрое полотенце. Все тело его горело, как раскаленное железо, и было абсолютно сухим. Он нисколько не вспотел.

Усталый и удрученный, вверив Манилала заботам его матери, я вышел пройтись до Чаупати, чтобы немного освежиться. Было около десяти часов. Прохожих было мало. Погруженный в свои мысли, я почти не видел их и лишь повторял про себя:

— Моя честь в твоих руках, о Господи, в этот час испытания.

Я читал «Рамаяну». Спустя некоторое время я вернулся. Сердце колотилось в груди.

Не успел я войти в комнату, как услышал голос Манилала:

— Ты возвратился, Бапу?

— Да, дорогой.

— Пожалуйста, разверни меня. Я весь горю.

— Ты вспотел, мой мальчик?

— Я весь взмок. Пожалуйста, разверни меня.

Я положил руку ему на лоб. Он весь был покрыт каплями пота. Температура падала. Я поблагодарил Бога.

— Манилал, теперь твоя лихорадка обязательно пройдет. Надо еще немного пропотеть, и потом я разверну тебя.

— Умоляю, не надо. Вызволи меня из этой печи. Потом, если захочешь, завернешь меня еще раз.

Отвлекая его, я смог продержать его укутанным еще несколько минут. Пот струился со лба. Я развернул его и насухо обтер. Отец и сын уснули в одной кровати.

Оба мы спали как убитые. На следующее утро Манилала уже не так сильно лихорадило. Сорок дней я держал его на разбавленном молоке и фруктовых соках. Но теперь уже не боялся. Это была тяжелая и затяжная форма лихорадки, но с этого времени мы уже могли контролировать течение болезни.

Сейчас Манилал самый здоровый из моих сыновей. Чему обязан он выздоровлением: милости ли Бога, водолечением или заботливому уходу и строгой диете? Пусть каждый решает в соответствии со своей верой. Я же был уверен, что Бог спас мою честь, и эта уверенность сохранилась во мне по сей день.

XXIII. СНОВА В ЮЖНУЮ АФРИКУ

Манилал выздоравливал, но я убедился, что в доме в Гиргауме жить очень неудобно. Он был сырым и темным. Посоветовавшись с Шри Ревашанкаром Джагдживаном, я решил снять хорошо проветриваемое бунгало в пригороде Бомбея. Я занялся поисками в Бандре и Санта-Крузе. Но в Бандре находилась бойня, и поэтому мы не захотели там поселиться. Гхаткопар и его окрестности были слишком удалены от моря. В конце концов мы остановились на красивом бунгало в Санта-Крузе и сняли его, так как с точки зрения санитарии оно было лучшим из того, что мы видели.

Я купил сезонный билет в первом классе от Санта-Круза до Чёрчгейта и радовался, оказываясь подчас единственным пассажиром первого класса в своем купе. Очень часто я ходил пешком в Бандру, чтобы сесть там на скорый поезд, шедший прямо в Чёрчгейт.

Адвокатская практика в Бомбее велась успешнее, чем я ожидал. Клиенты из Южной Африки часто поручали мне разные дела, и этого было достаточно, чтобы обеспечить скромное существование.

Получить какое-нибудь дело в Верховном суде мне все еще не удавалось, но я присутствовал на инсценировках судебного процесса, которые устраивались в те времена, хотя никогда не решался принять в них участие. Вспоминаю, что видную роль всегда играл Джамиатрам Нанабхай. Подобно другим адвокатам-новичкам, я посещал слушание дел в Верховном суде скорее ради того, чтобы наслаждаться свежим бризом с моря, чем заботясь о расширении знаний. Я чувствовал, что не один поступаю так, — это было модно и никто не испытывал стыда.

Я начал пользоваться библиотекой Верховного суда, стал завязывать новые знакомства и ощущал необходимость обеспечить себя работой в Верховном суде.

С одной стороны, я в некотором роде уже осваивался со своей профессией, с другой стороны, Гокхале не переставал следить за мной и строил собственные планы на мой счет. Два или три раза в неделю он навещал меня в моей конторе, часто с кем-нибудь из друзей, которым хотел меня представить, и знакомил со своими методами работы.

Но Бог ни разу не дал осуществиться моим планам и всегда направлял мою жизнь по своей воле.

Как раз тогда, когда я, казалось, начал устраиваться так, как этого хотел, я неожиданно получил из Южной Африки телеграмму следующего содержания:

«Ожидают приезда Чемберлена. Пожалуйста, приезжайте немедленно».

Я вспомнил о своем обещании и сообщил, что выеду, как только мне будут высланы деньги. Вскоре я получил ответ, отказался от аренды конторы и выехал в Южную Африку.

Я думал, что пробуду в Южной Африке не больше года. Поэтому оставил жену и детей в арендованном мною бунгало.

В то время я считал, что способные юноши, которые не смогли найти себе применения в родной стране, должны эмигрировать в другие страны. Поэтому я взял с собой четырех или шестерых юношей; одним из них был Маганлал Ганди.

Семья Ганди была большой. Она большая и поныне. Я решил найти всех, кто хотел идти нехожеными тропами и отважится поехать за границу. Мой отец устраивал некоторых из таких на государственную службу. Я же задался целью освободить их от этой обузы. Я не мог и не собирался обеспечивать их работой, но хотел, чтобы они приобрели уверенность в себе.

Я старался убедить этих юношей сообразовать свои идеалы с моими. Самого большого успеха я добился, наставляя Маганлала Ганди. Но об этом расскажу позже.

Разлука с женой и детьми, разрушение налаженной жизни и предстоящая неизвестность — все это некоторое время было мучительным, но я приучил себя к неизвестности. Не следует ожидать чего-то определенного в этой жизни, где все, кроме Бога, который есть истина, неопределенно. Все, что появляется и происходит вокруг нас, неопределенно и преходяще. Но есть высшее существо, сокрытое под видом определенности, и благословен будет всякий, кто сможет уловить проблески этой определенности и пристегнуть свою колесницу к ней. Поиски этой истины являются summum bonum[1] жизни.

В Дурбан я прибыл вовремя. Работа ожидала меня, так как день приема депутации у Чемберлена был уже назначен. Мне предстояло составить петицию для вручения ему и сопровождать депутацию.

---

[1] Высшее благо *(лат.)*.

ЧАСТЬ ЧЕТВЕРТАЯ

I. ТЩЕТНЫЕ УСИЛИЯ

Мистеру Чемберлену удалось получить от Южной Африки подарок в тридцать пять миллионов фунтов стерлингов и завоевать сердца англичан и буров. Поэтому он оказал холодный прием индийской депутации.

— Вы знаете, — сказал он, — что имперское правительство не располагает большой властью в самоуправляющихся колониях, но ваши жалобы кажутся обоснованными, и я сделаю все, что в моих силах. Однако и вы сами должны постараться поладить с европейцами, если хотите жить в их среде.

На членов депутации этот ответ произвел удручающее впечатление. Я тоже был разочарован и понял, что нам следует начинать все de novo[1]. Я объяснил создавшееся положение своим коллегам.

По существу, в ответе мистера Чемберлена все было правильно и сказано без обиняков. Он довольно вежливо напомнил нам о праве сильного, который всегда прав, или о праве владеющего мечом.

Но у нас не было меча. И едва ли нашим нервам и мускулам можно было нанести раны мечом.

Мистер Чемберлен отвел очень недолгое время пребыванию в Африке. И если учесть, что от Сринагара до мыса Коморин тысяча девятьсот миль, а от Дурбана до Кейптауна не меньше тысячи ста, то ему надо было преодолеть эти огромные расстояния с ураганной скоростью.

Из Наталя он поспешил в Трансвааль. Я должен был подготовить записку о положении индийцев и вручить ему. Но как добраться до Претории? Проживавшие там мои соплеменники не могли выхлопотать мне разрешение для срочного приезда туда. Война превратила Трансвааль

[1] Заново *(лат.)*.

в страшную пустыню. Нельзя было достать ни продовольствия, ни одежды. Магазины стояли пустыми или заколоченными, и требовалось время, чтобы вновь наполнить их товарами, начать торговлю. В ожидании улучшения продовольственного положения не разрешали возвращаться даже беженцам. Поэтому каждому трансваальцу требовалось исхлопотать себе пропуск. Получить пропуск было легко только европейцу, но для индийцев это было крайне затруднительно.

Во время войны в Южную Африку прибыло много чиновников и военных из Индии и с Цейлона, и британские власти считали своим долгом обеспечить тех из них, которые предполагали обосноваться в Южной Африке. Правительству все равно приходилось назначать новых чиновников, и эти опытные люди оказались весьма кстати. Благодаря изобретательности некоторых чиновников было создано новое ведомство. В этом проявилась их находчивость. Для негров уже существовало особое ведомство. Почему бы в таком случае не организовать нечто подобное и для азиатов? Аргументация казалась вполне убедительной. Когда я прибыл в Трансвааль, такое ведомство было уже учреждено и постепенно все шире распускало свои щупальца. Чиновники, выдававшие пропуска возвращавшимся беженцам, могли выдать их всем, но разве мыслимо было сделать это для азиатов без вмешательства нового ведомства? Чиновники рассуждали так: если выдавать пропуска по рекомендации ведомства, то уменьшатся их собственные заботы и ответственность. Дело было, собственно, в том, что новое ведомство для оправдания своего существования нуждалось в работе, а его сотрудники — в деньгах. Если бы работы не было, ведомство упразднили бы. Поэтому чиновники его и придумывали, чем бы заняться.

Индийцы должны были обращаться в это ведомство. Ответа они удостаивались лишь спустя много дней. Желавших вернуться в Трансвааль оказалось много; и сейчас же образовалась целая армия посредников, которые совместно с чиновниками грабили бедных индийцев, туго набивая свои карманы. Мне сказали, что нельзя получить пропуск без протекции, а в некоторых случаях, несмотря и на протекции, приходится давать взятку до ста фунтов стерлингов. Казалось, таким образом, что все пути для меня закрыты. Я отправился к старому приятелю, старшему полицейскому офицеру в Дурбане, и сказал ему:

— Пожалуйста, представьте меня чиновнику, выдающему пропуска, и помогите получить пропуск. Как вы знаете, я прежде постоянно проживал в Трансваале.

Он тотчас надел шляпу, пошел и устроил мне пропуск. До отхода поезда едва оставался час. Багаж мой был уже готов. Я поблагодарил старшего полицейского офицера Александера и выехал в Преторию.

Теперь можно было подумать о предстоящих трудностях. По приезде в Преторию я составил прошение. Насколько помнится, в Дурбане от индийцев не требовали, чтобы они заранее указывали имена своих представителей, но здесь, в Претории, существовало новое ведомство, и оно настаивало на этом. Индийцы в Претории уже были осведомлены, что чиновники хотели исключить меня из состава депутации.

Однако об этом тягостном, хотя и забавном, инциденте речь пойдет в следующей главе.

II. ДЕСПОТЫ ИЗ АЗИИ

Чиновники, возглавлявшие новое ведомство, никак не могли понять, каким образом я проник в Трансвааль. Они расспрашивали посещавших их индийцев, но те ничего определенного сказать не могли. Поэтому у чиновников возникло подозрение, что мне удалось приехать без пропуска, использовав свои прежние знакомства. В таком случае я подлежал аресту.

По окончании всякой большой войны существует обыкновение облекать правительственные органы особыми полномочиями. Так было и в Южной Африке. Правительство издало «Декрет о сохранении мира», по которому всякий проникший на территорию Трансвааля без пропуска подлежал аресту и тюремному заключению. Был поставлен вопрос о моем аресте на основании декрета, но никто не осмеливался потребовать, чтобы я предъявил пропуск.

Разумеется, чиновники по телеграфу запросили Дурбан. Узнав, что пропуск мне выдан, они были разочарованы. Но эти люди были не из тех, кто при первой неудаче готов признать себя побежденным. Хотя мне и удалось попасть в Трансвааль, они еще могли воспрепятствовать моей встрече с мистером Чемберленом. Поэтому местной индийской общине было предложено представить список представителей, намеченных в состав депутации. Расовые предрассудки, конечно, обнаруживались повсюду в Южной Африке, но я не был подготовлен к тому, чтобы встретить здесь среди чиновников ту же нечестность и коварство, к которым привык в Индии. В Южной Африке государственные учреждения существовали для блага населения и были ответственны перед общественным мнением. Поэтому чиновники были здесь довольно вежливы и скромны, и эти свойства в большей или меньшей степени распространялись и на их отношение к цветным. Но чиновники из Азии привезли с собой склонность к самовластию и укоренившиеся в них замашки самодуров. В Южной Африке было своего рода ответственное правительство, т. е. установилась демократия, товар же, ввезенный из Азии, представлял собой деспотию в ее чистом виде, потому что в Азии не существовало ответственного правительства, а господствовала чужеземная власть. В Южной Африке европейцы были осевшими эмигрантами. Они стали южноафриканскими гражданами, осуществлявшими правительственный контроль. Теперь на сцену выступили деспоты из Азии, и индийцы оказались между молотом и наковальней.

Мне пришлось близко познакомиться с этим деспотизмом. Меня вызвали к начальнику ведомства, чиновнику из Цейлона. Я не преувеличиваю, когда говорю, что был «вызван» к начальнику. Разъясню, как было дело. Никакого письменного приказания я не получал. Индийским деятелям часто приходилось бывать у азиатских чиновников. В числе этих деятелей был и Шет Тайиб Ходжи Хан Мухаммад. Начальник ведомства спросил у него, кто я и зачем приехал.

— Он наш советник, — ответил Тайиб Шет, — и прибыл сюда по нашей просьбе.

— Ну а мы здесь на что? Разве мы назначены не для того, чтобы вас защищать? Что может знать Ганди о здешних условиях? — спросил этот деспот.

Тайиб Шет ответил на обвинение как мог:

— Разумеется, вы здесь нужны. Но Ганди — наш человек. Он знает наш язык и понимает нас. Вы же, в конце концов, только чиновники.

Сахиб приказал Тайибу Шету привести меня к нему. Я отправился к сахибу вместе с Тайибом Шетом и другими. Нам даже не предложили сесть.

— Что привело вас сюда? — спросил сахиб, обращаясь ко мне.

— Я приехал по просьбе моих соотечественников, чтобы помочь советом, — ответил я.

— Но разве вы не знаете, что не имели права приезжать? Пропуск был выдан вам по ошибке. Вас нельзя считать местным индийцем. Вам следует уехать обратно. К мистеру Чемберлену вас не пустят. Азиатское ведомство учреждено со специальной целью защищать интересы индийцев. Итак, можете отправляться.

С этими словами он распрощался со мной, не дав возможности ответить.

Моих спутников он задержал, задал им хорошую головомойку и посоветовал отправить меня обратно.

Они ушли от него в унынии. Мы столкнулись с совершенно непредвиденными обстоятельствами.

III. ПРИМИРЕНИЕ С ОСКОРБЛЕНИЕМ

Я был оскорблен. Но мне приходилось в прошлом проглатывать уже столько оскорблений, что я перестал быть к ним чувствительным. Поэтому я решил забыть и это и беспристрастно наблюдать за дальнейшим развитием событий.

Мы получили от начальника азиатского ведомства письмо, в котором указывалось, что, так как я уже виделся с мистером Чемберленом в Дурбане, следует исключить меня из состава депутации, которую он должен принять.

Это письмо в высшей степени возмутило моих сотоварищей. Они предлагали вовсе не посылать депутацию. Я указывал, что община в этом случае оказалась бы в щекотливом положении.

— Если вы не представите мистеру Чемберлену ваших требований, — говорил я, — то решат, что у вас вообще их нет. Но ведь наше ходатайство должно быть представлено в письменном виде, и текст его уже выработан. Совершенно не важно, прочту его я или кто-нибудь другой. Мистер Чемберлен не станет обсуждать с нами этот вопрос. Я полагаю, нам надо снести оскорбление.

Едва я кончил, Тайиб Шет воскликнул:

— Разве оскорбление, нанесенное вам, не равносильно оскорблению всей общины? Не можем же мы забыть, что вы наш представитель?

— Совершенно верно, — сказал я, — но и общине в целом придется проглатывать подобного рода оскорбления. Ведь другого выхода у нас нет.

— Будь что будет, но зачем терпеть? Ничего худшего с нами случиться не может. Какие права мы рискуем потерять? — возразил Тайиб Шет.

Возражение было остроумным, но абсолютно бесполезным. Я вполне сознавал затруднительное положение общины и успокоил друзей, посоветовав им пригласить вместо меня мистера Джорджа Годфри, адвоката из Индии.

Итак, депутацию возглавлял мистер Годфри. В своем ответе депутации мистер Чемберлен намекнул на мое исключение из ее состава.

— Вместо того чтобы всегда и всюду выслушивать одного и того же представителя, неплохо увидеть и других, — сказал он, стараясь смягчить причиненную мне обиду.

Но все это вовсе не исчерпывало вопроса, а только осложняло работу общины, а также и мою. Приходилось начинать сначала.

Некоторые укоряли меня:

— По вашему настоянию община помогала англичанам в войне, и вот к чему это привело.

Но колкости не задевали меня.

— Я не раскаиваюсь в своих советах, — говорил я, — и продолжаю утверждать, что мы поступили правильно, приняв участие в войне. Делая это, мы только выполняли свой долг. Не надо ожидать награды за труды, но всякое доброе дело в конце концов обязательно принесет плоды. Забудем о прошлом и станем думать о задаче, стоящей перед нами.

Остальные согласились со мной.

Я прибавил:

— Говоря по правде, дело, для которого вы меня вызвали, фактически сделано. Но я считаю, что мне не следует покидать Трансвааль, даже если вы позволите мне вернуться домой. Раньше я делал свое дело в Натале, теперь должен делать его здесь и в течение года не помышлять о возвращении в Индию, а приписаться к трансваальскому Верховному суду. Я достаточно уверен в своих силах, чтобы иметь дело с новым ведомством. Если мы этого не сделаем, община будет изгнана из страны, не говоря уже о том, что ее ограбят. Каждый день ей будут наносить новые оскорбления. Отказ Чемберлена принять меня и оскорбление, которое нанес чиновник, — ничто по сравнению с унижением всей общины. Немыслимо станет выносить ту поистине собачью жизнь, которая нам угрожает.

Я вел такого рода разговоры, обсуждая положение с индийцами в Претории и Йоханнесбурге, и в конце концов решил обосноваться адвокатом в Йоханнесбурге.

Было, впрочем, сомнительно, чтобы мне позволили вести дела в трансваальском Верховном суде. Но местные адвокаты не возражали против моей практики, и суд разрешил мне ее. Индийцу трудно найти себе помещение для конторы в хорошем квартале. Но я близко сошелся с мистером Ритчем, одним из тамошних купцов. Воспользовавшись услугами знакомого ему агента по найму помещения, я смог найти подходящие для конторы комнаты в деловой части города и занялся профессиональной работой.

IV. ОЖИВШИЙ ДУХ ЖЕРТВЕННОСТИ

Прежде чем рассказывать о борьбе за права индийских поселенцев в Трансваале и об их взаимоотношениях с Азиатским ведомством, я должен обратиться к некоторым сторонам моей жизни.

До сих пор мною руководили противоречивые настроения. Дух самопожертвования умерялся желанием отложить что-нибудь на будущее.

В Бомбее ко мне явился как-то американский агент по страхованию — сладкоречивый человек благообразной наружности. Он заговорил о моем будущем благосостоянии, словно мы были с ним старыми друзьями:

— В Америке все люди вашего положения страхуют свою жизнь. Не застраховаться ли вам? Жизнь изменчива. Мы, американцы, смотрим на страхование как на религиозную обязанность. Не могу ли я предложить вам страховой полис на небольшую сумму?

До этого я оказывал холодный прием всем страховым агентам, с которыми мне довелось встретиться в Южной Африке и Индии, так как считал, что страхование жизни равносильно страху и неверию в Бога. Но я не устоял перед искусительными речами американского агента. Слушая его доводы, я мысленно представил себе жену и детей.

«Ты продал почти все украшения жены, — подумал я. — Если с тобой что-нибудь случится, все заботы о содержании жены и детей падут на плечи несчастного брата, который с таким великодушием занял место умершего отца. Каково бы пришлось тебе в его положении?»

Этими и подобными доводами я уговорил себя застраховаться на десять тысяч рупий.

В Южной Африке вместе с изменением моего образа жизни изменились и мои взгляды. В этот период испытаний каждый свой шаг я свершал во имя Бога и ради служения Ему. Я не знал, как долго мне придется пробыть в Южной Африке, и опасался, что никогда больше не смогу вернуться в Индию. Поэтому решил: пусть жена и дети живут вместе со мной, а я постараюсь заработать на их содержание. Этот план заставил меня пожалеть, что я застраховал жизнь, и стало неловко, что попал в сети страхового агента. Если брат действительно занимает в нашем доме место отца, думал я, то он, конечно, не почтет слишком тяжелым бременем содержание моей вдовы, когда дело дойдет до этого. А какие у меня основания предполагать, что смерть придет ко мне раньше, чем к другим? Всемогущий — вот настоящий защитник, а не я или брат. Застраховав жизнь, я лишил себя и детей уверенности во мне. Разве они не смогут позаботиться о себе сами? А как же семьи многих несчастных? Почему я не должен считать себя одним из них?

На ум приходило множество подобных мыслей, но я не сразу реагировал на них. Помнится, что в Южной Африке я выплатил по крайней мере одну страховую премию.

Внешние обстоятельства также способствовали такому направлению мыслей. В период первого пребывания в Южной Африке религиозное чувство поддерживалось во мне влиянием христиан. Теперь это чувство усилилось под влиянием теософов. Мистер Ритч был теософом и ввел меня в общество теософов в Йоханнесбурге.

Я не стал членом этого общества, так как у меня были иные взгляды, но близко сошелся почти со всеми теософами. Ежедневно мы вели споры на религиозные темы. Обычно на собраниях читали теософические книги, а иногда мне представлялся случай выступить с речью. Главное в теософии — насаждать и распространять идею братства. По этому вопросу мы много спорили, и я критиковал членов общества, когда мне казалось, что их поведение не сообразуется с их идеалом. Критика эта не могла не оказать на меня благотворного воздействия. Она помогала самоанализу.

V. РЕЗУЛЬТАТЫ САМОАНАЛИЗА

В 1893 г. я был совсем еще новичком в вопросах религии, когда сблизился с друзьями-христианами. Они усиленно старались втолковать мне Слово Иисуса и заставить принять его, а я был смиренным и почтительным слушателем с открытой душой. В то время я, естественно, по мере сил и способностей изучал индуизм и старался постичь другие религии.

В 1903 г. положение несколько изменилось. Друзья-теософы, конечно, намеревались вовлечь меня в свое общество, однако при этом они хотели получить от меня кое-что как от индуса. В теософической литературе сильно проявляется влияние индуизма, и поэтому они рассчитывали, что я буду полезен им. Я объяснил, что мои познания в санскрите оставляют желать много лучшего, что не читал индуистских текстов в оригинале и даже с переводами их знаком весьма поверхностно. Однако, веря в санскара (тенденции, обусловленные предшествующим рождением) и в пунарджанма (перевоплощение), они полагали, что я смогу в какой-то мере помочь им. И поэтому я чувствовал себя великаном среди пигмеев. Нескольким теософам я начал читать «Раджайогу» Свами Вивекананды, а вместе с другими читал «Раджайогу» М. Н. Двиведи. Один из знакомых просил меня прочесть «Йога Сутрас» Патанджали. Целой группе я читал «Бхагаватгиту». Мы создали своего рода «клуб ищущих», где происходили регулярные чтения. «Гита» очаровала меня, я уже питал к ее текстам большое доверие и теперь почувствовал необходимость глубже изучить ее. В моем распоряжении были один или два перевода «Гиты», при помощи которых я старался разобраться в тексте оригинала, написанного на санскрите. Я решил также выучивать наизусть один-два стиха в день. Для этой цели я использовал время своих утренних омовений. Эта процедура продолжалась тридцать пять минут: пятнадцать минут уходило на чистку зубов и двадцать — на ванну. Зубы я обычно чистил стоя, как это делают на Западе. Поэтому на противоположной стене прикалывал листки бумаги с написанными на них строками из «Гиты» и то и дело посматривал на них, что облегчало запоминание. Этого времени оказывалось достаточно, чтобы запомнить ежедневную порцию стихов и повторить уже выученные. Помнится, я выучил таким образом тринадцать глав. Однако заучивание «Гиты» должно было уступить место другой работе — созданию и развитию движения сатьяграхи, которое поглотило все мое время.

Какое влияние оказали чтения текстов «Гиты» на моих друзей, могут сказать только они сами, но для меня «Гита» стала непогрешимым руководством в поведении, моим повседневным справочником. Подобно тому как я обращался к английскому словарю, чтобы узнать значение незнакомых английских слов, я обращался к этому словарю поведения за готовыми решениями всех моих тревог и злоключений. Такие слова, как «апариграха» (нестяжание) и «самабхава» (уравновешенность), завладели моим вниманием. Как воспитать и сохранить эту уравновешенность — вот в чем проблема. Разве можно одинаково относиться к оскорбляющим, наглым и продажным чиновникам, ко вчерашним сотоварищам, создающим бессмысленную оппозицию, и к людям, которые всегда хорошо относились к вам? Разве можно отказаться от всякой собственности? Не является ли само тело собственностью? А жена и дети — тоже собственность? Должен ли я уничтожить все свои шкафы с книгами? Должен ли отдать все, что имею, и идти по стопам Бога? Сразу же пришел ответ: я не могу идти по Его стопам, если не отдам все, что у меня есть. Мои занятия английским правом помогли мне. Я вспомнил максимы права справедливости, рассмотренные в книге Снелла. В свете учения «Гиты» я понял более отчетливо значение слова «доверенное лицо». Мое уважение к юриспруденции возросло, я открыл в ней религию. Я понял, что учение «Гиты» о нестяжании означает, что тот, кто желает спасения, должен действовать подобно доверенному лицу, которое, хотя и распоряжается большим имуществом, ни на йоту не считает какую-либо часть его своей собственной. Мне стало совершенно ясно, что нестяжание и уравновешенность предполагают изменение души, изменение склада ума. Тогда я написал Ревашанкарбхаю, разрешив аннулировать страховой полис и получить то, что еще возможно было возвратить. В противном случае я предлагал рассматривать уже выплаченные страховые премии потерянными, поскольку убедился, что Бог, создавший жену и детей, а также и меня самого, позаботился о них. Брату, который был мне как отец, я написал, что отдаю ему все, что накопил до настоящего времени и что отныне он не должен ожидать от меня ничего, так как будущие сбережения, если таковые окажутся, будут использованы на благо общины.

Нелегко было убедить брата в правильности этого шага. Сурово разъяснял он мой долг перед ним. Не следует, говорил он, стремиться быть умнее нашего отца. Я должен помогать семье, как это делал он. Я ответил брату, что поступаю точно так же, как поступал наш отец. Следует лишь немножко расширить значение понятия «семья», и тогда мудрость моего шага станет очевидна.

Брат отказался от меня и практически прекратил со мной всякую связь. Я глубоко страдал, но отказаться от того, что считал своим долгом, было бы еще большим страданием, и я предпочел меньшее. Однако это не повлияло на мою привязанность к брату, которая осталась столь же чистой и большой, как и раньше. В основе его несчастья лежала огромная любовь ко мне. Он хотел не столько моих денег, сколько того, чтобы я вел себя правильно по отношению к семье. Однако в последние дни своей жизни он понял мою точку зрения. Находясь почти на смертном одре, он осознал правильность моего шага и написал мне весьма трогательное письмо. Он извинился передо мной, если действительно отец может извиняться перед своим сыном. Он вверял мне заботу о своих сыновьях, чтобы я их воспитал так, как считаю правильным, и выражал свое нетерпение встретиться со мной. Он телеграфировал мне о своем желании приехать Южную Африку, и я послал ему ответную телеграмму, что жду его. Но этому не суждено было осуществиться. Также не могло быть выполнено его желание относительно его сыновей. Он умер раньше, чем смог отправиться в Южную Африку. Его сыновья были воспитаны в старом духе и не могли изменить свой образ жизни. Я не смог привлечь их к себе. Это не было их виной. «Разве до сих пор мог кто-нибудь приказать остановиться потоку своей собственной натуры? Кто может уничтожить впечатление, с которыми он родился? Тщетно ожидать, чтобы дети и опекаемые неизбежно проходили тот же самый путь развития, что и ты сам».

В известной мере этот пример показывает, какая это страшная ответственность быть родителем.

VI. ЖЕРТВА ВЕГЕТАРИАНСТВУ

По мере того, как все более очевидными становились идеалы жертвенности и простоты, по мере того, как во мне все больше пробуждалось религиозное сознание, я все более страстно увлекался вегетарианством, в распространении которого видел свою миссию. Мне известен только один способ ведения миссионерской работы, а именно: личный пример и беседы с ищущими знания.

В Йоханнесбурге вегетарианский ресторан содержал немец, веривший в гидропатическое лечение Куне. Я посещал этот ресторан и старался ему помочь, приводя туда своих английских друзей, но видел, что он долго не сможет просуществовать из-за постоянных финансовых затруднений. По возможности я помогал хозяину ресторана и потратил с этой целью небольшую сумму денег, но в конце концов ресторан пришлось все же закрыть.

Большинство теософов в той или иной степени вегетарианцы, и вот появилась на сцене предприимчивая дама, принадлежавшая к обществу теософов, которая организовала вегетарианский ресторан на широкую ногу. Она любила искусство, была сумасбродна и ничего не понимала в бухгалтерии. Круг ее друзей был очень широк. Она начала небольшое дело, но потом решила расширить свое предприятие, сняв большое помещение, и обратилась ко мне за помощью. Я не знал, какими средствами она располагает, но понадеялся на правильность составленной ею сметы. У меня была возможность снабдить ее деньгами. Мои клиенты обычно вверяли мне большие суммы для хранения. Получив согласие одного из них, я одолжил примерно тысячу фунтов стерлингов из находившейся у меня суммы. Клиент этот был очень великодушен и доверчив. Когда-то он приехал в Южную Африку в качестве законтрактованного рабочего. Он сказал:

— Отдайте деньги, если хотите. Я ничего не смыслю в таких делах. Я знаю только вас.

Его звали Бадри. Впоследствии он играл видную роль в движении сатьяграха и подвергся тюремному заключению. Итак, я ссудил деньги в долг, считая, что этого согласия достаточно.

Через два или три месяца я узнал, что эта сумма не будет возвращена. Я вряд ли мог позволить себе потерять такую сумму. Я бы мог истратить ее на многие другие цели. Долг не был выплачен. Но разве можно было допустить, чтобы пострадал доверчивый Бадри? Он знал только меня. Я компенсировал потерю.

Один мой знакомый клиент, которому я рассказал об этом деле, мягко отчитал меня за глупость.

— Бхай, — сказал он. К счастью, я не стал еще ни «Махатма», ни даже «Бапу» (отец); друзья обычно называли меня прекрасным именем «Бхай» (брат). — Вам нельзя было этого делать. Мы зависим от вас в столь многих делах. Вы не надеетесь вернуть эту сумму. Я знаю, что вы никогда не допустите, чтобы Бадри попал в беду, поэтому вы заплатите ему из своего кармана. Но если вы будете осуществлять свои планы реформ, расходуя деньги клиентов, бедные парни будут разорены, а вы скоро станете нищим. Вы наше доверенное лицо и должны знать, что, когда станете нищим, вся наша общественная деятельность прекратится.

Рад сообщить, что этот мой друг еще жив. Я не встречал более честного человека ни в Южной Африке, ни где-нибудь еще.

Мне известно, что, если ему случалось заподозрить кого-нибудь в чем-либо нехорошем и он потом обнаружил, что эти подозрения беспочвенны, он просил извинения и тем самым очищал себя.

Я понимал, что он прав, предостерегая меня. Ибо, хотя я и возместил Бадри эту потерю, я был бы не в состоянии компенсировать подобные потери в будущем и влез бы в долги, чего никогда не делал в своей жизни и что всегда ненавидел. Я понял, что даже реформаторское усердие человека не должно переступать границ. Я понял также, что, одолжив доверенные мне деньги, нарушил кардинальное положение учения «Гиты», а именно: долг уравновешенного человека — действовать беспристрастно во имя результата. Эта ошибка послужила мне предостережением.

Жертва, положенная на алтарь вегетарианства, не являлась преднамеренной или предвиденной. Она произошла в силу необходимости.

VII. ОПЫТЫ ЛЕЧЕНИЯ ЗЕМЛЕЙ И ВОДОЙ

Вместе с упрощением моей жизни в значительной степени возросло мое отвращение к лекарствам. Находясь в Дурбане, я некоторое время страдал от недомогания и приступов ревматизма. Доктор П. Дж. Мехта, осмотрев меня, прописал лечение, и я выздоровел. После этого вплоть до моего возвращения в Индию, насколько мне помнится, я не болел чем-нибудь серьезным.

Но во время пребывания в Йоханнесбурге меня беспокоили запоры и частые головные боли. Слабительными средствами и правильно регулируемой диетой я поддерживал свое здоровье. Но я едва ли мог назвать себя здоровым и всегда стремился узнать, как можно обойтись без слабительного.

Примерно в это время я прочел об образовании в Манчестере «Ассоциации незавтракающих». Прожектеры из этой Ассоциации доказывали, что англичане едят слишком часто и слишком много, что их расходы на лечение велики, так как они едят до полуночи, и что они должны отказаться по крайней мере от завтрака, если хотят улучшить состояние здоровья. Хотя всего этого нельзя было сказать обо мне, я чувствовал, что эти доводы частично относятся и ко мне. Я обычно плотно кушал трижды в день, не считая послеполуденного чая. Я никогда не был воздержан в еде и наслаждался, поглощая разнообразные лакомства, возможные при вегетарианской и не приправленной пряностями диете. Раньше шести-семи часов я почти никогда не вставал. Поэтому подумал, что, если откажусь и от утреннего завтрака, у меня могут прекратиться головные боли. Я решил произвести опыт. В течение нескольких дней не есть по утрам было очень трудно, но головные боли совсем прекратились. Это привело меня к выводу, что я ем больше, чем нужно.

Но это изменение в режиме питания далеко не излечило меня от запоров. Я попытался принимать поясные ванны Куне. Они принесли некоторое облегчение, но не излечили меня полностью. Между тем мой знакомый, я забыл, кто именно, дал мне книгу Джаста «Возвращение к природе». В этой книге я прочел о лечении землей. Автор также пропагандировал свежие фрукты и орехи как естественную диету человека. Не сразу я перешел исключительно на фруктовую диету, но тотчас же начал проводить опыты по лечению землей, и это дало удивительные результаты. Процедура лечения сводилась к тому, чтобы подвязать живот бандажем из льняной ткани, представлявшим своего рода компресс с чистой землей, увлажненной холодной водой. Ложась спать, я подвязывал этот бандаж и снимал его при первом пробуждении в течение ночи или утром. Это оказалось радикальным средством. С тех пор я проверял лечение на себе и на своих друзьях и никогда не имел оснований жалеть об этом. В Индии у меня не было возможности столь же успешно испытывать это лечение, поскольку у меня не нашлось времени обосноваться в каком-либо одном месте и проводить эти опыты. Но моя вера в эффективность лечения землей и водой практически оставалась прежней. Я прибегаю к лечению землей даже теперь и при первой же возможности рекомендую его моим сотоварищам.

Несмотря на то что я дважды серьезно болел в своей жизни, считаю, что человеку в очень небольшой степени следует употреблять медикаменты. В девятистах девяноста девяти случаях из тысячи можно излечиться с помощью правильной диеты, лечения водой и землей и подобными домашними средствами. Тот, кто обращается к врачу, вайдья или хакиму по поводу каждого небольшого недомогания и глотает всякого рода растительные и минеральные лекарства, не только укорачивает свою жизнь, но и, становясь рабом своего тела, вместо того чтобы быть его господином, теряет самоконтроль и перестает быть человеком.

Пусть эти соображения не смущают читателя на том основании, что они пишутся больным, прикованным к постели. Я знаю причины своих болезней. И всецело сознаю, что один в ответе за них и именно вследствие этого сознания я не потерял терпения. В самом деле, я благодарен Богу за эти болезни, являющиеся для меня жизненными уроками, и успешно сопротивляюсь искушению принимать многочисленные лекарства. Знаю, что мое упрямство часто удручает моих врачей, но они сердечно обращаются со мной и не оставляют меня.

Однако мне не следует отвлекаться. Прежде чем перейти к дальнейшему изложению, я должен предостеречь читателя. Тот, кто купит книгу Джаста под влиянием прочитанного в этой главе, не должен все в ней принимать за истину. Писатель почти всегда преподносит только одну сторону дела, в то время как каждое дело надо рассматривать по меньшей мере с семи точек зрения, каждая из которых, вероятно, правильна сама по себе, но неправильна в разное время и при разных обстоятельствах. Кроме того, многие книги известны ради продажи и приобретения имени и славы. Поэтому пусть тот, кому попадаются такие книги, читает их критически и посоветуется с опытным человеком, прежде чем попытаться проделать какой-либо опыт, изложенный там, или же пусть он читает эти книги терпеливо и хорошо усвоит их, прежде чем руководствоваться ими в своих поступках.

VIII. ПРЕДОСТЕРЕЖЕНИЕ

Боюсь, что мне придется продолжить отступление от темы до следующей главы.

Наряду с опытами по лечению землей, я проводил также опыты в области диететики, и здесь будет не лишним высказать некоторые замечания относительно этих опытов, хотя у меня будет еще повод снова вернуться к ним ниже.

У меня нет возможности подробно описывать в этой книге опыты в области диететики: это я сделал в ряде статей, написанных на гуджарати и опубликованных несколько лет назад в «Индиан опинион», а затем появившихся в виде брошюры на английском языке под названием «Руководство к здоровью».

Из всех моих небольших книжек эта брошюра наиболее широко известна и на Востоке, и на Западе — вещь, которую я до сих пор не могу понять. Она была написана для читателей «Индиан опинион». Но мне известно, что эта брошюра оказала большое влияние на жизнь многих людей как на Западе, так и на Востоке, которые ни разу не видели «Индиан опинион». Я знаю об этом, так как эти люди переписывались со мной по данному вопросу. Поэтому представляется необходимым сказать здесь несколько слов о брошюре, ибо хотя я и не вижу оснований пересматривать изложенные там взгляды, однако в своей практике я провел ряд коренных изменений, о которых читатели этой брошюры не знают и о которых, мне думается, их следует информировать.

Подобно всем моим другим книгам и статьям, эта брошюра была написана с религиозной целью, всегда вдохновлявшей все мои действия, и если сегодня я не могу применить на практике некоторые теории, изложенные в этой брошюре, то в этом мое большое несчастье.

Я твердо убежден, что человек совсем не должен употреблять молоко, за исключением молока матери, которое он употребляет в младенческом возрасте. Его диета должна состоять только из высушенных на солнце фруктов и орехов. Для своих тканей и нервов он может получить достаточно питательных веществ из таких фруктов, как виноград и орехи наподобие миндаля. Человеку, употребляющему подобную пищу, легко умерять половое влечение и другие страсти. Вместе со своими товарищами по работе я убедился на опыте, насколько правильна индийская пословица: человек есть то, что он ест. Эти взгляды обстоятельно изложены в моей брошюре.

Но, к несчастью, на практике я был вынужден отказаться от некоторых своих теорий. Когда я проводил вербовочную кампанию в Кхеде, ошибка в диете истощила меня, и я был на пороге смерти. Напрасно я пытался восстановить подорванное здоровье без молока. Я обращался к врачам, вайдья и известным мне ученым с просьбой рекомендовать какой-нибудь заменитель молока. Одни предложили манговую воду, другие мовхраское масло, третьи — миндальное молоко. Я истощил свое тело, экспериментируя с этими продуктами, но ничто не могло помочь мне подняться с постели. Вайдья читали мне строфы из произведений Чараки, чтобы доказать, что в терапевтике нет места религиозным угрызениям совести в отношении диеты.

Таким образом, нельзя было надеяться, что они подскажут мне, как можно остаться в живых, не употребляя молока. И разве мог тот, кто без всякого колебания рекомендует крепкие бульоны и коньяк, помочь мне сохранить жизнь на безмолочной диете?

Связав себя клятвой, я не мог употреблять молоко коровы или буйволицы. Конечно, этот обет означал, что я отказываюсь от всякого молока, но, поскольку, давая обет, я имел в виду молоко только коров и буйволиц и поскольку мне хотелось жить, я решил пить козье молоко, оправдывая свой поступок тем, что придерживаюсь буквы обета. Начав пить козье молоко, я всецело сознавал, что нарушаю дух своей клятвы.

Но мной овладела идея провести кампанию против закона Роулетта. А вместе с ней росло желание жить. Так прекратился один из величайших опытов моей жизни.

Некоторые, как мне известно, доказывают, что душа не имеет ничего общего с тем, что человек ест или пьет, так как она не ест и не пьет; что имеет значение не помещенное внутрь извне, а лишь выражаемое изнутри вовне. Несомненно, в этом есть некоторый смысл, но, не вдаваясь в рассмотрение этих доводов, я удовлетворюсь только заявлением своей твердой убежденности в том, что сдержанность в диете в отношении качества и количества столь же важна, как и сдержанность в мыслях и речи для ищущего, который стремится жить в страхе перед Богом и встретиться с Ним лицом к лицу.

Однако я должен не только сообщить о том, что моя теория подвела меня, но и предостеречь от ее принятия. Поэтому я убедительно просил бы того, кто под воздействием выдвинутой мною теории откажется от молока, не упорствовать в опыте, в случае если этот опыт будет неблагоприятным в каком-либо отношении, или проводить его только по совету опытных врачей. Пока что опыт показал мне, что для тех, у кого слабое пищеварение и кто прикован к постели, нет легкой и питательной диеты, равной молочной.

Я был бы очень обязан тем, кто, обладая опытом в этом отношении и прочитав эту главу, сообщит мне, удалось ли ему на основании опытов, а не из книг, найти растительную замену молоку, которая была бы столь же питательна и легко усвояема, как молоко.

IX. СХВАТКА С ВЛАСТЯМИ

Вернемся к Азиатскому ведомству.

Йоханнесбург был оплотом азиатских чиновников. Я видел, что они, вместо того чтобы защищать индийцев, китайцев и других, притесняли их. Ежедневно ко мне поступали жалобы такого рода: «Отказывают тем, кто имеет право, а за сто фунтов стерлингов дают разрешения не имеющим никаких прав. Если вы не вмешаетесь, то от кого же ждать помощи?» Я чувствовал то же самое. Если мне не удастся искоренить зло, то пребывание в Трансваале будет напрасным.

Я стал собирать улики и, когда у меня их накопилось достаточно, обратился к полицейскому комиссару. Он оказался человеком справедливым и не только не отнесся ко мне холодно, но, напротив, внимательно выслушал и попросил ознакомить с фактами, которыми я располагал. Он сам опросил свидетелей и был удовлетворен их показаниями. Однако, так же как и я, он знал, что в Южной Африке трудно рассчитывать, чтобы белые присяжные осудили белого человека, не посчитавшегося с правами цветных людей.

— Во всяком случае попробуем, — сказал он. — Вряд ли стоит оставлять этих преступников безнаказанными из-за опасения, что присяжные их оправдают. Я должен добиться их ареста. Уверяю вас, что сделаю все возможное.

Мне не нужны были заверения. Я подозревал многих чиновников, но, поскольку непререкаемых улик против них не удалось собрать, приказ об аресте был отдан только в отношении двоих, в виновности которых не было ни малейшего сомнения.

Мои действия невозможно было сохранить в тайне. Многие знали, что я посещаю полицейского комиссара почти ежедневно. Два чиновника, которых собирались арестовать, пользовались услугами шпионов, более или менее искусных. Они наблюдали за моей конторой и докладывали чиновникам, куда я хожу. Но чиновники настолько скомпрометировали себя, что никакие шпионы уже не могли помочь им. Тем не менее, не располагай я поддержкой индийцев и китайцев, эти чиновники никогда бы не были арестованы. Один из них скрылся. Полицейский комиссар добился ордера на его розыск: чиновников арестовали и доставили в Трансвааль. Обоих судили, но, несмотря на серьезные улики, а также на то, что один из них скрывался от суда, присяжные признали их невиновными и оправдали.

Я испытывал болезненное чувство разочарования. Полицейский комиссар также был весьма огорчен. Профессия юриста опостылела мне. Сам интеллект стал мне противен, поскольку оказывалось возможным проституировать его для сокрытия преступлений.

Виновность чиновников была все же настолько очевидна, что, хотя они и были оправданы судом, правительство не сочло возможным оставить их на службе. Оба были уволены, и в Азиатском ведомстве стало сравнительно чище, а индийская община вздохнула несколько свободнее.

Это событие подняло мой престиж, и дела у меня стало еще больше. Удалось сберечь многие сотни фунтов стерлингов, вымогавшихся ежемесячно у членов общины. Однако всего спасти было нельзя, потому что бесчестные люди продолжали свое дело. Но честный человек получил теперь возможность оставаться честным.

Должен сказать, что лично я ничего не имел против тех двух чиновников. Зная это, они обратились ко мне, когда оказались в затруднительном положении, и я оказал содействие. Им представился случай получить службу в йоханнесбургском муниципалитете при условии, если я не выскажусь против. Один из друзей сказал мне об этом, я согласился не препятствовать им, и они устроились.

Такое поведение с моей стороны весьма ободрило чиновников, с которыми мне приходилось сталкиваться, и, несмотря на то что мне часто случалось воевать с их ведомством, прибегая при этом к сильным выражениям, они сохраняли ко мне самые дружеские чувства. Я тогда еще не вполне сознавал, что мое поведение было частицей характера. Впоследствии я понял, что это неотъемлемая часть сатьяграхи и атрибут ахимсы.

Человек и его поступок — вещи разные. Тогда как хороший поступок заслуживает одобрения, а дурной — осуждения, человек, независимо от того, хороший или дурной поступок он совершил, всегда достоин уважения или сострадания, смотря по обстоятельствам. «Возненавидь грех, но не грешника» — правило, которое, хотя его довольно легко понять, редко осуществляется на практике. Вот почему яд ненависти растекается по всему миру.

Ахимса — основа для поисков истины. Я каждый день имею возможность убеждаться, что эти поиски напрасны, если они не строятся на принципах ахимсы. Вполне допустимо осуждать систему и бороться против нее, но осуждать ее автора и бороться против него — все равно что осуждать себя и бороться против самого себя. Ибо все мы мазаны одним миром, все мы дети одного Творца и Божественные силы в нас безграничны. Третировать человеческое существо — значит третировать эти Божественные силы и тем самым причинять зло не только этому существу, но и всему миру.

X. СВЯТОЕ ВОСПОМИНАНИЕ И ЕПИТИМИЯ

События в моей жизни развивались таким образом, что я сталкивался с людьми различных вероисповеданий и различного происхождения. Я всегда относился одинаково к родным и посторонним, соотечественникам и иностранцам, белым и цветным, индусам и индийцам других религий, будь то мусульмане, парсы, христиане или иудеи. С уверенностью скажу, что сердце мое было неспособно воспринимать их неодинаково. Я не могу ставить себе это в заслугу, так как это свойство характера, а не результат какого-либо усилия с моей стороны, тогда как в отношении таких основных добродетелей, как ахимса (непротивление), брахмачария (целомудрие), апариграха (нестяжательство) и другие, я вполне сознательно воспитывал в себе постоянное стремление придерживаться их.

Когда я практиковал в Дурбане, служащие моей конторы часто проживали вместе со мной. Среди них были и индусы, и христиане, или, если определять их по месту рождения, гуджаратцы и тамилы. Не помню, чтобы когда-нибудь относился к ним иначе, чем к родным и друзьям. Я обращался с ними как с членами семьи, и у меня бывали неприятности всякий раз, когда жена шла наперекор этому.

Один из служащих был христианином, происходил из семьи панчамов.

Дом, в котором мы тогда жили, был построен по западному образцу, и в комнатах отсутствовали стоки для нечистот. Поэтому во все комнаты ставили ночные горшки. Мы с женой сами выносили и мыли их, не прибегая к помощи слуг или уборщиков. Служащие, которые вполне обжились в доме, конечно, сами опорожняли свои горшки, но служащий-христианин только что прибыл, и мы считали своим долгом убирать его спальню. Жена могла выносить горшки других квартирантов, но опорожнять горшок, которым пользовался человек, рожденный в панчамской семье, казалось ей невозможным. Мы ссорились. Она не хотела допустить, чтобы его горшок опорожнял я, но и сама не желала делать этого.

Мне вспоминается картина, как она, спускаясь по лестнице с горшком в руке, ругает меня, ее глаза красны от гнева, и слезы катятся по щекам. Но я был жестоким мужем. Я считал себя ее наставником и из-за слепой любви к ней изводил ее. Меня не удовлетворяло, что она просто выносит горшок. Мне хотелось, чтобы она делала это с радостью. Поэтому я сказал, возвысив голос:

— Я не потерплю такого безобразия в моем доме!

Эти слова пронзили ее, как стрела. Она выкрикнула:

— Оставайся в своем доме и отпусти меня!

Я потерял голову, и чувство сострадания оставило меня. Я схватил ее за руку, потащил беспомощную женщину до ворот, которые были как раз напротив лестницы, и стал отворять их, намереваясь вытолкнуть ее вон. Слезы текли ручьями по ее щекам, она кричала:

— Неужели тебе не стыдно? Можно ли до такой степени забываться? Куда я пойду? Здесь у меня нет ни родных, ни близких, кто бы мог меня приютить. Ты думаешь, что если я твоя жена, так обязана сносить твои побои? Ради неба, веди себя прилично и запри ворота. Пусть никто не увидит, какие сцены бывают между нами.

Я принял вызывающую позу, но чувствовал себя пристыженным и закрыл ворота. Если жена не могла меня покинуть, то ведь и я не мог оставить ее. Между нами часто случались перебранки, но они всегда заканчивались миром. Жена, с ее ни с чем не сравнимым долготерпением, неизменно оказывалась победительницей.

Теперь я в состоянии рассказывать об этом случае с известной беспристрастностью, так как он относится к периоду жизни, к счастью давно для меня закончившемуся. Я больше не слепец, не влюбленный до безумия муж и уже не наставник жены.

Кастурбай могла бы при желании быть со мной теперь столь же нелюбезной, каким я прежде бывал с нею. Мы — испытанные друзья, и ни один не рассматривает другого как объект похоти. Во время моей болезни жена была неутомимой сиделкой, неустанно ухаживая за мной без тени мысли о награде.

Случай, о котором я рассказал, произошел в 1898 г., когда я еще не имел никакого представления о брахмачарии. Это были времена, когда я думал, что жена — объект похоти мужа, что она предназначена исполнять его повеления, а не быть его помощником, товарищем и делить с ним радости и горе.

Только в 1900 г. эти взгляды претерпели коренное изменение, а в 1906 г. — окончательно оформились новые. Но об этом я собираюсь говорить в соответствующем месте. Пока достаточно сказать, что с постепенным исчезновением у меня полового влечения семейная жизнь становилась все более мирной, приятной и счастливой.

Пусть никто не делает вывода из этого святого для меня воспоминания, что мы идеальная супружеская чета или что наши идеалы полностью совпадают. Сама Кастурбай, пожалуй, не знает, есть ли у нее идеалы, независимые от моих. Даже теперь она, по-видимому, не одобряет многие мои поступки. Но мы никогда не обсуждаем их. Я не вижу в этом смысла. Она не получила воспитания ни от своих родителей, ни от меня, в то время когда я должен был этим заняться. Но она в весьма значительной мере наделена одним качеством, которым обладает большинство жен индусов. Вот в чем оно заключается: вольно или невольно, сознательно или бессознательно она считала себя счастливой, следуя по моим стопам, и никогда не препятствовала моему стремлению вести строгий образ жизни. Поэтому, хотя разница в интеллекте у нас велика, у меня всегда было ощущение, что наша жизнь есть жизнь полная удовлетворенности, счастья и прогресса.

XI. БЛИЗКОЕ ЗНАКОМСТВО С ЕВРОПЕЙЦАМИ

В этой главе мне хочется рассказать читателю, как я работаю над книгой. Когда я начал писать ее, определенного плана не было. У меня нет дневника или документов, на основании которых можно было бы вести повествование о моих опытах. Пишу, подчиняясь воле духа. Я не располагаю достоверным знанием того, что дух направляет все мои мысли и сознательные действия, но, анализируя свои поступки, важные и незначительные, я чувствую, что все они направлялись Духом.

Я не видел Его и не знаю. Я верю в Бога, как верит весь мир, и, поскольку вера моя незыблема, считаю ее равноценной опыту. Однако определение веры как опыта означает отход от истины, и поэтому, пожалуй, правильнее сказать, что у меня нет слов, чтобы охарактеризовать свою веру в Бога.

Теперь, по-видимому, несколько легче понять, почему я считаю, что пишу эту книгу так, как подсказывает мне Дух. Приступив к предыдущей главе, я озаглавил ее сначала, как эту, но в процессе работы почувствовал, что, прежде чем рассказывать об опыте, приобретенном в результате общения с европейцами, необходимо написать нечто вроде предисловия, и изменил название главы.

А теперь, начав эту главу, я увидел перед собой новую проблему. О чем следует упомянуть и что опустить, говоря о друзьях-англичанах? Если не рассказать о нужных фактах, пострадает истина. А сразу решить, какие факты необходимы, трудно, поскольку я не уверен даже в необходимости написания этой книги.

Сейчас я более четко понимаю, в чем несовершенство всех автобиографий (когда-то давным-давно я читал об этом). Я сознательно не излагаю в этой книге всего, что помню. Кто может сказать, о чем надо рассказать и о чем умолчать в интересах истины? Какую ценность для суда представили бы мои недостаточные, ex parte[1] показания о событиях моей жизни? Любой дилетант, если бы он подверг меня перекрестному допросу, вероятно, смог бы пролить гораздо больше света на уже описанные мною события, а если бы допросом занялся пристрастный критик, то он мог бы даже польстить себя тем, что выявил бы «беспочвенность многих моих притязаний».

Поэтому в данный момент я раздумываю, не следует ли прекратить дальнейшую работу над книгой. Но до тех пор пока внутренний голос не запретит мне, я буду писать. Я следую мудрому правилу: однажды начатое нельзя бросать, если только оно не оказалось морально нездоровым.

Я пишу автобиографию не для того, чтобы доставить удовольствие критикам. Сама работа над ней тоже поиск истины. Одна из целей этой автобиографии, конечно, состоит в том, чтобы дать моим товарищам по работе известное утешение и пищу для размышлений. Я начал писать книгу по их настоянию. Ее бы не было, если бы не Джерамдас и Свами Ананд. Поэтому, если я не прав, что пишу автобиографию, пусть они разделят со мной вину. Однако вернемся к теме, указанной в заглавии.

В Дурбане у меня в доме на правах члена семьи жили не только индийцы, но и друзья-англичане. Не всем нравилось это. Но я настаивал, чтобы они жили у меня. Я далеко не всегда поступал мудро. Мне пришлось пережить несколько горьких испытаний, но они были связаны как с индийцами, так и с европейцами. И я не жалею о том, что пережил. Несмотря на свои неудачи, а также неудобства и беспокойства, которые я часто причинял друзьям, я не изменил поведения, и все же между нами сохрани-

---

[1] Односторонний, предубежденный *(лат.)*.

лись дружеские отношения. Когда мои знакомства с пришельцами становились в тягость моим друзьям, я не колеблясь порицал их. Я считал, что верующему надлежит видеть в других того же самого Бога, какого он видит в себе, и что он должен уметь жить вполне независимо среди добрых людей. А способность жить независимо можно выработать, не избегая таких знакомств, а идя им навстречу, проникнувшись духом служения, и вместе с тем не поддаваясь их воздействию.

Поэтому, несмотря на то что дом мой во время Бурской войны был полон людей, я принял двух англичан, приехавших из Йоханнесбурга. Оба были теософами. С одним из них — мистером Китчином — вам представится случай познакомиться ниже. Их пребывание в моем доме часто стоило жене горьких слез. К несчастью, по моей вине на ее долю выпало много таких испытаний. Это был первый случай, когда друзья-англичане жили у меня в доме как члены семьи. Во время пребывания в Англии я проживал в домах англичан, но там я приспосабливался к их образу жизни, и это было похоже на жизнь в пансионе. Здесь дело обстояло наоборот. Друзья-англичане стали членами моей семьи. Они во многих отношениях приспособились к индийскому образу жизни. Хотя обстановка в доме была европейской, но внутренний распорядок был большей частью индийский. Помнится, мне бывало несколько трудно обращаться с ними как с членами семьи, но я могу с уверенностью сказать, что они чувствовали себя совсем как дома под моей крышей. В Йоханнесбурге у меня были более близкие знакомые среди европейцев, чем в Дурбане.

XII. ЗНАКОМСТВА С ЕВРОПЕЙЦАМИ
(продолжение)

В моей конторе в Йоханнесбурге одно время служили четыре клерка-индийца, которые, пожалуй, были скорее моими сыновьями, чем клерками. Но они не могли справиться со всей работой. Невозможно было вести дела без машинописи. Среди нас знал ее только я один, да и то неважно. Я обучил машинописи двух клерков, однако они плохо знали английский язык. Одного из клерков мне хотелось сделать бухгалтером, так как нельзя было вызвать нового сотрудника из Наталя: ведь, чтобы приехать в Трансвааль, нужно было разрешение, а из соображений личного порядка я не считал возможным просить об одолжении чиновника, выдающего пропуска в Трансвааль.

Я не знал, как поступить. Дела стремительно накапливались, казалось невозможным, несмотря на все мои старания, справиться с профессиональной и общественной работой. Мне очень хотелось нанять клерка-европейца, но я не был уверен, что белый мужчина или белая женщина станет служить в конторе цветного. И все-таки решил попробовать.

Я обратился к знакомому агенту по пишущим машинкам и попросил найти мне стенографистку. У него было на примете несколько девушек, и он обещал попытаться уговорить одну из них служить у меня. Он встретился с шотландской девушкой по имени мисс Дик, которая только что приехала из Шотландии. У нее было желание честно зарабатывать себе на жизнь в любом месте; кроме того, она нуждалась. Агент направил ее ко мне. Она сразу же произвела на меня благоприятное впечатление.

— Вы согласны служить у индийца? — спросил я.

— Конечно, — решительно ответила она.

— На какое жалованье вы рассчитываете?

— Семнадцать с половиной фунтов стерлингов. Это очень много?

— Отнюдь нет, если вы будете работать так, как я хочу. Когда вы сможете начать?

— Сейчас же, если вам угодно.

Я был очень доволен и тотчас начал диктовать ей письма.

Она стала для меня скорее дочерью или сестрой, чем просто стенографисткой. У меня едва ли были основания быть недовольным ее работой. Часто ей доверялись дела на суммы в тысячи фунтов стерлингов, она вела бухгалтерские книги. Она завоевала мое полное доверие, но что гораздо важнее, поверяла мне свои сокровенные мысли и чувства, обратилась за советом при выборе мужа, и я имел удовольствие выдать ее замуж. Когда мисс Дик стала миссис Макдональд, она должна была оставить меня, но даже после замужества оказывала мне услуги, если я вынужден был обращаться к ней.

Однако теперь на ее место нужна была новая стенографистка, и мне удалось нанять другую девушку. То была мисс Шлезин, представленная мне мистером Калленбахом, о котором читатель узнает в свое время. Сейчас она работает учительницей в одной из средних школ Трансвааля. Когда она пришла ко мне, ей было примерно лет семнадцать. Временами ни я, ни мистер Калленбах не могли выносить проявления ее идиосинкразии. Она пришла не столько для того, чтобы работать в качестве стенографистки, сколько стремясь приобрести опыт. Расовые предрассудки были чужды ей. Она, казалось, не считалась ни с возрастом, ни с опытом. Она не поколебалась бы даже оскорбить человека, сказав ему в лицо то, что думает о нем. Ее порывистость часто ставила меня в затруднительное положение, но ее простодушие и непосредственность устраняли все трудности так же быстро, как они возникали. Я часто подписывал, не просматривая, письма, которые она печатала, так как считал, что она владеет английским языком лучше, чем я, и всецело полагался на ее преданность.

Долгое время она получала не больше шести фунтов стерлингов в месяц и даже отказывалась, чтобы я прибавил ей до десяти. Когда я убеждал ее взять больше, она говорила:

— Я здесь не затем, чтобы получать у вас жалованье. Я здесь потому, что мне нравится работать с вами, нравятся ваши идеалы.

Однажды ей пришлось взять у меня сорок фунтов стерлингов, но она настояла, что берет их в долг и выплатит всю сумму в текущем году. Ее мужество было равноценно ее самоотверженности. Это была одна из тех женщин, с которыми я имел удовольствие встречаться, чья душа была чиста, как кристалл, а мужеством она могла бы поспорить с любым воином. Теперь она взрослая женщина. Я не знаю сейчас так ее умонастроений, как в то время, когда она работала вместе со мной, но знакомство с этой молодой дамой навсегда останется для меня святым воспоминанием. Поэтому я покривил бы душой, если бы утаил то, что знаю о ней.

Работая, она не имела покоя ни днем ни ночью. Отваживалась отправляться поздно вечером с поручением и сердито отвергала всякое предложение сопровождать ее. Многие и многие индийцы обращались к ней за советом. Когда во времена сатьяграхи почти все руководители были заключены в тюрьму, она одна без посторонней помощи руководила движением. Она распоряжалась тысячами фунтов стерлингов, в ее руках были огромный объем корреспонденции и газета «Индиан опинион», но она никогда не знала усталости.

Я могу без конца говорить о мисс Шлезин, но закончу эту главу характеристикой, данной ей Гокхале. Гокхале знал каждого из моих товарищей по работе. Многие ему нравились, и он часто высказывал о них свое мнение, однако первое место отводил мисс Шлезин.

«Я редко встречался с жертвенностью, чистотой и бесстрашием, которые увидел в мисс Шлезин, — заявил он. — Среди ваших товарищей по работе она, по моему мнению, занимает первое место».

XIII. «ИНДИАН ОПИНИОН»

Прежде чем продолжить рассказ о близких знакомых европейцах, я должен остановиться на двух-трех важных обстоятельствах. Однако об одном из моих знакомств следует сказать раньше. Поступления ко мне на работу мисс Дик было недостаточно, нужны были еще помощники. Выше я говорил о мистере Ритче. Я хорошо знал его. Он был управляющим коммерческой фирмы, а теперь соглашался расстаться с фирмой и работать под моим руководством.

Примерно в то же время адвокат Маданджит предложил мне начать с ним вместе издавать газету «Индиан опинион». Раньше он уже занимался издательским делом, и я одобрил его предложение. В 1904 г. газета стала выходить. Первым ее редактором стал адвокат Мансухлал Наазар. Но основное бремя работы легло на меня, и почти все время я был фактическим руководителем газеты. Это произошло не потому, что Мансухлал не мог выполнять эту работу. В бытность свою в Индии он много занимался журналистикой, но никогда не решился бы писать по таким запутанным вопросам, как южноафриканские, и предоставлял это мне. Он питал глубочайшее доверие к моей проницательности и поэтому возложил на меня ответственность по составлению редакционных статей. Газета выходила еженедельно. Вначале она выпускалась на гуджарати, хинди, тамильском и английском языках. Но я убедился, что издания на тамильском языке и на хинди излишни. Они не достигали цели, и я упразднил их: я понимал, что продолжать выпуск газеты на этих языках даже было бы заблуждением.

Я не предполагал, что мне придется вкладывать средства в издание газеты, но скоро убедился, что она не может существовать без моей финансовой помощи. И индийцы, и европейцы знали, что, не являясь официальным редактором «Индиан опинион», я фактически несу ответственность за ее направленность. Ничего существенного не произошло бы, если бы газета вообще не издавалась, но прекращение ее выпуска было бы для нас потерей и позором. Поэтому я беспрестанно ссужал средства, пока наконец не вложил в газету все свои сбережения. Помнится, иногда вынужден был тратить на издание по семьдесят пять фунтов стерлингов в месяц.

Но газета, как мне кажется, сослужила общине хорошую службу. Она никогда не рассматривалась как коммерческое предприятие. За весь период моего руководства газетой перемены в ее направлении отражали перемены в моем мировоззрении. В те времена «Индиан опинион», как теперь «Янг Индия» и «Навадживан», была зеркалом части моей жизни. На ее страницах я изливал свою душу и излагал свое понимание принципов и практики сатьяграхи. В течение десяти лет, т. е. вплоть до 1914 г., за исключением перерывов в связи с моим вынужденным отдыхом в тюрьме, едва ли хоть один номер «Индиан опинион» вышел без моей статьи.

Не припомню, чтобы в этих статьях, которые я не имел возможности тщательно обдумывать и взвешивать, было сознательное преувеличение или хоть слово, написанное ради удовольствия. Газета стала для меня школой сдержанности, а для друзей — средством общения с моими мыслями. Критик не нашел бы в ней почти ничего, вызывающего возражения. Действительно, тон «Индиан опинион» вынуждал критика обуздывать свое перо. Без «Индиан опинион», пожалуй, невозможно было бы и проведение сатьяграхи. Читатели искали в ней достоверные сведения о сатьяграхе и положении индийцев в Южной Африке. Для меня газета явилась средством изучения человеческой природы во всех ее проявлениях и оттенках, поскольку я всегда стремился к установлению тесной и откровенной связи между редактором и читателями. Мои корреспонденты заваливали меня письмами, в которых изливали свою душу. Письма были дружеские, критикующие или ядовитые в соответствии с темпераментом писавших. Изучать, переваривать эти письма и отвечать на них было для меня хорошей школой. Посредством переписки со мной община как бы размышляла вслух. Это помогало мне лучше осознать ответственность журналиста, а завоеванный таким путем авторитет в общине способствовал тому, что наше движение становилось эффективным, величественным и непреодолимым.

Уже в первый месяц издания «Индиан опинион» я понял, что единственной целью журналиста должно быть служение обществу. Газета — великая сила, но подобно тому, как ничем не сдерживаемый поток затопляет берега и истребляет посевы, так и не подчиненное контролю перо журналиста служит только разрушению. Если контроль осуществляется со стороны, он еще губительнее, чем его отсутствие. Контроль приносит пользу, лишь когда исходит от самого журналиста. Если с этой точки зрения подойти к содержанию газет, пожалуй, немногие из них выдержали бы испытание. Но кто прекратит издание бесполезных газет? И кто может быть судьей? Полезное и бесполезное, как вообще доброе и злое, развивается совместно, а человек должен уметь сделать для себя выбор.

XIV. ПОСЕЛКИ ДЛЯ КУЛИ ИЛИ ГЕТТО?

Определенные слои населения (оказывающие нам важнейшие социальные услуги), те самые, которые у нас, индусов, считаются «неприкасаемыми», изгнаны в отдаленнейшие кварталы города или деревни. Эти кварталы называются на языке гуджарати «дхедвадо», и название это приобрело пренебрежительный оттенок. Совершенно так же в христианской Европе евреи были когда-то «неприкасаемыми», и кварталы, отведенные для них, имели оскорбительное название «гетто». Аналогичным образом в наши дни мы сделались неприкасаемыми в Южной Африке. Будущее покажет, насколько жертва Эндрюса и волшебный жезл Састри способствовали нашей реабилитации.

Древние евреи считали себя, в отличие от всех других народов, народом, избранным Богом. Это привело к тому, что их потомков постигла необычная и даже несправедливая кара. Почти точно так же индусы считали себя арийцами, или цивилизованным народом, а часть своих родичей — неарийцами, или неприкасаемыми. Это привело к тому, что необычное, пусть и справедливое, возмездие постигло не только индусов в Южной Африке, но также мусульман и парсов, поскольку все они выходцы из одной страны и имеют тот же цвет кожи, что и их братья-индусы.

Читатель теперь должен в известной мере понять значение слова «поселки», которое я поставил в заголовке этой главы.

В Южной Африке мы получили отвратительную кличку «кули». В Индии слово «кули» означает только носильщика и возчика, но в Южной Африке это слово приобрело презрительное значение. Оно означает там то же самое, что у нас «пария», или «неприкасаемый», а кварталы, отведенные «кули», называются «поселками для кули». Такой поселок был и в Йоханнесбурге, но в противоположность другим населенным пунктам, где были такого рода поселки и где индийцы имели право владения, в йоханнесбургском поселке индийцы получили свои участки только в аренду на девяносто девять лет. Площадь поселка не увеличивалась по мере роста населения, и люди жили крайне скученно. Если не считать случайных мероприятий по очистке отхожих мест, муниципалитет ничего не предпринимал для санитарного благоустройства, еще меньше делал он в отношении дорог и освещения. Да и трудно было ожидать, чтобы он интересовался санитарными условиями поселка, в то время как он был вообще равнодушен к благосостоянию его жителей. Сами же индийцы были столь несведущи в вопросах коммунальной санитарии и гигиены, что ничего не могли сделать без помощи или наблюдения со стороны муниципалитета. Если бы все поселившиеся в поселке индийцы были Робинзонами Крузо, дело пошло бы иначе. Но во всем мире не найти эмигрантской колонии, населенной Робинзонами. Обычно люди отправляются на чужбину в поисках материального достатка и работы. Основная масса индийцев, осевших в Южной Африке, состояла из невежественных, нищих земледельцев, нуждавшихся в том, чтобы о них заботились и их оберегали. Торговцев и образованных людей среди них было чрезвычайно мало.

Преступная небрежность муниципалитета и невежество индийских поселенцев привели к тому, что поселок находился в отвратительном санитарном состоянии. Муниципалитет использовал антисанитарное состояние поселка, обусловленное бездеятельностью самого муниципалитета, как предлог для уничтожения индийского поселения и с этой целью добился от местной законодательной власти разрешения согнать индийцев с их участков. Таково было положение, когда я обосновался в Йоханнесбурге.

Поселенцам, имевшим право собственности на землю, предполагалось, конечно, возместить убытки. Был назначен особый трибунал для рассмотрения дел о земельных участках. Если владелец не соглашался на компенсацию в размере, назначенном муниципалитетом, он имел право обратиться в трибунал, и если трибунал оценивал участок выше суммы, предложенной муниципалитетом, последний должен был платить судебные издержки.

Большинство владельцев приглашало меня в качестве своего поверенного. У меня не было желания наживать деньги на этих делах, и поэтому я сказал владельцам, что в случае выигрыша дела буду удовлетворен любой суммой издержек, какую установит трибунал, и гонораром в размере десяти фунтов стерлингов по каждому договору об аренде безотносительно к результатам процесса. Я предложил также половину вырученных мною денег пожертвовать на постройку больницы или иного подобного учреждения для бедных. Это, конечно, всем понравилось.

Примерно из семидесяти дел только одно было проиграно. Так что мой гонорар достиг довольно солидной суммы. Но «Индиан опинион» постоянно нуждалась в средствах и поглотила, насколько я могу припомнить, сумму в тысячу шестьсот фунтов стерлингов. Я много работал в связи с этими процессами и постоянно находился в окружении клиентов. Большинство из них в прошлом были законтрактованными рабочими из Бихара и прилегающих к нему районов, а также из Южной Индии. В целях защиты своих интересов они образовали союз, независимый от союза свободных индийских торговцев и ремесленников. Некоторые из них были чистосердечными людьми с сильным характером и широкими взглядами. Их лидерами были адвокат Джайрамсинг — председатель союза и адвокат Бадри, который ничем не уступал председателю. Обоих уже нет в живых. Оба в высшей степени помогали мне. Бадри очень со мною сблизился и принял активное участие в сатьяграхе. Через них и других своих друзей я вступил в тесную связь со многими индийскими переселенцами из Северной и Южной Индии. Я сделался не столько их поверенным, сколько братом и делил с ними их личные и общественные горести и трудности.

Пожалуй, читателю будет интересно узнать, как индийцы обыкновенно называли меня. Абдулла Шет отказывался звать меня Ганди. Никто, по счастью, не оскорблял меня обращением «сахиб» и не считал таковым. Абдулла Шет возымел счастливую мысль называть меня «бхай», т. е. брат. Другие последовали его примеру и называли меня «бхай» до моего отъезда из Южной Африки. Это имя получало особый смысл в устах бывших законтрактованных индийских рабочих.

XV. ЧЕРНАЯ ЧУМА-I

Когда право собственности в поселке перешло к муниципалитету, индийцев не сразу выселили. Прежде чем прогнать жителей, необходимо было найти для них подходящее место, а так как муниципалитету сделать это было нелегко, индийцы вынуждены были по-прежнему оставаться в том же «грязном» поселке с той лишь разницей, что их положение стало хуже прежнего. Перестав быть собственниками, они сделались арендаторами у муниципалитета, а район стал еще грязнее. Когда они были собственниками, то все-таки поддерживали какую-то чистоту, хотя бы из страха перед законом. Муниципалитет же такого страха не испытывал. Число арендаторов увеличивалось, а вместе с ними увеличивались запущенность и беспорядок.

Пока индийцы мучались в этих условиях, внезапно вспыхнула эпидемия черной, или легочной, чумы, которая страшнее и губительнее бубонной.

Очагом эпидемии, по счастью, оказался не поселок, а один из золотых приисков в окрестностях Йоханнесбурга. Рабочими на этом прииске были в основном негры, за санитарные условия отвечали исключительно их белые хозяева. По соседству с прииском работали индийцы. Двадцать три человека внезапно заразились и к вечеру вернулись в свои жилища в поселке с острым приступом чумы. Случилось, что адвокат Маданджит был как раз в это время в поселке, разыскивая подписчиков на «Индиан опинион». Он был на редкость бесстрашным человеком. При виде жертв ужасной болезни его сердце содрогнулось, и он послал мне записку следующего содержания: «Произошла внезапная вспышка черной чумы. Немедленно приезжайте и примите срочные меры, в противном случае мы должны быть готовы к ужасным последствиям. Пожалуйста, приезжайте немедленно».

Маданджит смело сломал замок пустовавшего дома и поместил туда всех больных. Я на велосипеде приехал в поселок и послал оттуда секретарю муниципального совета записку с сообщением о тех обстоятельствах, при которых мы завладели домом.

Доктор Уильям Годфри, практиковавший в Йоханнесбурге, прибежал на помощь, как только до него дошло известие о случившемся. Он стал для больных и сиделкой, и врачом. Но больных было двадцать три, а нас только трое, и сил наших не хватало.

Я верю — и вера моя подтверждена опытом, — что если сердце человека чисто, он всегда найдет нужных людей и нужные средства для борьбы с бедствием. В ту пору в моей конторе служило четверо индийцев: Кальяндас, Манеклал, Гунвантрай, Десай и еще один, имени которого я не припомню. Кальяндаса препоручил мне его отец. Я редко встречал в Южной Африке человека, более готового к услугам и к беспрекословному повиновению, чем Кальяндас. К счастью, он был тогда не женат, и поэтому я не колеблясь возложил на него выполнение обязанностей, сопряженных с таким большим риском. Манеклал поступил ко мне на службу в Йоханнесбурге. Он также, насколько могу припомнить, не был тогда женат. Итак, я решил принести в жертву всех четырех — называйте их как хотите — служащих, товарищей по работе, сыновей. Мнение Кальяндаса не было надобности спрашивать. Остальные выразили согласие помогать, как только я к ним обратился.

— Где вы, там будем и мы, — был их краткий ответ.

У мистера Ритча была большая семья. Он тоже хотел было присоединиться к нам, но я не допустил этого. Совесть не позволяла мне подвергать его такой опасности. Поэтому он помогал нашей работе, оставаясь вне опасной зоны.

То была страшная ночь, ночь бодрствования и ухода за больными. Мне приходилось делать это и раньше, но никогда еще я не ухаживал за больными чумой. Доктор Годфри заразил нас своей отвагой. Уход за больными не был обременителен. Давать им лекарства, заботиться об их нуждах, держать их и их койки в чистоте и порядке и ободрять их — вот все, что от нас требовалось.

Неутомимое усердие и бесстрашие, с которыми работали молодые люди, радовали меня сверх всякой меры. Можно было понять храбрость доктора Годфри и такого много испытавшего в жизни человека, как адвокат Маданджит, но не дух этих зеленых юнцов!

В ту ночь никто из больных не умер.

Но все это событие, не говоря уже о его патетическом величии, представляет столь захватывающий интерес, а для меня исполнено такой религиозной значимости, что я должен посвятить ему по меньшей мере две главы.

XVI. ЧЕРНАЯ ЧУМА-II

Секретарь муниципального совета выразил мне признательность за то, что я занял пустовавший дом и позаботился о больных. Он откровенно признался, что муниципальный совет не может сразу принять все необходимые меры для борьбы с бедствием, но обещал всяческую помощь. Осознав лежащий на нем общественный долг, муниципалитет не стал медлить с принятием экстренных мер.

На следующий день в мое распоряжение был передан пустовавший склад, куда предлагалось перевести заболевших. Но строение было запущено и грязно. Мы сами его вычистили, затем с помощью сострадательных индийцев достали несколько постелей и другие необходимые принадлежности и устроили временный госпиталь. Муниципалитет прислал нам сиделку, которая принесла с собой коньяк и предметы больничного инвентаря. Доктор Годфри продолжал оставаться на своем посту.

Сиделка была доброй женщиной и готова была ухаживать за больными, но мы редко позволяли ей прикасаться к ним из боязни, что она заразится.

Мы получили предписание часто давать больным коньяк. Сиделка советовала и нам в целях профилактики пить его, как это делала она. Но никто из нас не дотронулся до него. Я не верил в его благотворное действие даже на больных. С разрешения доктора Годфри я перевел трех больных, которые согласились обходиться без коньяка, на лечение, заключавшееся в прикладывании компрессов из влажной земли к голове и груди. Двое из них были спасены. Двадцать больных, которым продолжали давать коньяк, умерли.

Тем временем муниципалитет принимал новые меры. Милях в семи от Йоханнесбурга находился лазарет для инфекционных больных. Двоих выживших наших больных перевели в палатки поблизости от лазарета, и было решено отправлять туда всех вновь заболевших. Итак, мы освободились от нашей работы.

Через несколько дней мы узнали, что добрая сиделка заразилась чумой и сразу же скончалась. Нельзя объяснить, каким образом спаслись двое из больных и почему не заразились мы, но этот опыт укрепил мою веру в эффективность лечения землей и усилил неверие в коньяк, хотя бы и применявшийся как лекарство. Я понимаю, что нет достаточных оснований для такой убежденности, но я не могу освободиться от впечатления, которое у меня тогда сложилось, и поэтому счел необходимым упомянуть о нем здесь.

Как только разразилась чума, я опубликовал в печати резкое письмо, в котором обвинял муниципалитет в пренебрежении к нуждам поселка, перешедшего в его владение, и возлагал на него ответственность за вспышку чумы. Письмо привело меня к знакомству с Генри Полаком. Этому же письму я отчасти обязан дружбой с ныне покойным преподобным Джозефом Доуком.

Я уже говорил, что обычно питался в вегетарианском ресторане. Там я познакомился с Альбертом Уэстом. Обычно мы каждый вечер встречались в ресторане, вместе оттуда уходили и совершали послеобеденную прогулку. Уэст был компаньоном небольшого издательского предприятия. Он прочел в газете мое письмо о причинах вспышки чумы и, не найдя меня в ресторане, обеспокоился.

С тех пор как началась чума, мои товарищи по работе и я уменьшили свой рацион, так как я давно взял себе за правило соблюдать легкую диету в периоды эпидемий. Поэтому в те дни я вовсе не обедал, а второй завтрак заканчивал до прихода посетителей. Хозяина ресторана, с которым был хорошо знаком, я предупредил, что ухаживаю за больными чумой и поэтому стараюсь по возможности избегать встреч с друзьями.

Не видя меня в ресторане день или два, мистер Уэст явился ко мне на дом рано утром, как раз когда я выходил на прогулку. Увидев меня в дверях, он сказал:

— Я не нашел вас в ресторане и не на шутку перепугался, не случилось ли чего с вами. Поэтому я решил зайти к вам с утра, чтобы наверняка застать дома. Я предоставляю себя в ваше распоряжение, готов помогать ухаживать за больными. Вы знаете, что у меня нет никого на иждивении.

Я выразил ему свою признательность и, ни секунды не раздумывая, ответил:

— Я не возьму вас ухаживать за больными. Если новых случаев заболеваний не будет, мы освободимся через день или два. Но у меня есть к вам другая просьба.

— Какая именно?

— Не могли бы вы взять на свое попечение «Индиан опинион» в Дурбане? Мистер Маданджит, по-видимому, задержится здесь, а кто-нибудь должен быть в Дурбане. Если бы вы могли туда поехать, я бы чувствовал себя на этот счет спокойным.

— Вы знаете, что у меня есть дела по издательству. Весьма вероятно, я смогу поехать, но позвольте мне дать окончательный ответ вечером. Мы поговорим об этом во время нашей вечерней прогулки.

Он согласился ехать. Вопрос о вознаграждении его не интересовал, поскольку он не руководствовался денежными соображениями. Но все же мы договорились о вознаграждении в десять фунтов стерлингов в месяц, не считая участия в прибыли, если таковая будет. На следующий же день мистер Уэст выехал в Дурбан вечерним почтовым поездом, поручив мне вести его дела в Йоханнесбурге. С этого дня и до самого моего отъезда из Южной Африки он был соучастником моих радостей и горестей.

Мистер Уэст происходил из крестьянской семьи из Лоута (Линкольншир). Он получил обычное школьное образование, но многому научился в школе жизни, а также занимаясь самообразованием. Я всегда знал его как честного, трудолюбивого, богобоязненного и гуманного человека.

Подробнее читатель узнает о нем и его семье в последующих главах.

XVII. ПОСЕЛОК ПРЕДАН ОГНЮ

Мои товарищи по работе и я освободились от ухода за больными, но оставалось еще много дел, связанных с последствиями чумы.

Как я уже упоминал, муниципалитет пренебрежительно относился к нуждам поселка, однако, когда вопрос касался здоровья белых граждан, он был начеку: затрачивал большие средства на охрану их здоровья и теперь деньгами буквально «заливал», как водой, очаги эпидемии чумы.

Несмотря на многочисленные грехи муниципалитета в отношении индийцев, на которые я всегда указывал, я не мог не восторгаться его заботами о белых гражданах и старался, чем мог, помочь в этой его похвальной деятельности. Мне представляется, что, если бы я отказал муниципалитету в содействии, его деятельность была бы значительно затруднена и он не поколебался бы прибегнуть к крайним мерам вплоть до применения вооруженной силы.

Но всего этого удалось избежать. Муниципальные власти оставались довольны поведением индийцев, благодаря которому заранее облегчалось выполнение многого из того, что пришлось предпринять для борьбы с чумой. Я использовал все свое влияние на индийцев, чтобы заставить их подчиниться требованиям муниципалитета. Выполнять эти требования было нелегко, но я не могу припомнить, чтобы хоть один человек не последовал моему совету.

Поселок строго охранялся. Входить в него и выходить без специального разрешения воспрещалось. Я и мои помощники получили постоянные пропуска. Решено было выселить из поселка все население и разместить его на трехнедельный срок в палатках в открытой местности, милях в тринадцати от Йоханнесбурга, а поселок предать огню. Чтобы устроить всех этих людей в палатках, обеспечить их продовольствием и необходимыми предметами обихода, требовался некоторый срок, и на это время нужна была охрана.

Люди были страшно перепуганы, но постоянное мое присутствие действовало на них ободряюще. Многие бедняки имели обыкновение зарывать в землю свои скудные сбережения. Теперь их предстояло выкопать. У индийцев не было своего банка, они никого не знали. Я сделался их банкиром. Потоки денег полились в мою контору. В той критической обстановке я не мог установить, сколько мне причиталось за труды, но с работой кое-как удавалось справляться. Я был хорошо знаком с управляющим банком, в котором лежали мои собственные сбережения. Я предупредил его, что вынужден отдать ему на хранение и эти деньги. У банка не было никакого желания принимать большое количество медной и серебряной монеты. Кроме того, банковские служащие не соглашались прикасаться к деньгам, поступившим из местности, зараженной чумой. Но управляющий всеми силами помогал мне. Было решено перед сдачей денег в банк продезинфицировать их. Насколько помнится, всего было таким образом сдано на хранение приблизительно шестьдесят тысяч фунтов стерлингов. Тем, у кого было достаточно денег, я посоветовал внести их в качестве постоянных вкладов, и они последовали моему совету. В результате некоторые привыкли помещать деньги в банк.

Жители поселка специальным поездом были вывезены в Клипспруйт-фарм близ Йоханнесбурга; муниципалитет снабдил их продовольствием на общественный счет. Палаточный город напоминал военный лагерь. Люди, непривычные к лагерной жизни, впали в уныние и с удивлением смотрели на происходившее вокруг. Но с чрезвычайными невзгодами им не пришлось столкнуться. Я обычно каждый день ездил к ним на велосипеде. Через сутки после переселения они забыли о своих бедах, и жизнь потекла своим чередом. Приезжая в лагерь, я находил его обитателей поющими и веселящимися. Трехнедельное пребывание на открытом воздухе оказалось явно полезным для их здоровья.

Насколько помнится, поселок был предан огню на следующий же день после эвакуации. Муниципалитет не обнаружил склонности хоть что-нибудь уберечь от пожара. Примерно в то же время и по тем же соображениям муниципалитет сжег принадлежавшие ему деревянные постройки на рынке, потерпев убытку примерно на десять тысяч фунтов стерлингов. Поводом к этому решительному мероприятию послужило то, что на рынке обнаружены были дохлые крысы.

Муниципалитет понес большие издержки, но дальнейшее распространение чумы было остановлено, и город вздохнул свободнее.

XVIII. МАГИЧЕСКОЕ ДЕЙСТВИЕ ОДНОЙ КНИГИ

События, связанные с чумой, усилили мое влияние среди бедных индийцев и усложнили мою деятельность и ответственность. Некоторые новые знакомства с европейцами приобрели столь дружественный характер, что значительно увеличили мои моральные обязательства.

С мистером Полаком я познакомился совершенно так же, как и с мистером Уэстом, в вегетарианском ресторане. Однажды вечером какой-то молодой человек, обедавший за столиком неподалеку от меня, прислал мне свою карточку, выражая желание познакомиться. Я пригласил его за свой столик, и он пересел ко мне.

— Я помощник редактора журнала «Критик», — сказал он. — Прочтя ваше письмо в газете по поводу чумы, я очень захотел познакомиться с вами. Очень рад, что представилась такая возможность.

Мне понравилась искренность Полака. В тот же вечер мы ближе узнали друг друга и обнаружили, что у нас весьма схожие взгляды по важнейшим вопросам жизни. Он любил жить просто. У него была изумительная способность осуществлять на практике все, до чего он доходил разумом. Многие перемены, произведенные им в своей жизни, были и быстры, и радикальны.

«Индиан опинион» требовала все больших расходов. Первое же сообщение от мистера Уэста было тревожным. Он писал: «Не думаю, чтобы предприятие принесло ту прибыль, на какую вы рассчитывали. Боюсь, как бы не получился убыток. Счета в беспорядке. Необходимо погасить большую задолженность, но нельзя найти концов. Следует произвести тщательную ревизию. Но все это не должно тревожить вас. Я приложу все усилия, чтобы восстановить порядок. Останусь здесь независимо от того, будет прибыль или нет».

Мистер Уэст вполне мог уехать, обнаружив, что прибыли не предвидится, и я не мог бы осуждать его за это. Действительно, у него было право обвинить меня в том, что я охарактеризовал, не имея на то достаточных оснований, предприятие как прибыльное. Но он даже ни разу не пожаловался. Однако у меня создалось впечатление, что в результате этого открытия мистер Уэст стал считать меня излишне доверчивым человеком. Я просто принял на веру оценку, сделанную адвокатом Маданджитом, не позаботившись о том, чтобы проверить ее, и сообщил мистеру Уэсту об ожидаемой прибыли.

Теперь я знаю, что общественный деятель не должен делать заявлений, в которых он не уверен. Более того, почитатель истины должен соблюдать величайшую осторожность. Позволить человеку поверить в нечто, основательно не проверенное, значит скомпрометировать истину. Мне больно признаться, что, несмотря на знание этого, я не совсем еще поборол в себе доверчивость. Ответственность за это ложится на мое честолюбие, проявляющееся в том, что я берусь за большее количество дел, чем могу выполнить. Это честолюбие часто являлось причиной беспокойства скорее для моих товарищей по работе, чем для меня самого.

Получив письмо мистера Уэста, я выехал в Наталь. К этому времени мы с мистером Полаком были уже друзьями. Он провожал меня на станцию и дал на дорогу книгу, которая, по его словам, должна была непременно мне понравиться. Это была книга Раскина «У последней черты».

От нее невозможно было оторваться. Она захватила меня. Поезд от Йоханнесбурга до Дурбана шел сутки и прибывал в Дурбан вечером. Я не мог заснуть всю ночь. Я решил изменить свою жизнь в соответствии с идеалами книги.

Это было первое прочитанное мною произведение Раскина. В годы учебы я фактически ничего не читал, кроме учебников, а впоследствии, окунувшись с головой в свою деятельность, почти не имел времени для чтения. Поэтому начитанностью похвастаться не мог. Все же я думаю, что не много потерял от этой вынужденной ограниченности. Наоборот, читая не слишком много, я имел возможность хорошо переваривать прочитанное. Книга «У последней черты» вызвала немедленную и действенную перемену в моей жизни. Впоследствии я перевел ее на гуджарати под заглавием «Сарводая» (Всеобщее благо).

Мне кажется, что в этом великом произведении Раскина я нашел отраженными некоторые из моих самых задушевных убеждений. Вот почему оно захватило меня до такой степени и произвело переворот в моей жизни. Поэт — это тот, у кого есть сила пробудить добро, сокрытое в человеческой груди. Поэты не действуют на всех одинаково, потому что не все люди развиты в одинаковой степени.

Основные положения книги Раскина сводятся, как я понял, к следующему:

1. Благо отдельного человека в благе всех.

2. Работа юриста имеет одинаковую ценность с работой парикмахера, поскольку у всех одинаковое право зарабатывать трудом себе на пропитание.

3. Жить стоит только трудовой жизнью, какова жизнь земледельца или ремесленника.

Первый из этих принципов я знал. Второй я сознавал смутно. До третьего сам не додумался. Книга Раскина сделала для меня ясным как день, что второй и третий принципы заключены в первом. Я поднялся на рассвете, готовый к осуществлению для себя этих принципов.

XIX. КОЛОНИЯ В ФЕНИКСЕ

Обо всем этом я переговорил с мистером Уэстом, рассказав ему о впечатлении, какое произвела на меня книга «У последней черты», и предложил перевести издательство «Индиан опинион» в сельскую местность, где все трудились бы, получая одинаковое содержание, а в свободное время посвящали себя издательской работе. Мистер Уэст согласился со мной. Мы установили, что каждый сотрудник, независимо от расовой или национальной принадлежности, будет получать три фунта стерлингов ежемесячно.

Теперь вопрос был в том, согласятся ли человек десять или больше работников типографии поселиться на уединенной ферме и удовлетворятся ли они столь скудным содержанием. Поэтому мы решили, что те, кто не сможет принять этот план, будут получать прежние ставки, пока постепенно не возвысятся до нашего идеала и не пожелают стать членами колонии.

Я побеседовал об этом с работниками. Мой план не пришелся по вкусу адвокату Маданджиту, считавшему его непродуманным и губительным для дела, которому он посвятил все свои силы: он полагал, что работники разбегутся, что «Индиан опинион» перестанет выходить и типографию придется закрыть.

Среди людей, работавших в типографии, был мой двоюродный брат Чхаганлал Ганди. Я изложил ему свою идею тогда же, когда рассказал о ней Уэсту. У него были жена и дети, но он с детства привык жить и работать под моим руководством и всецело доверял мне. Он без всяких разговоров принял мое предложение и с тех пор никогда меня не покидал. Механик Говиндасвами также решил присоединиться к нам. Остальные не приняли плана в целом, но согласились ехать, куда бы я ни перевел типографию.

Не думаю, что на все эти дела ушло более двух дней. Затем я дал объявление о желании приобрести земельный участок поблизости от железнодорожной станции в окрестностях Дурбана. Вскоре поступило предложение из Феникса. Мистер Уэст и я отправились посмотреть участок. Мы приобрели двадцать акров земли. Там был прелестный ручеек и несколько апельсиновых и манговых деревьев. К этому участку примыкал другой, в восемьдесят акров, с множеством фруктовых деревьев и развалившимся коттеджем. Мы купили и его. Все вместе обошлось в тысячу фунтов стерлингов.

Покойный ныне мистер Рустомджи всегда поддерживал меня в подобных мероприятиях. Ему понравился и этот проект. Он передал в мое распоряжение подержанные листы рифленого железа от большого складского помещения и другие строительные материалы, и мы приступили к работе. Несколько индийских плотников и каменщиков, работавших у меня во время Бурской войны, помогли поставить навес для типографии. Это строение длиной в семьдесят пять футов и шириной в пятьдесят футов было готово меньше чем через месяц. Мистер Уэст и другие часто с риском для себя работали вместе с плотниками и каменщиками: необитаемое и заросшее густой травой место кишело змеями, и находиться там было явно опасно для жизни. Первое время все жили в палатках. Большинство вещей мы перевезли в Феникс в течение недели. Наше владение находилось в четырнадцати милях от Дурбана и в двух с половиной милях от железнодорожной станции Феникс.

Только один номер «Индиан опинион» пришлось печатать на стороне, в типографии «Меркурий».

Я стал стараться переманить в Феникс своих родных и друзей, которые приехали со мной из Индии попытать счастье в Южной Африке и занимались теперь разного рода деятельностью. Они приехали, желая разбогатеть, и поэтому уговорить их было трудно, но все же некоторые согласились. Упомяну здесь только Маганлала Ганди. Остальные затем вернулись к прежним занятиям. Он же оставил все и соединил свою судьбу с моею. Его способности, самопожертвование и преданность поставили его в первые ряды участников моих нравственных исканий. Как ремесленник-самоучка, он занимал среди моих товарищей исключительное положение.

Так в 1904 г. была основана колония в Фениксе, и, несмотря на часто возникавшие трения, «Индиан опинион» продолжает издаваться в этой колонии.

Однако рассказу о первоначальных трудностях, о происшедших переменах и разочарованиях следует посвятить отдельную главу.

XX. ПЕРВАЯ НОЧЬ

Нелегко было выпустить первый номер «Индиан опинион» в Фениксе. Не прими я мер предосторожности, первый выпуск газеты пришлось бы задержать или не печатать вовсе. Мысль об установке двигателя для приведения в действие печатной машины не привлекала меня. Мне казалось, что там, где сельскохозяйственные работы выполняются вручную, более уместно использовать физический труд работников. Но поскольку эта идея оказалась невыполнимой, мы приобрели двигатель внутреннего сгорания. Все же я предложил Уэсту иметь под рукой какое-нибудь приспособление, чтобы воспользоваться им в случае неисправности двигателя. Он достал механизм, который можно было приводить в движение при помощи ножного привода. Мы сочли, что обычный размер ежедневных газет не годится для столь отдаленного места, как Феникс. Формат листа нашей газеты был сокращен, с тем чтобы при крайней необходимости экземпляры газеты можно было бы отпечатывать без помощи двигателя.

На первых порах накануне выпуска номера газеты всем нам приходилось работать допоздна. Стар и млад должны были помогать фальцевать листы. Обычно мы заканчивали работу между десятью и двенадцатью часами ночи. Первую ночь невозможно забыть. Листы были набраны, но двигатель отказался работать. Мы вызвали инженера из Дурбана, чтобы наладить двигатель. Он и Уэст старались изо всех сил, но напрасно. Все были обеспокоены. Наконец Уэст в отчаянии подошел ко мне и сказал со слезами на глазах:

— Двигатель не будет работать. Боюсь, мы не сможем выпустить газету в срок.

— Что ж, ничего не поделаешь. Бесполезно проливать слезы. Давайте предпримем что-нибудь другое, что в человеческих силах. Как обстоит дело с ножным приводом? — сказал я, успокаивая его.

— Где найти людей? — спросил он в ответ. — Одни мы не справимся. Нужно несколько смен рабочих, по четыре человека в каждой, а наши люди устали.

Строительные работы еще не были закончены, поэтому плотники продолжали жить у нас. Они спали на полу в типографии. Я указал на них:

— А почему бы не привлечь плотников? Тогда мы сможем работать всю ночь напролет. Мне думается, такая возможность у нас есть.

— Я не решусь будить плотников, — сказал Уэст, — а наши люди действительно слишком устали.

— Хорошо, я сам поговорю с ними, — ответил я.

— Тогда вполне возможно, мы справимся с работой, — сказал Уэст.

Я разбудил плотников и попросил их помочь нам. Их не надо было долго уговаривать. В один голос они заявили:

— Какой от нас прок, если к нам нельзя обратиться за помощью в критический момент? Отдыхайте, а мы покрутим колесо. Это для нас легкая работа.

Нечего и говорить, что наши люди также были готовы работать.

Уэст воспрянул духом, когда мы принялись за работу, стал даже напевать гимн. Я присоединился к плотникам, а все остальные помогали нам по очереди. Так мы работали до семи часов утра. Но сделать предстояло еще многое. Поэтому я попросил Уэста разбудить инженера, чтобы он снова попытался пустить двигатель. Если бы это удалось сделать, мы смогли бы вовремя закончить работу.

Уэст разбудил инженера, и тот тотчас же отправился в машинное отделение. И, о чудо! Двигатель заработал почти сразу же, как только инженер дотронулся до него. Типография огласилась криками радости.

— В чем дело? — спросил я. — Почему вчера вечером все наши старания были бесполезны, а сегодня утром двигатель заработал, как будто с ним ничего не случилось?

— Трудно сказать, — ответил Уэст или инженер (не помню, кто именно). — По-видимому, машины иногда ведут себя так, словно им нужен отдых, как и людям.

Неполадки с двигателем оказались испытанием для всех нас, а то обстоятельство, что он заработал как раз вовремя, представляется мне вознаграждением за честный и ревностный труд.

Экземпляры газеты были отправлены в срок, и все были счастливы.

Настойчивость, проявленная в начале нашей работы, обеспечила регулярный выход газеты и создала в Фениксе обстановку уверенности в своих силах. Бывало, мы сознательно отказывались от использования двигателя и работали только вручную. Эти дни, по моему мнению, были периодом величайшего морального подъема работников колонии в Фениксе.

XXI. ПОЛАК ДЕЛАЕТ РЕШИТЕЛЬНЫЙ ШАГ

Я всегда сожалел, что мне, организовавшему колонию в Фениксе, приходилось бывать там только наездами. Первоначально моим намерением было постепенно освободиться от адвокатской практики, переселиться на постоянное жительство в колонию, добывать там себе пропитание физическим трудом и обрести радость и удовлетворение в служении колонии в Фениксе. Но этому не суждено было исполниться. Жизненный опыт убедил меня, что планы человека сплошь и рядом расстраивает Бог. Но вместе с тем я убедился и в том, что если поставленная человеком цель — поиски истины, то независимо от того, осуществляются его планы или нет, результат никогда не разочаровывает, а часто бывает даже лучше предполагавшегося. Оборот, который независимо от нас приняла жизнь в Фениксе, и случавшиеся там непредвиденные события, конечно, нисколько не разочаровывали, хотя трудно сказать, было ли все это лучше, чем то, на что мы первоначально рассчитывали.

Чтобы каждый из нас получил возможность добывать себе пропитание физическим трудом, мы поделили землю, окружавшую типографию, на участки по три акра. Один из них достался мне. На этих участках мы построили себе домики, вопреки нашим первоначальным намерениям, из гофрированного железа. Мы предпочли бы глиняные хижины, крытые соломой, или же кирпичные домики, напоминающие обычные крестьянские, но это оказалось невозможным. Они обошлись бы дороже, и постройка их потребовала бы больше времени, а всем хотелось устроиться как можно скорее.

Редактором продолжал быть Мансухлал Наазар. Он не одобрял нового плана и руководил газетой из Дурбана, где находилось отделение «Индиан опинион». Наборщики у нас были наемные, но мы мечтали, чтобы каждый член колонии освоил набор, этот наиболее легкий, но, пожалуй, самый скучный из типографских процессов. Те, кто не умел набирать, стали учиться. Я до самого конца оставался в хвосте. Маганлал Ганди превзошел всех. Он стал искусным наборщиком, хотя прежде никогда не работал в типографии, и не только достиг мастерства в этом деле, но, к моей радости и удивлению, скоро овладел всеми другими типографскими специальностями. Мне всегда казалось, что он не отдает себе отчета в своих способностях.

Едва мы устроились, как мне пришлось покинуть только что свитое гнездышко и уехать в Йоханнесбург. Я не мог допустить, чтобы там работа надолго оставалась без присмотра.

По приезде в Йоханнесбург я рассказал Полаку о предпринятых мною важных переменах в жизни. Радость его была беспредельна, когда он узнал, что чтение книги, которую он мне дал, привело к столь благотворным результатам.

— Нельзя ли и мне принять участие в этом новом предприятии? — спросил он.

— Конечно, — ответил я, — вы можете, если пожелаете, примкнуть к колонии.

— Я готов, — сказал он, — если только вы примете меня.

Его решение привело меня в восторг. Он за месяц вперед предупредил своего шефа, что оставляет работу в «Критике», и по истечении этого срока переехал в Феникс. Будучи человеком очень общительным, он завоевал сердца всех и скоро стал членом нашей семьи. Простота была столь свойственна его натуре, что он не только не нашел жизнь в Фениксе в каком-либо отношении чуждой или трудной, но, наоборот, чувствовал себя там как рыба в воде. Однако я не мог позволить ему оставаться там долго. Мистер Ритч принял решение закончить юридическое образование в Англии, и для меня стало немыслимым вести одному всю работу в конторе. Поэтому я предложил Полаку место стряпчего в моей конторе. Я думал, что в конце концов мы оба устранимся от этой работы и переселимся в Феникс, но этому никогда не суждено было осуществиться. Характер у Полака был таков, что, доверившись другу, он уже всегда и во всем стремился соглашаться с ним. Он написал мне из Феникса, что, хотя и полюбил тамошнюю жизнь, чувствует себя совершенно счастливым и надеется на дальнейшее развитие колонии, все же готов оставить ее и поступить в мою контору в качестве стряпчего, если я нашел, что этим путем мы быстрее достигнем осуществления наших идеалов. Я сердечно обрадовался письму. Полак покинул Феникс, приехал в Йоханнесбург и подписал со мной договор.

Примерно в это же время я пригласил в свою контору клерком шотландца-теософа, которого готовил к сдаче экзаменов по праву в Йоханнесбурге. Его звали мистер Макинтайэр.

Таким образом, вопреки моему стремлению скорее осуществить свои идеалы в Фениксе, меня все сильнее захватывало противоположное течение, и, если бы Бог не пожелал иначе, я бы совершенно запутался.

Через несколько глав я расскажу, каким совершенно непредвиденным и неожиданным образом спасены были мои идеалы.

XXII. КОМУ ПОМОГАЕТ БОГ

Теперь я оставил всякую надежду на возвращение в Индию в ближайшем будущем. Я обещал жене приехать домой через год. Прошел год, а никаких перспектив на возвращение не было. Поэтому я решил послать за ней и детьми.

На судне, доставившем их в Южную Африку, мой третий сын Рамдас, играя с капитаном, поранил руку. Капитан показал его корабельному врачу и заботливо ухаживал за ним. Рамдас вышел на берег с рукой на перевязи. Корабельный доктор посоветовал, чтобы, как только мы приедем домой, опытный врач сделал перевязку. Но то было время, когда я всецело верил в лечение землей. Мне даже удалось убедить некоторых клиентов испытать на себе лечение землей и водой.

Что же я мог сделать для Рамдаса? Ему только что исполнилось восемь лет. Я спросил, не возражает ли он, чтобы я перевязал его рану. Он, улыбаясь, ответил, что согласен. В таком возрасте он не мог, конечно, решить, какое лечение лучше, но очень хорошо знал разницу между знахарством и настоящим медицинским лечением. Ему была также известна моя привычка лечить домашними средствами, и он не боялся довериться мне. Дрожащими от волнения руками я развязал повязку, промыл рану, приложил к ней чистый компресс с землей и вновь забинтовал руку.

Такие перевязки делались ежедневно примерно в течение месяца, пока рана совершенно не зажила. Не было никаких последствий, и для исцеления раны потребовалось не больше времени, чем тот срок, который назвал корабельный врач, имея в виду обычное лечение.

Этот и другие опыты укрепили мою веру в домашние средства, и я стал применять их смелее. Я пробовал лечение землей и водой, а также постом в случае ранений, лихорадки, диспепсии, желтухи и других болезней и в большинстве случаев успешно. Однако теперь у меня нет той уверенности, которая была в Южной Африке, а опыт к тому же показал, что такие эксперименты сопряжены с очевидным риском.

Я ссылаюсь здесь на эти эксперименты не для того, чтобы убедить в исключительной эффективности моих методов лечения. Даже медики не могут выступить с такими претензиями в отношении своих экспериментов. Я хочу только показать, что тот, кто ставит себе цель провести новые эксперименты, должен начинать с себя. Это дает возможность скорее обнаружить истину, и Бог всегда помогает честному экспериментатору.

Риск, сопряженный с проведением опытов по установлению и развитию тесных контактов с европейцами, был столь же серьезен, как и риск, связанный с опытами лечения. Только тот и другой риск разного свойства. Впрочем, устанавливая контакты, я никогда и не думал о риске.

Я предложил Полаку поселиться вместе со мной, и мы стали жить как родные братья. Дама, которая вскоре должна была стать миссис Полак, была помолвлена с ним в течение нескольких лет, но свадьбу откладывали до более подходящего времени. У меня создалось впечатление, что Полак хотел скопить денег, прежде чем обзавестись семьей. Он гораздо лучше меня знал Раскина, но европейское окружение мешало ему немедленно претворить в жизнь учение Раскина. Я стал убеждать Полака:

— Когда есть обоюдное сердечное влечение, как в вашем случае, не следует откладывать свадьбу из-за одних лишь финансовых соображений. Если бедность — препятствие к браку, бедные люди никогда не женились бы.

А кроме того, вы теперь живете у меня и поэтому можете не думать о домашних расходах. По-моему, вы должны пожениться как можно скорее.

Как я уже говорил, мне никогда не приходилось дважды убеждать Полака в чем бы то ни было. Он признал правильность моей аргументации и немедленно вступил в переписку на эту тему с будущей миссис Полак, которая жила в то время в Англии. Она с радостью приняла предложение и через несколько месяцев приехала в Йоханнесбург. Ни о каких расходах на свадьбу не могло быть и речи, не сочли нужным даже заказывать специальное платье. Для освящения их брачного союза не было необходимости в религиозном обряде. Миссис Полак была по рождению христианкой, а Полак еврей. Их общий религией была нравственная религия.

Расскажу мимоходом о забавном инциденте, случившемся в связи с их свадьбой. Человек, регистрировавший браки между европейцами в Трансваале, не имел права регистрировать браки черных или вообще цветных. На свадьбе, о которой идет речь, я выступал в качестве свидетеля. Не в том дело, что не нашлось знакомых среди европейцев для выполнения этой обязанности, просто Полак не хотел об этом и думать. Итак, мы втроем отправились к регистратору. Он решил, что не может быть уверен в том, что люди, вступающие в брак, при котором в качестве свидетеля фигурирую я, действительно белые, и предложил отсрочить регистрацию, чтобы навести нужные справки. Следующий день был воскресенье. Понедельник тоже был днем неприсутственным, днем Нового года. Откладывать по столь несущественному поводу заранее назначенный день свадьбы казалось несуразным. Будучи знаком с мировым судьей, начальником регистрационного ведомства, я предстал перед ним вместе с молодой четой. Рассмеявшись, он дал мне записку к регистратору, и брак был должным образом зарегистрирован.

До этой поры европейцы, поселявшиеся в моем доме, были более или менее мне знакомы. Но теперь в нашу семью вступила английская женщина, совершенно нам чужая. Не могу припомнить, чтобы у нас когда-либо возникали разногласия с молодой четой, и если между миссис Полак и моей женой и бывали неприятности, в них ничего не было такого, чего не случалось бы в самых дружных, вполне однородных семьях. А ведь моя семья была самой разнородной: в нее свободно допускались люди различных характеров и темпераментов. Стоит только подумать об этом, чтобы убедиться, что различие между разнородными и однородными семьями мнимое. Все мы — члены одной семьи.

Упомяну в этой главе и о свадьбе Уэста. В ту пору моей жизни мысли о брахмачарии у меня еще не вполне созрели, и я увлекался идеей женить всех моих холостых друзей. Поэтому, когда Уэст поехал в Лоуд повидаться с родителями, я посоветовал ему вернуться женатым. Нашим общим домом был Феникс, и, поскольку мы считали, что все станем фермерами, нас не пугали браки и их нормальные последствия. Уэст вернулся и привез жену, прекрасную молодую женщину из Лейстера. Она происходила из семьи сапожников, работавших на одной из лейстерских фабрик. Миссис Уэст сама приобрела некоторый опыт работы на этой фабрике. Я назвал ее прекрасной по той причине, что меня сразу же привлекла ее нравственная красота. Истинная красота заключается все-таки в чистоте сердца. С мистером Уэстом приехала и теща. Старушка еще и теперь жива. Она всех нас пристыдила своим трудолюбием, душевной энергией и веселым нравом.

Убеждая жениться друзей-европейцев, я всячески поощрял и индийских друзей послать за своими семьями домой. В результате Феникс превратился в маленькую деревню: в нем проживало около полудюжины семейств, постепенно увеличивая его население.

XXIII. КАРТИНКА ИЗ ДОМАШНЕЙ ЖИЗНИ

Мы видели, что уже в Дурбане наметилась тенденция к упрощению жизни, хотя расходы на ведение домашнего хозяйства были все еще велики. Однако в Йоханнесбурге дом подвергся гораздо более серьезной перестройке в свете учения Раскина.

Я упростил все настолько, насколько это возможно в доме адвоката. Нельзя было обойтись без известной меблировки. Перемены имели больше внутренний, чем внешний характер. Появилось желание всю физическую работу выполнять самому. Я стал приучать к этому детей.

Вместо того чтобы покупать хлеб у булочника, мы начали выпекать дома пресный хлеб из непросеянной муки по рецепту Куне. Мука простого фабричного помола для этого не годилась, и мы решили, что здоровее, экономнее и проще выпекать хлеб из муки ручного помола. Я приобрел за семь фунтов стерлингов ручную мельницу. Чугунное колесо было слишком тяжело для одного человека, но вдвоем управиться с ним было нетрудно. Обычно эту работу выполнял я вместе с Полаком и детьми. Иногда к нам присоединялась и жена, хотя время помола муки, как правило, было началом ее работы на кухне. Когда приехала миссис Полак, она также приняла участие в наших заботах. Эта работа оказалась благотворным упражнением для детей. Мы ни к чему их не принуждали. Работа была для них приятной игрой, и они могли бросить ее в любое время, как только уставали. Но дети, в том числе и те, о которых я еще расскажу, как правило, никогда не обманывали моих ожиданий. Неверно было бы сказать, что я совсем не сталкивался с увальнями, но большинство выполняло порученное им дело с удовольствием. Я могу припомнить лишь немногих мальчиков, которые увиливали от работы или жаловались на усталость.

Мы наняли слугу для присмотра за домом. Он жил вместе с нами как член семьи, и дети обычно во всем помогали ему. Городской ассенизатор вывозил по ночам нечистоты, но мы сами чистили уборную, вместо того чтобы просить слугу. Это оказалось хорошей школой для детей. В результате ни у одного из моих сыновей не развилось отвращения к труду ассенизатора, и они естественным образом получили хорошее знание основ общей санитарии. Наш дом в Йоханнесбурге очень редко посещала болезнь, но, когда кто-нибудь заболевал, дети охотно ухаживали за больным. Не скажу, что я был безразличен к их общему образованию, но не колебался пожертвовать им. Поэтому у моих детей есть известные основания для недовольства мною. Они иногда говорили об этом, и должен признаться, что чувствую себя в некоторой степени виновным. У меня было желание дать им общее образование. Я даже пытался сам выступать в роли учителя, но постоянно появлялось какое-нибудь препятствие. Поскольку я не принял никаких других мер для их обучения дома, то обычно брал их с собой, идя на службу и возвращаясь домой, — и таким образом мы проходили вместе ежедневно расстояние примерно в пять миль. Эти прогулки явились для меня и для них прекрасной тренировкой. Если нам никто не мешал, то во время этих прогулок я стремился чему-нибудь научить их, все время беседуя с ними. Все мои дети, за исключением старшего сына Харилала, который остался дома в Индии, именно так воспитывались в Йоханнесбурге. Имей я возможность регулярно уделять по крайней мере по часу в день их общему образованию, они получили бы идеальное образование. Но, к сожалению детей и моему собственному, это не удавалось. Старший сын часто выражал недовольство по этому поводу и в разговорах со мной, и в печати; другие сыновья благородно простили мне, считая мою неудачу неизбежной. Я не очень-то опечален, что все так получилось, и сожалею только, что мне не удалось стать идеальным отцом. Но я считаю, что их общее образование принес в жертву делу, которое искренне, хотя, быть может, и ошибочно, расцениваю как служение обществу. Мне совершенно ясно, что я не пренебрегал ничем, что было необходимо для формирования их характера. И долг всех родителей правильно воздействовать на детей в этом отношении. Если мои сыновья, несмотря на все мои старания, испытывают в чем-либо нужду, то это, по моему твердому убеждению, проистекает не из недостатка заботы с моей стороны, а из нашего с женой несовершенства как родителей.

Дети наследуют черты характера родителей не в меньшей степени, чем их физические особенности. Среда играет важную роль, но первоначальный капитал, с которым ребенок начинает жизнь, унаследован им от предков. Я видел также детей, успешно преодолевающих последствия дурной наследственности. Это удается лишь благодаря непорочности, являющейся неотъемлемым свойством души.

Между мной и Полаком часто происходили жаркие споры о желательности или нежелательности давать детям английское образование. Я всегда считал, что индийцы, которые учат детей с младенческого возраста думать и говорить по-английски, тем самым предают своих детей и свою родину. Они лишают детей духовного и социального наследия нации и делают их менее способными служить родине. Придерживаясь таких убеждений, я решил всегда говорить с детьми на гуджарати. Полаку это никогда не нравилось. Он полагал, что я порчу их будущее. Он со всей страстностью доказывал, что если научить детей такому универсальному языку, как английский, то в жизненной борьбе они будут иметь значительные преимущества. Ему не удалось убедить меня. Не могу сейчас вспомнить, убедил ли я его в правильности моей точки зрения, либо он оставил меня в покое, найдя слишком упрямым. Все это происходило двадцать лет назад, и приобретенный с тех пор жизненный опыт только укрепил меня в прежних убеждениях. Мои сыновья страдали от недостатка общего образования, но знание родного языка пошло всем им на пользу, а также на пользу родине, поскольку они не оказались иностранцами, что могло бы случиться в противном случае. Они без труда овладели двумя языками и умеют прекрасно говорить и писать по-английски, ежедневно общаясь с широким кругом английских друзей, а также благодаря тому, что жили в стране, где английский является основным разговорным языком.

XXIV. ЗУЛУССКИЙ МЯТЕЖ

Даже прочно обосновавшись в Йоханнесбурге, я не смог вести оседлую жизнь. Как раз тогда, когда мне казалось, что я могу насладиться миром, произошло непредвиденное событие. В газетах появилось сообщение, что в Натале вспыхнул мятеж зулусов. У меня не было враждебного чувства к зулусам: они никакого зла индийцам не причиняли. Кое-какие сомнения относительно самого мятежа у меня были. Но тогда я верил, что Британская империя существует для блага всего мира. Искреннее чувство лояльности не позволяло мне даже желать чего-либо дурного для империи. Справедливость мятежа не могла повлиять на мое решение. В Натале имелись добровольческие войсковые соединения, ряды которых могли пополнить все желающие. Я прочел, что эти войска уже мобилизованы для подавления мятежа.

Считая себя гражданином Наталя, поскольку был тесно с ним связан, я написал губернатору о своей готовности сформировать, если это будет признано необходимым, индийский санитарный отряд. Губернатор без промедления прислал мне утвердительный ответ.

Я не ожидал, что мое предложение будет принято так быстро. К счастью, еще до отправления письма я сделал необходимые приготовления. Я решил, в случае если мое предложение будет принято, ликвидировать йоханнесбургскую квартиру. Полак должен был перебраться в более скромное помещение, а жена — в Феникс. Она была вполне согласна со мной. Не могу припомнить, чтобы она когда-нибудь прекословила мне в делах подобного рода. Поэтому, получив ответ от губернатора, я сообщил, как полагалось, домохозяину, что через месяц освобождаю квартиру, отправил часть вещей в Феникс, а другую — оставил Полаку.

Я отправился в Дурбан и стал собирать людей. Большого числа их не требовалось. Мы образовали отряд в составе двадцати четырех человек, из которых четверо, не считая меня, были гуджаратцы. Остальные, кроме одного свободного патана, — бывшие законтрактованные рабочие из Южной Индии.

Главный медицинский начальник, считаясь с существовавшими правилами, а также для того, чтобы создать мне официальное положение и облегчить работу, произвел меня на время службы в чин старшины, троих указанных мною людей назначил сержантами и одного — капралом. Правительство выдало нам обмундирование. Отряд находился на действительной службе примерно шесть недель.

Прибыв к месту мятежа, я убедился, что там не произошло ничего такого, что можно было бы назвать мятежом. Зулусы никакого сопротивления не оказывали. Происходившие беспорядки были квалифицированы как мятеж на том основании, что один из зулусских вождей воспротивился новому налогу, которым было обложено его племя, и убил сержанта, явившегося для взимания этого налога. Во всяком случае мое сочувствие было целиком на стороне зулусов, и я был очень рад, когда по прибытии в штаб узнал, что основной нашей работой должен быть уход за ранеными зулусами. Офицер медицинской службы радостно встретил нас, он сообщил, что белые весьма неохотно ухаживали за зулусами, раны которых гноились, и что он совершенно потерял голову. Он считал наш приезд благодеянием для этих ни в чем не повинных людей, снабдил нас перевязочным, дезинфекционным и иным материалом и направил в импровизированный лазарет. Зулусы выражали восторг, увидев нас. Белые солдаты поглядывали сквозь ограду, отделявшую нас от них, и старались уговорить не ухаживать за ранеными. А так как мы не обращали на них внимания, то они приходили в неистовство и поносили зулусов неприличнейшими ругательствами.

Мало-помалу я вошел в более тесное общение с солдатами, и они перестали нам мешать. Среди командного состава были полковник Спаркс и полковник Уайли, тот самый, который столь резко выступал против меня в 1896 г. Они были изумлены моим поведением, нанесли мне визит и выразили свою благодарность. Я был представлен генералу Маккензи. Пусть читатель не подумает, что все они были профессиональными военными. Полковник Уайли был известный дурбанский юрист; полковник Спаркс — владелец мясной лавки в Дурбане; генерал Маккензи — видный натальский фермер. Все эти господа получили военную подготовку и приобрели опыт, будучи добровольцами.

Раненые, за которыми мы ухаживали, не были ранены в бою. Одни из них были арестованы как подозрительные. Генерал приказал их выпороть. В результате порки появились серьезные раны, которые при отсутствии лечения стали гноиться. Другие принадлежали к дружественному зулусскому племени. Они даже носили особые значки для отличия их от «неприятеля», но солдаты по ошибке стреляли и в них.

Кроме ухода за зулусами, на мне лежала обязанность приготовлять и раздавать лекарства белым солдатам, что было для меня делом легким, поскольку я в свое время в течение года работал в небольшом госпитале доктора Бута. Эта деятельность близко меня сталкивала со многими европейцами.

Мы были прикомандированы к мобильной военной колонне, обязанной немедленно являться туда, откуда сообщали об опасности. Основную часть колонны составляла пехота, посаженная на коней. Как только приходил приказ о выступлении, мы должны были пешком следовать за колонной и нести носилки на плечах. Два или три раза нам пришлось сделать по сорок миль в день. Но куда бы мы ни направлялись, я всегда с благодарностью думал, что, перетаскивая на своих плечах мирных зулусов, пострадавших по неосмотрительности солдат, и ухаживая за ранеными как сиделки, мы делали угодное Богу дело.

XXV. УГРЫЗЕНИЯ СОВЕСТИ

Зулусский мятеж обогатил меня новым жизненным опытом и дал много пищи для размышлений. Бурская война раскрыла для меня ужасы войны далеко не так живо, как мятеж. На этот раз была собственно не война, а охота за людьми, и не только на мой взгляд, но и по мнению многих англичан, с которыми мне приходилось разговаривать. Слышать каждое утро, как в деревушках, населенных ни в чем не повинными жителями, трещали, как хлопушки, солдатские винтовки, и жить среди такой обстановки было тяжелым испытанием. Но я преодолевал это мучительное чувство лишь благодаря тому, что работа моего отряда состояла только в уходе за ранеными зулусами. Я ясно видел, что, не будь нас, о зулусах никто бы не позаботился. Таким образом, в работе я находил успокоение.

Но были и иные поводы для размышлений. Мы шли по скудно населенной части страны. На пути лишь изредка попадались разбросанные по холмам и долинам краали так называемых «нецивилизованных» зулусов. Проходя с ранеными или без них по этим величественным пустынным пространствам, я часто впадал в глубокое раздумье.

Я размышлял о *брахмачарии* и ее значении, и мною все глубже овладевало сознание собственной греховности. Я беседовал на эту тему с товарищами по работе. Тогда я не понимал, как необходима брахмачария для самопознания, но ясно отдавал себе отчет в том, что тот, кто всей душой стремится служить человечеству, не может обойтись без нее. Я сознавал, что у меня будет все больше поводов для такого служения и моя задача окажется мне не по силам, если я уйду в радости семейной жизни и буду производить на свет и воспитывать детей.

Одним словом, невозможно жить, следуя одновременно велениям плоти и велениям духа. Например, в данном случае я не смог бы принять участие в экспедиции, если бы жена ожидала ребенка. Без соблюдения брахмачарии служение семье было бы несовместимо со служением общине. А при исполнении этого обета то и другое вполне совместимо.

Размышляя таким образом, я с некоторым нетерпением ждал дня, когда дам этот обет. Надежды, связанные с его принятием, породили своего рода состояние экзальтации. Свободная игра воображения раскрывала безграничные перспективы служения общине.

Пока я был занят напряженной физической и умственной работой, пришло известие, что операции по подавлению мятежа почти закончены и что нас вскоре демобилизуют. Через день или два пришел приказ о демобилизации, и еще через несколько дней мы вернулись домой.

Спустя некоторое время я получил письмо от губернатора, в котором он выражал особую благодарность санитарному отряду за его службу.

По прибытии в Феникс я вел страстные споры о брахмачарии с Чхаганлалом, Маганлалом, Уэстом и другими товарищами по работе. Они одобрили мою идею и признали необходимым принятие обета, но представляли себе и трудности этой задачи. Некоторые из них также мужественно решили взять на себя обет и, насколько мне известно, добились успеха.

Я дал клятву — соблюдать обет брахмачарии в течение всей своей жизни. Должен признаться, что тогда далеко не полностью представлял себе всю величественность и необъятность задачи, которую взял на себя. Даже сегодня мне порою приходится трудно. Но я все глубже осознаю важность обета. Жизнь без брахмачарии представляется мне скучной жизнью животного. По своей природе животное не знает самоограничений. Человек является человеком потому, что способен к воздержанию, и остается человеком лишь постольку, поскольку на практике осуществляет это воздержание. Если раньше восхваление брахмачарии в наших религиозных книгах казалось мне нелепым, то теперь с каждым днем все яснее представляется совершенно правильным и основанным на опыте.

Я понял, что брахмачария исполнена удивительной силы. Она ни в коем случае не является легким делом и, конечно, касается не только плоти. Обет этот начинается с физических ограничений, но не кончается ими. Совершенствование в нем предупреждает появление даже нечистых мыслей. У истинного брахмачари не возникнет и мечты об удовлетворении плотского влечения, а если это ему все еще свойственно, ему надо многое познать.

Для меня было очень трудным соблюдение даже физической стороны брахмачарии. Сегодня я могу сказать, что в этом отношении чувствую себя в полной безопасности, но мне еще надо достичь абсолютного контроля над мыслями. И не потому, что мне недостает силы воли, но для меня все еще загадка, откуда подкрадываются нежелательные мысли. Я не сомневаюсь, что существует ключ, которым можно запереть их, но этот ключ каждый должен подобрать для себя сам. Святые и пророки оставили нам в поучение свой жизненный опыт, но ни одного надежного и универсального предписания. Ибо совершенство или свобода от ошибок приходят только от милосердия, и поэтому следующие Богу оставили нам мантрас, как, например, «Рамаяну», освященную их собственным аскетизмом и отражающую их непорочность. Невозможно добиться полного господства над мыслью, не положившись всецело на милость Бога. Этому учит каждая священная книга, и в стремлении достигнуть совершенного состояния брахмачари я постигаю эту истину.

Однако я частично расскажу об этой борьбе и стараниях в последующих главах. Данную главу я закончу воспоминанием о том, как приступил к осуществлению этой задачи. Благодаря вспышке энтузиазма соблюдение брахмачарии оказалось довольно легким. Самое первое, что я изменил в своем образе жизни, — это прекратил спать с женой в одной постели и искать с ней уединения.

Брахмачария, которую я соблюдал начиная с 1900 г., была скреплена клятвой в середине 1906 г.

XXVI. ЗАРОЖДЕНИЕ ДВИЖЕНИЯ САТЬЯГРАХИ

События в Йоханнесбурге приняли такой оборот, что превратили мое самоочищение, так сказать, в подготовительную ступень к сатьяграхе. Теперь я вижу, что все главные события моей жизни, достигшие высшей точки в принятии обета брахмачарии, исподволь готовили меня к этому движению. Принцип, именуемый «сатьяграха», возник раньше, чем был изобретен термин. Первое время я сам не знал, что это такое. Для характеристики этого принципа на языке гуджарати мы первоначально пользовались английским выражением «пассивное сопротивление». Но однажды в разговоре с европейцами я убедился, что термин «пассивное сопротивление» слишком узок, что под ним подразумевается оружие слабого против сильного, нечто такое, что внушено ненавистью и в конце концов может вылиться в насилие. Я решил предупредить лжетолкование и разъяснить подлинную природу индийского движения. Совершенно очевидно, что индийцы сами должны были создать новое слово для обозначения своей борьбы.

Но, как я ни бился, все же не мог найти это слово. Тогда я объявил конкурс среди читателей «Индиан опинион» на лучшее предложение в этом смысле. Маганлал Ганди сочинил слово «сатаграха» (сат — правда, аграха —

твердость) и получил первую премию. Стараясь сделать слово более понятным, я изменил его на «сатьяграха», и этот термин на языке гуджарати стал с тех пор обозначением нашей борьбы.

История сатьяграхи практически сводится к истории всей моей последующей жизни в Южной Африке и в особенности моих поисков истины в период пребывания на Африканском континенте. Основную часть этой истории я написал в тюрьме в Йерваде и закончил ее по выходе на свободу. Она была опубликована в журнале «Навадживан», а затем вышла отдельной книгой. Адвокат Валджи Говинджи Десай перевел ее на английский язык для журнала «Каррентсот». В настоящее время я готовлю издание английского перевода отдельной книгой, и, прочитав ее, тот, кто захочет, сможет познакомиться с наиболее важными событиями моей жизни в Южной Африке. Я бы рекомендовал читателям, которые еще не видели этой книги, внимательно прочесть об истории сатьяграхи в Южной Африке. Не стану повторять здесь того, что написал в этой книге, и в последующих главах коснусь лишь некоторых событий моей личной жизни в Южной Африке, которые в книге об истории сатьяграхи затронуты не были. Затем постараюсь дать читателю представление о моих опытах в Индии. Тем, кто хотел бы излагаемые здесь поиски понять в их правильной хронологической последовательности, полезно было бы иметь под рукой написанную мною историю сатьяграхи в Южной Африке.

XXVII. ДАЛЬНЕЙШИЕ ОПЫТЫ В ОБЛАСТИ ДИЕТЕТИКИ

Я равно жаждал и соблюдать брахмачарию в мыслях, словах и поступках, и посвящать максимум времени движению сатьяграхи. Я мог добиться этого лишь путем самоочищения. Поэтому я начал вносить дальнейшие изменения в мою жизнь и ввел более строгие ограничения в отношении питания. Прежде я руководствовался в проводимых мною изменениях в образе жизни по преимуществу соображениями гигиеническими, теперь же в основу моих новых опытов были положены религиозные соображения.

Посты и воздержания в пище стали играть более существенную роль в моей жизни. Человеческим страстям обычно сопутствует склонность к изысканным вкусовым ощущениям. Так было и со мной. Я встречал большие затруднения в попытках обуздать страсть и чревоугодие и даже теперь не могу похвастаться, что всецело обуздал эти пороки. Я считал себя обжорой. То, что друзьям казалось воздержанием, мне самому представлялось в ином свете. Если бы мне не удалось развить в себе воздержание в той мере, какой я достиг, я бы опустился ниже животных и рок давно покарал бы меня. Поскольку же я ясно осознал свои недостатки, я приложил большие усилия к тому, чтобы освободиться от них, и благодаря этим стараниям подчинил себе свое тело и смог в течение всех этих лет вести выпавшую на мою долю работу.

Сознание своей слабости и неожиданная встреча с людьми, проникнутыми такими же мыслями, привели к тому, что я стал питаться исключительно фруктами, поститься в день экадаши, соблюдать джанмаштами и подобные праздники.

Я начал с фруктовой диеты, однако с точки зрения воздержания не видел большой разницы между фруктовой и мучной диетами. Я заметил, что и в первом, и во втором случаях возможно одинаковое потворство чревоугодию. Поэтому я придавал большое значению посту по праздникам или приему пищи в эти дни только один раз и с радостью использовал для проведения поста любой повод для епитимии или чего-либо подобного.

Но я также увидел, что поскольку теперь тело истощается гораздо больше, то и пища доставляет большее наслаждение, а аппетит разыгрывается сильнее. Мне пришло в голову, что пост может стать столь же могущественным оружием для потакания своим желаниям, как и для ограничения их. В качестве доказательства этого поразительного факта можно сослаться на многие опыты, проведенные впоследствии мною и моими друзьями. Я хотел усовершенствовать и дисциплинировать свое тело, но, поскольку главная цель теперь состояла в том, чтобы добиться воздержания и покорить свой вкус, я выбирал сначала одну пищу, потом другую, уменьшая в то же время ее рацион. Однако наслаждение преследовало меня. Когда я отказывался от одной пищи, которая мне нравилась, и употреблял другую, то эта последняя доставляла мне новое и гораздо большее удовольствие.

Я проводил опыты вместе с несколькими компаньонами, и прежде всего с Германом Калленбахом. В книге об истории сатьяграхи в Южной Африке я уже писал о нем и здесь не буду повторяться. Мистер Калленбах всегда вместе со мной постился или менял диету. Я жил в его доме, когда движение сатьяграхи было в разгаре. Мы обсуждали с ним изменения в пище, и новая диета доставляла нам гораздо большее удовольствие, чем прежняя. Подобные разговоры в те дни были весьма приятны и не казались неуместными. Однако опыт научил меня, что неправильно руководствоваться удовольствием, выбирая пищу. Есть надо не для того, чтобы усладить вкус, а для поддержания жизненных функций организма. Когда орган чувства помогает организму, а через организм и душе, то исчезает специфическое удовольствие, и тогда сам он начинает функционировать так, как предначертано природой.

Для достижения такого слияния с природой любое количество опытов недостаточно и никакая жертва не является чрезмерной. Но, к сожалению, в наши дни сильно противоположное течение. Мы не стыдимся принести в жертву множество чужих жизней, украшая бренное тело и стараясь продлить его существование на несколько мимолетных мгновений, и в результате убиваем самих себя, свое тело и свою душу. Стараясь залечить одну старую болезнь, мы порождаем сотни новых; стараясь насладиться чувственными удовольствиями, мы в конце концов теряем даже способность к наслаждению. Все это происходит на наших глазах, но нет более слепого, чем тот, кто не желает видеть.

После того как я изложил цель опытов в области диететики и ход мыслей, приведших к ним, я намерен описать эти опыты с некоторыми подробностями.

XXVIII. МУЖЕСТВО КАСТУРБАЙ

Три раза в своей жизни моя жена была близка к смерти вследствие тяжелой болезни. Своим выздоровлением каждый раз она была обязана домашним средствам. В дни ее первой болезни сатьяграха только что началась или должна была начаться. У жены случались частые кровотечения. Врач, бывший нашим другом, посоветовал произвести хирургическую операцию, на которую жена согласилась после некоторых колебаний. Она была чрезвычайно истощена, и операцию пришлось делать без хлороформа. Операция прошла благополучно, но была очень мучительна. Однако Кастурбай вынесла ее с изумительным мужеством. Доктор и его жена ухаживали за ней с исключительной заботливостью. Это происходило в Дурбане. Доктор отпустил меня в Йоханнесбург и сказал, чтобы я не беспокоился о больной.

Однако через несколько дней я получил письмо, что жене хуже, что она очень слаба, не может даже сидеть в постели и однажды впала в беспамятство. Доктор знал, что не имеет права без моего разрешения дать ей вина или мяса. Поэтому он телефонировал мне в Йоханнесбург, прося позволения кормить ее мясным бульоном. Я ответил, что не могу разрешить этого, но, если она в состоянии сама выражать свои желания, надо спросить ее мнение, и она вольна поступить, как хочет.

— Я, — возразил доктор, — отказываюсь спрашивать мнение больной по этому вопросу. Вы должны приехать. Если вы мне не дадите полной свободы предписывать больной диету, я снимаю с себя ответственность за жизнь вашей жены.

В тот же день я выехал поездом в Дурбан. Встретив меня, доктор спокойно сказал:

— Еще до того, как я позвонил вам по телефону, я дал мясного бульона миссис Ганди.

— Доктор, я считаю такой поступок обманом, — ответил я.

— Не может быть речи об обмане, когда дело идет о назначении лекарства или диеты больному. Мы, врачи, считаем нравственно приемлемым обманывать больных или их родственников, если тем самым можем спасти больного, — решительно сказал доктор.

Я был глубоко огорчен, но сохранил хладнокровие. Доктор был хороший человек и мой личный друг. Я считал себя в долгу у него и его жены, но не желал подчиняться его врачебной этике.

— Доктор, скажите, что вы теперь намерены делать? Я никогда не позволю, чтобы жене давали мясную пищу, даже если бы отказ от нее означал смерть. Я разрешу это, только когда она сама согласится на это.

— Мне нет дела до вашей философии, — сказал доктор. — Я говорю вам, что, раз вы поручаете жену мне, я должен быть свободным в выборе того, что ей прописываю. Если вам это не нравится, я, к сожалению, вынужден буду просить вас взять ее от меня. Я не могу видеть, как она будет умирать под моей кровлей.

— Вы хотите сказать, что я должен взять жену немедленно?

— Разве я просил вас взять ее? Я хочу только одного — быть совершенно свободным. Если вы предоставите мне свободу, моя жена и я будем делать все, что в наших силах, для вашей жены, а вы можете ехать обратно, не беспокоясь за ее здоровье. Но если вы не уразумеете этой простой вещи, я вынужден буду попросить вас взять вашу жену из моего дома.

Кажется, один из моих сыновей был вместе со мной. Он был совершенно согласен со мною и сказал, что его матери не следует давать бульона. Затем я поговорил с самой Кастурбай. Она была так слаба, что не следовало бы спрашивать ее мнения. Но я считал своим печальным долгом сделать это. Я рассказал ей, что произошло между доктором и мною. Она решительно ответила:

— Я не буду есть мясного бульона. В этом мире редко приходится родиться в виде человеческого существа, и я предпочитаю умереть на твоих руках, чем осквернить свое тело подобной мерзостью.

Я старался уговорить ее, сказал, что она не обязана следовать по моему пути, указал ей на пример индусских друзей и знакомых, со спокойной совестью употребляющих мясо или вино как врачебное средство. Но она была непреклонна.

— Нет, — сказала она, — пожалуйста, возьми меня отсюда.

Я был в восторге. Не без некоторого волнения я решился увезти ее и уведомил доктора о ее решении. Он воскликнул в бешенстве:

— Какой вы черствый человек! Как вам не стыдно было говорить ей об этом в ее нынешнем положении. Уверяю вас, ваша жена не в таком состоянии, чтобы брать ее отсюда. Она не вынесет и самых легких толчков. Не удивлюсь, если она умрет по дороге. Но если вы все-таки настаиваете, дело ваше. Если вы не согласны давать ей мясного бульона, я не рискну ни дня держать ее у себя.

Итак, мы решили тронуться в путь немедленно. Моросило, а до станции было довольно далеко. Нужно было ехать поездом от Дурбана до Феникса, откуда до нашей колонии было еще две с половиной мили. Я, конечно, взял на себя очень большой риск, но уповал на Бога.

Я послал вперед в Феникс человека и предупредил Уэста, чтобы он встретил нас на станции с гамаком, бутылкой горячего молока, бутылкой горячей воды и шестью людьми, чтобы нести Кастурбай в гамаке. Чтобы поспеть с ней к ближайшему поезду, я нанял рикшу, положил ее в коляску, и мы отправились.

Кастурбай была в тяжелом состоянии, но не нуждалась в ободрениях. Наоборот, она сама утешала меня, приговаривая:

— Ничего со мной не случится. Не беспокойся.

От нее остались кожа да кости, так как в течение многих дней она не принимала пищи. Станционная платформа была огромной, и требовалось пройти порядочное расстояние до поезда. Рикша не имел туда доступа, поэтому я взял жену на руки и донес до вагона. Из Феникса мы несли ее в гамаке. В колонии она постепенно стала набирать силы благодаря гидропатическому лечению.

Через два или три дня после нашего прибытия в Феникс к нам забрел свами. Он узнал о той решительности и твердости, с которой мы отвергли совет врача, и пришел к нам из чувства сострадания, чтобы убедить нас в нашей неправоте. Насколько помнится, когда свами вошел к нам, в комнате находились мои сыновья Манилал и Рамдас. Он разглагольствовал о том, что религия не запрещает употреблять мясо, ссылаясь при этом на авторитеты из «Ману». Мне не нравилось, что он затеял этот спор в присутствии жены, но из вежливости я терпел его. Я знал эти строки из «Манусмрити», и они не могли повлиять на мои убеждения. Я знал также, что одна школа рассматривала эти строки как интерполяции, но даже если они и были бы подлинными, то это не имело в данном случае значения, так как мои взгляды в отношении вегетарианства не зависели от религиозных текстов, а вера Кастурбай была непоколебима. Священные тексты являлись для нее книгами за семью печатями, но она строго придерживалась традиционной религии своих праотцов. Дети разделяли веру отца, и поэтому не приняли всерьез доказательства свами. Но Кастурбай вмешалась и прервала монолог.

— Свамиджи, — сказала она, — что бы вы ни говорили, я не хочу исцелиться при помощи мясного бульона. Пожалуйста, не тревожьте меня больше. Если вам угодно, можете обсуждать этот вопрос с мужем и детьми. А я уже приняла решение.

XXIX. ДОМАШНЯЯ САТЬЯГРАХА

Мой первый опыт жизни в тюрьме относится к 1908 г. Я увидел, что некоторые предписания для заключенных совпадают с правилами, которые добровольно соблюдает брахмачари. Таким, например, было предписание, чтобы последний прием пищи заканчивался до захода солнца. Заключенным — и индийцам, и африканцам — не разрешалось пить чай и кофе. Они могли, если хотели, добавлять соль в приготовленную пищу, но не разрешалось употреблять приправы. Когда я попросил тюремного врача дать мне карри и разрешить солить пищу во время ее приготовления, он ответил:

— Вы здесь не затем, чтобы услаждать свой вкус. Карри для здоровья не обязательна, и совершенно безразлично, солите вы свою еду во время ее приготовления или после.

В конце концов эти ограничения были отменены, хотя и не без борьбы, но два предписания — запрещение пить чай и заканчивать прием пищи до захода солнца — представляли собой полезные правила самовоздержания. Навязанные запрещения редко достигают цели, но, когда сам налагаешь их на себя, они определенно имеют благотворный эффект. Поэтому тотчас по освобождении из тюрьмы я стал приучать себя не пить чай и ужинать до захода солнца. Сейчас соблюдение этих правил не требует от меня никаких усилий.

Однажды произошел случай, побудивший меня совершенно отказаться от соли, и я не употреблял ее целых десять лет. В книгах по вегетарианству я прочел, что соль не является необходимым компонентом пищи человека и даже наоборот: диета без соли полезнее для здоровья. Я сделал отсюда вывод, что брахмачари не следует солить пищу. Я читал и понял на собственном опыте, что люди слабого здоровья не должны употреблять в пищу бобовых. Сам я очень любил их.

Случилось, что Кастурбай после краткой передышки в результате операции опять стала страдать кровотечением. Болезнь была очень упорна. Водолечение перестало помогать. Она не очень верила в мое лечение, хотя и не противилась ему. Однако она и не думала искать помощи со стороны. Когда все мои средства оказались тщетными, я предложил ей отказаться от соли и бобовых. Она не соглашалась, как я ее ни уговаривал, подкрепляя свои слова ссылкой на авторитеты. Кончилось тем, что она бросила мне упрек, сказав, что даже я не смог бы отказаться от этих пищевых продуктов, если бы мне посоветовали сделать это. Я был опечален и вместе с тем обрадован тому, что могу доказать ей свою любовь, и сказал:

— Ты ошибаешься. Если бы я был нездоров и врач посоветовал бы мне отказаться от этой или какой-нибудь другой пищи, я бы не колеблясь сделал это. Так вот: даже не будучи побуждаем к этому медицинскими соображениями, я отказываюсь на годичный срок от соли и бобовых независимо от того, сделаешь ты то же самое или нет.

Она была потрясена и воскликнула в глубокой скорби:

— Умоляю тебя, прости меня. Зная тебя, я не должна была бы вызывать тебя на это. Обещаю тебе отказаться от этих вещей, но, ради неба, возьми обратно свой обет. Это слишком для меня тяжело.

— Для тебя будет очень хорошо отказаться от этих продуктов, — сказал я. — У меня нет ни малейшего сомнения в том, что тебе станет лучше, когда ты это сделаешь. Что касается меня, то я не могу пренебречь обетом, данным мною с полной серьезностью. И наверно, это будет полезно для меня, ибо всякое воздержание, чем бы оно ни было вызвано, благодетельно для человека. Поэтому не беспокойся обо мне. Это будет для меня испытанием, а для тебя нравственной поддержкой в осуществлении твоего решения.

Она перестала настаивать.

— Ты слишком упрям. Ты больше ничего слушать не будешь, — сказала она и искала утешения в слезах.

Мне захотелось рассказать об этом случае, как о примере сатьяграхи и как об одном из сладостных воспоминаний моей жизни.

После этого Кастурбай стала быстро поправляться. Помог ли ей отказ от соли и бобовых, или иные изменения в диете, а может быть, мое зоркое наблюдение за строгим выполнением других правил жизни, или же, наконец, душевный подъем, вызванный этим случаем, и если все это оказало на нее воздействие, то в какой именно степени — я сказать не могу. Но она скоро выздоровела, кровотечения прекратились совершенно, а репутация моя как знахаря еще более укрепилась.

Что касается меня, то я только выиграл от нового ограничения. Я никогда не жалел о том, от чего отказывался.

Прошел год, и я еще больше научился владеть своими чувствами. Этот опыт способствовал развитию наклонности к самовоздержанию. Долгое время спустя, уже по возвращении в Индию, я продолжал отказываться от употребления в пищу этих продуктов. Только в Лондоне в 1914 г. я нарушил свое правило. Но об этом случае и о том, как я вновь стал употреблять в пищу соль и бобовые, расскажу в одной из последующих глав.

В Южной Африке я испытывал диету без соли и без бобовых на многих своих товарищах по работе, и результаты всегда были хорошие. С медицинской точки зрения могут быть различные мнения относительно целесообразности этой диеты, но с моральной точки зрения у меня нет сомнений, что для души человека полезно любое самоограничение. Диета ограничивающего себя человека должна отличаться от диеты человека, ищущего удовольствий, точно так же, как различаются их жизненные пути. Тот, кто стремится к брахмачарии, часто наносит ущерб своей собственной цели, избирая путь приятной жизни.

XXX. К САМОВОЗДЕРЖАНИЮ

В последней главе я рассказал, каким образом болезнь Кастурбай способствовала проведению некоторых изменений в моей диете. В последующий период я вновь изменял свою диету с целью облегчить соблюдение обета брахмачарии.

Первым из этих изменений был отказ от молока. От Райчандбхая я узнал, что употребление молока способствует развитию животной страсти. В книгах по вегетарианству я нашел подтверждение этому положению, но до принятия обета брахмачарии я не мог решиться отказаться от молока. Я давно понял, что оно не является необходимым продуктом для поддержания организма, но отказаться от него было нелегко. В то время когда мною все больше овладевало сознание необходимости в интересах самовоздержания не употреблять в пищу молока, я случайно натолкнулся на книжку из Калькутты, в которой описывались мучения, которым подвергали коров и буйволов их хозяева. Эта книжка оказала на меня удивительное влияние. Я разговорился о ней с мистером Калленбахом.

Хотя я рассказал о мистере Калленбахе читателям моей книги об истории сатьяграхи в Южной Африке и уже упоминал о нем в одной из предыдущих глав, я думаю, что здесь необходимо сказать о нем кое-что еще. Мы встретились совершенно случайно. Он был другом мистера Хана, который, открыв в нем нечто неземное, представил его мне.

Когда я познакомился с мистером Калленбахом, то был поражен его расточительностью и любовью к роскоши. Но при первой же нашей встрече он пытливо интересовался вопросами религии. Случайно мы заговорили о самоотречении Будды Гаутамы. Поскольку мы думали одинаково и поскольку он был убежден, что должен осуществить в своей жизни те изменения, которые я производил в моей, наше знакомство вскоре переросло в очень близкие дружественные отношения.

Ко времени встречи со мной он тратил на себя тысячу двести рупий в месяц, помимо квартирной платы, хотя жил один. Теперь он стал вести такой простой образ жизни, что его расходы сократились до ста двадцати рупий в месяц. После того как я ликвидировал свое хозяйство и вышел из тюрьмы, мы поселились вместе. Именно тогда и произошел наш разговор о молоке. Мистер Калленбах сказал:

— Мы все время говорим о вредном воздействии молока. Почему бы нам не отказаться от него? Без молока определенно можно обойтись.

Я был приятно удивлен этим предложением и тепло воспринял его. Мы оба тотчас же поклялись отказаться от молока. Это произошло в 1912 г. на ферме Толстого.

Однако это не вполне удовлетворило меня. Вскоре я решил жить исключительно на фруктовой диете и употреблять в пищу по возможности самые дешевые фрукты. Мы хотели жить так, как живут самые бедные люди.

Фруктовая диета оказалась очень удобной. С приготовлением пищи было практически покончено. Сырые земляные орехи, бананы, финики, лимоны и оливковое масло составляли наше обычное меню.

Я должен, однако, предостеречь тех, кто стремится стать брахмачари. Хотя я выявил тесную связь между диетой и брахмачарией, очевидно, основное — это разум. Постом нельзя очистить преисполненный грязных намерений дух. Изменения в диете не оказывают на него никакого влияния. Похотливость ума нельзя искоренить иначе, как путем упорного самоанализа, посвящения себя Богу и, наконец, молитвы. Однако между духом и телом существует тесная связь, и плотский дух всегда жаждет лакомств и роскоши. Ограничения в диете и пост необходимы, чтобы избавиться от этих склонностей. Вместо того чтобы контролировать чувства, плотский дух становится рабом этих чувств, и поэтому тело всегда нуждается в чистой, невозбуждающей пище и периодических постах.

Тот, кто пренебрегает ограничениями в диете и постами, так же глубоко заблуждается, как и тот, кто полагается только на них. Мой опыт учит меня, что для того, чей разум стремится к самовоздержанию, пост и ограничения в диете очень полезны. Без их помощи нельзя полностью освободить разум от похотливости.

XXXI. ПОСТ

Примерно в то время, когда я отказался от молока и мучного и перешел к фруктовой диете, я начал прибегать к посту как к средству самовоздержания. Мистер Калленбах и здесь присоединился ко мне. Я и раньше время от времени прибегал к посту, но исключительно ради здоровья. То, что пост необходим для самовоздержания, я узнал от одного своего приятеля.

Родившись в семье вишнуитов от матери, которая соблюдала всевозможные трудные обеты, я еще в Индии соблюдал экадаши и другие посты, но делал это, просто подражая матери и старясь угодить родителям.

В то время я не понимал действенности поста и не верил в нее. Но, увидев, что мой приятель, о котором я упомянул выше, соблюдает пост с пользой для себя, надеясь поддержать обет брахмачарии, я последовал его примеру и начал соблюдать пост экадаши. Индусы, как правило, позволяют себе в день поста молоко и фрукты, но такой пост я соблюдал ежедневно. Поэтому, постясь, я разрешал теперь себе только воду.

Случилось так, что, когда я приступил к этому опыту, индусский месяц шраван совпал с мусульманским месяцем Рамазаном. Семья Ганди обычно соблюдала обеты не только вишнуитов, но и шиваитов и посещала и вишнуитские, и шиваитские храмы. Некоторые члены семьи соблюдали прадоша на протяжении всего месяца шраван. Я решил поступать так же.

Эти важные опыты проводились на ферме Толстого, где мистер Калленбах и я проживали вместе с несколькими сатьяграхскими семьями, включая молодежь и детей. Для детей у нас была школа. Среди них было четверо или пятеро мусульман. Я всегда помогал им соблюдать религиозные обряды и поощрял их к этому. Я наблюдал за тем, чтобы они ежедневно совершали свой намаз. Мальчиков — христиан и парсов я считал своим долгом поощрять к соблюдению их религиозных обрядов.

Я убедил мальчиков в течение этого месяца соблюдать пост Рамазана. Сам я еще раньше решил соблюдать *прадоша,* но теперь предложил мальчикам — индусам, парсам и христианам следовать моему примеру. Я объяснил им, что всегда полезно присоединиться к другим в любом деле самоотречения. Многие жители фермы приветствовали мое предложение. Мальчики — индусы и парсы не подражали во всем мальчикам-мусульманам; в этом не было необходимости. Мальчики-мусульмане должны были завтракать только после захода солнца, в то время как другим не надо было соблюдать этого правила, и они могли готовить лакомства для своих друзей-мусульман и оказывать им различные услуги. Кроме того, индусские и другие мальчики не обязаны были находиться вместе с мусульманами во время их последнего приема пищи перед восходом солнца по утрам; и, конечно, все, за исключением мусульман, позволяли себе пить воду.

В результате проведенных опытов все убедились в благодетельности поста, и у мальчиков развилось прекрасное чувство сотрудничества.

Я должен с благодарностью отметить, что на ферме Толстого вследствие готовности уважать мои чувства все были вегетарианцами. Мусульманским мальчикам пришлось отказаться от мясной пищи в течение Рамазана, но никто из них никогда не напоминал мне об этом. Они с удовольствием ели вегетарианскую пищу, а индусские мальчики часто готовили для них вегетарианские лакомства, соответствовавшие простому образу жизни на ферме.

Я намеренно отклонился от темы главы о посте, поскольку нигде в другом месте не мог поделиться этими приятными воспоминаниями: таким путем я косвенно описал присущую мне черту, а именно: я любил, когда мои товарищи по работе присоединялись ко мне во всем, что казалось мне хорошим. Они не были привычны к постам, но благодаря постам прадоши и Рамазану мне было нетрудно вызвать у них интерес к посту как средству самовоздержания.

Таким образом, на ферме естественно возникла атмосфера самовоздержания. Все жители фермы стали присоединяться к нам в соблюдении частичных или полных постов, что, по моему убеждению, пошло им только на пользу. Я не могу вполне определенно сказать, насколько глубоко затронуло их душу такое самоотрешение и насколько оно помогло им подчинить себе плоть. Но что касается меня, то я убежден, что от всего этого я много выиграл как физически, так и морально. Однако, насколько мне известно, из этого вовсе не следует, что пост и подобное умерщвление плоти обязательно окажут такое же воздействие и на других.

Пост, если он предпринимается с целью самовоздержания, может помочь обуздать животную страсть. Некоторые же мои друзья обнаружили, что последствием поста является возбуждение животной страсти и развитие чревоугодия. Иначе говоря, пост бесполезен, если он не сопровождается непрекращающимся стремлением к самовоздержанию. Заслуживают упоминания в этой связи известные стихи из второй главы «Бхагаватгиты»:

> Для человека, который постом смиряет чувства,
> Внешне чувственные объекты исчезают,
> Оставляя томление; но когда
> Он увидел Всевышнего,
> Даже томление исчезает.

Пост и через него умерщвление плоти представляют собой, следовательно, одно из средств, служащее целям самовоздержания. Но это не все, и если физический пост не сопровождается духовным, он обязательно превратится в лицемерие или приведет к болезни.

XXXII. В КАЧЕСТВЕ УЧИТЕЛЯ

Надеюсь, читатель помнит, что в этих главах я рассказываю лишь о том, о чем не упоминается или упоминается вскользь в моей книге об истории сатьяграхи в Южной Африке. Поэтому он легко установит связь между последними главами.

Ферма разрасталась, и оказалось необходимым как-то наладить обучение детей. Среди них были мальчики — индусы, мусульмане, парсы и христиане и несколько девочек-индусок.

Было невозможно, да я и не считал нужным, нанимать для них специальных учителей. Невозможно потому, что квалифицированные индийские учителя встречались редко, а если бы их и удалось найти, то никто из них не согласился бы за небольшое жалованье отправиться в местечко в двадцати одной миле от Йоханнесбурга. К тому же у нас, конечно, не было избытка в средствах. Кроме того, я не считал нужным брать на ферму учителей со стороны, так как не верил в разумность существовавшей системы образования и задумал посредством экспериментов и личного опыта найти правильную систему. Я знал твердо только одно — при идеальных условиях правильное образование могут дать только родители, а помощь со стороны в этом деле должна быть сведена до минимума.

Ферма Толстого представляла собой семью, в которой я занимал место отца и по возможности должен был взять на себя ответственность за обучение молодежи.

Несомненно, этот замысел не был лишен своих недостатков. Молодые люди не жили со мной с самого детства, они воспитывались в различных условиях и разной среде и имели разное вероисповедание. Разве мог я полностью оценить по достоинству этих молодых людей, поставленных в новые условия, даже и взяв на себя роль отца семейства?

Но я всегда отводил первое место воспитанию души или формированию характера, и поскольку я был убежден, что всех молодых людей в равной степени, независимо от их возраста и наклонностей, можно научить правилам морального поведения, то я решил находиться вместе с ними круглые сутки как отец. Я считал формирование характера основой воспитания и был уверен, что если эта основа будет прочно заложена, то дети — сами или с помощью друзей — смогут научиться всему остальному.

Однако поскольку наряду с этим я всецело понимал необходимость дать детям и общее образование, то с помощью мистера Калленбаха и адвоката Праграджи Десайя организовал несколько классов. Я также понимал и значение физического воспитания. Физическую закалку дети получали, выполняя свои ежедневные обязанности. На ферме не было слуг, и всю работу, начиная с приготовления пищи и кончая уборкой мусора, делали жители фермы. Надо было ухаживать за фруктовыми деревьями и вообще возиться в саду. Мистер Калленбах очень любил садовые работы и приобрел некоторый опыт в этом деле в одном из правительственных образцовых садов. И стар и млад — все, кто не был занят на кухне, обязаны были уделять некоторое время садовым работам. Дети копали ямы, рубили сучья и переносили тяжести. Таким образом, физических упражнений было достаточно. Дети находили удовольствие в работе, и поэтому им обычно не требовались другие упражнения или игры. Конечно, некоторые из них, а подчас и многие, притворялись больными и увиливали от дел. Иногда я смотрел сквозь пальцы на их проказы, но чаще был строг. Я полагаю, что строгость им не нравилась, но не помню, чтобы они противились мне. Когда я бывал строг, я доказывал им, что неправильно бросать работу ради забавы. Однако убеждения действовали на них ненадолго: вскоре они вновь бросали работу и начинали играть. Тем не менее мы справлялись с делом и во всяком случае дети, жившие в ашраме, прекрасно развились физически. На ферме болели очень редко. Конечно, немалую роль здесь сыграли хороший воздух и вода, а также соблюдение режима.

Несколько слов о профессиональном обучении. Я намеревался научить каждого мальчика какой-нибудь полезной профессии работника физического труда. С этой целью мистер Калленбах отправился в траппистский монастырь и вернулся оттуда, изучив сапожное ремесло. От него это ремесло перенял я, а затем стал сам обучать желающих. У мистера Калленбаха был некоторый опыт работы плотника, и на ферме нашелся еще один человек, который знал плотничье дело. Мы создали небольшую группу, которая училась плотничать. Почти все дети умели готовить пищу.

Все это было им в новинку. Они и не думали, что придется учиться таким вещам. Ведь обычно в Южной Африке индийских детей обучали только чтению, письму и арифметике.

На ферме Толстого установилось правило — не требовать от мальчика того, чего не делает учитель, и поэтому когда детей просили выполнить какую-нибудь работу, то с ними всегда сотрудничал и действительно работал учитель. Поэтому дети всему обучались с удовольствием.

Об общем образовании и формировании характеров следует рассказать в самостоятельной главе.

XXXIII. ОБЩЕЕ ОБРАЗОВАНИЕ

В предыдущей главе мы видели, каким образом на ферме Толстого осуществлялось физическое обучение и от случая к случаю обучение профессиональное. Несмотря на то что постановка физического и профессионального обучения едва ли могла удовлетворить меня, все же можно сказать, что оно было более или менее успешным.

Однако дать детям общее образование было делом гораздо более трудным. Я не имел ни возможностей, ни необходимой подготовки для этого. Физическая работа, которую я выполнял обычно к концу дня, чрезвычайно утомляла меня, и заниматься с классом приходилось как раз тогда, когда мне больше всего требовался отдых. Вместо того чтобы приходить в класс со свежими силами, я с большим трудом превозмогал дремоту. Утреннее время надо было посвящать работе на ферме и выполнению домашних обязанностей, поэтому школьные занятия проводились после полуденного приема пищи. Другого подходящего времени найти не удавалось.

Общеобразовательным предметам мы отводили самое большее по три урока в день. Преподавались языки хинди, гуджарати, урду и тамильский, обучение велось на родных языках. Преподавался также английский язык. Кроме того, гуджаратских индусских детей нужно было немного ознакомить с санскритом, а всем детям дать начальные познания по истории, географии и арифметике.

Я взялся преподавать языки тамили и урду. Те немногие познания в тамильском языке, какие у меня были, я приобрел во время морских путешествий и в тюрьме. Но в своих занятиях я не пошел дальше прекрасного учебника тамильского языка Поупа. Все свои познания в письменности урду я приобрел во время одной поездки по морю, а мое знание разговорного языка ограничивалось персидскими и арабскими словами, которые я узнал от знакомых мусульман. О санскрите я знал не больше того, чему научился в средней школе, даже мои познания в гуджарати были не лучше тех, какие получают в школе.

Таков был капитал, с которым мне пришлось начать преподавание. По бедности общеобразовательной подготовки мои коллеги превзошли меня. Но любовь к языкам родины, уверенность в своих способностях как учителя, а также невежество учеников и, более того, их великодушие сослужили мне службу.

Все мальчики-тамилы родились в Южной Африке и поэтому очень слабо знали родной язык, а письменностью не владели вовсе. Мне пришлось учить их письму и основам грамматики. Это было довольно легко. Мои ученики знали, что в разговоре по-тамильски превосходят меня, и, когда меня навещали тамилы, не знавшие английского языка, ученики становились моими переводчиками. Я весело справлялся со своим делом потому, что никогда не пытался скрыть свое невежество от учеников. Во всем я являлся им точно таким, каким был на самом деле. Поэтому, несмотря на свое колоссальное невежество в языке, я не утратил их любви и уважения. Сравнительно легче было обучать мальчиков-мусульман языку урду. Они знали письмо. Я должен был только пробудить у них интерес к чтению и улучшить их почерк.

Большинство детей были неграмотными и недисциплинированными. Но в процессе своей работы я обнаружил, что мне приходится очень немногому учить их, если не считать того, что я должен был отучать их от лени и наблюдать за их занятиями. Поскольку с этим я вполне справлялся, то я стал собирать в одной комнате детей разных возрастов, изучавших различные предметы.

В учебниках я никогда не испытывал потребности. Не помню, чтобы я извлек много пользы из книг, находившихся в моем распоряжении. Я считал совершенно ненужным обременять детей большим числом книг и всегда чувствовал, что истинным учебником для ученика является его учитель. Я помню очень немногое из того, чему мои учителя учили меня при помощи книг, но до сих пор свежи в памяти вещи, которым они научили меня помимо книг.

Дети усваивают на слух гораздо больше и с меньшим трудом, чем зрительно. Не помню, чтобы мы с мальчиками прочли хоть одну книгу от корки до корки. Но я рассказывал им то, что сам усвоил из различных книг, и мне представляется, что они до сих пор не забыли этого. Дети с трудом вспоминали то, что выучили в книгах, но услышанное от меня могли повторить легко. Чтение было для них заданием, а слушание моих рассказов, если мне удавалось сделать мой предмет интересным, — удовольствием. А по вопросам, которые они мне задавали в результате таких бесед, я судил об их способности понимать.

XXXIV. ВОСПИТАНИЕ ДУХА

Духовное воспитание мальчиков представляло собой гораздо более трудное дело, чем их физическое и умственное обучение. Я мало полагался на религиозные книги в деле воспитания духа. Конечно, я считал, что каждый ученик должен познакомиться с основами своей религии и иметь общее представление о Священном Писании, и поэтому делал все, что мог, стараясь дать детям такие знания. Но это, по моему мнению, составляло лишь часть интеллектуального обучения. Задолго до того, как я взялся за обучение детей на ферме Толстого, я понял, что воспитание духа — особая задача. Развить дух — значит сформировать характер и подготовить человека к работе в направлении познания Бога и самопознания. Я был убежден: любое обучение без воспитания духа не приносит пользы и может даже оказаться вредным.

Мне известен предрассудок, что самопознание возможно лишь на четвертой ступени жизни, т. е. на ступени саньяси. Однако все знают, что тот, кто откладывает приготовление к этому бесценному опыту до последней ступени жизни, достигает не самопознания, а старости, которая равнозначна второму, но уже несчастному детству, и влачит жалкое существование на этом свете. Я хорошо помню, что придерживался этих взглядов уже в то время, когда занимался преподаванием, т. е. в 1911—1912 гг., хотя, возможно, тогда и не выражал эти идеи точно такими же словами.

Каким же образом можно дать детям духовное воспитание? Я заставлял детей запоминать и повторять наизусть гимны, читал им нравоучительные книги. Но все это меня далеко не удовлетворяло. Больше сблизившись с детьми, я понял, что не при помощи книг надо воспитывать дух. Подобно тому как для физического обучения необходимы физические упражнения, а для интеллектуального — упражнения интеллекта, воспитание духа возможно только путем упражнений. Выбор этих упражнений целиком зависит от образа жизни и характера учителя. Учитель всегда должен соблюдать осторожность независимо от того, находится ли он среди своих учеников или нет.

Учитель может своим образом жизни воздействовать на дух учеников, даже если живет за несколько миль от них. Будь я лжецом, я не смог бы научить мальчиков говорить правду. Трусливому учителю никогда не удастся сделать своих учеников храбрыми, а человек, чуждый самовоздержанию, никогда не научит учеников ценить благодетельность самовоздержания. Я понял, что неизменно должен быть наглядным примером для мальчиков и девочек, живущих вместе со мной. Таким образом, они стали моими учителями, и я знал, что обязан быть добропорядочным и честным хотя бы ради них. Мне кажется, что растущая моя самодисциплинированность и ограничения, которые я накладывал на себя на ферме Толстого, являлись по большей части результатом воздействия на меня моих подопечных.

Один из юношей был крайне невоздержан, непослушен, лжив и задирист. Однажды он разошелся сверх всякой меры. Я был раздражен. Я никогда не наказывал учеников, но на этот раз очень рассердился. Я пытался урезонить его. Но он меня не слушал и даже пытался перечить. В конце концов я схватил попавшуюся мне под руку линейку и ударил его по руке. Я весь дрожал, когда бил его. Он заметил мое состояние. Для всех детей мое поведение было совершенно необычным. Юноша заплакал и стал просить прощения. Он плакал не от боли; он мог бы отплатить мне тем же (это был плотно сложенный семнадцатилетний юноша); но он понял, как я страдаю от того, что приходится прибегать к насилию. После этого случая мальчик никогда больше не смел ослушаться меня. Но я до сих пор сожалею, что прибег к насилию. Боюсь, что в тот день раскрыл перед ним не свой дух, а грубые животные инстинкты.

Я всегда был противником телесных наказаний. Помню только один случай, когда побил одного из своих сыновей. Поэтому до сего дня не могу решить, был ли прав, ударив того юношу линейкой. Вероятно, нет, так как это действие было продиктовано гневом и желанием наказать. Если бы в этом поступке выразились только мои страдания, я считал бы его оправданным. Но в данном случае побудительные мотивы были весьма различны.

Этот случай заставил меня подумать о более правильном методе исправления учеников. Не знаю, принес ли пользу примененный мною метод. Юноша вскоре забыл об инциденте, и нельзя сказать, чтобы его поведение значительно улучшилось. Но я глубже осознал обязанности учителя по отношению к ученикам.

Мальчики и после часто совершали проступки, но я никогда не прибегал к телесным наказаниям. Таким образом, воспитывая детей, живших со мной, я постигал силу духа.

XXXV. ПЛЕВЕЛЫ В ПШЕНИЦЕ

Именно на ферме Толстого мистер Калленбах обратил мое внимание на проблему, которая раньше для меня не существовала. Как я уже говорил, некоторые мальчики были испорчены и непослушны. Были и лентяи. Три моих сына, как и все другие дети, ежедневно общались с ними. Это обеспокоило мистера Калленбаха. По его мнению, именно *моим* детям не следовало находиться с непослушными мальчиками. Однажды он сказал:

— Мне не нравится, что вы позволяете вашим детям общаться с испорченными детьми. Это может привести к тому, что плохая компания испортит и их.

Не помню, озадачил ли он меня тогда этим вопросом, но я ответил следующее:

— Разве я могу относиться по-разному к своим сыновьям и к этим бездельникам. Я одинаково в ответе за тех и других, так как сам пригласил их сюда. Если бы я дал этим бездельникам немного денег, они, конечно, тотчас убежали бы в Йоханнесбург и вернулись к своим прежним занятиям. По правде говоря, вполне возможно, что они и их наставники считают, что, приехав сюда, они тем самым наложили на меня определенное обязательство. Мы с вами очень хорошо знаем, что им здесь приходится мириться с большими неудобствами. Но мой долг ясен: воспитывать их, и поэтому мои сыновья в силу необходимости должны жить вместе с ними. Надеюсь, вы не хотите, чтобы я отныне стал прививать своим сыновьям чувство превосходства над другими мальчиками. Это означало бы сбить их с правильного пути. Общение с детьми будет хорошей школой для них. Они сами научатся отличать добро от зла. Ведь можно предположить, что, если в них действительно заложено что-то хорошее, они обязательно повлияют на товарищей. Но как бы там ни было, я не могу держать своих сыновей отдельно, и если это влечет за собой известный риск, приходится на него пойти.

Мистер Калленбах покачал головой.

Нельзя сказать, чтобы в результате такого общения мои сыновья стали хуже. Напротив, я вижу, что они кое-что от него приобрели. Чувство превосходства, если оно и было у них, вскоре исчезло, и они научились бывать в обществе самых разных детей. Пройдя через испытание, они стали более дисциплинированны.

Этот и аналогичные опыты показали мне, что если учить хороших детей совместно с плохими и позволить хорошим детям водиться с плохими, то они ничего не потеряют при условии, что опыт будет проводиться под бдительным наблюдением родителей и наставников. Даже при тщательном надзоре дети не всегда гарантированы от всякого рода соблазнов и порчи.

Однако несомненно, что, когда мальчики и девочки, воспитанные по-разному, живут и обучаются совместно, их родители и учителя подвергаются самому суровому испытанию. Они должны быть постоянно бдительны.

XXXVI. ПОСТ КАК ЕПИТИМИЯ

С каждым днем мне становилось все более ясным, насколько трудно правильно воспитывать и обучать мальчиков и девочек. Чтобы стать настоящим учителем и наставником, я должен завоевать их сердца, разделять их радости и печали, помогать решать те проблемы, с которыми они сталкивались, и направлять в правильное русло беспокойные устремления юности.

Когда были освобождены из тюрьмы участники сатьяграхи, почти все обитатели фермы Толстого покинули ее. Немногие оставшиеся на ферме в основном были колонистами из Феникса. Поэтому я переселил всех в Феникс. Здесь мне пришлось пройти через тяжкое испытание.

Мне приходилось разъезжать между Йоханнесбургом и Фениксом. Однажды, находясь в Йоханнесбурге, я получил известие о нравственном падении двух жителей ашрама. Известие о поражении или победе движения сатьяграхи не удивило бы меня, но эта новость поразила как гром. В тот же день я выехал поездом в Феникс. Мистер

Калленбах настоял на своем желании сопровождать меня. Он видел, в каком состоянии я находился, и не допускал мысли, чтобы я поехал один, тем более что именно он передал мне известие, столь расстроившее меня.

Когда я ехал в Феникс, казалось, я знал, как следует поступить. Я чувствовал, что наставник или учитель несет ответственность за падение подопечного или ученика. Жена уже предупреждала меня однажды относительно этого дела, но, будучи доверчив по натуре, я пренебрег ее предостережением. Я чувствовал, что единственный путь заставить виновных понять мое страдание и глубину их падения — это прибегнуть к какой-нибудь епитимии. И я решил поститься семь дней, а на протяжении четырех с половиной месяцев принимать пищу только раз в день. Мистер Калленбах пытался отговорить меня, но напрасно. В конце концов он признал правильность моего поступка и настоял на том, чтобы присоединиться ко мне. Я не мог противиться этому открытому выражению любви.

Принятие обета сняло тяжесть с моей души, и я почувствовал огромное облегчение. Гнев против провинившихся утих, уступив место чувству жалости к ним. Таким образом, я приехал в Феникс, значительно успокоившись. Я произвел дальнейшее расследование и познакомился еще с некоторыми подробностями, которые мне нужно было знать.

Моя епитимия огорчила всех, но вместе с тем прояснила атмосферу. Каждый понял, как ужасно совершить грех, и узы, связывавшие меня с детьми, стали крепче и искреннее.

Обстоятельства, сложившиеся в результате этого инцидента, вынудили меня несколько позже поститься на протяжении двух недель. Результаты этого поста превзошли даже мои ожидания.

Моя цель состоит не в том, чтобы доказать на основе этих инцидентов, что долг учителя прибегать к посту в тех случаях, когда ученики совершают проступки. Я считаю, что в некоторых случаях требуется такое решительное средство. Но оно предполагает проницательность и силу духа. Там, где нет подлинной любви между учителем и учеником, где проступок ученика не задевает за живое учителя, а ученик не уважает учителя, пост не нужен. Таким образом, если необходимость соблюдения поста в подобных случаях сомнительна, ответственность учителя за ошибки учеников всегда несомненна.

Первая епитимия оказалась нетрудной для нас обоих. Я продолжал заниматься обычной своей работой. В течение всего периода епитимии я строго придерживался фруктовой диеты. Последние дни второго поста были для меня очень тяжелы. Тогда я не понимал полностью чудесного воздействия «Рамаяны», и вследствие этого моя способность переносить страдания была меньше. Кроме того, я не знал техники поста, в частности не знал, что необходимо пить много воды, как бы это отвратительно и противно ни было. В то время тот факт, что я очень легко перенес первый пост, сделал меня довольно беззаботным в отношении второго. Так, в течение первого поста я ежедневно принимал ванны Куне, а во время второго поста я на второй или на третий день перестал принимать их; я мало пил воды, так как это было противно и вызывало тошноту. Горло пересохло, и последние дни поста я мог говорить только шепотом. Однако, несмотря на это, я продолжал работу и диктовал письма, я регулярно слушал чтение отрывков из «Рамаяны» и других священных книг. У меня было даже достаточно сил, чтобы обсуждать насущные вопросы и давать советы.

XXXVII. ПЕРЕД СВИДАНИЕМ С ГОКХАЛЕ

Я должен опустить многие из своих воспоминаний о жизни в Южной Африке.

По окончании движения сатьяграхи, в 1914 г., я получил от Гокхале указание вернуться на родину, побывав предварительно в Лондоне. В июле Кастурбай, Калленбах и я отправились в Англию.

Во время сатьяграхи я ездил только в третьем классе. Поэтому и в данном случае я взял билеты третьего класса. Между условиями путешествия в третьем классе на пароходе этой линии и условиями на индийских каботажных судах и в железнодорожных поездах огромная разница. На индийских кораблях едва хватало мест для сидения, еще меньше для спанья и было очень грязно. На пароходе, направлявшемся в Лондон, было достаточно просторно и чисто, и, кроме того, пароходная компания предоставила нам специальные удобства. В нашем распоряжении был отдельный клозет, а пароходный буфетчик, зная, как мы привыкли питаться, распорядился снабжать нас фруктами и орехами. Как правило, пассажиры третьего класса почти не получали их. Благодаря этим удобствам все восемнадцать дней плавания были весьма приятными.

Кое-что из происшедшего с нами во время путешествия достойно быть отмеченным. Мистеру Калленбаху очень нравились бинокли, и у него были два очень дорогих бинокля. Об одном из них мы вели ежедневно дискуссии. Я старался ему доказать, что владение такой дорогой вещью не соответствует тому идеалу простоты, которого мы мечтали достигнуть. Как-то раз мы ожесточенно спорили на эту тему, стоя у иллюминатора нашей каюты.

— Вместо того чтобы делать из них яблоко раздора между нами, не лучше ли бросить их в море и разом все кончить? — спросил я.

— Конечно, выбросите эти проклятые вещи, — ответил Калленбах.

— Я так и сделаю, — сказал я.

— Прекрасно, — последовал быстрый ответ.

Я бросил бинокли в море. Они стоили фунтов семь, но ценность их определялась не столько ценой, сколько пристрастием мистера Калленбаха к ним. Но, освободившись от них, он не раскаивался в этом.

Таков был один из многих инцидентов, происшедших между мной и мистером Калленбахом.

Ежедневно мы узнавали что-нибудь новое, так как оба стремились идти путем истины. В поисках истины, естественно, исчезают гнев, эгоизм, ненависть и т. п. Иначе истина была бы недостижима. Человек, который руководствуется страстью, может иметь вполне благие намерения, может быть правдив на словах, но никогда не найдет истины.

Успешные поиски истины означают полное освобождение от взаимно противоположных чувств: любви и ненависти, счастья и несчастья.

Мы отправились в путешествие несколько дней спустя со времени моего поста. Силы мои еще не полностью восстановились. Обычно я прогуливался по палубе, чтобы развить аппетит и лучше переваривать съеденное. Но даже такие прогулки были мне не под силу, причиняя боль в ногах. Прибыв в Лондон, я обнаружил, что мое состояние не только не улучшилось, но еще более ухудшилось.

Познакомившись с доктором Дживраджем Мехтой, я изложил ему историю своего поста и рассказал о болях в ногах. Он сказал:

— Боюсь, что у вас отнимутся ноги, если в течение нескольких дней вы не будете соблюдать полный покой.

Именно тогда я узнал, что человек, перенесший длительный пост, не должен торопиться с восстановлением своих прежних сил и вместе с тем должен обуздывать свой аппетит. После поста необходима большая осторожность и, возможно, бóльшие ограничения, чем при его соблюдении.

На острове Мадейра мы услышали, что в любой момент может разразиться мировая война. Когда же мы проходили Ла-Манш, то получили известие о начале войны. Наше судно на некоторое время задержали. Было трудно пробуксировать его между подводными минами, которые были установлены по всему проливу, и нам потребовалось около двух дней, чтобы дойти до Саутгемптона.

Война была объявлена 4 августа. В Лондон мы прибыли 6-го.

XXXVIII. МОЕ УЧАСТИЕ В ВОЙНЕ

Приехав в Англию, я узнал, что Гокхале застрял в Париже, куда он поехал лечиться. Сообщение между Парижем и Лондоном было прервано, и никто определенно не знал, когда он вернется. Я не хотел возвращаться на родину, не повидав его.

Что же было тем временем делать? В чем заключался мой долг в отношении войны? Сорабджи Ададжания, товарищ по тюремному заключению и сатьяграхе, готовился тогда в Лондоне к юридической карьере. Как один из лучших приверженцев сатьяграхи он был послан в Англию, чтобы стать адвокатом и иметь возможность заменить меня по возвращении в Южную Африку. Доктор Прандживандас Мехта предоставил ему для этого средства. Вместе с Ададжания я беседовал с Дживраджем Мехтой и другими индийцами, учившимися в Англии. По договоренности с ними мы созвали собрание индийцев, проживающих в Великобритании и Ирландии. Я изложил перед ними свои взгляды.

Я считал, что индийцы, живущие в Англии, должны принять какое-то участие в войне. Английские студенты поступали добровольцами в армию, и индийцы могли сделать то же. Против этого было выдвинуто множество возражений. Утверждали, что между положением индийцев и положением англичан — пропасть. Мы — рабы, а они — хозяева. Как может раб помогать хозяину, если последний очутился в беде? Разве не долг раба, стремящегося к освобождению, использовать затруднения хозяина? Эта аргументация в то время не действовала на меня. Я понимал различие в положении индийцев и англичан, но не считал, что мы низведены до положения рабов.

Мне казалось тогда, что дело не в британской системе как таковой, а в отдельных британских чиновниках и что мы можем перевоспитать их своей любовью. Если, оказывая помощь англичанам и сотрудничая с ними, мы смогли бы улучшить свое положение, то наш долг стоять с ними плечом к плечу в годину испытаний и тем привлечь их на свою сторону. Я видел, что британская система порочна, но все же не считал ее тогда нетерпимой, как считаю теперь. Потеряв веру в эту систему, я отказываюсь сотрудничать с британским правительством. Естественно, что мои друзья, которые уже тогда потеряли веру и в систему, и в ее представителей, также не могли сотрудничать с ним.

Друзья, возражавшие мне, полагали, что наступило время для смелого провозглашения требований индийцев и для улучшения их положения. Я же думал, что не следует использовать в интересах Индии затруднения Англии, что более достойно и дальновидно не выдвигать наших требований, пока продолжается война. Поэтому я настаивал на своей точке зрения и призывал желающих записываться добровольцами. Призыв мой нашел широкий отклик: среди добровольцев оказались представители почти всех национальностей и вероисповеданий Индии.

Я написал обо всем этом лорду Крю, выразив нашу готовность пройти обучение для работы в госпиталях. Лорд Крю после некоторых колебаний принял наше предложение и выразил благодарность за то, что в критический момент мы отдали себя на служение империи.

Добровольцы получили первоначальную подготовку по оказанию первой помощи раненым под руководством известного доктора Кантли. Срок обучения был шестинедельный, но он включал весь курс по оказанию первой помощи.

Обучалось человек восемьдесят. По истечении шести недель нас подвергли экзамену, который все, за исключением одного, выдержали. Окончившие курс прошли затем военное обучение под руководством полковника Бейкера.

Надо было видеть Лондон в те дни. Никакой паники, каждый в полную меру сил и возможностей выполнял свой долг. Годные к службе в армии взрослые обучались военному искусству. Но что могли делать старики, немощные и женщины? Если они хотели, дела было достаточно и для них. Они шили обмундирование и готовили перевязочные материалы для раненых.

Дамский клуб обязался пошить для солдат как можно больше одежды. Шримати Сароджини Найду, бывшая членом этого клуба, всей душой отдалась работе. Я в то время впервые встретился с ней. Она положила передо мной груду раскроенной одежды и попросила вернуть ее сшитой. Я с радостью принял предложение и с помощью друзей изготовил столько обмундирования, сколько позволяли мои возможности (я проходил тогда подготовку по оказанию первой помощи).

XXXIX. НРАВСТВЕННАЯ ДИЛЕММА

Как только до Южной Африки дошла весть о том, что я и вместе со мною другие индийцы предложили свои услуги армии, я получил две телеграммы. Одна была от мистера Полака. Он спрашивал, как согласуется мое поведение с исповедуемым мною принципом ахимсы.

Я до некоторой степени предвидел такое возражение. Уже в книге «Хинд Сварадж» я подверг этот вопрос обсуждению и имел обыкновение говорить на эту тему с друзьями в Южной Африке. Все мы признавали безнравственность войны. Уж если я не собирался обвинять нападающую сторону, то еще меньше мне хотелось участвовать в войне, тем более что я не знал, на чьей стороне справедливость и каковы намерения воюющих сторон. Друзьям, конечно, было известно, что в годы Бурской войны я находился на военной службе, но они полагали, что взгляды мои с тех пор переменились.

В действительности те же мотивы, которые побудили меня участвовать в Бурской войне, оказались решающими и теперь. Для меня было совершенно ясно, что участие в войне несовместимо с принципом ахимсы. Но ведь человеку не всегда дано с одинаковой ясностью представлять себе свой долг. Приверженец истины часто вынужден идти ощупью.

Ахимса — всеобъемлющий принцип. Все мы — беспомощные смертные, пребывающие в пламени химсы. Поговорка, что живое живет за счет живого, заключает в себе глубокий смысл. Человек не может жить ни минуты без того, чтобы сознательно или бессознательно не совершать химсы. Уже сам факт его жизни — то, что он ест, пьет и двигается, — включает в себя химсу, разрушение жизни, пусть даже самое незначительное. Поэтому приверженец ахимсы остается преданным своей вере в том случае, если в основе всех его действий лежит сострадание, если он всеми силами остерегается уничтожать даже самые незначительные создания, старается спасти их и таким образом непрерывно стремится освободиться от смертельных тисков химсы. Он постоянно будет становиться все более воздержанным и все больше будет проникаться чувством сострадания, но никогда всецело не освободится от внешней химсы.

Далее, благодаря тому, что ахимса представляет собой единство всей жизни вообще, ошибка, совершенная одним человеком, не может не иметь последствий для всех, а это значит: человек не может полностью освободиться от химсы. Пока он продолжает быть членом общества, он не может не участвовать в химсе, которую порождает само существование общества. Когда два народа воюют, долг приверженца ахимсы заключается в том, чтобы остановить войну. Тот, кто не в силах выполнить этот долг, кто не имеет возможности сопротивляться войне, кто не готов к этому, может принимать в ней участие и одновременно всей душою стремиться к тому, чтобы освободить от войны себя, свой народ и весь мир.

Я надеялся улучшить свое положение и положение моего народа в рамках Британской империи. Находясь в Англии, я пользовался защитой британского флота и искал убежища под охраной его вооруженной мощи, т. е. я непосредственно участвовал в его возможных насильственных действиях. Поэтому, если я желал сохранить связи с империей и жить под ее покровительством, мне предстояло вступить на один из трех путей: я мог открыто объявить о своем сопротивлении войне и в соответствии с законом сатьяграхи бойкотировать империю, покуда она не изменит военной политики. Я мог также добиться для себя тюремного заключения, оказав гражданское неповиновение тем законам империи, которые того заслуживали. Наконец, я мог принять участие в войне и тем приобрести силу и способность сопротивляться военному насилию. Мне не доставало этой силы и способности, и я думал, что единственное средство приобрести их — поступить на военную службу.

Я не делал различия между воюющей и невоюющей сторонами. Тот, кто добровольно поступил на службу в шайку разбойников в качестве их возчика, или сторожа, когда они уходят на промысел, или же их сиделки, когда они ранены, в той же мере виновен в разбое, как и сами разбойники. Совершенно так же тот, кто ограничивает свою деятельность уходом за ранеными в бою, не может уйти от обвинения в военном преступлении.

Я продумал все это таким именно образом еще до получения телеграммы Полака, а получив ее, обсудил этот вопрос с некоторыми друзьями и пришел к заключению, что мой долг предложить себя для службы на войне. Даже теперь я не вижу ни единого слабого места в этой аргументации и нисколько не раскаиваюсь в своем поступке.

Я знаю, что и тогда не был в состоянии убедить всех моих друзей в правильности занятой мною позиции. Вопрос этот весьма деликатен. Он допускает различия в мнениях, а поэтому я с возможно большей ясностью представил мою аргументацию на обсуждение людей, верящих в ахимсу и делающих серьезные усилия для осуществления этого принципа во всех случаях жизни. Приверженец истины не должен ничего делать только в соответствии с установившимися условностями. Он всегда обязан быть готов исправиться и всякий раз, когда обнаружит, что ошибается, должен во что бы то ни стало признать свою ошибку и искупить ее.

XL. САТЬЯГРАХА В МИНИАТЮРЕ

Хотя я и решил из чувства долга принять участие в войне, мне не пришлось непосредственно участвовать в ней. Более того, я даже оказался вынужденным и в эту критическую минуту прибегнуть к сатьяграхе, так сказать, в миниатюрном масштабе.

Я уже упоминал, что, как только наши имена были включены в списки, для руководства нашей военной подготовкой был назначен офицер. У всех нас сложилось мнение, что он наш начальник лишь в отношении вопросов чисто технических, а во всех прочих отношениях главою отряда буду я и буду нести непосредственную ответственность за его внутреннюю дисциплину. Иными словами, командир может распоряжаться в отряде только через мое посредство. Но офицер сразу же рассеял наши иллюзии.

Мистер Сорабджи Ададжания был человек проницательный. Он предупредил меня.

— Остерегайтесь этого человека, — сказал он. — Он, по-видимому, собирается нами командовать. Мы не станем его слушаться. Мы готовы принять его только как инструктора. Но ведь и юноши, назначенные для обучения нас, также считают, будто они пришли сюда, чтобы распоряжаться нами.

Юноши, присланные обучать нас, были оксфордскими студентами. Офицер назначил их капралами.

Я со своей стороны тоже обратил внимание на своевольные замашки офицера, но просил Сорабджи не волноваться и постарался успокоить его. Но его не легко было убедить, и он с улыбкой возразил мне:

— Вы слишком доверчивы. Эти люди обманут вас, а когда вы раскусите их, то станете убеждать нас прибегнуть к сатьяграхе, и на нас навлечете несчастье и сами попадете в беду.

— Что, кроме горя, может вас ожидать, раз вы соединили свою судьбу с моею? — ответил я. — Сатьяграх рожден, чтобы быть обманутым. Пусть офицер обманывает нас. Разве я не говорил вам тысячу раз, что обманщик в конце концов обманывает себя?

Сорабджи расхохотался.

— Хорошо, — сказал он, — продолжайте обманываться. Вы когда-нибудь обретете смерть на путях сатьяграхи и увлечете вместе с собою бедных смертных вроде меня.

Эти слова напомнили мне о том, что писала мне покойная ныне мисс Эмили Гобхаус относительно несотрудничества: «Я не удивлюсь, если наступит день, когда ваша борьба за истину приведет вас на виселицу. Да укажет Господь вам правильный путь и да защитит вас!»

Разговор с Сорабджи произошел сразу же после назначения офицера. Через несколько дней наши отношения с ним достигли кульминационной точки. Когда я стал принимать участие в строевой подготовке, мои силы только начинали восстанавливаться после двухнедельного поста, а до места занятий приходилось идти около двух миль. Я заболел плевритом и чувствовал себя очень слабым. В таком состоянии мне предстояло провести два дня в лагере. Все наши люди остались там, а я вернулся домой. Вот тут-то и представился случай прибегнуть к сатьяграхе.

Офицер все более развязно проявлял свою власть. Он давал ясно понять, что считает себя нашим начальником во всех вопросах, военных и невоенных, и в то же время давал нам почувствовать характер своей власти. Сорабджи прибежал ко мне. Он вовсе не был склонен сносить это своеволие и сказал мне:

— Все приказания мы должны получать через вас. Мы все еще находимся в учебном лагере. На нас обрушивается град самых нелепых приказов. Возмутительно, что к нам и к тем юношам, которые присланы обучать нас, относятся неодинаково. Необходимо все это выяснить с офицером, или мы не сможем продолжать службу. Индийские студенты и все прочие, вступившие в наш отряд, не желают мириться с его приказами. Мы взялись за это дело, движимые чувством собственного достоинства, и немыслимо примириться с надругательствами над ним.

Я сообщил офицеру о поступивших ко мне жалобах. Он ответил письмом, в котором предлагал изложить эти жалобы в письменном виде и вместе с тем просил внушить жалобщикам, что правильный путь — направлять жалобы мне через только что назначенных командиров отделений, а они в свою очередь доложат их мне через инструкторов.

На это я ответил, что не претендую ни на какую власть, что в смысле воинской дисциплины у меня нет никаких особых прав, но что в качестве главы добровольческого отряда я просил бы разрешения выступать неофициально представителем добровольцев. Я также указал на жалобы, которые были доведены до моего сведения, а именно: что назначение капралов без учета желания членов отряда вызвало резкое недовольство и что их следует отстранить, предложив отряду самому выбрать командиров отделений с последующим их утверждением в должности.

Это предложение пришлось не по вкусу офицеру, который ответил, что избрание отрядом капралов противоречит установленному в армии порядку, а отстранение уже назначенных вконец подорвет дисциплину.

Мы созвали общее собрание отряда и постановили отказаться от дальнейшего несения службы. Я указал отряду на серьезные последствия сатьяграхи. Но значительное большинство голосовало за резолюцию, сводившуюся к тому, что в случае, если назначенные капралы не будут отстранены и члены отряда не получат возможность выбрать на их место новых по своему усмотрению, отряд в дальнейшем будет вынужден воздерживаться от прохождения строевого обучения и выезда в лагерь по субботам.

Затем я направил офицеру письмо, сообщая ему, сколь горько разочаровал меня его отказ принять мое предложение. Я уверял его, что не хочу для себя никакой власти, но должен прежде всего исполнить свой долг. Я обратил его внимание на уже имеющийся прецедент. Во время Бурской войны я не занимал никакого официального положения в южноафриканском индийском санитарном отряде, но между полковником Галви и отрядом никогда не происходило никаких трений, и полковник ничего не предпринимал, не запросив меня предварительно о желаниях отряда. Я также препроводил командиру копию принятой нами накануне резолюции.

Все это не произвело никакого впечатления на офицера, который считал наше собрание и принятую на нем резолюцию тяжкими нарушениями дисциплины.

Вслед за этим я обратился с письмом к статс-секретарю по делам Индии, осведомил его обо всем случившемся и приложил к письму копию нашей резолюции. Он прислал мне ответ, в котором разъяснял, что в Южной Африке условия были иные, и указал, что согласно существующим правилам капралов назначает старший офицер; вместе с тем он заверял меня, что в будущем при назначении капралов старший офицер будет принимать во внимание мои рекомендации.

Между нами и дальше продолжался обмен письмами, но мне не хочется задерживаться на этой печальной истории. Достаточно сказать, что тогдашний мой опыт был аналогичен моему теперешнему повседневному опыту в Индии. Угрозами и ласками командиру удалось посеять рознь в отряде. Некоторые из тех, кто голосовал за резолюцию, поддались угрозам или уговорам командира и отступили от своих принципов.

Примерно в то самое время в госпиталь в Нетли неожиданно доставили много раненых солдат, и потребовались услуги нашего отряда. Те, кого командир смог убедить, отправились в Нетли. Прочие отказались. Я был прикован к постели, но поддерживал сношения с отрядом. Мистер Робертс, помощник статс-секретаря, в эти дни несколько раз обращался ко мне. Он настаивал, чтобы я убедил остальных моих товарищей служить. Он подал мысль выделить их в особый отряд, чтобы, работая в госпитале в Нетли, они были непосредственно подчинены тамошнему офицеру и чтобы, таким образом, не было и речи об умалении их достоинства. Правительство будет удовлетворено этим, а вместе с тем будет оказана существенная помощь прибывшим в госпиталь раненым. Это предложение пришлось по душе и моим товарищам, и мне, и даже те, кто прежде отказывался, отправились в Нетли.

Остался только я, прикованный к постели, стараясь выпутаться из неприятного положения, в которое попал.

XLI. ДОБРОТА ГОКХАЛЕ

Вскоре после того, как я заболел плевритом, Гокхале возвратился в Лондон. Мы с Калленбахом регулярно навещали его. Говорили больше о войне, и Калленбах, который как свои пять пальцев знал географию Германии и много путешествовал по Европе, показывал на карте, где происходили бои.

Моя болезнь также стала темой наших ежедневных разговоров. Я по-прежнему продолжал свои опыты в области диететики. Пища моя состояла из земляных орехов, спелых и неспелых бананов, лимонов, оливкового масла, помидоров, винограда. Я совершенно отказался от молока, мучного, бобовых и всего прочего.

Меня лечил доктор Дживрадж Мехта. Он решительно настаивал на том, чтобы я вновь употреблял в пищу молоко и мучное, но я был непреклонен. Об этом узнал Гокхале. Он не придавал особого значения моим доводам в пользу фруктовой диеты и также настаивал, чтобы я ради здоровья принимал все, предписываемое врачом.

Противиться давлению со стороны Гокхале было нелегко. Он не желал и слышать моих возражений, и я просил его дать мне сутки на размышление. Вернувшись от него вечером, Калленбах и я стали обсуждать, как мне следует поступить. Калленбах с удовольствием участвовал в моих опытах. Но теперь я видел, что он согласен с тем, чтобы я нарушил диету, раз это необходимо для здоровья.

Итак, мне предстояло решить вопрос самому, прислушиваясь лишь к внутреннему голосу.

Всю ночь напролет я размышлял об этом. Нарушить диету значило отказаться от своих идеалов в этой области, а в них я не видел ни одного слабого места. Вопрос заключался в том, в какой мере я должен был подчиниться настояниям Гокхале и внести изменение в диету в так называемых интересах здоровья. В конце концов я решил продолжать свои опыты в области диететики постольку, поскольку они мотивировались по преимуществу религиозными соображениями, а там, где мотивы были смешанного характера, последовать совету доктора. Религиозные соображения преобладали в вопросе об отказе от молока. Я живо представлял себе отвратительные приемы, при помощи которых калькуттские говалы выжимают последнюю каплю молока у коров и буйволиц. Равным образом я чувствовал, что молоко животного, как и мясо, не пища для человека. Итак, утром я встал с твердым намерением попрежнему воздерживаться от молока.

Это решение успокоило меня. Я боялся встретиться с Гокхале, но был уверен, что он отнесется с уважением к моему решению.

Вечером Калленбах и я зашли к Гокхале в Национальный клуб либералов. Он первым делом обратился ко мне с вопросом:

— Что же, согласны ли вы следовать совету доктора?

Я мягко, но решительно ответил:

— Я готов уступить по всем пунктам, кроме одного, относительно которого прошу вас не оказывать на меня давления. Я не буду есть мяса, молока и молочных продуктов. Если отказ от них означал бы для меня смерть, а предпочел бы умереть.

— Это окончательное решение? — спросил Гокхале.

— К сожалению, я не могу принять иного, — сказал я. — Знаю, что мое решение опечалит вас, и прошу простить меня.

Гокхале, глубоко растроганный, ответил мне с печалью в голосе:

— Я не одобряю вашего решения и не вижу никакого религиозного обоснования ему, но не буду больше настаивать.

И, обращаясь к доктору Дживраджу Мехте, он сказал ему:

— Пожалуйста, не приставайте к нему больше. Предписывайте что хотите, но только в тех пределах, которые он сам для себя установил.

Доктор выразил свое неудовольствие, но ничего поделать не мог. Он посоветовал мне есть суп из мунга, примешивая в него немного асафетиды. На это я согласился. Я питался им день или два, но почувствовал себя хуже. Не считая эту пищу подходящей для себя, я вновь обратился к фруктам и орехам. Доктор, разумеется, продолжал свое внешнее лечение. Оно несколько облегчало мои страдания, но мое решение связывало руки доктору.

Тем временем Гокхале уехал на родину, так как не выносил лондонские октябрьские туманы.

XLII. ЛЕЧЕНИЕ ПЛЕВРИТА

Затяжной характер плеврита породил у меня некоторое беспокойство, но я знал, что вылечиться можно не путем приема лекарств внутрь, а изменениями в диете, подкрепленными наружными средствами.

Я вызвал пользовавшегося популярностью среди вегетарианцев доктора Аллинсона, который лечил таким образом и с которым я познакомился в 1890 г. Он внимательно осмотрел меня. Я объяснил, что дал обет не употреблять молока. Он ободрил меня, сказав:

— Вам не нужно молоко. В течение нескольких дней вам вообще не следует употреблять никакого жира.

Затем он порекомендовал мне питаться простым черным хлебом, сырыми овощами: свеклой, редиской, луком и тому подобными клубнями и зеленью, а также свежими фруктами, главным образом апельсинами. Овощи надо было есть сырыми и только натереть на терке в том случае, если я не мог разжевать их.

Примерно три дня я сидел на такой диете, но сырые овощи не пошли мне на пользу. Я был не в состоянии отдать должное этому эксперименту. Я очень нервничал из-за того, что мне приходится есть сырые овощи.

Доктор Аллинсон рекомендовал мне также все двадцать четыре часа держать окна в комнате открытыми, принимать теплые ванны, растирать маслом больные места и гулять на свежем воздухе пятнадцать—тридцать минут. Я с удовольствием выполнял эти предписания.

В моей комнате были французские окна, которые нельзя было распахнуть настежь в дождливую погоду. Фрамуга не открывалась. Поэтому, чтобы в комнату попадал свежий воздух, я выбил стекла и немного приоткрыл окна таким образом, чтобы струи дождя не попадали внутрь.

Все эти меры способствовали некоторому улучшению моего здоровья, но не исцелили полностью.

Однажды меня навестила леди Сесилия Робертс. Ей очень хотелось убедить меня пить молоко. Но так как я был непоколебим, она начала подыскивать замену молока. Какой-то приятель посоветовал ей солодовое молоко, уверив ее, по незнанию, что в нем абсолютно не содержится коровьего молока и что оно представляет собой химический продукт, обладающий всеми свойствами молока. Леди Сесилия глубоко уважала мои религиозные чувства, и поэтому я слепо ей доверился. Я растворил порошок в воде и, выпив раствор, сразу же почувствовал, что он имеет вкус молока. Я прочел этикетку на бутылке и, узнав, правда слишком поздно, что порошок изготовлен из молока, выбросил его.

Я сообщил леди Сесилии о своем открытии, попросив ее не беспокоиться о случившемся. Она примчалась ко мне, чтобы выразить свое сожаление. Ее приятель не читал этикетки. Я убеждал ее не волноваться и пожалел, что не смог воспользоваться вещью, которую она достала с таким трудом. Я уверил ее также, что вовсе не горюю о том, что по недоразумению выпил молоко, и не чувствую за собой никакого проступка.

Мне приходится опустить приятные воспоминания, связанные с леди Сесилией. Я мог бы назвать многих друзей, которые были для меня в моих испытаниях и разочарованиях источником утешения. Тот, кто верит, видит в них милостивое провидение Бога, который таким образом облегчает самое горе.

Доктор Аллинсон во время следующего визита отменил некоторые ограничения, позволив мне ореховое или оливковое масло и вареные овощи с рисом. Эти изменения в диете были очень благоприятны, но также еще не исцелили меня. За мной все еще требовался тщательный уход, и я вынужден был по большей части лежать в постели.

Доктор Мехта как-то зашел ко мне, чтобы осмотреть, и пообещал окончательно вылечить, если я буду выполнять его предписания.

Пока происходили эти события, мистер Робертс, както заглянув ко мне, стал меня убеждать уехать на родину.

— В вашем положении, — говорил он, — вы, вероятно, не сможете работать в Нетли. Предстоят еще более жестокие холода. Я очень советую вам вернуться в Индию, потому что только там вы сможете окончательно поправиться. Если после вашего выздоровления война будет еще продолжаться, вы сумеете быть полезным и в Индии. Как бы там ни было, я считаю, что вы уже и так внесли свой посильный вклад.

Я внял его уговорам и стал готовиться к отъезду в Индию.

XLIII. НА РОДИНУ

Мистер Калленбах сопровождал меня в Англию, намереваясь поехать оттуда в Индию. Мы жили вместе и теперь хотели, разумеется, плыть на одном пароходе. Но немцы находились под таким строгим наблюдением, что мы сильно сомневались, получит ли Калленбах паспорт. Я принимал к этому все меры, и мистер Робертс, сочувствовавший нам, телеграфировал вице-королю. Ответ лорда Гардинга гласил: «К сожалению, правительство Индии не склонно идти на риск». Мы поняли, что означает такой ответ.

Мне было очень тяжело расставаться с Калленбахом, но я видел, что он страдает еще больше. Если бы ему тогда удалось приехать в Индию, он теперь жил бы простой счастливой жизнью земледельца и ткача. Ныне же он архитектор и, как прежде, живет в Южной Африке.

На кораблях пароходной компании, обслуживающей эту линию, не было третьего класса, и нам пришлось ехать вторым.

Мы взяли с собой сухие фрукты, привезенные еще из Южной Африки. Их нельзя было достать на пароходе.

Доктор Дживрадж Мехта наложил мне на ребра бандажи и просил не снимать, пока мы не достигнем Красного моря. В течение двух первых дней я терпел это неудобство, но в конце концов терпение лопнуло. С большим трудом мне удалось освободиться от бандажей и вновь обрести возможность мыться.

Пища моя состояла по преимуществу из орехов и фруктов. Здоровье с каждым днем улучшалось, и в Суэцком канале я уже чувствовал себя гораздо лучше. Я был еще слаб, но опасность совершенно миновала, и постепенно я стал увеличивать свои упражнения. Улучшение в своем состоянии я приписывал главным образом чистому воздуху умеренной зоны.

Не знаю почему, но на этом пароходе грань, разделявшая пассажиров англичан и индийцев, была резче той, которую мне пришлось наблюдать на пути из Южной Африки. Я разговаривал с некоторыми англичанами, но разговор имел скорее формальный характер. Не было тех сердечных бесед, которые бывали на южноафриканских пароходах. Мне кажется, причина заключалась в том, что в глубине души англичане сознательно или бессознательно чувствовали себя представителями господствующей расы, а индийцев угнетало ощущение, что они принадлежат к порабощенной расе.

Я рвался на родину, надеясь избавиться от этой обстановки.

В Адене мы почувствовали себя почти дома. Я знал аденцев очень хорошо, так как в Дурбане познакомился и сблизился с мистером Кекобадом Кавасджи Диншоу и его женой.

Еще через несколько дней мы прибыли в Бомбей. Я был вне себя от радости, вступая на родную землю после десятилетнего изгнания.

Гокхале организовал мне встречу в Бомбее, куда приехал, несмотря на то что был не вполне здоров. Я возвращался в Индию с пламенной надеждой соединиться с ним душой и тем самым почувствовать себя свободным. Но судьба готовила мне другое.

XLIV. НЕКОТОРЫЕ ВОСПОМИНАНИЯ ОБ АДВОКАТУРЕ

Прежде чем перейти к рассказу о жизни в Индии, представляется необходимым вспомнить о некоторых переживаниях в Южной Африке, которые я сознательно пропустил.

Друзья-юристы просили поделиться воспоминаниями об адвокатуре. Этих воспоминаний так много, что они могли бы составить целый том и отвлекли бы меня от основной цели повествования. Но о том, что имеет отношение к поискам истины, пожалуй, стоит рассказать.

Я уже говорил, кажется, что в своих профессиональных делах я никогда не прибегал ко лжи, юридическую практику старался подчинить интересам общественной деятельности, за которую не требовал никакого вознаграждения, кроме возмещения своих расходов, да и эти последние мне подчас приходилось возмещать из своего кармана. Я полагал, что, сказав это, сказал все, что необходимо, о своей юридической практике. Но друзья хотят от меня большего. Они, по-видимому, думают, что если бы я описал, пусть в общих чертах, некоторые случаи, когда я отказывался уклониться от истины, то это принесло бы пользу юриспруденции.

Будучи студентом, я слышал, что профессия юриста является профессией лжеца. Но это не оказало на меня никакого влияния, поскольку у меня не было намерения при помощи лжи добиваться положения или денег.

Мой принцип много раз подвергался испытанию в Южной Африке. Часто я знал, что мои оппоненты подговаривают своих свидетелей и что стоит мне лишь посоветовать клиенту или его свидетелю солгать, и мы выиграли бы дело. Но я всегда противился искушению. Помню только один случай, когда, выиграв дело, я заподозрил, что клиент обманул меня. В глубине души я всегда желал выиграть только в том случае, если дело клиента правое. Не припомню, чтобы, определяя свой гонорар, я обусловливал его выигрышем дела. Проигрывал или выигрывал клиент, я ожидал получить не больше и не меньше обычного.

Я предупреждал каждого клиента, что не возьмусь за ложное дело и не стану запутывать свидетелей. В результате я создал себе такую репутацию, что ко мне не попадало ни одно ложное дело. Некоторые клиенты поручали мне свои бесспорные дела, а сомнительные передавали кому-нибудь еще.

Одно дело оказалось для меня тяжким испытанием. Его поручил мне один из моих лучших клиентов. Дело было запутанным и связано с очень сложными счетами. Оно слушалось в нескольких судах. В конце концов часть дела, касавшуюся бухгалтерских книг, суд передал на арбитраж нескольких квалифицированных бухгалтеров-экспертов. Решение арбитров было в пользу моего клиента, но в своих расчетах арбитры неумышленно совершили ошибку, которая, как бы мала она ни была, являлась серьезной, поскольку поступление, которое должно было быть в графе дебета, оказалось в графе кредита. Противная сторона опротестовала решение арбитров на других основаниях. Я был младшим поверенным клиента. Старший поверенный, узнав об ошибке, высказал мнение, что клиент не обязан сообщать о ней. Он твердо держался мнения, что обязанность поверенного состоит в том, чтобы не соглашаться ни с чем, что противоречит интересам клиента. Я же настаивал на необходимости сообщить об ошибке.

Но старший поверенный возражал:

— В таком случае очень вероятно, что суд аннулирует решение арбитров в целом. Ни один здравомыслящий поверенный не станет подвергать опасности дело своего клиента. И я был бы последним глупцом, если бы пошел на такой риск. Если дело будет слушаться вновь, кто знает, какие расходы может понести наш клиент и каков будет окончательный исход?

Клиент присутствовал при этом разговоре.

— Я думаю, — сказал я, — что наш клиент и мы обязаны пойти на этот риск. Где гарантия того, что суд поддержит решение арбитров только в случае, если мы не сообщим об ошибке? Предположим, признание ошибки навлекло бы на клиента беду, но что в этом плохого?

— Но зачем нам вообще сообщать об ошибке? — спросил старший поверенный.

— Где гарантия того, что суд не раскроет ошибки или что наш оппонент не обнаружит ее? — сказал я.

— Тогда, может быть, вы выступите в суде по делу? Я не могу отстаивать его на ваших условиях, — решительно парировал старший поверенный.

Я скромно ответил:

— Раз вы не будете выступать в суде, то я готов изложить свои доводы суду, если наш клиент этого пожелает. Но коль об ошибке не будет сообщено, я отказываюсь вести дело.

С этими словами я посмотрел на клиента. Он был немного озадачен. Я вел дело с самого начала. Клиент всецело доверял мне и хорошо меня знал. Он сказал:

— Хорошо, вы выступите в суде и сообщите об ошибке. Пусть мы проиграем, если такова наша судьба. Бог защищает правого.

Я был доволен. Именно этого я и хотел от него. Старший поверенный высказал сожаление по поводу моего упрямства, но тем не менее поздравил меня.

Что произошло в суде, увидим в следующей главе.

XLV. МОШЕННИЧЕСТВО

Я не сомневался в правильности своего совета, но не был уверен в способности вести должным образом дело в суде. Я предчувствовал, что изложить такое трудное дело Верховному суду — затея весьма рискованная, и появился перед судьями, дрожа от страха.

Когда я указал на ошибку в расчетах, один из судей спросил:

— Не мошенничество ли это, мистер Ганди?

У меня все закипело внутри, когда я услышал это обвинение. Невыносимо, когда бросают обвинение в мошенничестве, не имея на то ни малейших оснований.

«Когда имеешь дело с судьей, с самого начала предубежденным таким образом, мало надежды на успех в трудном деле», — подумал я, но, собравшись с мыслями, ответил:

— Я удивлен, что ваша светлость, не выслушав меня, подозревает в мошенничестве.

— Об обвинении не идет речи, — сказал судья. — Это лишь предположение.

— Мне кажется, в данном случае предположение равнозначно обвинению. Я просил бы, ваша светлость, выслушать меня, а затем обвинять, если на то есть основание.

— Сожалею, что перебил вас, — ответил судья. — Пожалуйста, продолжайте ваши разъяснения о неправильностях в расчетах.

У меня было достаточно материала, чтобы обосновать свои доводы. Благодаря тому что судья поднял этот вопрос, я с самого начала смог привлечь внимание членов суда к моим доводам. На меня нашло вдохновение, я воспользовался случаем и пустился в подробные объяснения. Члены суда терпеливо слушали. Мне удалось убедить судей, что ошибка в расчетах совершена неумышленно. Поэтому они не были склонны аннулировать потребовавшее значительной работы решение арбитров в целом.

Адвокат противной стороны, по-видимому, был уверен, что после признания нами ошибки не потребуется многих доказательств, чтобы добиться аннулирования решения арбитров. Но судьи все время перебивали его, поскольку были убеждены, что ошибка представляет собой незначительную описку и ее легко исправить. Адвокат изо всех сил старался доказать неправильность решения арбитров, но судья, который вначале с подозрением отнесся к моему заявлению, теперь определенно стал на мою сторону.

— Предположим, что мистер Ганди не сообщил бы об ошибке, что бы вы тогда сделали? — спросил он.

— Было бы невозможно найти более компетентного и честного бухгалтера-эксперта, чем тот, который разбирал счета.

— Суд должен исходить из предположения, что вы знаете свое дело лучше всех. Если вы не можете указать ни на одну ошибку, за исключением этой описки, которую мог бы сделать любой бухгалтер-эксперт, то суд не намерен побуждать стороны к продолжению тяжбы и новым расходам из-за случайной ошибки. Мы не можем требовать нового слушания дела, раз ошибку легко исправить, — продолжал судья.

Таким образом, протест адвоката был отклонен. Я забыл, какое именно решение принял суд: то ли он утвердил решение арбитров, исправив ошибку, то ли предложил арбитру исправить ошибку.

Я был доволен. Мой клиент и старший поверенный также были удовлетворены результатами процесса. Я утвердился в своем убеждении, что можно быть юристом, не компрометируя истину.

Однако пусть читатель помнит, что даже честность в работе адвоката не избавляет самую профессию от ее основного порока.

XLVI. КЛИЕНТЫ СТАНОВЯТСЯ МОИМИ ТОВАРИЩАМИ ПО РАБОТЕ

Различие между юридической практикой в Натале и в Трансваале состояло в том, что в Натале была совместная адвокатура; адвокат, принятый в число защитников, мог также выступать в качестве атторнея, в то время как в Трансваале, а также в Бомбее сферы деятельности защитника и атторнея разделялись. Адвокат имел право выбора, будет ли он практиковать в качестве защитника или в качестве атторнея. Поэтому если в Натале я был принят в адвокатуру защитником, то в Трансваале я добивался приема атторнеем, так как в качестве защитника я не мог бы вступать в непосредственный контакт с индийцами, а белые атторнеи в Южной Африке не стали бы поручать мне ведение дел в суде.

Атторней же даже в Трансваале мог выступать в суде. Однажды, ведя дело в суде в Йоханнесбурге, я обнаружил, что клиент обманывает меня, дает неправильные свидетельские показания. Тогда я попросил суд прекратить дело. Поверенный другой стороны был удивлен, а суду это доставило удовольствие. Я упрекал клиента в том, что он поручил мне вести ложное дело, хотя знал, что я никогда не берусь за такие дела. Когда я объяснил ему это, он признал свою ошибку. У меня создалось впечатление, что он не сердится на меня за то, что я обратился к суду с просьбой решить дело не в его пользу. Во всяком случае мое поведение при разборе этого дела не имело плохих последствий для моей практики. Оно облегчило мою работу. Я также видел, что моя приверженность к истине укрепила мою репутацию среди коллег по профессии, и, несмотря на препятствия, связанные с расовыми предрассудками, я смог в ряде случаев завоевать даже их симпатии.

Я никогда не скрывал своего незнания от клиентов или коллег. Если я оказывался в тупике, то советовал клиенту обратиться за помощью к другому адвокату или, если он предпочитал иметь дело со мной, просил у него разрешения обратиться за помощью к более опытному юристу. Откровенность обеспечила мне безграничное доверие и симпатии клиентов, а это сослужило хорошую службу в моей общественной деятельности.

Я указывал в предыдущих главах, что целью моей деятельности в качестве адвоката в Южной Африке было служение общине. Доверие людей — необходимое условие для достижения этой цели. Профессиональную работу, выполнявшуюся за деньги, великодушные индийцы также квалифицировали как служение обществу, и, когда я посоветовал им ради их прав пойти на лишения, связанные с тюремным заключением, многие бодро восприняли этот совет не столько потому, что были убеждены в правильности такого образа действий, сколько потому, что верили мне.

Когда я пишу эти строки, много приятных воспоминаний приходит мне на ум. Сотни клиентов стали моими друзьями и настоящими товарищами в общественной деятельности. Их сотрудничество скрашивало мою жизнь, которая в противном случае была бы полна трудностями и опасностями.

XLVII. СПАСЕНИЕ КЛИЕНТА

Читатель уже знает имя парса Рустомджи. Он был одновременно и моим клиентом, и товарищем по работе. Пожалуй, правильнее будет сказать, что сначала он стал моим товарищем по работе, а потом клиентом. Я настолько завоевал его доверие, что он спрашивал у меня совета в личных делах. Даже когда болел, он обращался ко мне за помощью, и, хотя в образе жизни у нас была большая разница, он, не колеблясь, исполнял мои знахарские предписания.

Этот друг однажды попал в большую беду. Он держал меня в курсе почти всех своих дел, но старательно скрывал, что был крупным импортером товаров из Бомбея и Калькутты и нередко занимался контрабандой. У него установились хорошие отношения с таможенными чиновниками, и никто не подозревал его. Чиновники обычно принимали его накладную на веру. Некоторые из них, по-видимому, просто смотрели сквозь пальцы на контрабанду.

Но, как образно сказал гуджаратский поэт Акхо, ворованное, как ртуть, не ухватишь, и парс Рустомджи не составлял в этом отношении исключения.

Однажды мой добрый друг примчался ко мне со слезами, катившимися по щекам.

— Бхай, я обманул вас, — сказал он. — Сегодня я попался. Я занимался контрабандой и теперь обречен. Меня должны посадить в тюрьму. Мне грозит разорение. Только вы можете вызволить меня из этой беды. Я ничего больше не утаивал от вас, но считал, что не следует беспокоить вас рассказами о коммерческих махинациях. Я так раскаиваюсь в содеянном.

Я успокоил его, сказав:

— Ваше спасение в руках Божьих. Что же касается меня, то вы знаете, как я поступаю. Я могу попытаться вас спасти, если вы признаетесь во всем.

Добрый парс был глубоко разочарован.

— Но разве моего признания перед вами недостаточно? — спросил он.

— Вы причинили ущерб не мне, а правительству. Как же признание, сделанное мне, поможет вам? — ответил я мягко.

— Хорошо, я поступлю так, как вы посоветуете. Но не переговорите ли вы с моим старым поверенным мистером Х.? Он тоже мой друг, — сказал Рустомджи.

В результате расспроса выяснилось, что он занимался контрабандой длительное время, но проступок, на котором попался, касался пустячной суммы. Мы отправились к его поверенному. Тот внимательно просмотрел документы и сказал:

— Это дело будет разбираться судом присяжных, а от натальского суда присяжных менее всего можно ожидать оправдания индийца. Но не будем терять надежды.

Я не был близко знаком с поверенным. Рустомджи прервал его:

— Благодарю вас, но по данному делу я предпочитаю руководствоваться советом мистера Ганди. Он близко знает меня. Конечно, если возникнет необходимость, он с вами посоветуется.

Уладив дело с поверенным, мы отправились в лавку Рустомджи.

И тут, разъясняя свою точку зрения, я сказал ему:

— Не думаю, что это дело вообще будет передано в суд. От таможенного чиновника зависит, преследовать вас в судебном порядке или оставить в покое, и он, в свою очередь, будет руководствоваться указаниями генерального атторнея. Я готов встретиться с тем и другим. Полагаю, вы должны предложить уплатить штраф, который они назначат, и, вероятнее всего, они согласятся. Но если они откажутся, вы должны быть готовы к тому, что вас посадят в тюрьму. Я придерживаюсь мнения, что позор не столько в том, чтобы сидеть в тюрьме, сколько в самом проступке. Позорное дело уже сделано. Тюремное заключение вы должны рассматривать как епитимию. Подлинная же епитимия состоит в том, чтобы никогда больше не заниматься контрабандой.

Не могу сказать, что Рустомджи воспринял все это совершенно спокойно. Он был храбрый человек, но мужество оставило его в тот момент. На карту были поставлены его имя и репутация. Что будет с ним, если дело, которое он создавал с такой заботой и трудом, пойдет прахом.

— Хорошо, я уже сказал, что всецело в ваших руках, — заявил он. — Поступайте, как сочтете нужным.

Я мобилизовал всю свою способность убеждать. Я встретился с таможенным чиновником и откровенно сообщил ему обо всем, обещал передать в его распоряжение все конторские книги и рассказал, как раскаивается парс Рустомджи.

— Мне нравится старый парс, — сказал таможенный чиновник. — Сожалею, что он поставил себя в глупое положение. Вы знаете, в чем состоит мой долг. Я должен руководствоваться указаниями генерального атторнея и поэтому советую попробовать убедить его.

— Я буду благодарен, — сказал я, — если вы не станете настаивать на передаче дела в суд.

Получив его обещание, я вступил в переписку с генеральным атторнеем, а затем встретился с ним. Рад сообщить, что он высоко оценил мою откровенность, убедившись, что я ничего не утаиваю.

Не помню точно, по этому или по какому-либо другому делу, где я проявлял такую же настойчивость и откровенность, он бросил следующую реплику:

— Вижу, что вам никогда не ответят «нет» на вашу просьбу.

Дело против парса Рустомджи было улажено. Он должен был уплатить штраф, равный удвоенной сумме, вырученной им, по его признанию, от занятия контрабандой. Рустомджи изложил все обстоятельства дела на листе бумаги, положил этот листок в рамку и повесил в своей конторе как вечное напоминание наследникам и коллегам-купцам.

Друзья Рустомджи предупреждали меня, чтобы я не заблуждался относительно скоропреходящего раскаяния. Когда я сказал Рустомджи об этом, он ответил:

— Какова была бы моя судьба, если бы я обманул вас?

ЧАСТЬ ПЯТАЯ

I. ПЕРВЫЕ ВПЕЧАТЛЕНИЯ

Группа, выехавшая из Феникса, прибыла в Индию раньше меня. Я должен был бы опередить ее, но моя задержка в Англии в связи с войной расстроила все наши планы. Когда стало очевидно, что мне придется остаться в Англии на неопределенное время, я задумался над тем, где устроить переселенцев из Феникса. Хотелось, чтобы по возможности все они обосновались в Индии и вели там тот же образ жизни, что в Фениксе. Не будучи в состоянии рекомендовать им какой-нибудь ашрам, я телеграфировал, чтобы они разыскали мистера Эндрюса и следовали его указаниям.

Первоначально их поместили в Кангри Гурукул, где ныне покойный свами Шраддхананджи принял их как родных детей. Потом они были устроены в ашраме, в Шантиникетане. Поэт[1] и его друзья отнеслись к ним с любовью. Опыт, накопленный колонистами за время пребывания в этих местах, пригодился и им, и мне в дальнейшем.

Поэт, Шраддхананджи и Сушил Рудра составляли, как, бывало, говорил Эндрюс, триумвират. В Южной Африке мистер Эндрюс неустанно рассказывал о них, и его ежедневные рассказы о великом триумвирате относятся к числу наиболее приятных и сильно запечатлевшихся воспоминаний, вынесенных мною из Южной Африки. Само собой разумеется, мистер Эндрюс представил переселенцев из Феникса Сушилу Рудре. Последний не имел ашрама, но у него был дом, который он предоставил в полное распоряжение переселенцев. Не прошло и дня, а они чувствовали себя как дома и, по-видимому, совсем не скучали по Фениксу.

---

[1] Рабиндранат Тагор.

Узнав по прибытии в Бомбей, что колонисты находятся в Шантиникетане, я загорелся желанием повидать их при первой же возможности сразу после свидания с Гокхале.

Прием, устроенный мне в Бомбее, представил случай организовать нечто вроде сатьяграхи в миниатюре.

На банкете в мою честь в доме мистера Джехангира Петиты я не решался говорить на гуджарати. Среди роскоши и ослепительного блеска я, проживший лучшие годы бок о бок с законтрактованными рабочими, чувствовал себя неотесанным крестьянином. Катхиаварский плащ, тюрбан и дхоти, правда, придавали мне тогда более цивилизованный вид, нежели я имею теперь. Но от блеска и роскоши в доме Петиты я чувствовал себя не в своей тарелке. Потом я несколько освоился с окружением, найдя убежище под крылышком сэра Фирузшаха Мехты.

Затем было торжество у гуджаратцев: они никак не хотели отпустить меня, не устроив прием. Организатором его был ныне покойный Уттамлал Триведи. С программой вечера я ознакомился заранее. Среди гостей присутствовал мистер Джинна, гуджаратец по происхождению, — не помню уже, в качестве председателя или главного оратора. Свою коротенькую, довольно милую речь он произнес по-английски. Насколько помнится, и большинство других речей произнесено было на английском языке. Когда дошла очередь до меня, я, выразив свою благодарность на гуджарати, объяснил, почему отстаиваю языки гуджарати и хиндустани, и закончил выражением скромного протеста против употребления английского языка на собрании гуджаратцев. Я решился на это не без некоторого колебания: я опасался, как бы присутствующие не сочли нетактичным, что человек, вернувшийся в Индию после многих лет пребывания на чужбине, позволяет себе критиковать установившиеся местные обычаи и порядки. Но, по-видимому, никто не понял превратно мотивы, побудившие меня ответить непременно на гуджарати, и я с удовольствием заметил, что мой протест не вызвал возражений у присутствовавших.

Таким образом, я мог надеяться, что будет нетрудно излагать мои новомодные взгляды перед соотечественниками.

После краткого, но полного впечатлений пребывания в Бомбее я по приглашению Гокхале направился в Пуну.

II. У ГОКХАЛЕ В ПУНЕ

Сейчас же по прибытии в Бомбей я получил от Гокхале записку, в которой сообщалось, что губернатор желает меня видеть и что мне следовало бы посетить его до отъезда в Пуну. Я нанес визит его превосходительству.

После обычных расспросов губернатор сказал:

— Я просил бы вас только об одном: мне хочется, чтобы вы заходили ко мне всякий раз, когда решите предпринять какие-нибудь шаги, касающиеся правительства.

— Мне очень легко дать такое обещание, — ответил я, — потому что, как зачинатель сатьяграхи, взял себе за правило предварительно уяснять точку зрения противника, с которым предстоит иметь дело, и по возможности стараюсь прийти к соглашению с ним. Я неукоснительно придерживался этого правила в Южной Африке и намерен придерживаться его здесь.

Лорд Уиллингтон поблагодарил меня и сказал:

— Можете приходить когда угодно. И вы убедитесь, что мое правительство не делает преднамеренно ничего плохого.

На что я ответил:

— Именно эта вера поддерживает меня.

Затем я отправился в Пуну. Невозможно изложить здесь все воспоминания о столь приятном для меня времяпрепровождении. Гокхале, равно как и члены общества «Слуги Индии», обласкали меня. Гокхале даже пригласил их всех, чтобы познакомить со мной. Я совершенно откровенно беседовал с ними по самым разнообразным вопросам.

Гокхале очень хотел, чтобы я стал членом этого общества. Мне также хотелось этого. Но другие члены полагали, что ввиду значительных расхождений между мною и ими как в отношении преследуемых целей, так и методов работы мне было бы, пожалуй, неудобно вступить в общество «Слуги Индии». Гокхале же считал, что, несмотря на мою приверженность своим принципам, я способен и склонен терпимо отнестись к убеждениям членов общества.

— Члены общества, — говорил он, — еще не знают о вашей готовности идти на компромисс. Они тверды в своих принципах и независимы. Надеюсь, они вас примут. Но и в противном случае вы все-таки можете ни на секунду не сомневаться в их глубоком уважении и любви к вам. Они не решаются рисковать из опасения потерять уважение к вам. Однако, примут вас официально в члены общества или нет, — я лично буду вас считать таковым.

Я сообщил Гокхале о своих намерениях. Независимо от того, примут меня в общество или нет, я хотел бы иметь ашрам, где мог бы обосноваться вместе с переселенцами из Феникса. Лучше всего было бы устроиться где-нибудь в Гуджарате. Я полагал, что, заботясь о благе Гуджарата, буду более всего полезен Индии.

Гокхале эта идея понравилась. Он сказал:

— Вам, разумеется, так и надо поступить. Каковы бы ни были результаты ваших переговоров с обществом, вы можете рассчитывать на меня в отношении денежной помощи ашраму, который я буду рассматривать как свой собственный.

Меня обрадовало, что он снимает с меня заботу о средствах и что мне не придется вести всю работу одному. Значит, в трудные минуты я могу рассчитывать на надежного руководителя. С души как бы свалилась огромная тяжесть. Покойный ныне доктор Дев вскоре получил распоряжение предоставить мне право брать с текущего счета «Слуги Индии» необходимые средства для ашрама и других общественных надобностей.

Я был готов к отъезду в Шантиникетан. Накануне поездки Гокхале устроил вечер с участием нескольких избранных друзей, предварительно позаботившись, чтобы угощение было по моему вкусу, т. е. состояло из фруктов и орехов. Хотя вечер происходил всего в нескольких шагах от его дома, Гокхале с трудом мог одолеть это расстояние. Однако симпатия ко мне взяла верх, и он захотел обязательно прийти. Он пришел, но упал в обморок, и пришлось отнести его домой. С ним это уже бывало и раньше, и потому, придя в себя, он прислал нам сказать, чтобы мы продолжали веселиться.

Вечер представлял собой всего лишь встречу друзей на открытом воздухе напротив гостиницы, принадлежавшей обществу «Слуги Индии». Друзья вели откровенные разговоры на интересовавшие их темы и угощались земляными орехами, финиками и свежими фруктами.

Однако обморок был слишком необычным явлением в моей жизни.

III. БЫЛА ЛИ ЭТО УГРОЗА?

Из Пуны я поехал в Раджкот, а оттуда в Порбандар. Там я должен был повидаться с вдовой брата и родственниками.

Во время сатьяграхи в Южной Африке я изменил манеру одеваться, чтобы не слишком отличаться от индийских законтрактованных рабочих. В Англии — у себя в четырех стенах — носил ту же одежду. В Бомбей я приехал в катхиаварском костюме, состоявшем из рубашки, дхоти, плаща и белого шарфа — все из ткани индийского производства. Из Бомбея я собирался ехать третьим классом и, считая, что шарф и плащ излишни для такой поездки, снял их и купил кашмирскую шапку за восемь или десять анна. В таком виде я вполне мог сойти за бедняка.

В Индии свирепствовала чума, поэтому всех пассажиров подвергали медицинскому осмотру в Вирамгаме или Вадхване, точно не помню. У меня была легкая лихорадка, и инспектор, обнаружив, что температура повышенная, записал мою фамилию и велел явиться к чиновнику медицинской службы.

Кто-то сообщил, что я проезжаю через Вадхван, ибо на вокзале меня встретил портной Мотилал, местный крупный общественный деятель. Он рассказал мне о вирамгамской таможне и о неприятностях, которые случаются из-за нее у пассажиров. Я не был расположен к беседе, так как меня лихорадило, и только коротко спросил:

— Готовы ли вы сесть в тюрьму?

Я предполагал, что Мотилал принадлежит к числу тех пылких юнцов, которые имеют привычку говорить не подумав. Но он ответил мне твердо и обдуманно.

— Да, все пойдем в тюрьму, если вы поведете. Как катхиаварцы, мы в первую очередь имеем право на ваше внимание. Мы, разумеется, не собираемся вас задерживать, но обещайте остановиться здесь на обратном пути. Вам очень понравятся работа и настроения нашей молодежи. Можете быть уверены, что мы откликнемся на первый ваш зов.

Мотилал пленил меня. Его товарищ, расхваливая его, сказал:

— Наш друг — всего лишь портной. Но он такой мастер своего дела, что, хотя трудится по часу в день, легко зарабатывает пятнадцать рупий в месяц (больше ему не надо). Остальное время он отдает общественной работе и руководит нами, несмотря на то что мы образованнее его.

Впоследствии, ближе познакомившись с Мотилалом, я нашел, что эти похвалы не преувеличены. Он проводил каждый месяц по нескольку дней в только что созданном тогда ашраме, учил детей портняжному мастерству и сам шил кое-что для ашрама. Мне он подробно рассказывал о Вирамгаме и неприятностях, причиняемых пассажирам. Он совершенно нетерпимо относился к этому. Он умер во цвете лет после непродолжительной болезни. Его смерть была большой потерей для общественной жизни Вадхвана.

Приехав в Раджкот, я на следующий день отправился к чиновнику медицинской службы. Врач меня знал и почувствовал себя очень неловко. Он сердился на инспектора, но совершенно напрасно, ибо тот всего лишь исполнял свои обязанности. Инспектор не знал меня, да если бы и знал, не мог бы поступить иначе.

Санитарный осмотр пассажиров третьего класса в подобных случаях необходим. Даже люди, занимающие высокое положение в обществе, если они едут в третьем классе, должны добровольно подчиняться всем правилам, которым подчиняются бедняки. Чиновники обязаны быть беспристрастными. По моим наблюдениям, чиновники относятся к пассажирам третьего класса не как к равным себе, а как к стаду баранов. Говорят с ними пренебрежительно и не удостаивают ни ответами, ни объяснениями; пассажиры третьего класса должны подчиняться чиновнику, точно они его лакеи. Чиновник может безнаказанно оскорблять и даже ударить пассажира, а билет продает ему только после того, как причинит массу беспокойств, что нередко приводит к опозданию на поезд. Все это я видел собственными глазами. И это положение не изменится до тех пор, пока богатые и образованные не откажутся от привилегий, недоступных беднякам, и не станут ездить в третьем классе, чтобы повести борьбу с грубостью и несправедливостью, вместо того чтобы смотреть на все это как на должное.

Повсюду в Катхиаваре я слышал жалобы на притеснения на вирамгамской таможне и поэтому решил немедленно воспользоваться предложением лорда Уиллингтона. Я собрал и прочел все материалы по этому вопросу и, убедившись в обоснованности жалоб, вступил в переписку с бомбейским правительством. Я зашел к личному секретарю лорда Уиллингтона, а также нанес визит его превосходительству. Лорд Уиллингтон выразил сочувствие, но переложил вину на власти в Дели.

— Будь это в наших руках, мы давно сняли бы этот кордон. Вам следует обратиться по этому вопросу к правительству Индии, — сказал секретарь.

Я написал письмо правительству Индии, но не получил ответа, кроме уведомления о получении. Только позднее, когда мне представился случай встретиться с лордом Челмсфордом, удалось добиться положительного решения этого вопроса. Когда я представил лорду Челмсфорду факты, он был удивлен, так как, оказывается, ничего не знал об этом деле. Терпеливо выслушав меня, он тотчас же затребовал по телефону дело о Вирамгаме и обещал снять кордон, если местные власти не докажут необходимости его сохранения. Несколько дней спустя я прочел в газетах, что кордон в Вирамгаме ликвидирован.

Я считал это происшествие началом сатьяграхи в Индии, поскольку во время моих переговоров с бомбейским правительством секретарь выразил недовольство по поводу упоминания о сатьяграхе в речи, которую я произнес в Богасре (Катхиавар).

— Не угроза ли это? — спросил он. — Неужели вы думаете, что сильное правительство уступит угрозам?

— Это не угроза, — ответил я, — а воспитание масс. Моя обязанность — указать народу законные средства борьбы с бедствиями. Нация, которая желает стать самостоятельной, должна знать все пути и способы достижения свободы. Обычно в качестве последнего средства прибегают к насилию. Сатьяграха, напротив, представляет собой абсолютно ненасильственный метод борьбы. Я считаю своей обязанностью разъяснять населению, как и в каких пределах им пользоваться. Не сомневаюсь, что английское правительство — сильное правительство, но не сомневаюсь также и в том, что сатьяграха — в высшей степени действенное средство.

Умный секретарь скептически покачал головой и сказал:
— Посмотрим.

IV. ШАНТИНИКЕТАН

Из Раджкота я направился в Шантиникетан. Учащиеся и преподаватели осыпали меня знаками внимания. Прием явился изумительным сочетанием простоты, изящества и любви. Здесь я впервые встретился с Какасахибом Калелкаром.

Тогда я не знал, почему Калелкара называли «Какасахиб». Оказалось, адвокат Кешаврао Дешпанде, с которым мы были друзьями в период пребывания в Англии, руководивший школой в княжестве Барода, называвшейся «Ганганат Видьялайя», давал учителям родовые имена, стараясь создать в Видьялайе семейную обстановку. Адвоката Калелкара, тогда учителя, стали называть «Кака» (буквально дядя со стороны отца), Фадке называли «Мама» (дядя со стороны матери), а Харикар Шарма получил имя «Анна» (брат). Другим тоже дали соответствующие имена. Впоследствии к этой «семье» присоединились Ананданaнд (Свами) в качестве друга Каки и Патвардхан (Аппа) — в качестве друга Мамы. Все они с течением времени стали моими товарищами по работе. Самого адвоката Дешпанде обычно называли «Сахиб». Когда «Видьялайя» пришлось распустить, «семья» также распалась, но ее члены никогда не порывали духовного родства между собой и не забывали своих прозвищ.

Какасахиб стремился накопить опыт, работая в различных организациях, и, когда я приехал, он оказался в Шантиникетане. Чинтаман Шастри, принадлежавший к тому же братству, также был там. Оба преподавали санскрит.

Колонистам из Феникса было отведено в Шантиникетане отдельное помещение. Во главе колонии стоял Маганлал Ганди. Он взял на себя наблюдение за строгим выполнением всех правил фениксского ашрама. Я видел, что благодаря своему любовному отношению к людям, познаниям и настойчивости он пользовался большим влиянием во всем Шантиникетане.

В то время там жили Эндрюс и Пирсон. Из бенгальских учителей мы довольно тесно сошлись с Джагаданандбабу, Непалбабу, Сантошбабу, Калибабу, Нагенбабу, Шарадбабу и Кшитимоханбабу.

По своему обыкновению, я быстро подружился с преподавателями и учащимися и завел с ними беседу о самообслуживании. Я сказал преподавателям, что если они и учащиеся откажутся от услуг наемных поваров и сами станут варить себе пищу, то учителям это даст возможность следить за кухней в интересах морального и физического здоровья учеников, а ученики получат наглядный урок самообслуживания. Некоторые качали головами, другие полностью одобрили мою мысль. Ученики восторженно ухватились за этот план, вероятно, вследствие инстинктивного влечения ко всему новому. Мы решили сделать опыт.

Когда я попросил поэта высказать его мнение, он сказал, что не возражает против плана, если учителя его одобрят. Обращаясь же к мальчикам, он сказал:

— Опыт этот — ключ к свараджу.

Пирсон не жалел себя, стремясь успешно провести опыт. Он с жаром принялся за дело. Одной группе было поручено резать овощи, другой — очищать зерно и т. п. Нагенбабу и прочие принялись за уборку кухни и остальных помещений. Я был рад видеть, как воодушевленно они работают с лопатой в руках.

Было трудно рассчитывать, чтобы сто двадцать пять учеников и преподавателей, начав заниматься физическим трудом, сразу почувствовали себя как утки в воде. Ежедневно происходили споры. Иные очень скоро уставали. Но Пирсон был неутомим. Его постоянно можно было видеть на кухне или поблизости от нее. Когда он чистил кухонную посуду, группа учащихся играла на ситаре, чтобы работа не казалась слишком скучной. Все, как один, работали с энтузиазмом, и Шантиникетан превратился в хлопотливый улей. Стоит только начать вводить такие новшества в нашу жизнь, и они повлекут за собой дальнейшие изменения.

Колонисты из Феникса сразу по прибытии стали не только сами обслуживать кухню, но и чрезвычайно упростили пищу. Всякие приправы были изъяты. Рис, дал, овощи и даже пшеничная мука варились в одном котле.

Учащиеся Шантиникетана завели у себя такую же кухню с целью реформировать бенгальскую. Ее обслуживали сами учащиеся и один-два учителя.

Через некоторое время, однако, все эти работы были прекращены. Я считаю, что широкоизвестная школа ничего не потеряла от того, что проделала опыт, а учителя, несомненно, извлекли из него для себя некоторую пользу.

Я намеревался задержаться в Шантиникетане, но судьба решила иначе. Я не прожил там и недели, как пришла телеграмма из Пуны о смерти Гокхале. Шантиникетан погрузился в траур. Все его обитатели пришли ко мне выразить соболезнование. Мы собрались, чтобы оплакать национальную утрату. Это была торжественная церемония. В тот же день я с женой и Маганлалом выехал в Пуну. Остальные остались в Шантиникетане.

Эндрюс сопровождал меня до Бурдвана.

— Считаете ли вы, что наступит время для сатьяграхи в Индии? И если это так, то когда это произойдет? — спросил он меня.

— Трудно сказать, — ответил я. — Я лично ничего не буду предпринимать в течение года, поскольку Гокхале взял с меня слово попутешествовать по Индии, чтобы набраться опыта, и не стану высказываться по общественным вопросам, пока не закончится этот испытательный срок. Но и по истечении года не стану торопиться выступать и высказывать свои мнения. Во всяком случае не думаю, что возникнет повод для сатьяграхи в течение по крайней мере пяти лет.

Могу отметить в этой связи, что Гокхале подсмеивался над некоторыми моими идеями, высказанными в «Хинд Сварадж».

— После года пребывания в Индии ваши воззрения изменятся, — говорил он.

V. МЫТАРСТВА ПАССАЖИРОВ ТРЕТЬЕГО КЛАССА

В Бурдване мы испытали на себе все мытарства, которые приходится претерпевать пассажирам третьего класса начиная с покупки билета.

— Билеты третьего класса так рано не продаются, — заявили нам в кассе.

Я отправился к начальнику станции, до которого не так легко добраться. Кто-то вежливо показал мне, где он находится, и я поведал ему о наших трудностях. Но и он повторил мне то же самое. Наконец касса открылась, и я пошел купить билеты. Но получить их было не просто. Здесь действовало право сильного: те, кто понахальнее, не считаясь с остальными, подходили все время к кассе и отталкивали меня. Поэтому я купил билеты почти последним.

Поезд подали, и сесть в него было новым испытанием. Пассажиры, уже находившиеся в поезде, и те, кто пытался влезть, ругались и толкались. Мы бегали по платформе туда и обратно и всюду слышали:

— Мест нет.

Я подошел к проводнику. Он сказал:

— Постарайтесь куда-нибудь пристроиться или ждите следующего поезда.

— Но я еду по спешному делу, — вежливо возразил я.

Однако у него не было времени выслушать меня. Я не знал, что делать. Я сказал Маганлалу, чтобы он как-нибудь проник в поезд, а сам вошел с женою в междуклассный вагон. Проводник заметил это и на станции Асансол предложил мне доплатить за билет.

— Вы были обязаны найти нам место, — сказал я ему. — Мы здесь потому, что все было занято. Мы охотно перейдем в третий класс, если вы нас устроите там.

— Нечего рассуждать, — сказал проводник, — я не могу устроить вас в третьем классе. Доплачивайте или вылезайте.

Я хотел во что бы то ни стало добраться до Пуны и потому, не продолжая спора, доплатил за билет до этой станции. Но несправедливость возмутила меня.

Утром мы прибыли в Могалсарай. Маганлалу удалось найти свободное место в вагоне третьего класса, куда перешли и мы. Я сообщил контролеру о происшедшем и просил у него удостоверения, что мы на станции Могалсарай пересели в вагон третьего класса. Но он наотрез отказался выдать его. Тогда я обратился к начальнику станции. Тот ответил:

— Обычно мы без соответствующего удостоверения не возмещаем переплаты. Для вас же сделаем исключение. Но мы не можем возвратить всем доплату за проезд от Бурдвана до Могалсарая.

С тех пор я приобрел большой опыт поездок в третьем классе. Если бы я записывал все мои впечатления, они составили бы целый том. Но здесь я упоминаю о них лишь мимоходом. Я глубоко сожалел и буду сожалеть, что по состоянию здоровья был вынужден отказаться от поездок в третьем классе.

Мытарства пассажиров третьего класса обусловлены, несомненно, своеволием железнодорожных властей. Но не в меньшей степени повинны и грубость, неряшливость, эгоизм и невежество самих пассажиров. Достойно сожаления, что пассажиры часто не сознают своего неправильного поведения, эгоизма и нечистоплотности. Они считают такое поведение вполне естественным. Все это можно отнести за счет безразличного отношения к ним со стороны нас — «образованных».

Мы приехали в Кальян ужасно усталые. Маганлал и я добыли себе воды из станционной колонки и совершили омовение. Только я начал набирать воду для жены, как ко мне подошел адвокат Каул из общества «Слуги Индии». Он тоже ехал в Пуну и предложил проводить мою жену в умывальную комнату второго класса. Я колебался, не решаясь принять это учтивое предложение. Я знал, что моя жена не имеет права пользоваться туалетом второго класса, но в конце концов согласился нарушить этикет. Я знаю, что этот мой поступок не делает чести поборнику истины. Не могу сказать, чтобы жене очень хотелось помыться в умывальной. Но любовь мужа к жене одержала верх над любовью к истине.

«Лик истины сокрыт за золотым покрывалом Майя», — говорится в Упанишадах.

VI. ХОДАТАЙСТВА

Прибыв в Пуну, мы после отправления церемоний шраддха обсуждали судьбы общества «Слуги Индии» и вопрос о том, следует ли мне вступить в это общество. Вопрос о членстве оказался для меня весьма щекотливым. Пока Гокхале был жив, у меня не было надобности добиваться приема в общество. Я просто следовал его желаниям — и мне это нравилось. Плавая по бурному морю индийской общественной жизни, я нуждался в искусном кормчем. Таким кормчим был для меня Гокхале. Я видел в нем твердую опору. Теперь, когда он умер, я оказался предоставленным самому себе и понял, что мой долг — стать членом общества. Это, думал я, будет приятно душе Гокхале. Поэтому без всяких колебаний и с полной решимостью я стал ходатайствовать о приеме.

В этот критический момент большинство членов общества находилось в Пуне. Я старался рассеять их опасения насчет меня, но видел, что мнения расходятся: одни за принятие меня, другие — решительно против. Я не сомневался в расположении ко мне обеих групп, но, по-видимому, их лояльность по отношению к обществу была сильнее или, во всяком случае, не меньшей. Наши беседы были поэтому лишены горечи и не выходили за рамки принципиальных вопросов. Противники моего приема указывали, что по ряду важных проблем моя позиция диаметрально противоположна их позиции и что мое членство может поставить под угрозу цели, ради которых создано общество. Для них это, естественно, было невыносимо.

Мы долго спорили и наконец отложили окончательное решение вопроса еще на некоторое время.

Взволнованный, я возвратился домой. Имею ли я право стать членом общества, если буду принят только простым большинством голосов? Совместимо ли это с моим отношением к Гокхале? И я ясно понял, что при таком резком разногласии среди членов общества правильнее взять назад свое ходатайство о приеме и тем избавить моих противников от щекотливого положения. Именно этого, думал я, требовала от меня лояльность по отношению к обществу и к Гокхале. Мысль эта внезапно осенила меня, и я немедленно написал мистеру Шастри, чтобы он вообще не созывал отложенное заседание членов общества. Противники приема по достоинству оценили мой поступок. Он вывел из затруднительного положения, и узы нашей дружбы стали еще прочнее, а меня сделал фактически членом общества.

Опыт показал, что я поступил правильно, не став формально членом общества, и что противодействие моих противников было оправданным. Наши взгляды по принципиальным вопросам действительно были глубоко различны. Но признание расхождений не означало, что между нами появилась некоторая отчужденность. Мы продолжали относиться друг к другу по-братски, и дом общества в Пуне всегда был местом моего паломничества.

Правда, я официально не стал членом общества, но в душе всегда был таковым. Духовные отношения гораздо ценнее физических. Физические отношения без духовных то же, что тело без души.

VII. КУМБХА МЕЛА

Из Пуны я отправился в Рангун, чтобы повидаться с доктором Мехтой. По дороге я остановился в Калькутте, где был гостем ныне покойного бабу Бупендраната Басу. Бенгальское гостеприимство достигло здесь своего апогея. В то время я питался исключительно фруктами, и потому к моему столу доставлялись всевозможные фрукты и орехи, какие только можно было раздобыть в Калькутте. Хозяйки дома, бывало, не спали ночи напролет и чистили для меня различные орехи. Из свежих фруктов мне с величайшим старанием готовили индийские блюда. Для моих спутников, среди которых был сын Рамдас, также приготовлялось множество деликатесов. Но как бы я ни ценил такое изумительное гостеприимство, меня тяготила мысль, что из-за двух-трех гостей хлопочет весь дом. Однако я не знал, как избавиться от этого смущавшего меня внимания.

В Рангун я отправился на пароходе палубным пассажиром. Если в доме адвоката Басу мы страдали от избытка внимания, то здесь вообще отсутствовало какое бы то ни было внимание даже к самым элементарным удобствам палубных пассажиров. То, что именовалось ванной, было невероятно грязным. Уборные представляли собой зловонные клоаки. Чтобы ими пользоваться, нужно было переходить вброд через мочу и экскременты или прыгать через них. Это было невыносимо. Я без промедлений обратился к капитану. Нечистоплотность пассажиров усугубляла зловоние и грязь. Они плевали там, где сидели, засоряли все вокруг остатками пищи, табака и листьями бетеля. Все без конца шумели, и каждый старался занять как можно больше места для себя и своего багажа. В такой обстановке мы провели два дня.

По прибытии в Рангун я написал агенту пароходной компании обо всех непорядках. Благодаря этому письму и стараниям доктора Мехты наше путешествие назад на борту корабля было не столь нестерпимым.

В Рангуне я также питался исключительно фруктами, и это опять повлекло за собой дополнительные хлопоты для хозяина дома. Но так как у доктора Мехты я чувствовал себя как дома, то мог в какой-то мере ограничивать щедрость хозяина. Однако поскольку я не установил никаких ограничений в отношении числа блюд, которые разрешал себе съедать, то чревоугодие не позволяло мне эффективно упрощать предложенное разнообразие блюд. Не были твердо установлены часы приема пищи. Я предпочитал не принимать пищи после наступления темноты. Тем не менее, как правило, мы ужинали после восьми-девяти часов вечера.

Тот год, 1915-й, был годом ярмарки Кумбха, которая устраивается в Хардваре раз в двенадцать лет. Я не стремился посетить ярмарку, но мне хотелось встретиться с Махатмой Мунширамджи, который находился тогда в своем гурукуле. Общество Гокхале послало для обслуживания ярмарки большой отряд добровольцев во главе с пандитом

Хридаянатом Кунзру. Организацию санитарной части взял на себя ныне покойный доктор Дев. Меня попросили послать им в помощь группу фениксских колонистов, с которыми отправился Маганлал Ганди. Вернувшись из Рангуна, я присоединился к отряду.

Переезд из Калькутты в Хардвар был особенно мучительным. Временами в вагонах не было света. В Сахаранпуре некоторых из нас перевели в товарные вагоны, других — в вагоны для скота, над ними не было крыш, и мы буквально изжарились под ярким полуденным солнцем, сидя на раскаленном железном полу. Тем не менее никакие муки жажды не могли заставить правоверных индусов пить воду, если она была «мусульманской». Они воздерживались, пока не получили «индусскую воду». Но те же самые индусы, да будет известно, совсем не раздумывают и не колеблются, если во время болезни доктор предписывает им вино или мясной бульон или если ту же самую воду дает какой-нибудь аптекарь-мусульманин или христианин.

Уже в период пребывания в Шантиникетане мы поняли, что нашей особой обязанностью в Индии является уборка мусора. В Хардваре палатки для добровольцев были расставлены в *дхармашала*. По распоряжению доктора Дева были вырыты несколько ям, которые должны были служить отхожими местами. Для их чистки ему приходилось пользоваться услугами платных ассенизаторов. Эта работа была как раз по плечу группе фениксских колонистов. Мы предложили зарывать экскременты в землю и следить за чистотой. Доктор Дев с благодарностью принял наше предложение. Оно, само собой разумеется, исходило от меня, но обеспечить его выполнение пришлось Маганлалу Ганди. Я же преимущественно сидел в палатке, давал *даршан* и вел религиозные и другие дискуссии с многочисленными паломниками, обращавшимися ко мне. Поэтому у меня не оставалось ни одной свободной минуты. Жаждущие даршана следовали за мной даже в купальню *гхат* и не оставляли в покое во время еды. Здесь, в Хардваре, я понял, какое глубокое впечатление произвела по всей Индии моя скромная работа в Южной Африке.

Но ничего завидного в моем положении не было. Я чувствовал себя между двух огней. Там, где не знали, кто я, мне приходилось переносить все неприятности, выпадающие на долю миллионов индийцев, например, во время путешествий по железным дорогам. А когда меня окружали люди, слышавшие обо мне, я становился жертвой их неистовых домоганий даршана. Что было хуже — трудно решить. Я только знал, что слепая любовь индусов к даршанвалам часто раздражала меня, а еще чаще причиняла душевную боль. Путешествия же, которые подчас были трудными, способствовали душевному подъему и почти никогда не вызывали гнева.

В то время я был достаточно силен, чтобы много странствовать, и, к счастью, еще не настолько известен, чтобы мне нельзя было пройти по улице, не привлекая всеобщего внимания. Во время странствий мне чаще приходилось наблюдать у паломников не благочестие, а рассеянность, лицемерие и неопрятность. Масса морально падших «садху», по-видимому, существовали только для того, чтобы наслаждаться приятными сторонами жизни.

В Хардваре я увидел корову с пятью ногами! Я был поражен, но сведущие люди разъяснили мне: бедная пятиногая корова была жертвой алчности злых людей. Я узнал, что пятая нога была отрезана от живого теленка и приращена к плечу коровы! Результатом этого двойного акта жестокости пользовались для того, чтобы выманить деньги у невежественных людей. Ни один индус не мог пройти мимо пятиногой коровы, и ни один индус не мог не подать милостыню ради этой удивительной коровы.

День открытия ярмарки наступил. То был радостный для меня день! Я приехал в Хардвар, совсем не испытывая настроения паломника. Я никогда не стремился в часто посещаемые места паломничества в поисках благочестия. Но миллион семьсот тысяч человек, собравшихся здесь, не могли быть сплошь лицемерами или просто туристами. Я не сомневался, что многие явились сюда для самоочищения и подвига. Трудно, почти невозможно выразить, какой душевный подъем порождает подобная вера. Всю ночь я провел в глубоких размышлениях. Я был убежден, что в этой гуще лицемерия встречались и набожные души. Они безгрешными предстанут перед Создателем. Размышляя, я приходил к все более твердому убеждению, что посещение Хардвара само по себе грех, надо выступить с публичным протестом и покинуть Хардвар в день Кумбха. Но что, если паломничество в Хардвар и на ярмарку Кумбха не грех, тогда я должен прибегнуть к какому-либо акту самоотречения во искупление царившего там зла и очиститься. Для меня это было совершенно естественно.

В моей жизни главное — умерщвление плоти. Я думал о ненужном беспокойстве, которое причинял своим хозяевам в Калькутте и Рангуне, так щедро принимавшим меня. Поэтому я решил ограничить количество ежедневно принимаемой пищи и есть последний раз до захода солнца. Я был убежден, что если не прибегну к подобным ограничениям, то причиню беспокойство своим будущим хозяевам и заставлю их служить мне, вместо того чтобы самому служить им. Поэтому я поклялся себе во время пребывания в Индии не съедать более пяти блюд в сутки и никогда не есть после наступления темноты. Я обдумал все трудности, с которыми мне, возможно, придется столкнуться, и, не желая оставлять лазейки для себя и взвесив все, решил, что в случае болезни должен буду включить лекарства в число дозволенных пяти блюд и не сделаю никакого исключения в пользу специальных диетических блюд.

Вот уже тринадцать лет я исполняю этот обет. Я не раз подвергался суровым испытаниям, но могу с полным основанием заявить, что обет одновременно был для меня и щитом, добавившим мне несколько лет жизни и спасшим от многих болезней.

VIII. ЛАКШМАН ДЖХУЛА

Я почувствовал большое облегчение, когда, приехав в гурукул, увидел там гигантскую фигуру Махатмы Муншире амджи. Я сразу же ощутил удивительную разницу между покоем, царившим в гурукуле, и шумом и гамом в Хардваре.

Махатма отнесся ко мне с любовью. *Брахмачари* были полны внимания ко мне. Здесь я впервые познакомился с Ачарьей Рамадевджи и понял, какую огромную силу он представляет. Наши взгляды по некоторым вопросам не сходились, но тем не менее знакомство скоро перешло в дружбу.

Я долго обсуждал с Ачарьей Рамадевджи и другими профессорами необходимость введения в гурукуле обучения производственным навыкам. Когда настало время покинуть гурукул, я это сделал с болью в сердце.

Я слышал очень много восторженных отзывов о Лакшмане Джхуле (висячем мосте через Ганг неподалеку от Хришикеша), и многие друзья советовали мне не покидать Хардвара, не осмотрев его. Я решил пойти туда пешком и сделал это в два перехода.

В Хришикеше меня посетили многие *саньяси.* Один из них особенно привязался ко мне. Там была и группа из Феникса, и ее присутствие вызвало у свами много вопросов.

Мы дискутировали с ним на религиозные темы, и он понял, что я очень интересуюсь вопросами религии.

Когда он увидел меня выходящим после купания из Ганга без рубашки и с обнаженной головой, он огорчился, что у меня нет *шикхи* (пучка волос) на голове и священного шнура вокруг шеи.

— Мне горестно видеть, что вы, верующий индус, — сказал он мне, — не имеете шикхи и не носите священного шнура. Эти два внешних знака индуизма должны быть у каждого индуса.

Расскажу, каким образом я остался без этих двух символов индуизма.

Десятилетним мальчишкой я завидовал юношам-брахманам, игравшим связками ключей, висевшими на их священных шнурах. Семьи вайшья в Катхиаваре не носили в то время священных шнуров. Затем началось движение за обязательное их ношение первыми тремя *варнами.* В результате некоторые члены рода Ганди стали носить священные шнуры. Брахман, обучавший нас, троих мальчиков, «Рамаракше», надел их и на нас. Связки ключей у меня не было. Но я достал ключ и играл им, привесив к шнуру. Когда шнур износился, я не помню, чтобы это очень огорчило меня, и я не стремился достать новый шнур.

Когда я вырос, меня несколько раз в Индии и в Южной Африке пытались убедить снова надеть священный шнур, но безуспешно. Если *шудры* могут не носить его, доказывал я, то какое право имеют на это другие варны? Я не возражал против шнура как такового, но не видел достаточных оснований, чтобы принять этот ненужный, на мой взгляд, обычай.

Как вишнуит, я, естественно, носил вокруг шеи *кантхи,* а пожилые люди считали обязательной также шикху. Однако перед отъездом в Англию я избавился от шикхи, считая, что если мне случится обнажить голову, то надо мной станут смеяться, и я буду выглядеть в глазах англичан, как мне тогда казалось, варваром. В Южной Африке трусость заставила меня уговорить двоюродного брата Чхаганлалу Ганди, который носил шикху из религиозных соображений, срезать ее. Я опасался, что это могло бы помешать его общественной деятельности, и поэтому, пойдя даже на риск нанести ему обиду, я предложил ему расстаться с шикхой.

Я чистосердечно рассказал обо всем этом свами и добавил:

— Я не буду носить священный шнур, так как не вижу необходимости в этом; многие индусы обходятся без него и все же остаются индусами. К тому же священный шнур должен быть символом духовного возрождения, которое предусматривает со стороны верующего продуманное стремление к все более высокой и чистой жизни. Я сомневаюсь, чтобы при теперешнем состоянии индуизма в Индии индусы могли претендовать на право носить символ, имеющий такое значение. Они смогут получить это право только тогда, когда индуизм очистится от неприкасаемости, уничтожит все различия между высшими и низшими и освободится от множества других гнездящихся в нем зол и постыдных обычаев. Мой ум восстает поэтому против ношения священного шнура. Но я уверен, что ваши соображения относительно шикхи не лишены основания. Некогда я носил шикху и отказался от нее из ложного чувства стыда, и поэтому я считаю, что должен начать отращивать себе волосы. Я поговорю об этом с товарищами.

Свами не согласился с моими соображениями по поводу священного шнура. Как раз те доводы, которые я привел против его ношения, казались ему доказательствами необходимости носить шнур. Мои взгляды с тех пор не изменились. Пока существуют различные религии, каждой из них необходим какой-то внешний отличительный символ. Но когда этот символ становится фетишем и средством для доказательства превосходства одной религии над другой, от него необходимо отказаться. Священный шнур, на мой взгляд, не является средством, возвышающим индуизм. Поэтому я отношусь к нему безразлично.

А что касается шикхи, то я отказался от нее из трусости и после совещания с друзьями решил вновь отрастить ее.

Но возвратимся к Лакшману Джхуле. Я был очарован живописными окрестностями Хришикеша и Лакшмана Джхулы и склонил голову в знак почитания наших предков за их понимание красоты природы и за их умение придать религиозное значение проявлениям прекрасного в природе.

Но меня возмущал способ использования людьми этих прекрасных мест. Как в Хардваре, так и в Хришикеше люди загрязняли дороги и красивые берега Ганга. Они не остановились даже перед осквернением священной воды Ганга. Мое сердце преисполнялось страданием при виде того, как люди отправляют свои естественные потребности на дорогах и на берегах реки, вместо того чтобы делать это где-нибудь подальше, в стороне от любимых публикой мест.

Лакшман Джхула не что иное, как висячий железный мост через Ганг. Рассказывают, что первоначально на этом месте красовался веревочный мост. Но одному филантропу-марвари пришло в голову разрушить его и построить за большие деньги железный, ключи от которого он вручил правительству. О веревочном мосте ничего сказать не могу, так как не видел его. Железный же мост здесь совершенно не к месту и нарушает красоту окружающего ландшафта. Передача ключей от этого моста пилигримов правительству, даже при всей моей тогдашней лояльности, возмущала меня.

Перейдя через мост, вы попадаете в сваргашрам, жалкое местечко, состоящее из нескольких полуразвалившихся сараев из оцинкованного железа. Они, как мне сказали, были сооружены для садхаков (ищущих). В то время в них вряд ли кто жил.

Познания, приобретенные в Хардваре, оказались для меня бесценными. Они в значительной степени помогли мне решить вопрос, где я должен жить и что делать.

IX. ОСНОВАНИЕ АШРАМА

Паломничество на ярмарку Кумбха я совершил во время второго посещения Хардвара.

«Сатьяграха ашрам» был основан 25 мая 1915 г. Шраддхананджи хотел, чтобы я поселился в Хардваре. Несколько моих друзей из Калькутты рекомендовали Вайдьянатадхам. Другие усиленно убеждали избрать Раджкот. Но когда мне довелось проезжать Ахмадабад, многие друзья настаивали, чтобы я поселился там, предлагали взять на себя издержки по ашраму и соорудить для нас жилой дом.

Меня всегда тянуло в Ахмадабад. Будучи гуджаратцем, я считал, что сумею оказать больше всего услуг своей стране, пользуясь языком гуджарати. Кроме того, Ахмадабад, как старинный центр кустарного ткачества, представлял наиболее благоприятную почву для возрождения домашнего кустарного прядения. В этом городе — столице Гуджарата — можно было скорее всего рассчитывать на денежную помощь со стороны богатых граждан.

С ахмадабадскими друзьями я обсуждал вопрос о неприкасаемых. Я сказал, что воспользуюсь первой возможностью, чтобы провести в ашрам кандидата из неприкасаемых, если, конечно, он будет достоин этого.

— Где вы найдете неприкасаемого, отвечающего вашим требованиям? — возразил самоуверенно один приятель-вишнуит.

В конце концов я решил основать ашрам в Ахмадабаде.

Что касается помещения, то больше всех в этом деле мне помог ахмадабадский адвокат Дживанлал Десай. Он предложил сдать в наем свое бунгало в Кочрабе, и мы сняли его.

Прежде всего необходимо было найти для ашрама подходящее название. Я посоветовался с друзьями. Среди предложенных названий были «Севашрам» (место служения), «Тапован» (место аскетизма) и др. Мне понравилось «Севашрам», но без акцента на методе служения. «Тапован» казался претенциозным названием, ибо, хотя *тапас* и был дорог нам, мы все же не могли претендовать на звание *тапасванов* (аскетов). Нашей верой была приверженность истине, а занятием — поиски и настойчивое утверждение истины. Я хотел ознакомить индийцев с методами, опробованными мною в Южной Африке. Я жаждал выявить пределы их возможного применения в Индии. Поэтому мои компаньоны и я выбрали название «Сатьяграха ашрам», что одновременно передавало и нашу цель, и наш метод служения.

Для ведения дел ашрама необходим был устав. Мы составили проект и предложили его на обсуждение друзьям. Из многих сделанных замечаний до сих пор помню замечание сэра Гурудаса Банерджи. Ему понравился наш проект, однако он предложил, чтобы в качестве одного из предписаний было добавлено требование скромности, так как он считал, что молодое поколение совершенно лишено ее. Я знал об этом грехе, но опасался, что скромность перестанет быть скромностью, как только она станет делом клятвы. Истинное значение скромности — самоотречение. Самоотречение есть *мокша* (спасение), а пока оно не может само по себе быть предписанием, могут быть другие предписания, необходимые для достижения мокши. Если поступки стремящегося достичь состояния мокши или служителя не содержат в себе скромности или самоотверженности, то не может быть стремления к мокше или служению. Служение без скромности представляет собой эгоизм и самомнение.

В то время среди нас было около тринадцати тамилов. Пятеро тамильских юношей последовали за мной из Южной Африки, а остальные прибыли из различных частей Индии. Всего нас было двадцать пять человек — мужчин и женщин.

Так был основан ашрам. Мы все ели за одним столом и старались жить как одна семья.

X. НА НАКОВАЛЬНЕ

Ашрам существовал всего лишь несколько месяцев, когда нам пришлось подвергнуться испытанию. Я получил от Амритлала Таккара следующее письмо:

«Скромная и честная семья неприкасаемых хочет поселиться в вашем ашраме. Примите ли вы ее?»

Я был взволнован. Я никак не ожидал, что семья неприкасаемых, да еще с рекомендацией такого человека, как Таккар Бапа, так скоро выразит желание попасть в ашрам. Я показал письмо компаньонам. Они приветствовали это.

Я ответил Амритлалу Таккару, что мы согласны принять рекомендуемую им семью, если она будет подчиняться всем правилам ашрама.

Семья неприкасаемых состояла из Дадабхая, его жены Данибехн и их дочери Лакшми, тогда еще только учившейся ходить. Дадабхай был учителем в Бомбее. Они согласились подчиниться всем правилам и были приняты.

Однако приезд в ашрам неприкасаемых произвел сенсацию среди помогавших нам друзей. Первая трудность возникла из-за пользования колодцем, из которого брал воду и хозяин бунгало. Он заявил, что капли воды, проливающиеся из нашего ведра, могут осквернить его. Он принялся всячески поносить нас и досаждать Дадабхаю. Я распорядился не обращать внимания на оскорбления и продолжать брать воду во что бы то ни стало. Увидев, что мы не отвечаем на его ругательства, он устыдился и оставил нас в покое.

Денежная помощь нам прекратилась. Приятель, спросивший меня, смогут ли неприкасаемые выполнять правила ашрама, никак не подозревал о возможности таких последствий.

Одновременно с прекращением денежной помощи появились слухи о возможном общественном бойкоте. Мы были готовы ко всему. Я заявил компаньонам, что мы не оставим Ахмадабада, если даже нас будут бойкотировать и лишат самого необходимого. Мы скорее перейдем в квартал неприкасаемых и будем жить на те средства, которые сумеем заработать физическим трудом.

Дошло до того, что в один прекрасный день Маганлал Ганди сообщил мне:

— Денег больше нет, и жить в следующем месяце не на что.

— Ну что ж, переедем в квартал неприкасаемых, — спокойно ответил я.

Мне не впервые приходилось подвергаться подобному испытанию, всякий раз в последнюю минуту Бог помогал нам.

Однажды утром, вскоре после того, как Маганлал предупредил о денежных затруднениях, кто-то из детей прибежал ко мне и сказал, что меня на улице ждет в автомобиле какой-то шет, который хочет поговорить со мной. Я вышел к нему.

— Мне хотелось бы оказать помощь ашраму, — сказал он. — Примите вы ее?

— Безусловно, — сказал я. — Признаюсь, что у нас как раз иссякли все средства.

— Я буду здесь завтра в это же время. Застану ли я вас?

— Да, — ответил я, и он уехал.

На другой день точно в назначенный час к нам подъехал автомобиль и раздался гудок. Дети прибежали за мной. Шет отказался войти в дом. Я вышел к нему, и он, вручив мне тринадцать тысяч рупий в банкнотах, уехал.

Я никак не ожидал такой помощи. И каким оригинальным способом она была оказана! Этот господин никогда раньше не посещал ашрам. Насколько помнится, я только раз видел этого человека. Не заглядывая к нам и без всяких расспросов, он просто помог и уехал. Это был совершенно исключительный случай в моей практике. Оказанная помощь отсрочила наше переселение в квартал неприкасаемых. Мы были вполне обеспечены на год.

Но буря разразилась и в ашраме. В Южной Африке мои друзья из неприкасаемых приходили ко мне, жили и ели со мной, однако здесь моей жене и другим женщинам, видимо, пришлось не по вкусу принятие неприкасаемых в ашрам. Мои глаза и уши без труда отмечали холодное, если не недоброжелательное отношение к Данибехн. Денежные затруднения не причинили мне беспокойства, но этого я переносить не мог. Данибехн была обыкновенной женщиной. Дадабхай был человек с небольшим образованием, но толковый. Я ценил его терпение. Иногда он взрывался, но в целом я был доволен его выдержкой и просил не обращать внимания на мелкие обиды. Он не только согласился, но и убедил жену поступать так же.

Принятие семьи неприкасаемых было хорошим уроком для ашрама. С самого начала мы заявили на весь мир, что ашрам не поощряет неприкасаемость. Желавшие помогать ашраму, таким образом, получили от нас предостережение, и работа ашрама в этом направлении была значительно упрощена. То обстоятельство, что с каждым днем растущие расходы по ашраму покрывались пожертвованиями, поступавшими преимущественно от правоверных индусов, пожалуй, с очевидностью указывает, что предрассудок о неприкасаемости поколеблен. Есть много других доказательств, но тот факт, что правоверные индусы, не колеблясь, помогали ашраму, где мы ели вместе с неприкасаемыми, не меньшее подтверждение этому.

Я сожалею, что вынужден пройти здесь мимо ряда деталей, касающихся данного вопроса и поясняющих, каким образом мы разрешали щекотливые вопросы, возникавшие из основной проблемы, и как преодолевали неожиданные затруднения. Я опускаю и много других вопросов, которые весьма важны для описания моих поисков истины.

То же самое придется сделать и в последующих главах. Я вынужден буду опускать важные подробности, так как большинство героев этой драмы еще живы, и без разрешения было бы неправильно называть их имена в связи с событиями, в которых они участвовали. Испрашивать у них согласие или предложить им просматривать те главы, в которых они упоминаются, вряд ли было бы целесообразно. Да и вообще, подобная процедура уже выходит за рамки работы над автобиографией.

Я опасаюсь поэтому, что остальная часть книги при всей ее важности для ищущих истину будет страдать многими неизбежными пробелами. Тем не менее я желаю и надеюсь, если того пожелает Бог, довести свое повествование до периода несотрудничества.

XI. КОНЕЦ ЭМИГРАЦИИ ЗАКОНТРАКТОВАННЫХ РАБОЧИХ

Покинем на некоторое время ашрам с его внутренними и внешними бурями и вкратце коснемся другого вопроса, который привлек мое внимание.

Законтрактованными рабочими назывались рабочие, эмигрировавшие из Индии для работы по контракту, заключенному на пять и менее лет. Хотя по так называемому соглашению Смэтс—Ганди, заключенному в 1914 г., налог в три фунта стерлингов, взимаемый с каждого законтрактованного, прибывающего в Наталь, был отменен, проблема эмиграции из Индии требовала еще внимания.

В марте 1916 г. пандит Мадан Мохан Малавияджи внес в Индийский законодательный совет резолюцию об отмене системы контрактации рабочих. В связи с этим предложением лорд Гардинг заявил, что он «уже получил от правительства его величества обещание со временем отменить» эту систему. Но я чувствовал, что Индия не может удовлетвориться столь неопределенным заверением и что нужно начать пропагандистскую кампанию за немедленную отмену этой системы. Индия до сих пор терпела контрактацию только по нерадивости. Я считал, что уже настало время, когда народ мог бы с успехом начать кампанию за устранение этого зла.

Я повидался с видными общественными деятелями, поместил ряд статей в газетах и убедился, что общественное мнение всецело за немедленную отмену системы контрактации. Достаточна ли эта причина для того, чтобы прибегнуть к сатьяграхе? Я не сомневался, что вполне достаточна, но не знал modus operandi[1].

Тем временем вице-король разъяснил, что обещание «со временем отменить „систему“ следует понимать в том

---

[1] Способ *(лат.)*.

смысле, что контрактация будет отменена по прошествии разумного срока, достаточного для проведения альтернативных мероприятий».

Итак, в феврале 1917 г. пандит Малавияджи попросил разрешения внести законопроект о немедленном упразднении системы контрактации. Лорд Челмсфорд не дал такого разрешения. Тогда я предпринял поездку по стране, чтобы поднять всю Индию на кампанию за отмену системы контрактации.

Предварительно я счел нужным нанести визит лорду Челмсфорду и попросил принять меня. Он немедленно согласился. Мистер Маффи, теперь сэр Джон Маффи, был его личным секретарем. Я связался с ним, а затем имел в известной мере удовлетворившую меня беседу с лордом Челмсфордом, который обещал мне свое содействие, но в неопределенной форме.

Начал я свою поездку с Бомбея. Мистер Джехангир Петита взялся созвать собрание от имени «Имперской ассоциации гражданства». Исполнительный комитет ассоциации устроил заседание для выработки резолюций, которые надлежало предложить на этом митинге. Доктор Стенли Рид, адвокат (теперь сэр) Лаллубхай Самалдас, адвокат Натараджан и мистер Петита присутствовали на заседании комитета. Дискуссия велась вокруг вопроса о сроке, в течение которого правительство должно отменить систему контрактации рабочих. Было внесено три предложения: одно из них гласило — «отменить по возможности скорее», другое — «отменить не позже 31 июля» и третье — «отменить немедленно». Я лично был за указание даты, ибо тогда мы могли решить, что предпринять, если правительство к указанному сроку не выполнит нашего требования. Адвокат Лаллубхай был за «немедленную» отмену. Он говорил, что «немедленно» означает более короткий период, чем «до 31 июля». Я объяснил, что народ не поймет слово «немедленно». Если мы хотим заставить его сделать что-либо, ему надо назвать более определенный срок. И правительство, и народ будут истолковывать слово «немедленно» по-своему. В отношении срока 31 июля не может быть разных толкований, и, если ничего не будет сделано к этому времени, мы сможем принять новые меры. Доктор Рид признал мой довод убедительным, и в конце концов адвокат Лаллубхай также согласился со мной. Мы утвердили дату 31 июля в качестве предельного срока для упразднения системы контрактации. Соответствующая резолюция была принята на массовом собрании. На митингах, прошедших по всей Индии, также были приняты аналогичные решения.

Миссис Джаиджи Петита приложила все свои силы для организации депутации женщин к вице-королю. В число женщин от Бомбея, входивших в состав депутации, я включил леди Тата и ныне покойную Дилшад Бегам. Депутация оказала огромное влияние. Вице-король дал обнадеживающий ответ.

Я посетил Карачи, Калькутту и другие города. Повсюду устраивались многолюдные митинги. Люди были охвачены беспредельным энтузиазмом. Начиная кампанию, я не ожидал ничего подобного.

В те времена я обычно ездил один, и со мной случались удивительные происшествия. За мной по пятам всегда следовали агенты тайной полиции. Но скрывать мне было нечего, поэтому они меня не беспокоили, и я не доставлял им хлопот. К счастью, я тогда еще не имел титула «махатмы», хотя там, где народ знал меня, употребление этого имени было вполне обычным явлением.

Во время одной поездки сыщики беспокоили меня на нескольких станциях, спрашивая билет и записывая его номер. Я, разумеется, с готовностью отвечал на все предлагаемые вопросы. Ехавшие со мной пассажиры принимали меня за садху или за факира. Увидев, что ко мне пристают на каждой станции, они возмутились и принялись бранить сыщиков.

— Чего вы беспокоите понапрасну бедного садху? — говорили они.

— Разве вы не показывали этим негодяям своего билета? — спрашивали они меня.

Я возразил мягко:

— Мне не трудно показать билет. Они ведь исполняют свои обязанности.

Пассажиры не удовлетворились моим ответом, они все больше выказывали мне свои симпатии и протестовали против такого несправедливого обращения с ни в чем не повинным человеком.

Но сыщики — это еще полбеды. Действительной пыткой были поездки в вагонах третьего класса. Самой тяжелой была поездка из Лахора в Дели. Я ехал тогда из Карачи в Калькутту через Лахор, где мне нужно было пересесть в другой поезд. Я никак не мог найти свободного места в поезде. Вагоны были битком набиты. Иные, посильнее, кое-как пробирались в вагон, нередко через окошко, когда двери были заперты. Мне нужно было быть в Калькутте к дню, назначенному для митинга, и если бы я не попал на этот поезд, то не поспел бы вовремя. Я уже потерял почти всякую надежду, что попаду на поезд. Вдруг какой-то носильщик, увидев мое отчаяние, подошел ко мне и сказал:

— Давайте двенадцать анна, и я достану вам место.

— Хорошо, — сказал я. — Вы получите двенадцать анна, если найдете мне место.

Носильщик обежал все вагоны, умоляя пассажиров потесниться, но никто не обращал на него внимания. В самый последний момент, когда поезд должен был уже тронуться, один пассажир сказал:

— Места здесь нет. Но если хочешь, втисни его сюда. Разумеется, ему придется стоять.

— Решайте, — обратился ко мне носильщик.

Я тут же согласился, и носильщик втиснул меня через окно. Таким образом, я очутился в вагоне, а носильщик получил свои двенадцать анна.

Ночь для меня была пыткой. Другие пассажиры кое-как уселись. Я простоял два часа, держась за цепь верхней койки. Некоторые пассажиры постоянно беспокоили меня:

— Почему вы не садитесь? — спрашивали они.

Я пытался объяснить им, что сесть некуда. Но они не могли спокойно относиться к тому, что я стою у них перед глазами, хотя сами лежали, растянувшись на верхних полках во весь рост, и не переставали досаждать меня, а я только вежливо отвечал им. В конце концов это несколько смягчило их.

Кто-то спросил, как меня зовут. Услышав мое имя, они устыдились и, извинившись, устроили мне место. Таким образом, я был вознагражден за свое терпение. Я смертельно устал, кружилась голова. Бог оказал мне помощь как раз в тот момент, когда я больше всего нуждался в ней.

Кое-как я добрался до Дели, а затем до Калькутты. Махараджа Кассимбазара, председательствовавший на митинге в Калькутте, оказал мне гостеприимство. Так же как и в Карачи, здесь ощущался безграничный энтузиазм. На митинге присутствовали несколько англичан.

Еще до 31 июля правительство объявило, что эмиграция законтрактованных рабочих из Индии прекращена.

В 1894 г. я представил первую петицию протеста против системы контрактации рабочих и уже тогда надеялся, что эта система «полурабства», как ее называл сэр В. В. Хантер, когда-нибудь перестанет существовать.

Многие помогали мне во время кампании против системы контрактации, но я не могу не сказать, что развязку ускорила возможность сатьяграхи.

Более подробно об этой кампании и о тех, кто принимал участие в ней, можно прочесть в моей книге о сатьяграхе в Южной Африке.

XII. ПЯТНО ИНДИГО

Чампаран — страна царя Джанаки. Эта местность изобилует теперь рощами манго, а до 1917 г. она была в значительной части покрыта плантациями индиго. По закону арендаторы в Чампаране обязаны были отводить под индиго для своего землевладельца по три участка из каждых двадцати участков арендуемой земли. Эта система называлась *тинкатия,* так как три *каттхи* из двадцати, составляющих акр, отводились под индиго.

Должен сознаться, что до того времени никогда не слыхал даже названия Чампаран, не говоря уже о том, что не знал его географического положения и не имел почти никакого представления о плантациях индиго. Я видел тюки индиго, но меньше всего думал о том, что индиго произрастает и возделывается в Чампаране и что это продукт невероятно тяжелого труда многих тысяч земледельцев.

Раджкумар Шукла был одним из земледельцев, стонавших под тяжестью этого ига. Он горел желанием сбросить гнет индиго с тысяч крестьян, которые страдали, как и он.

Я встретил этого человека в Лакнау, куда прибыл на сессию Конгресса 1916 г.

— Вакил-бабу все расскажет вам о наших бедствиях, — сказал он и убеждал меня поехать в Чампаран.

«Вакил-бабу» был не кто иной, как бабу Браджкишор Прасад, который впоследствии стал одним из моих ближайших сотрудников в Чампаране, а теперь является душой общественной работы в Бихаре.

Раджкумар Шукла привел Прасада ко мне в палатку. Он был одет в черный *ачкан* из альпаги и брюки. Тогда он не произвел на меня никакого впечатления. Я принял его за одного из тех вакилов, которые эксплуатируют простых земледельцев. Поговорив с ним немного о Чампаране, я ответил, как всегда в подобных случаях:

— Пока не могу высказать своего мнения: я должен лично ознакомиться с условиями, — и добавил: — Вы можете внести соответствующую резолюцию в Конгресс, но пока я вам ничего не обещаю.

Раджкумар Шукла, конечно, ждал помощи от Конгресса. Бабу Браджкишор Прасад внес резолюцию, выражавшую сочувствие жителям Чампарана. Резолюция была принята единогласно.

Раджкумар Шукла был доволен, но далеко не удовлетворен: он хотел, чтобы я лично посетил Чампаран и собственными глазами увидел бедственное положение тамошних райятов. Я сказал ему, что включу Чампаран в проектируемую мною поездку и пробуду там день или два.

— Одного дня будет достаточно, — сказал он. — И вы увидите все своими глазами.

Из Лакнау я отправился в Канпур. Раджкумар Шукла последовал за мною.

— Отсюда рукой подать до Чампарана. Пожалуйста, съездите туда на денек, — настаивал он.

— Пожалуйста, извините меня на этот раз, — отвечал я, все больше уступая ему. — Я обещаю побывать там когда-нибудь в другой раз.

Я вернулся в ашрам. Вездесущий Раджкумар был уже там.

— Умоляю вас, назначьте день, — обратился он ко мне.

— Хорошо, — сказал я, — мне нужно такого-то числа быть в Калькутте. Приходите тогда ко мне и свезите в Чампаран.

Я не представлял себе, куда должен был поехать, что сделать и что увидеть.

Не успел я прибыть к Бупенбабу в Калькутту, как Раджкумар был уже там. Так этот невежественный, безыскусный, но решительный земледелец покорил меня.

Итак, в начале 1917 г. мы выехали из Калькутты в Чампаран. Оба мы были похожи на крестьян. Я даже не знал, каким поездом надо ехать. Раджкумар усадил меня, и к утру мы приехали в Патну.

Я был впервые в этом городе и не имел там ни друзей, ни знакомых, у которых мог бы остановиться. Я думал, что Раджкумар Шукла, хотя и простой земледелец, все же имеет кое-какие связи в Патне. Но в пути я познакомился с ним несколько ближе, и, когда мы приехали в Патну, я утратил в отношении него всякие иллюзии: он был во всем совершеннейшим простаком. Вакилы, о которых он говорил как о своих друзьях, в действительности ничего подобного из себя не представляли. Бедняга Раджкумар был для них в большей или меньшей степени слугой. Между подобными клиентами-земледельцами и их вакилами огромная пропасть — шириной с Ганг во время половодья.

Раджкумар Шукла повел меня в дом Раджендрабабу в Патне. Оказалось, что Раджендрабабу отлучился в Пури или другое место, я забыл куда. В бунгало было двое слуг, но они не обратили на нас внимания. У меня с собой была кое-какая еда. Я хотел поесть фиников, которые Раджкумар купил для меня на базаре.

В Бихаре правила неприкасаемости соблюдались строжайшим образом. Я не мог брать воду из колодца, пока им пользовались слуги, так как капли воды, упавшие из моего ведра, могли осквернить их. Ведь слуги не знали, к какой касте я принадлежу. Раджкумар указал мне внутреннюю уборную, а слуги немедленно выпроводили меня во двор. Меня это не удивляло и не раздражало: я привык к таким вещам. Слуги выполняли только свой долг и делали то, что, как они полагали, может потребовать от них хозяин.

Все это увеличило мое уважение к Раджкумару Шукле, но вряд ли я узнал его лучше. Однако я понял, что Раджкумар не может руководить мной, и решил взять бразды правления в свои руки.

XIII. БЛАГОРОДНЫЕ БИХАРЦЫ

В Лондоне я познакомился с мауланой Мазхарулом Хаком, который готовился там к адвокатуре. В 1915 г. я возобновил с ним знакомство на Конгрессе в Бомбее (он был в том году председателем Мусульманской лиги), и он просил меня заехать к нему, когда мне случится быть в Патне. Теперь я вспомнил об этом приглашении и послал ему записку, в которой указал цель своего визита.

Он немедленно приехал на своем автомобиле и стал настойчиво предлагать воспользоваться его гостеприимством. Я поблагодарил и попросил указать мне ближайший поезд к месту моего назначения, так как в железнодорожном путеводителе совершенно чужой здесь человек разобраться не мог. Переговорив с Раджкумаром Шуклой, он предложил мне поехать сначала в Музаффарпур. Поезд отходил в тот же день вечером, и он проводил меня.

В Музаффарпуре находился тогда профессор Крипалани, с которым я познакомился в Хайдарабаде. От доктора Чойтрама я слышал о большой жертвенности Крипалани — о простом образе его жизни, об ашраме, которым руководил доктор Чойтрам на средства, полученные от Крипалани. Крипалани был профессором правительственного колледжа в Музаффарпуре и незадолго до нашего приезда подал в отставку.

Я телеграфировал ему о своем приезде, и он пришел на вокзал в сопровождении группы студентов встречать меня, хотя поезд прибыл около полуночи. Он не имел собственной квартиры и отвез меня к профессору Малкани, у которого жил и сам. В те дни не каждый профессор, находившийся на государственной службе, стал бы принимать у себя человека, подобного мне.

Профессор Крипалани ознакомил меня с отчаянным положением в Бихаре, особенно в округе Тирхут, и помог мне составить представление о трудности взятой на себя задачи. У него были связи с бихарцами, которым он уже рассказал о миссии, приведшей меня в Бихар.

Утром меня навестила небольшая группа вакилов, в том числе Рамнавми Прасад, серьезность которого особенно запечатлелась в моей памяти.

— Вы не сможете выполнять работу, ради которой приехали, — обратился он ко мне, — если останетесь здесь (он имел в виду квартиру профессора Малкани). Вы должны поселиться у одного из нас. Гаябабу весьма популярный здесь вакил, и от его имени я приглашаю вас переехать к нему. Признаюсь, мы все боимся правительства, но будем оказывать нам посильную помощь. В том, что Раджкумар Шукла рассказал вам, очень много правды. Жаль, что наших лидеров сегодня нет здесь. Я телеграфировал уже обоим — бабу Браджкишору Прасаду и бабу Ранджендре Прасаду. Они скоро прибудут и сумеют дать вам все нужные сведения, что значительно облегчит вашу задачу. Пожалуйста, переезжайте к Гаябабу.

Я не мог не внять его настояниям, хотя и боялся стеснить Гаябабу. Но последний успокоил меня, и я поселился у него. Все члены его семьи приняли меня весьма радушно.

Браджкишорбабу прибыл из Дарбханги, а Ранджендрабабу — из Пури. Браджкишорбабу не был уже тем бабу Браджкишором Прасадом, которого я встретил в Лакнау. На сей раз он меня поразил своей скромностью, простотой, добротой и исключительной верой, так присущей бихарцам. Мое сердце наполнилось радостью. Меня приятно удивило уважение к нему вакилов Бихара.

Вскоре я почувствовал, что подружился с этими людьми на всю жизнь. Браджкишорбабу ознакомил меня с положением в Бихаре. Он имел обыкновение вести дела бедных арендаторов; сейчас у него было два таких дела. Выигрывая подобное дело, он чувствовал удовлетворение от сознания, что делает что-то для бедняков. Конечно, он не отказывался от гонорара. Адвокаты считают, что если они не будут брать денег у клиентов, то им будет не на что жить и они не смогут оказывать действенную помощь беднякам. Размеры гонораров вакилов и адвокатов в Бенгалии и Бихаре поразили меня.

— Мы дали такому-то десять тысяч рупий за консультацию, — рассказывали мне.

Гонорар в любом случае был не меньше четырехзначной цифры.

Я мягко упрекнул их за это. Они выслушали меня и не спорили.

— Ознакомившись с делами, — сказал я, — я пришел к заключению, что нужно совершенно отказаться от обращения в суд. От этого мало толку. Там, где райят угнетен и запуган, суд бесполезен. Действительным облегчением для него будет избавление от страха. Мы не можем успокоиться, пока не изгоним тинкатия из Бихара. Я думал уехать отсюда через два дня, но теперь вижу, что для выполнения всей работы необходимо два года. Я готов посвятить делу два года, если потребуется. Но мне нужна ваша помощь.

Браджкишорбабу отнесся к моим словам исключительно хладнокровно.

— Мы готовы оказать вам посильную помощь, — тихо сказал он, — но скажите, пожалуйста, какого рода помощь потребуется?

Мы обсуждали этот вопрос до полуночи.

— Ваши юридические познания мне мало понадобятся, — сказал я. — Мне нужны клерки и переводчики. Возможно, придется сесть в тюрьму. Но в той же степени, в какой мне хотелось бы, чтобы вы пошли на риск, вы свободны поступать, как вам угодно. Само по себе превращение вас в клерков и отказ от вашей постоянной профессии на неопределенный срок уже большое дело. Мне трудно понимать местный диалект хинди, и я не могу читать газеты на кайтхи или урду. Я хотел бы, чтобы вы переводили их для меня. Мы не в состоянии оплачивать эту работу. Ее надо делать исключительно ради любви и духа служения.

Браджкишорбабу сразу понял меня и стал, в свою очередь, расспрашивать меня и всех присутствующих, чтобы выяснить, как долго будет нужна их помощь, сколько человек потребуется, должны ли будут все работать одновременно или по очереди и т. п. Вакилов он расспрашивал, на какие жертвы они готовы пойти.

Наконец они заверили меня:

— Столько-то человек из нас будут делать все, что вы потребуете. Некоторые будут работать с вами столько времени, сколько вам понадобится. Мысль о том, что надо быть готовым сесть в тюрьму,— нечто новое для нас. Мы постараемся примириться с ней.

XIV. ЛИЦОМ К ЛИЦУ С АХИМСОЙ

Я поставил себе целью обследовать положение крестьян в Чампаране и вникнуть в их жалобы на плантаторов индиго. Для этого мне необходимо было переговорить с тысячами райятов. Но предварительно я счел нужным узнать, что говорят плантаторы, и повидаться с правительственным комиссаром округа. Я получил возможность встретиться с обоими.

Секретарь ассоциации плантаторов, не стесняясь, заявил мне, что я лицо постороннее и не должен вмешиваться в отношения между плантаторами и их арендаторами. Если же у меня имеются какие-нибудь предложения, то я могу представить их в письменном виде. Я вежливо ответил, что не считаю себя посторонним и обладаю полным правом изучать положение арендаторов, если они пожелают, чтобы я этим занялся.

Комиссар округа, которому я нанес визит, попытался припугнуть меня, предложив немедленно покинуть Тирхут.

Я ознакомил своих товарищей по работе со всеми этими обстоятельствами и предупредил, что правительство, возможно, постарается помешать моей деятельности и арестует меня раньше, чем я предполагаю. Далее я указал, что если мне предстоит арест, то лучше будет для дела, если арест произойдет в Мотихари или, пожалуй, в Беттиа. А потому целесообразно, чтобы я поскорее перебрался в один из этих пунктов

Чампаран — район в округе Тирхут, а Мотихари — его центр. Дом Раджкумара Шуклы находился поблизости от Беттиа, а крестьяне — *коти*, арендовавшие землю в окрестностях, были самыми бедными в этом районе. Раджкумар Шукла хотел, чтобы я посетил их. Я также очень хотел этого.

В тот же день я отправился в Мотихари вместе со своими спутниками. Дом бабу Горакха Прасада, где мы остановились, превратился в караван-сарай. Мы с трудом разместились в нем. В тот же день мы узнали, что в шести милях от Мотихари один арендатор подвергся жестокому обращению со стороны плантатора. Было решено, что на другой день я и бабу Дхаранидхар Прасад поедем к нему. Утром мы отправились на слоне к месту происшествия. Кстати, в Чампаране слон такое же обычное средство передвижения, как повозка, запряженная буйволами, в Гуджарате. Не проехали мы и половины пути, как нас нагнал курьер, посланный начальником полиции, и передал мне от него поклон. Я понял, чтó это означает. Предложив Дхаранидхарбабу продолжать путь к месту назначения, я пересел в наемную коляску, на которой приехал курьер. Тогда он передал мне предписание оставить Чампаран и доставил меня обратно. Когда от меня потребовали расписки в получении предписания, я написал, что не согласен с этим требованием и не намерен уезжать из Чампарана, пока не закончу обследования. В ответ на это он вручил мне повестку, приглашавшую явиться на следующий день в суд в качестве обвиняемого в том, что я отказался подчиниться приказу выехать из Чампарана.

Всю ночь я писал письма и давал бабу Браджкишору Прасаду необходимые инструкции.

Весть о моей высылке и вызове в суд распространилась с быстротой пожара. Мне сообщили, что в Мотихари в этот день происходили невиданные доселе события. Дом и двор Горакхбабу были наводнены народом. К счастью, я закончил ночью все свои дела и мог разговаривать с толпой. Мои сотрудники оказали мне здесь большую услугу. Они регулировали движение толпы, которая следовала за мною по пятам.

Между должностными лицами — коллектором, судьей, начальником полиции — и мной установилось нечто вроде дружественных отношений. Я мог на законном основании протестовать против предъявленных мне требований. Вместо этого я принял их и относился к должностным лицам вполне корректно. Они видели, что я совершенно не собирался оскорблять их лично, а хотел только оказать гражданское неповиновение их приказаниям. Они облегченно вздохнули и, вместо того чтобы мешать, стали помогать мне и моим товарищам в наших усилиях поддержать порядок в толпе. Однако присутствие этой толпы наглядно показывало чиновникам, что их власть поколеблена. Народ утратил на какой-то момент всякий страх перед возможным наказанием и покорялся только силе любви, которую проявлял их новый друг.

Необходимо заметить, что в Чампаране меня никто не знал. Крестьяне были поголовно неграмотны. Чампаран, расположенный к северу от Ганга, у подножия Гималаев, вблизи Непала, отрезан от остальной Индии. О Конгрессе в этих местах редко кто имел понятие. Даже те, кто краем уха слышал о Конгрессе, боялись не только участвовать в работе Конгресса, но даже упоминать о нем. А теперь члены Конгресса вступили на их землю, хотя и не от имени Конгресса, но зато с гораздо более реальными задачами.

Посоветовавшись со своими товарищами, я решил ничего не предпринимать от имени Конгресса. Нам нужна была работа, а не название, сущность, а не тень. Само же слово «Конгресс» было bête noire[1] для правительства и поддерживавших его плантаторов. Для них Конгресс был синонимом адвокатских пререканий, юридических уловок для нарушения закона, синонимом анархических и террористических преступлений, лицемерия и дипломатии. Нам нужно было рассеять их ложное представление. Поэтому мы решили не упоминать о Конгрессе и не знакомить крестьян с организацией, называвшейся «Конгресс». Будет вполне достаточно, думали мы, если они осознают смысл существования Конгресса, последуют его духу, а не букве.

---

[1] Предмет отвращения и ненависти *(фр.)*.

Поэтому ни открыто, ни тайно не были посланы эмиссары от имени Конгресса, которые могли бы подготовить почву для нашего появления. Один Раджкумар Шукла не мог снестись с тысячами крестьян. Никакой политической работы среди них не велось. Они не знали, что делалось вне Чампарана, и все же приняли меня, как старого друга. Не будет преувеличением, если я скажу, что при этой встрече с крестьянами я оказался наедине с Богом, ахимсой и истиной.

Рассматривая титул «махатма» в таком понимании, я вижу в нем только любовь к людям. А это, в свою очередь, не что иное, как выражение моей непоколебимой веры в ахимсу.

Эти дни, проведенные в Чампаране, — незабываемое событие в моей жизни. Они были праздником для меня и для крестьян.

По закону суду подлежал я, но на деле под судом оказалось правительство. Комиссар округа в сети, уготованные для меня, поймал правительство.

XV. ДЕЛО ПРЕКРАЩЕНО

Суд начался. Государственный защитник, судья и остальной судебный персонал сидели как на иголках. Они были в замешательстве и не знали, что делать. Государственный защитник упрашивал судью отложить дело. Но я вмешался и просил судью не откладывать, так как признаю себя виновным в неподчинении приказу уехать из Чампарана, и прочел коротенькое заявление, гласившее:

«С разрешения суда я хочу сделать это коротенькое заявление, чтобы объяснить, почему я решился на такой серьезный шаг, как явное неподчинение предписанию, караемое по статье 144 Уголовного кодекса. По моему скромному мнению, вопрос заключается в расхождении во взглядах местной администрации и моими. Я приехал сюда с намерением послужить гуманности и нации. Я сделал это в ответ на настоятельную просьбу приехать и помочь райятам, которые жалуются, что плантаторы индиго плохо обращаются с ними. Я не мог оказать помощи, не изучив вопроса. Поэтому я приехал, думая, что могу рассчитывать в этом деле на содействие властей и плантаторов. Других мотивов у меня не было, и я не думаю, чтобы мой приезд мог в какой-либо степени нарушить общественный порядок и повести к убийствам. У меня имеется в этом отношении значительный опыт. Но власти рассудили иначе. Я вполне понимаю их затруднительное положение и признаю, что они могли действовать только на основании полученной ими информации. Моим первым движением, как уважающего законы гражданина, было повиноваться сделанному мне предписанию. Но я не мог этого сделать, не совершив насилия над своим чувством долга по отношению к тем, ради которых я сюда приехал. Я чувствую, что могу служить им, только оставаясь в их среде. Поэтому добровольно уехать я не могу. Попав в столь затруднительное положение между двумя обязанностями, я решил возложить ответственность за свой отъезд на правительство. Я вполне сознаю, что человек, занимающий в общественной жизни Индии положение, подобное моему, должен служить во всем примером остальным. Мое твердое убеждение заключается в том, что при сложной обстановке, в которой мы сейчас живем, единственно правильным и честным образом действий для уважающего себя человека будет поступить так, как я решил, т. е. беспрекословно подчиниться наказанию за неповиновение властям.

Я решился сделать это заявление не в надежде смягчить наказание, а чтобы показать, что я пренебрег предписанием не из-за отсутствия уважения к законной власти, а во имя подчинения высшему закону нашего бытия — голосу совести».

Никаких оснований откладывать слушание дела больше не было, но, так как судья и государственный защитник были застигнуты врасплох, дело все-таки отложили. Тем временем я подробно телеграфировал обо всем вице-королю, друзьям в Патну, а также пандиту Мадану Мохану Малавия и другим.

Прежде чем я мог явиться в суд для получения приговора, судья опубликовал предписание вице-короля прекратить возбужденное против меня дело. Коллектор одновременно сообщил мне, что я могу продолжать начатое мною обследование и рассчитывать в своей деятельности на всяческое содействие со стороны властей.

Такого быстрого и благополучного исхода дела никто из нас не ожидал.

Я навестил коллектора мистера Хейкока, по-видимому хорошего и справедливого человека. Он заявил мне, что я могу получать все необходимые мне документы и бывать у него, когда мне захочется.

Индия получила, таким образом, первый наглядный урок гражданского неповиновения. Вся эта история обсуждалась и устно, и в прессе, и мое обследование приобрело неожиданную популярность.

Для моего обследования было крайне важно, чтобы власти оставались нейтральными. Вместе с тем оно не нуждалось в поддержке газетных репортеров и газетных передовиц. В самом деле, положение в Чампаране было настолько щекотливым и сложным, что слишком энергичная критика или сильно приукрашенные отчеты могли бы только повредить делу. Поэтому я написал редакторам главных газет и просил не посылать репортеров, обещая сам доставлять нужную информацию и держать их в курсе дела.

Я знал, что плантаторам не нравится отношение правительства к моему пребыванию в Чампаране. Я понимал также, что даже правительственным чиновникам, хотя они об этом не говорили открыто, вряд ли могло нравиться решение правительства. Поэтому неточные или заведомо искаженные отчеты, по-видимому, еще больше озлобили бы и тех, и других, — и их гнев, вместо того чтобы обрушиться на меня, обрушился бы на запуганных и забитых райятов и в значительной степени затруднил бы мои поиски истины в данном вопросе.

Несмотря на принятые мной меры предосторожности, плантаторы начали против меня бешеную кампанию. В прессе стали появляться клеветнические сообщения обо мне и моих товарищах по работе. Но моя крайняя осторожность и верность истине даже в мелочах обратили острие их меча против них самих.

Плантаторы не оставили камня на камне, обливая грязью Браджкишорбабу. Но чем больше они клеветали, тем больше росло уважение к нему со стороны населения.

Положение было настолько щекотливым, что я не счел возможным приглашать лидеров из других провинций. Пандит Малавияджи заверил меня, что стоит мне только написать слово, и он приедет в любой день. Но я не побеспокоил его. Таким образом, мне удалось добиться, чтобы эта борьба не приняла политического характера. Всем лидерам и главным газетам я временами посылал отчеты не для опубликования, а для осведомления. Я понял, что даже в тех случаях, когда цель — политическая, а само дело — политическое, придав такому делу политическую окраску, можно только повредить ему. И наоборот: если вести дело в строго неполитических рамках, оно от этого только выиграет. Борьба в Чампаране показала, что бескорыстная служба народу на любом поприще рано или поздно оказывается полезной для страны и в политическом отношении.

XVI. МЕТОДЫ РАБОТЫ

Для того чтобы дать полное представление об обследовании в Чампаране, потребовалось бы изложить историю чампаранского райята, а это выходит за рамки книги. Обследование в Чампаране — смелые поиски истины и ахимсы, и из всего происшедшего со мной я рассказываю лишь о том, что заслуживает внимания с этой точки зрения. Интересующихся подробностями я отсылаю к истории чампаранской сатьяграхи, написанной на хинди адвокатом Ранджендрой Прасадом. В настоящее время готовится, как мне говорили, английское издание этой книги.

Но вернемся к теме главы.

Вести дальнейшую работу в доме Горакхбабу значило бы заставить беднягу переехать из своего дома. Между тем жители Мотихари все еще боялись сдать нам помещение. Но в конце концов Браджкишорбабу удалось, благодаря его такту, найти нам дом с довольно большим двором, и мы переехали туда.

Вести работу без денег было совершенно немыслимо. Но до сих пор было не принято собирать средства на такого рода дела у самого населения. Браджкишорбабу и его друзья, в большинстве своем вакилы, доставили средства — либо из собственного кармана, либо у своих друзей, когда представлялся случай. Разве могли они просить денег у населения, когда они сами или их друзья имели возможность дать их? Мне это показалось убедительным, и я решил не принимать ни одного медяка от чампаранских райятов, так как это могло быть неправильно истолковано. Я решил также не обращаться за средствами для ведения этого обследования ко всей стране в целом: это придало бы делу всеиндийский политический характер. Бомбейские друзья предложили мне пятнадцать тысяч рупий, но я с благодарностью отказался. Я решил получить сколько возможно с помощью Браджкишорбабу от состоятельных бихарцев, живших вне Чампарана, и, в случае если потребуются еще деньги, обратиться к своему другу доктору Мехте в Рангуне. Последний охотно согласился выслать столько, сколько понадобится. Словом, мы совершенно перестали тревожиться на этот счет. Да вообще нам вряд ли требовались большие суммы, так как мы были склонны проводить жесточайшую экономию, отвечавшую нищете Чампарана. В конечном итоге оказалось, что нам действительно не потребовалась большая сумма. Помнится, мы истратили всего около трех тысяч рупий, сэкономив несколько сотен из собранной суммы.

Странный образ жизни моих новых сотрудников был первое время предметом постоянных насмешек. У каждого вакила был свой слуга, повар и отдельная кухня. Вакилы часто обедали в полночь. Несмотря на то что они сами оплачивали свои расходы, их безалаберность тревожила меня, но, так как мы стали близкими друзьями, возможность превратного понимания друг друга была исключена, и они добродушно воспринимали мои подшучивания. В конце концов все согласились, что слуг следует отпустить, отдельные кухни объединить и соблюдать установленные часы приема пищи. Хотя не все были вегетарианцами, все-таки во избежание расходов на две кухни решено было иметь одну общую вегетарианскую кухню. Кроме того, мы сочли необходимым употреблять в пищу только простые блюда.

Все это сильно уменьшило расходы и сберегло нам массу времени и энергии, что было весьма важно. К нам приходили толпами крестьяне с заявлениями. За ними следовала целая армия провожатых, заполнявших сад, двор и помещение до отказа. Как ни старались мои компаньоны спасти меня от жаждущих получить даршан, часто это им не удавалось, и в установленные часы я вынужден был показываться и давать даршан. Пять-семь добровольцев занимались специально приемом заявлений, но, несмотря на это, многие крестьяне уходили, не успев до вечера подать свое заявление. Нельзя сказать, чтобы каждое заявление представляло ценность, многие из них, в сущности, повторяли одно другое. Но, не приняв всех заявлений, нельзя было удовлетворить народ, и я понимал их чувства.

Принимавшие заявления должны были соблюдать определенные правила. Все райяты подвергались тщательному перекрестному допросу. Тому, кто не выдерживал этой проверки, отвечали отказом. Это, правда, отнимало очень много времени, но зато только таким путем полученные сведения можно было считать бесспорными.

При этих опросах неизменно присутствовал чиновник тайной полиции. Мы могли и не допускать его, но решили с самого начала не возражать против его присутствия, относиться к нему учтиво и давать все возможные сведения. Для нас это было абсолютно безвредно. Наоборот, тот факт, что показания принимаются при чиновниках тайной полиции, придавал больше смелости крестьянам. С одной стороны, у крестьян мало-помалу исчезал чрезмерный страх перед тайной полицией, с другой — присутствие чиновников предупреждало всякие преувеличения в показаниях райятов: чиновник норовил запутать райятов, и те невольно становились осторожнее.

Мне не хотелось раздражать плантаторов, наоборот, обходительностью я надеялся перетянуть их на свою сторону. Поэтому я считал нужным вступать в перепалку с райятами и устраивать свидания с плантаторами, против которых были серьезные обвинения. Я передавал Ассоциации плантаторов жалобы райятов и одновременно знакомился с их точкой зрения по данному вопросу. Одни плантаторы ненавидели меня, другие относились безразлично и только очень немногие — благожелательно.

XVII. СОРАТНИКИ

Браджкишорбабу и Ранджендрабабу — бесподобная пара. Они были так преданы мне, что ни одно начинание было невозможно без них. Их ученики или соратники — Шамбхубабу, Ануграхабабу, Дхаранибабу, Рамнавмибабу и другие вакилы также не разлучались с нами. Виндьябабу и Джанакдхарибабу тоже иногда приходили помогать. Все они были бихарцы. Работа их состояла главным образом в том, чтобы принимать заявления от райятов.

Профессор Крипалани тоже не мог не связать с нами свою судьбу. Хотя он был родом из Синда, он оказался больше бихарцем, чем иной урожденный бихарец. Я знал лишь нескольких работников, способных так, как Крипалани, слиться с обстановкой провинции, в которой работали. Глядя на него, нельзя было и предположить, что он выходец из другой провинции. Он стал моим главным «телохранителем», взяв на себя спасение меня от добивавшихся даршана. Он выпроваживал их, прибегая к неисчерпаемым шуткам и невинным угрозам. Вечером он неизменно выступал в роли учителя, услаждая слух приятелей рассказами о своих исторических исследованиях, и вселял мужество в души даже самых робких слушателей.

Маулана Мазхарул Хак был одним из тех сотрудников, на помощь которых можно было рассчитывать в любое время. Он взял себе за правило два-три раза в месяц заходить к нам. Роскошный образ жизни, который он тогда вел, резко отличался от его теперешней простой жизни. Его сотрудничество убедило нас, что он такой же, как и мы, но на посторонних своей привычкой к роскоши он производил иное впечатление.

Лучше познакомившись с Бихаром, я пришел к убеждению, что, пока не будет налажено обучение крестьян, невозможна никакая постоянная работа. Невежество райятов было потрясающим. Дети слонялись, ничего не делая, или работали от зари до зари за несколько медяков на плантациях индиго. В то время заработная плата мужчины не превышала десяти пайсов, женщины — шести и подростка — трех пайсов в день. Получавшего четыре анна в день считали счастливчиком.

Посоветовавшись с товарищами, я решил открыть в шести деревнях начальные школы. Мы условились с крестьянами, что они обеспечат учителям квартиру и стол, а мы позаботимся обо всем остальном. Крестьяне, конечно, не имели денег, но могли поставлять продовольствие. Они уже выразили готовность пожертвовать зерно и другие продукты.

Но где взять учителей? Это была сложная проблема. Вряд ли среди местных учителей нашлись бы такие, которые согласились бы работать без вознаграждения или получать лишь продовольствие. Я всегда был против того, чтобы доверять детей обычным учителям, придавая значение не столько общеобразовательной подготовке учителей, сколько их моральным качествам.

Я опубликовал обращение, приглашая на работу учителей-добровольцев. Оно нашло благожелательный отклик. Адвокат Гангадхаррао Дешпанде прислал Бабасахиба Сомана и Пундалика. Шримати Авантикабай Гокхале приехала из Бомбея, а миссис Анандибай Вайшампаян — из Пуны. Кроме того, я послал в ашрам за Чхоталалом, Сурендранатом и своим сыном Девдасом. Примерно в это же время соединили свою судьбу с моею Махадев Десай и Нарахари Парикх со своими женами. Кастурбай тоже была вызвана для работы. Коллектив подобрался очень сильный. Шримати Авантикабай и шримати Анандибай имели хорошее образование, но шримати Дурга Десай и шримати Манибех Парикх знали лишь гуджарати, а Кастурбай и того меньше. Могли ли эти женщины обучать детей на языке хинди?

Я объяснил всем приехавшим, что они должны учить детей не столько грамматике, чтению, письму и счету, сколько чистоплотности и хорошему поведению. Кроме того, я убеждал, что нет такого большого, как они думают, различия между алфавитом гуджарати, хинди и маратхи и что — во всяком случае, в начальных классах — преподавание элементарных правил чтения и счета не представляет особых трудностей. В результате те группы, где преподавали женщины, оказались наиболее успевающими. По мере обогащения опытом, они приобретали все больший интерес к работе и веру в нее. Школа Авантикабай стала образцовой. Всю свою душу и свои исключительные способности она отдавала работе. С помощью женщин мы могли до некоторой степени воздействовать на женщин деревни.

Но мне не хотелось ограничивать свою работу организацией начального обучения. Деревни находились в антисанитарном состоянии. Улицы были непроходимы от грязи, источники и колодцы окружены грязью и нечистотами, во дворах мусор. Надо было приучить к чистоте взрослое население. Крестьяне страдали самыми различными кожными заболеваниями. Поэтому мы решили провести посильную санитарную работу и вообще не оставить без внимания ни одну сторону крестьянской жизни.

Понадобились врачи. Я обратился к обществу «Слуги Индии» с просьбой отдать в наше распоряжение ныне покойного доктора Дева. Мы были большими друзьями, и он охотно предложил нам свои услуги на шесть месяцев. Учителя — мужчины и женщины — стали работать под его руководством. Все они получили инструкции совершенно не заниматься жалобами на плантаторов и вопросами политики. С жалобами должны были обращаться ко мне. Друзья выполняли эти инструкции со скрупулезной точностью. Я не помню ни одного случая нарушения дисциплины.

XVIII. ПРОНИКНОВЕНИЕ В ДЕРЕВНЮ

Каждую школу по возможности поручали совместному наблюдению одного мужчины и одной женщины, которые должны были оказывать медицинскую помощь и следить за санитарным состоянием школы. К женской части населения мы обращались через женщин.

Медицинская помощь была самой простой. Добровольцы располагали только такими лекарствами, как касторовое масло, хинин и серная мазь. Если пациент показывал обложенный язык или жаловался на запор, ему давали касторку, в случаях лихорадки — сперва касторку, а потом хинин; серная мазь применялась при ожогах и чесотке, причем больные места предварительно тщательно промывались. На дом медикаментов никому не давали. В более серьезных случаях приглашали доктора Дева. Он обычно посещал каждую школу в определенные дни недели.

Очень многие пользовались этой простой медицинской помощью.

Такая постановка дела не должна казаться странной: тяжелые заболевания встречались редко, а для обычных случаев не требовалось помощи специалистов.

Санитарная работа была очень трудна. Люди ничего не умели делать сами: крестьяне не имели обыкновения убирать даже нечистоты. Но доктор Дев не терял мужества. Он и добровольцы прилагали все усилия, чтобы навести в деревне идеальную чистоту. Они очистили дороги, дворы, а также колодцы, наполнили водоемы чистой водой. Причем крестьяне по их настоянию выдвинули и из своей среды добровольцев на эту работу. В ряде мест крестьяне сами, без уговоров, принялись приводить в порядок дороги, чтобы я мог переезжать с места на место на автомобиле. Наравне с такими проявлениями энтузиазма были, конечно, и примеры невероятной апатии. Некоторые крестьяне открыто высказывали неприязнь к этой работе.

Нелишне будет рассказать здесь об одном случае, о котором я не раз упоминал в своих выступлениях.

Мы открыли школу в небольшой деревушке Бхитихарве. Как-то мне пришлось побывать в соседней деревушке. Там я увидел очень грязно одетых женщин. Я попросил жену узнать, почему они не стирают своей одежды. Она переговорила с женщинами. Одна из крестьянок взяла ее за руку и привела в свою хижину.

— Посмотрите, — сказала она, — у меня нет ни сундука, ни ящика с другой одеждой. Сари, надетое на мне, — мое единственное платье. Как же я могу его стирать? Пусть махатмаджи даст мне другое сари, и я обещаю тогда ежедневно мыться и надевать чистую одежду.

Хижина эта была не исключением, а типичным явлением для многих деревень в Индии.

Сельское население, как правило, не имеет никакой мебели, а часто даже смены одежды. У многих нет ничего, кроме лохмотьев, которыми они прикрывают свой срам.

Сообщу еще один факт. В Чампаране не было недостатка в бамбуке и траве. Хижина, в которой помещалась школа в Бхитихарве, была построена из этих материалов. Кто-то — возможно, слуги соседнего плантатора — однажды ночью поджег ее. Строить ее снова из бамбука и травы было бы неразумно. Школа эта находилась в ведении Кастурбай и адвоката Сомана. Последний решил построить дом из *пакки.* Многие заразились его рвением, и вскоре кирпичный дом был готов. Таким образом, теперь можно было не опасаться, что этот дом сожгут.

Добровольцы со своими школами, санитарной и медицинской помощью завоевали у деревенского населения доверие и уважение и получили возможность оказывать на них благотворное влияние.

Но я должен с сожалением отметить, что мои надежды сделать эту созидательную работу постоянной не осуществились. Добровольцы приехали на короткий срок, а работников со стороны я привлечь не смог. Закончив дела в Чампаране, я должен был покинуть его, так как меня ждала работа в другом месте. Однако несколько месяцев, проведенных всеми нами в Чампаране, произвели настолько большой сдвиг, что следы его в той или иной форме можно наблюдать и сейчас.

XIX. КОГДА ГУБЕРНАТОР ХОРОШИЙ

Одновременно с общественно полезной работой, описанной в предыдущих главах, подвигалась вперед моя работа по сбору жалоб райятов. Ко мне поступали тысячи заявлений, что не могло не произвести впечатления. По мере роста числа райятов, приходивших с жалобами, усиливалось раздражение плантаторов, которые пустили в ход все, чтобы помешать проводимому мною обследованию.

Однажды я получил от бихарских властей письмо следующего содержания: «Ваше обследование длилось достаточно долго. Не пора ли положить ему конец и уехать из Бихара?»

Письмо было составлено в вежливой форме, но смысл его был именно таков.

Я написал в ответ, что обследование далеко не завершено и что до тех пор, пока оно не повлечет за собой улучшения положения населения Бихара, я не намерен уезжать, и добавил, что прекращу обследование, если правительство признает претензии райятов справедливыми и удовлетворит их. Возможен и другой путь: признать, что дело райятов prima facie[1] для официального обследования, которое должно быть произведено незамедлительно.

Вице-губернатор сэр Эдвард Гейт предложил мне повидаться с ним. При свидании он выразил желание назначить комиссию для официального обследования и пригласил меня в члены этой комиссии. Я осведомился об именах остальных членов и, посоветовавшись со своими сотрудниками, принял приглашение в комиссию с условием, что во время обследования я буду совещаться со своими сотрудниками, а местное правительство признает меня ходатаем за райятов перед правительством. Если же я сочту официальное обследование неудовлетворительным, за мной должно остаться право давать райятам советы и руководить их поступками.

Сэр Гейт принял мои условия как справедливые и необходимые и объявил об обследовании. Ныне покойный сэр Фрэнк Слай был назначен председателем комиссии по обследованию.

Комиссия высказалась в пользу райятов и в своем отчете рекомендовала, чтобы плантаторы вернули часть поборов, признанных комиссией незаконными, и чтобы система *тинкатия* была отменена в законодательном порядке.

Сэру Эдварду Гейту принадлежит большая заслуга в составлении единогласно утвержденного членами комиссии отчета и проведении аграрного закона в соответствии с рекомендациями комиссии. Если бы он не занял твер-

---

[1] На первый взгляд *(лат.)*.

дой позиции и не употребил свойственного ему такта, отчет не был бы принят единогласно, а аграрный закон не был бы одобрен. Плантаторы обладали огромным влиянием. Несмотря на отчет, они оказали бешеное противодействие закону. Но сэр Эдвард Гейт оставался непреклонным до конца и полностью выполнил рекомендации комиссии.

Таким образом, система тинкатия, просуществовавшая около ста лет, была отменена, а с ее отменой пришел конец и *ра́джу* плантаторов. Райяты, которые всегда были подавлены, немного пришли в себя, и ложное убеждение, что пятно от индиго нельзя смыть, рассеялось.

Я намеревался продолжать созидательную работу еще несколько лет: открывать школы и все глубже проникать в деревню. Почва для этого была подготовлена, но, как часто бывало и раньше, Бог не допустил, чтобы мои планы осуществились. Судьба решила иначе, и я должен был приложить свои силы в другом месте.

XX. СОПРИКОСНОВЕНИЕ С РАБОЧИМИ

Когда я был еще занят в комиссии Эдварда Гейта, Моханлал Пандья и Шинкарлал Парикх сообщили мне письмом о неурожае в районе Кхеда и просили взять на себя руководство крестьянами, которые были не в состоянии уплатить подати. Однако я не склонен был, не умел и не осмеливался давать советы, не обследовав дела на месте.

Одновременно пришло письмо от шримати Анасуябехн о положении текстильщиков в Ахмадабаде. Заработная плата там была низкая, и рабочие давно добивались прибавки. Мне хотелось в силу своих способностей руководить их движением. Но я не был уверен, что смогу делать это издалека. Поэтому я воспользовался первой возможностью, чтобы съездить в Ахмадабад. Я надеялся быстро покончить с этими двумя делами и вернуться в Чампаран для наблюдения за начатой там конструктивной работой.

Но события развертывались не так быстро, как хотелось. Я не смог вернуться в Чампаран, и школы там стали закрываться одна за другой. Мои товарищи по работе и я построили много воздушных замков, и теперь они рушились.

Одним из таких воздушных замков, помимо школьной и медицинско-санитарной работы в деревне, оказалась работа по защите коров в Чампаране. Во время разъездов по стране я убедился, что защитой коров и пропагандой «хинди» занимаются исключительно марвари. Один приятель-марвари приютил меня в *дхармашале,* когда я был в Беттиа. Другие марвари заинтересовали меня своей *гошалой.* Именно тогда у меня окончательно сложилось мнение относительно деятельности по защите коров, которого я держусь и поныне. По моему представлению, защита коров включает разведение скота, улучшение породы, человечное обращение с волами, устройство образцовых молочных ферм и т. п. Мои приятели-марвари обещали мне всяческое содействие в этом деле. Но я должен был отлучиться из Чампарана, и наш план остался невыполненным.

Гошала, находившаяся в Беттиа, еще продолжает существовать, но она не стала образцовой; в Чампаране волов по-прежнему заставляют сверх меры работать. Люди, именующие себя индусами, все так же жестоко обращаются с бедными животными, дискредитируя этим свою религию.

Меня тяготит мысль, что это дело осталось невыполненным, и, когда при посещении Чампарана мне приходится выслушивать деликатные упреки моих приятелей-марвари и бихарцев, я с тяжелым вздохом вспоминаю о планах, от которых я вынужден был так внезапно отказаться.

Просветительная работа в той или иной мере продолжается во многих местах. Но работа по защите коров не пустила глубоких корней и поэтому не двигается вперед в желательном направлении.

Пока вопрос о крестьянах Кхеды находился в стадии обсуждения, я занялся делом фабричных рабочих в Ахмадабаде.

Я оказался в очень щекотливом положении. Требования фабричных рабочих были основательны. Шримати Анасуябехн приходилось в данном случае бороться против собственного брата, адвоката Амбалала Сарабхая, который вел дело от имени владельцев фабрики. Я находился с ними в дружественных отношениях, и это еще более затрудняло борьбу. Я посоветовал фабрикантам передать спорный вопрос на арбитраж, но они отказались признать самый принцип арбитража.

Тогда я вынужден был предложить рабочим начать забастовку. Предварительно я установил тесный контакт с рабочими и их руководителями и разъяснил, при каких условиях забастовка может быть успешной:

1. Никогда не прибегать к насилию.
2. Никогда не задевать штрейкбрехеров.
3. Ни в коем случае не зависеть от благотворительности.
4. Оставаться стойкими, сколько бы ни продолжалась забастовка, и зарабатывать во время забастовки на хлеб каким-нибудь другим честным трудом.

Руководители забастовки поняли и приняли эти условия, а рабочие на общем собрании поклялись не приниматься за работу до тех пор, пока не будут удовлетворены их требования или пока фабриканты не согласятся передать спорный вопрос на рассмотрение арбитража.

Именно во время этой забастовки я близко познакомился с адвокатами Валлаббхаем Пателем и Шанкарлалом Банкером. Шримати Анасуябехн я хорошо знал раньше.

Мы ежедневно устраивали митинги бастующих в тени под деревом на берегу Сабармати. Рабочие тысячами собирались на эти митинги, и в своих речах я напоминал им об их клятве, об их долге сохранять мир и не терять чувства собственного достоинства. Рабочие ежедневно проходили мирными процессиями по улицам города с плакатами, на которых было начертано *эк-тек* (соблюдай клятву).

Забастовка продолжалась двадцать один день. Я время от времени совещался с фабрикантами и умолял их отнестись справедливо к рабочим.

— У нас тоже есть своя клятва, — отвечали они мне обычно. — Мы относимся к рабочим, как родители к детям... Допустимо ли здесь вмешательство третьих лиц? Ни о каком третейском суде не может быть и речи!

XXI. КАРТИНКА ЖИЗНИ АШРАМА

Прежде чем описывать дальнейшие события, происшедшие во время трудового конфликта, необходимо вкратце осветить жизнь ашрама. В Чампаране я постоянно думал об ашраме и время от времени ненадолго заезжал туда.

Ашрам в тот период находился в Кочрабе, небольшой деревушке около Ахмадабада. В деревушке вспыхнула чума, и я усмотрел в этом очевидную опасность для детей, живших в ашраме. Как бы тщательно ни соблюдались в ашраме правила чистоты и гигиены, уберечься от последствий антисанитарного окружения было очень трудно. Мы не могли заставить население Кочраба соблюдать эти правила и не могли помочь им другим способом.

Нашим идеалом было основать ашрам где-нибудь подальше от города и деревни и все же не на очень далеком расстоянии от них. В один прекрасный день мы решили приобрести для этого участок земли.

Я понимал, что чума более чем достаточная причина, чтобы покинуть Кочраб. Ахмадабадский купец Пунджабхай Хирачанд уже давно завязал тесные сношения с ашрамом и часто оказывал нам бескорыстную помощь. Он хорошо знал положение дел в Ахмадабаде и вызвался подыскать подходящий участок земли. В поисках участка мы с ним объездили все окрестности к северу и югу от Кочраба, и я попросил его найти участок тремя или четырьмя милями севернее Кочраба. Он остановился на том местечке, где мы живем сейчас. Особая привлекательность местечка заключалась для меня в его соседстве с центральной тюрьмой Сабармати. Поскольку пребывание в тюрьме — обычный удел сатьяграхов, мне понравилось это местоположение. Кроме того, я знал, что обычно для тюрем выбирается здоровая во всех отношениях местность.

Покупка совершилась в течение восьми дней. На участке не было ни построек, ни деревьев. Но его большое преимущество заключалось в близости реки и уединенности.

Мы решили временно, пока не будет построено постоянное здание, поселиться в палатках. Для кухни соорудили навес.

Население ашрама медленно увеличивалось. Нас было уже более сорока душ — мужчин, женщин и детей, пользовавшихся общей кухней. Идея о переселении принадлежала мне, а ее осуществление на практике было, как всегда, возложено на Маганлала.

Пока мы не построили постоянного здания, приходилось очень тяжело. Надвигался период дождей, за провизией надо было ходить в город, расположенный в четырех милях от ашрама. Пустырь вокруг кишел змеями, и жить в таких условиях с маленькими детьми было немалым риском. Общее правило гласило: змей не убивать, — хотя должен признаться, что все мы и теперь не можем побороть чувство страха перед этими пресмыкающимися.

Правило не убивать ядовитых пресмыкающихся выполнялось и в Фениксе, и на ферме Толстого, и в Сабармати; причем каждый раз мы поселялись на пустырях, однако смертельных случаев от укусов у нас ни разу не было.

Взирая на все это оком верующего человека, я ощущаю в подобных обстоятельствах руку милосердного Господа. Не надо придираться, говоря, что Бог не может быть вездесущим и что у Него нет времени вмешиваться в обыденные дела людей. У меня нет других слов для того, чтобы выразить существо дела, описать единообразие моих опытов. Человеческий язык в состоянии лишь весьма несовершенно рассказать о путях Господних. Я сознаю, что они неописуемы и неисповедимы. Но если простой смертный осмеливается говорить о них, у него нет лучшего средства, чем собственная нечленораздельная речь. Даже если считать предрассудком веру в то, что не случайными обстоятельствами, а милостью Бога объясняется тот факт, что в течение двадцати пяти лет, несмотря на отказ от убийства, никому из нас не был причинен вред, и если считать предрассудком веру в то, что здесь проявилась милость Бога, я готов придерживаться этого предрассудка.

Во время забастовки фабричных рабочих в Ахмадабаде мы заложили основы ткацкой мастерской в ашраме, так как в то время жители ашрама занимались в основном ткачеством. Прядение было еще недоступно нам.

XXII. ГОЛОДОВКА

Первые две недели рабочие проявляли большое мужество и самопожертвование и ежедневно устраивали огромные митинги. Я напоминал им о клятве, и они уверяли, что скорее умрут, чем нарушат слово.

Но постепенно у них стали появляться явные признаки упадка духа. Подобно тому как физическая слабость человека проявляется в раздражительности, так и по мере ослабления забастовки отношение бастовавших к штрейкбрехерам становилось все более угрожающим, и я начал бояться какой-нибудь вспышки. Митинги посещались все реже, а на лицах присутствующих были отчаяние и безнадежность. И вот мне сообщили, что забастовщики начинают колебаться. Я очень встревожился и стал размышлять, как поступить в сложившейся обстановке. Я имел некоторый опыт с грандиозной забастовкой в Южной Африке, но здесь положение было совсем иное. Рабочие дали клятву по моему предложению. Они повторяли ее ежедневно, и самая мысль, что они могут отказаться от нее, была для меня невыносима. Что скрывалось за этим — гордость или любовь к рабочим и страстная приверженность истине, — кто знает?

Однажды утром, на очередном митинге рабочих, на который я пришел, совершенно не зная, как поступить, я внезапно прозрел. С моих губ сами собой сорвались слова:

— Я не притронусь к пище, если вы не сплотитесь и не будете продолжать борьбу до тех пор, пока не будет достигнуто соглашение или пока вы вообще не покинете фабрики.

Рабочие были как громом поражены. По щекам Анасуябехн полились слезы. Рабочие закричали:

— Не вы, а мы должны объявить голодовку. Это будет чудовищно, если вы начнете голодать из-за нас. Простите нам нашу слабость, мы останемся верны своей клятве до конца.

— Нет необходимости, чтобы вы объявляли голодовку, — ответил я, — достаточно будет, если вы будете верными клятве. Вы знаете, что средств у нас нет, и мы не хотим продолжать забастовку за счет общественной благотворительности. Поэтому вам необходимо попытаться как-нибудь заработать себе на жизнь, тогда забастовка, как бы она ни затянулась, будет вам не страшна. Что же касается моей голодовки, то я прекращу ее лишь тогда, когда разрешится вопрос о забастовке.

Тем временем Валлаббхай пытался найти для забастовщиков работу при муниципалитете, но никакой надежды на успех не было. Тогда Маганлал Ганди предложил нанять часть рабочих для доставки песка, необходимого для постройки школы ткачества в ашраме. Рабочие приветствовали это предложение. Анасуябехн показала пример. Она первая подняла на голову корзину с песком, взятым из русла реки, а за ней потянулся бесконечный поток рабочих с корзинами на головах. На это зрелище стоило посмотреть. Рабочие почувствовали новый прилив энергии и пришли в таком количестве, что нам стало трудно выплачивать им заработную плату.

Однако моя голодовка была не лишена и некоторых отрицательных сторон. Как я уже говорил в предыдущей главе, я был в очень тесных и дружественных отношениях с фабрикантами, и объявленная мною голодовка не могла не отразиться на их решении. Будучи сатьяграхом, я знал, что должен не оказывать на них давление, прибегая к голодовке, а предоставить им возможность волеизъявления под давлением самих лишь бастующих. Моя голодовка была начата не из-за проступков фабрикантов, а из-за прегрешения рабочих, вину которых в качестве их представителя я разделял. Фабрикантов я мог только просить, объявить против них голодовку значило прибегнуть к насилию. И все же, хотя я знал, что моя голодовка окажет давление на фабрикантов, как это в действительности и произошло, я не мог не начать ее, считая такое поведение своим долгом.

Я сделал попытку успокоить фабрикантов.

— У вас нет необходимости сдавать ваши позиции, — сказал я им.

Но они не только отнеслись холодно к моим словам, но даже позволили себе несколько саркастических замечаний, на что имели полное право.

Возглавлял фабрикантов шет Амбалал. Он проявлял самое непримиримое отношение к забастовке. Его непреклонная воля и искренность были настолько поразительны, что я проникся к нему симпатией. Мне доставляла удовольствие борьба против него. Но давление, произведенное моей голодовкой на оппозицию, во главе которой он стоял, не входило в мои планы. Кроме того, жена Амбалала Сараладеви была привязана ко мне, как родная сестра, и ее скорбь по поводу моего поступка была выше того, что я мог вынести.

В первый день со мной заодно объявили голодовку Анасуябехн и несколько друзей из рабочих. Мне с трудом удалось убедить их отказаться от продолжения голодовки.

Общим результатом этого явилось создание атмосферы доброжелательства. Оттаяли сердца фабрикантов, и они принялись изыскивать средства для соглашения. В доме Анасуябехн собирались для обсуждения всех вопросов. В дело вмешался и адвокат Анандшанкар Дхрува, назначенный в конце концов арбитром, и забастовка была прекращена. Я соблюдал голодовку всего три дня. Фабриканты ознаменовали прекращение забастовки раздачей рабочим сладостей. Таким образом, соглашение было достигнуто на двадцать первый день забастовки.

На митинге, созванном в ознаменование соглашения, присутствовали фабриканты и правительственный комиссар. Последний дал следующий совет рабочим:

— Вы всегда должны поступать так, как вам советует мистер Ганди.

Через очень короткое время мне вновь пришлось столкнуться с этим джентльменом. Но обстоятельства изменились, и вместе с ними изменился и он сам. Комиссар теперь предупреждал патидаров Кхеды, чтобы они не следовали моим советам!

В связи с этим я должен отметить еще один инцидент, связанный с раздачей сладостей, столь же забавный, сколь печальный. Фабриканты заказали сладости в очень большом количестве, и возникла проблема, как распределить их среди тысячи рабочих. Было решено сделать это на открытом воздухе, вблизи того дерева, под которым рабочие дали клятву. Собирать такую толпу в каком-нибудь другом месте было бы весьма неудобно.

Я считал само собой разумеющимся, что люди, сумевшие поддерживать в своих рядах строгую дисциплину в течение трех недель, сумеют соблюдать порядок во время раздачи сладостей и не устроят из-за них свалки. Но на поверку вышло, что все методы, примененные для раздачи сладостей, провалились. Не прошло и трех минут, как стройные ряды рабочих уже смешались в одну кучу. Лидеры рабочих тщетно пытались восстановить порядок. Поднялся такой шум и суматоха, что большая часть сладостей была растоптана. Пришлось в конце концов отказаться от попытки раздать их на открытом воздухе. С большим трудом нам удалось отнести оставшиеся сладости в бунгало шета Амбалала в Мирзапуре. На другой день мы спокойно распределили их во дворе этого бунгало.

Комическая сторона инцидента ясна. О печальной стороне следует сказать несколько слов. Расследование показало, что нищее население Ахмадабада, узнав о раздаче сладостей под деревом *эк-тек,* сбежалось туда толпами. Борьба этих голодных людей за сладости и создала беспорядок и смятение.

Нищета и голод, царящие в нашей стране, таковы, что ежегодно все новые массы индийского населения становятся нищими. Отчаянная борьба за хлеб лишает их чувства самоуважения и приличия. А филантропы, вместо того чтобы обеспечить людей работой, подают им милостыню.

XXIII. САТЬЯГРАХА В КХЕДЕ

У меня буквально не было времени вздохнуть. Только что закончилась забастовка рабочих в Ахмадабаде, а я уже с головой окунулся в сатьяграху в Кхеде.

В районе Кхеды надвигался голод вследствие повсеместного неурожая зерновых. Патидары Кхеды хлопотали, чтобы их освободили на год от уплаты податей.

Прежде чем я дал земледельцам определенный ответ, адвокат Амритлал Таккар тщательно обследовал создавшееся положение на месте, составил отчет и лично беседовал с правительственным комиссаром. Адвокаты Моханлал Пандья и Шанкарлал Парикх также присоединились к борьбе и начали соответствующую кампанию в бомбейском законодательном совете через посредство адвокатов Валлаббхая Пателя и ныне покойного сэра Гокулдаса Кахандаса Парекха. К губернатору было направлено несколько депутаций.

Я был в то время председателем гуджаратской сабхи. Сабха посылала правительству петиции и телеграммы и терпеливо сносила оскорбления и угрозы со стороны правительственного комиссара. Поведение правительственных чиновников в этом вопросе было столь смехотворным и недостойным, что теперь оно представляется почти неправдоподобным.

Требования земледельцев были ясны как день и настолько скромны, что нелепо было оспаривать их. Согласно положению о поземельном налоге, земледельцы имели право требовать отсрочки уплаты всех податей за год, если урожай оценивался не выше четырех анна. По официальным данным, цена урожая превышала четыре анна, а земледельцы утверждали, что он ниже. Но правительство ничего знать не хотело, и требования крестьян об арбитраже рассматривало чуть ли не как lèse-majesté[1]. После того как на все просьбы и петиции был получен отказ, я, посоветовавшись с товарищами, предложил патидарам прибегнуть к сатьяграхе.

Кроме добровольцев из Кхеды, моими главными соратниками в этой борьбе были: адвокаты Валлаббхай Патель, Шанкарлал Банкер, шримати Анасуябехн, адвокаты Индулал Яджник, Махадев Десай и другие. Валлаббхай

---

[1] Оскорбление величества *(фр.)*.

ради участия в этой борьбе оставил свою блестящую и перспективную адвокатскую практику, которую ему потом уже не удалось восстановить.

Главную квартиру мы устроили в надиадском анаташраме, так как не нашли другого такого большого помещения, где смогли бы разместиться все мои соратники.

Участники сатьяграхи подписали следующее обязательство:

«Зная, что цена урожая в наших деревнях меньше четырех анна, мы просили правительство отложить сбор податей до следующего года, но правительство не вняло нашей мольбе. Поэтому мы, нижеподписавшиеся, торжественно заявляем, что решили не платить правительству всех остающихся в этом году податей. Правительство может предпринимать любые законные меры, а мы готовы нести все последствия нашего отказа платить подати. Мы предпочитаем, чтобы наши земли были конфискованы, чем, добровольно уплатив подати, позволить считать наше дело неправым и тем самым скомпрометировать себя. Однако в случае, если правительство согласится отложить сбор второй половины податей во всем районе, то те из нас, кто в состоянии платить, внесут всю сумму или остаток налога. Причина, по которой те, кто могут платить, все же сейчас не платят, заключается в том, что если они уплатят, то бедняки-райяты начнут в панике продавать свое имущество или залезут в долги, чтобы также уплатить подати и вследствие этого сильно пострадают. Считаем, что в этих условиях в интересах бедняков все должны воздержаться от уплаты податей».

Я не могу больше распространяться о перипетиях нашей борьбы. Вынужден опустить здесь многие приятные воспоминания, связанные с ней. Тех же, кто хочет глубже и полнее ознакомиться с этой кампанией, отсылаю к истории сатьяграхи в Кхеде, написанной адвокатом Шанкарлалом Парикхом из Катлала (Кхеда).

XXIV. «ПОХИТИТЕЛЬ ЛУКА»

Чампаран — глухой уголок Индии. Пресса не была допущена к участию в развернувшейся там кампании, и туда никто не ездил. Что же касается событий в Кхеде, то тут дело обстояло иначе. В прессе ежедневно помещались сообщения обо всем, происходившем в Кхеде.

Гуджаратцы заинтересовались борьбой, которая для них была новинкой, и выражали готовность дать какие угодно средства для успеха этого дела. Им было трудно понять, что одними лишь деньгами сатьяграхи не проведешь. В деньгах это движение нуждается меньше всего. Несмотря на все мои протесты, бомбейские купцы прислали нам гораздо больше денег, чем было необходимо, вследствие чего к концу кампании у нас осталась некоторая сумма.

В то же самое время добровольцы-сатьяграхи получили наглядный урок простоты. Не могу сказать, усвоили ли они его полностью, но многие в значительной степени изменили свой образ жизни.

Борьба эта была новостью и для крестьян-патидаров. Поэтому мы ходили из деревни в деревню, разъясняя принципы сатьяграхи.

Главное заключалось в том, чтобы вытравить у земледельцев страх перед чиновниками, внушив, что чиновники не хозяева, а слуги народа, поскольку они получают жалованье из кармана налогоплательщика. Казалось почти невозможным заставить их понять, как важно сочетать отсутствие страха с вежливостью. Ведь если крестьянин перестает бояться чиновника, то разве сможет он удержаться и не ответить на оскорбление оскорблением. Если же он позволит себе грубость, это испортит сатьяграху, как капля мышьяка портит молоко. Позднее я понял, что крестьяне в меньшей степени, чем я предполагал, постигли урок вежливости. Опыт научил меня, что вежливость наиболее слабое место сатьяграхи. Ибо под вежливостью подразумевается не просто изысканность речи, выработанная для данного случая, а внутренняя кротость и желание добра противнику. Это должно проявляться в каждом действии сатьяграха.

В первое время, несмотря на смелость, проявленную населением, правительство не склонно было принимать крутые меры. Но время шло, крестьяне держались стойко, и правительство начало прибегать к насилию. Податные чиновники стали продавать крестьянский скот и забирать всякую движимость, попадавшуюся под руку. Чиновники описывали вещи, а в некоторых случаях накладывали арест даже на хлеб на корню. Все это обескураживало крестьян: некоторые райяты стали уплачивать подати, другие сами подсовывали чиновникам не особенно нужные им вещи для описи, чтобы погасить задолженность. Но были и райяты, решившие бороться до конца.

Как раз в то время один из арендаторов адвоката Шанкарлала Парикха уплатил причитавшиеся с него налоги. Это вызвало всеобщее недоумение. Шанкарлал Парикх немедленно исправил ошибку своего арендатора, передав землю, за которую была уплачена подать, на благотворительные цели. Он спас таким образом свою честь и одновременно подал прекрасный пример другим.

В целях завоевания сердец тех, кто был напуган, я предложил крестьянам под руководством Моханлала Пандьи собрать лук с поля, на которое был наложен незаконный, по моему мнению, арест. Я не считал это актом гражданского неповиновения. Но если бы даже это и было неповиновением, я все равно предложил бы прибегнуть к указанной мере, так как арест урожая на корню, хотя и допускается законом, несовместим с принципами морали и представляет собой, попросту говоря, грабеж. Поэтому долгом наших людей было снять лук, невзирая на угрозу ареста. Для таких людей это была хорошая возможность получить урок и познакомиться со штрафом или заключением в тюрьму, что явилось бы неизбежным следствием такого неповиновения. Адвокату Моханлалу Пандье это пришлось по душе. Он не мог примириться с мыслью, что кампания закончится спокойно, никто не пострадает за принципы сатьяграхи и не попадет в тюрьму. Он взялся собрать лук, и к нему присоединились семь или восемь друзей.

Правительство, конечно, не могло оставить их на свободе. Арест адвоката Моханлала и его товарищей вызвал взрыв энтузиазма среди крестьян. Репрессии, если страх перед тюрьмой исчез, только возбуждают дух народа. В тот день, когда слушалось дело, толпы крестьян пришли к зданию суда. Моханлал Пандья и его друзья были приговорены к краткосрочному тюремному заключению. Я считал, что приговор неправилен, так как сбор лука никак нельзя было подвести под статью уголовного кодекса о краже. Но приговор не был обжалован, ибо мы держались политики — избегать судебные учреждения.

«Осужденные» проследовали в тюрьму в сопровождении огромной процессии, адвокат Моханлал Пандья получил от крестьян почетное прозвище «дунгли чор» (похититель лука), которое сохранилось за ним и по сей день.

Об окончании сатьяграхи в Кхеде я расскажу в следующей главе.

XXV. КОНЕЦ САТЬЯГРАХИ В КХЕДЕ

Кампания в Кхеде закончилась совершенно неожиданно. Было ясно, что население напрягает последние силы, и я колебался, стоит ли доводить до полного разорения тех, кто оставался непреклонным. Я старался изыскать приемлемый для сатьяграха способ окончания борьбы. Выход нашелся совершенно неожиданно. Мамлатдар из талуки Надиада сообщил мне, что, если более состоятельные патидары уплатят подати, беднякам предоставят отсрочку. Я потребовал письменного подтверждения и получил его. Но мамлатдар отвечал лишь за свою талуку, и я запросил коллектора (он был ответственен за район в целом) подтвердить, что заявление мамлатдара действительно распространяется на весь район. Он заверил меня, что распоряжения об отсрочке на условиях, о которых говорилось в письме мамлатдара, уже даны. Мне это было неизвестно, но если дело обстояло так, то взятое на себя крестьянами обязательство было выполнено. Мы добивались, как я говорил, чтобы плату внесли только состоятельные, — так что вполне можно было удовлетвориться распоряжениями.

Тем не менее меня такой конец не особенно порадовал. Тут не было того завершения, которым должна увенчиваться каждая кампания сатьяграхи. Коллектор действовал так, как будто не имел никакого понятия о соглашении. Бедняки должны были получить отсрочку, но вряд ли кто выиграл от этого. Право определять, кто беден, принадлежало населению, но народ был не в состоянии воспользоваться этим правом. Я был опечален, что у крестьян не нашлось сил воспользоваться этим правом. Несмотря на все это, конец кампании был отпразднован как триумф сатьяграхи. Но я не испытывал чувства удовлетворения. Кампания сатьяграхи только тогда может считаться удачной, когда сатьяграхи выходят из нее более сильными и воодушевленными, чем в начале борьбы.

Кампания, однако, имела и косвенные положительные результаты. Плоды ее мы пожинаем и сейчас. Сатьяграха в Кхеде знаменует пробуждение крестьянства Гуджарата, начало их истинного политического воспитания.

Блестящая агитация доктора Безант за самоуправление Индии, несомненно, затронула и крестьян, но только кампания в Кхеде побудила общественных деятелей-интеллигентов войти в соприкосновение с действительной жизнью крестьян, научила отождествлять себя с крестьянами. Эти деятели нашли здесь достойное применение своим силам, и их готовность к самопожертвованию благодаря этому возросла. То, что Валлаббхай обрел в этой кампании, само по себе уже немалое достижение. Мы смогли оценить это в прошлом году в период борьбы с наводнением и во время сатьяграхи в Бардоли в этом году. Пульс общественной жизни Гуджарата забился энергичнее. Крестьянин-патидар раз навсегда осознал свою силу. Полученный урок неизгладимо запечатлелся в общественном сознании: спасение народа зависит от него самого, от его готовности страдать и жертвовать собой. Благодаря кампании в Кхеде движение сатьяграхи пустило глубокие корни в почве Гуджарата.

И тогда как я не видел оснований приходить в восторг по поводу прекращения сатьяграхи, крестьяне Кхеды буквально ликовали. Они знали, что достигнутые результаты соответствовали затраченным усилиям и что ими обретен верный способ добиваться выполнения своих требований. Это сознание было достаточным оправданием их ликования.

Все же крестьяне Кхеды не вполне поняли внутреннее значение сатьяграхи. Им далось это позже, как увидим ниже, на собственном горьком опыте.

XXVI. СТРЕМЛЕНИЕ К ЕДИНСТВУ

Когда началась кампания в Кхеде, в Европе все еще продолжалась смертоносная война. Положение было весьма критическим, и вице-король пригласил различных лидеров в Дели на военную конференцию. Я также получил приглашение. Я уже упоминал о моих дружеских отношениях с вице-королем лордом Челмсфордом.

В ответ на приглашение я выехал в Дели. У меня, однако, были возражения против участия в конференции, и одним из главных мотивов было отсутствие на ней таких лидеров, как братья Али. В то время они сидели в тюрьме. Я виделся с ними всего раз или два, но слыхал о них очень много. Все очень хорошо отзывались об их работе и о проявленном ими мужестве. Я не был еще хорошо знаком с Хакимом Сахибом, но патрон Рудра и Динабандху Эндрюс весьма лестно отзывались о нем. С мистером Шуайбом Куреши и мистером Хаджой я встречался в Мусульманской лиге в Калькутте. Я познакомился также с доктором Ансари и доктором Абдуром Рахманом, стараясь подружиться с добрыми мусульманами. Завязывая знакомства с лучшими и наиболее патриотически настроенными представителями мусульман, я надеялся постичь дух мусульманства, и поэтому всегда охотно шел куда угодно, чтобы встретиться с ними.

Уже в Южной Африке мне было совершенно ясно, что между мусульманами и индусами искренней дружбы нет. Я никогда не упускал случая устранить препятствия на пути к их единению. Однако не в моем характере было располагать кого-либо к себе лестью или ценой собственного достоинства.

Работа в Южной Африке убедила меня в том, что моя ахимса в вопросе индусско-мусульманского единства подвергнется самому серьезному испытанию и что в то же время вопрос этот представляет широкое поле для моих опытов в области ахимсы. Всю жизнь я ощущал, что Бог подвергает меня испытаниям.

Вернувшись с такими убеждениями из Южной Африки, я постарался связаться с братьями Али. Но они попали за решетку до того, как у нас установились тесные взаимоотношения. Маулана Мухаммад Али, как только ему позволили тюремщики, стал писать мне длинные письма из Бетула и Чхиндвары. Я обращался за разрешением навестить братьев Али, но безуспешно.

После ареста братьев Али мои мусульманские друзья пригласили меня на сессию Мусульманской лиги в Калькутте. Меня попросили выступить, и я сказал несколько слов о том, что мусульмане должны приложить все усилия, чтобы освободить братьев Али. Некоторое время спустя те же друзья свезли меня в мусульманский колледж в Алигархе, где я призывал молодежь стать факирами в деле служения родине.

Затем я вступил в переписку с правительством об освобождении братьев Али. В этой связи я изучил их взгляды и деятельность по вопросу о халифате и имел несколько бесед с друзьями-мусульманами. Я знал, что истинным другом мусульман мог стать только в том случае, если бы оказал им посильную помощь в деле освобождения братьев Али и в справедливом решении вопроса о халифате. Я не мог судить о достоинствах этого дела. Но в требованиях мусульман не было ничего безнравственного. В вопросах религиозных воззрений мы расходились. Каждому кажется, что его религия — высшая. Если бы все придерживались в отношении религии одних и тех же убеждений, в мире существовала бы только одна религия. С течением времени я убедился, что мусульманские требования в вопросе о халифате не только не грешат против этики, но даже британский премьер признает их справедливыми. Поэтому я счел себя обязанным делать все от меня зависящее, чтобы добиться выполнения обещания премьера. Обещание было дано в столь ясных выражениях, что изучением требований мусульман я занялся лишь для успокоения совести.

Друзья часто критиковали мое отношение к вопросу о халифате. Но, несмотря на это, я считаю, что мне нет надобности ни пересматривать свою позицию, ни сожалеть о сотрудничестве с мусульманами. Если возникнет подобная ситуация, я буду действовать так же.

Отправляясь в Дели, я твердо решил переговорить с вице-королем о мусульманах. Вопрос о халифате не вылился еще тогда в те формы, какие он принял впоследствии.

В Дели возникло новое затруднение для моего участия в конференции. Динабандху Эндрюс поднял вопрос о моральной стороне моего участия в военной конференции. Он рассказал мне о противоречивых сообщениях, которые появились в английской прессе относительно тайных соглашений между Англией и Италией. Могу ли я участвовать в конференции, если Англия ведет тайные переговоры с другой европейской державой? — спрашивал мистер Эндрюс. Я ничего не знал об этом, но слов Динабандху Эндрюса было вполне достаточно. Я обратился к лорду Челмсфорду с письмом, в котором разъяснил причину моих колебаний относительно участия в конференции.

Вице-король пригласил меня обсудить этот вопрос. Я долго беседовал с ним и его личным секретарем мистером Маффи. В результате я согласился принять участие в конференции. Вице-король выдвинул следующий довод:

— Вы, я полагаю, не думаете, что вице-король Индии в курсе всего, что предпринимает британский Кабинет министров. Ни я, ни кто-либо другой не считает, что британское правительство непогрешимо. Но если вы согласны с тем, что империя в целом является поборницей добра и что Индия в общем выиграла от своей связи с Англией, то не думаете ли вы, что в обязанности каждого индийского гражданина входит помощь империи в час нужды? Я сам прочел в английских газетах о тайных договорах. Смею вас уверить, что не знаю больше того, что было напечатано в газетах. А вы, конечно, имеете представление об «утках», которыми изобилует пресса. Неужели, основываясь на газетной заметке, вы откажетесь помочь империи в критический момент? После окончания войны вы можете предъявлять какие угодно моральные требования и бросать нам любой вызов, но, пожалуйста, после войны, а не сейчас.

Аргумент этот не был новым. Но мне он показался новым благодаря форме и обстоятельствам, при которых он был приведен, и я согласился принять участие в конференции. Что же касается требований мусульман, то я собирался изложить их вице-королю в письме.

XXVII. ВЕРБОВОЧНАЯ КАМПАНИЯ

Итак, я принял участие в конференции. Вице-король считал весьма важным, чтобы я высказался за поддержку резолюции о вербовке. Я попросил разрешения говорить на хинди-хиндустани. Вице-король согласился, но предложил, чтобы я говорил также и по-английски. Но я не собирался произносить целой речи. Я произнес только одну фразу:

— С полным сознанием своей ответственности я прошу поддержать эту резолюцию.

Со всех сторон посыпались поздравления по случаю того, что я говорил на хиндустани. Это был, говорили мне, первый случай на памяти у живущих, когда говорили на хиндустани на подобном заседании. Поздравления эти, равно как и то, что я первым выступил в присутствии вице-короля на хиндустани, больно задели мою национальную гордость. Я весь ушел в себя. Какая трагедия, что язык страны объявлен «табу» на заседаниях, происходящих в этой стране, в работе, имеющей прямое отношение к этой стране, и что речь, произнесенная на хиндустани случайным лицом вроде меня, способна вызвать поздравления! Подобные инциденты свидетельствуют о том, до какого положения мы низведены.

Единственная фраза, которую я произнес на конференции, имела для меня большое значение. Я не мог забыть ни конференции, ни резолюции, которую поддержал. Находясь в Дели, я должен был сделать еще одно дело — написать вице-королю письмо. Это было не легко. Я понимал, что обязан объяснить народу, как и почему принял участие в конференции, и четко определить, чего народ ждет от правительства.

Я выразил в письме сожаление, что на конференции отсутствовали такие лидеры, как Локаманья Тилак и братья Али, затем изложил минимум политических требований народа и также требования мусульман в связи с положением, создавшимся вследствие войны. Я попросил разрешения опубликовать это письмо, и вице-король охотно дал согласие.

Письмо надо было отправить в Симлу, куда вице-король уехал тотчас после конференции. Для меня оно имело большое значение, а отправка по почте затянула бы дело. Я хотел сэкономить время, и в то же время не хотелось воспользоваться случайной оказией. Нужен был человек с чистой душой, который доставил бы письмо в резиденцию вице-короля и лично вручил его. Динабандху Эндрюс и патрон Рудра рекомендовали мне пастора Айрлэнда из Кембриджской миссии. Он согласился доставить письмо при условии, если ему разрешат прочесть его и если оно покажется ему справедливым. У меня не было возражений, поскольку письмо отнюдь не имело частного характера. Он прочел — письмо ему понравилось — и согласился доставить его по месту назначения. Я предложил деньги на билет во втором классе, но он отказался, так как привык путешествовать в общем вагоне. Он так и поступил, хотя ехать надо было ночью. Его простота, прямодушие и откровенность покорили меня. И письмо, доставленное чистосердечным человеком, принесло, как я и думал, желаемые результаты. Оно успокоило мой разум и расчистило пути.

Вот текст моего письма вице-королю:

«Как Вам известно, я после долгих размышлений вынужден был передать Вашему Превосходительству, что я не смогу участвовать на конференции по мотивам, изложенным в письме от 26 апреля. Однако после аудиенции, которой Вы меня удостоили, я решил участвовать в ней хотя бы из глубокого уважения к вам. Одной и, пожалуй, главной причиной моего воздержания от участия в конференции было то, что миссис Безант, Локаманья Тилак и братья Али, которых я считаю одними из наиболее влиятельных руководителей общественного мнения, не были приглашены на конференцию. Я все еще чувствую, что было грубейшей ошибкой не пригласить их, и со всем почтением к Вам полагаю, что эту ошибку можно исправить, если пригласить этих лидеров оказать содействие правительству своими советами на провинциальных конференциях, которые, я думаю, будут созваны. Осмеливаюсь заметить, что правительство не может себе позволить пренебречь лидерами, представляющими широкие народные массы, как это произошло в данном случае, хотя они могут иметь совершенно иные взгляды. Одновременно я рад, что имею возможность заявить, что в комиссиях конференции все партии имели возможность свободно выразить свои взгляды. Что касается меня, то я намеренно воздерживался от речей на заседаниях комиссии, членом которой имею честь состоять, или же на самой конференции. Я считаю, что могу лучше содействовать целям конференции одной лишь поддержкой соответствующих резолюций, что и сделал без всяких оговорок. Надеюсь скоро претворить произнесенные мною слова в дело, как только правительство найдет возможным осуществить предложения, которые при сем прилагаю в отдельном письме.

Я считаю, что в час опасности мы должны, как решили, оказать недвусмысленную, идущую от всего сердца поддержку империи, партнерами которой по примеру заморских доминионов мы надеемся стать. Совершенно ясно, что эта готовность вызвана надеждой осуществления нашей цели в ближайшем будущем. Народ имеет право верить, что реформы, о которых Вы говорили в своей речи, воплотят в себе основные принципы программы Конгресса и Лиги. Я знаю, что эта вера дала возможность многим участникам конференции предложить правительству свое чистосердечное сотрудничество.

Если бы я мог заставить своих соотечественников вернуться назад, я убедил бы их снять все резолюции Конгресса и не шептать „самоуправление“ или „ответственное правительство“, пока продолжается война. Я заставил бы Индию в критический момент предложить в жертву империи своих сынов, годных к военной службе. Я верю, что благодаря этому поступку Индия стала бы самым любимым членом империи и расовые различия отошли бы в область прошлого. Но интеллигенция Индии решила идти менее действенным путем, и нельзя сказать, что она не оказывает влияния на массы. Вернувшись в Индию из Южной Африки, я установил тесный контакт с индийскими райятами и могу заверить Вас, что желание добиться самоуправления глубоко укоренилось в их сердцах. Я присутствовал на заседании последней сессии Конгресса и голосовал за резолюцию о предоставлении Британской Индии полного самоуправления на период, который определит парламент. Возможно, что это смелый шаг, но я уверен, что индийский народ удовлетворится только гарантией того, что он получит самоуправление в самый кратчайший срок. Я знаю, в Индии очень многие считают, что для достижения этой цели можно принести любые жертвы. Индийцы достаточно сознательны, чтобы понять, что они должны быть готовы пожертвовать собой ради империи, в которой они желают и надеются обрести свой окончательный статут. Из этого следует, что мы можем лишь ускорить наше продвижение к цели, молчаливо и просто отдавшись сердцем и душой делу освобождения империи от грозящей ей опасности. Не признавать такой элементарной истины было бы равносильно национальному самоубийству. Мы должны сознавать, что, служа делу спасения империи, тем самым обеспечиваем себе самоуправление.

Поэтому мне совершенно ясно, что мы должны отдать империи для ее обороны всех годных людей. Но боюсь, что не смогу сказать того же в отношении финансовой помощи. Мои откровенные беседы с райятами убедили меня, что Индия уже отдала в имперскую казну больше, чем могла. Делая это заявление, я выражаю мнение большинства моих соотечественников.

Конференция означает для меня и, я верю, для многих из нас определенный шаг по пути посвящения наших жизней общему делу, но наша позиция особая. В настоящее время мы не равноправные члены империи. Наша позиция основана на вере в лучшее будущее. Я был бы неискренен по отношению к Вам и своей стране, если бы ясно и чистосердечно не сказал Вам, что представляет собой эта надежда. Я не ставлю никаких условий для ее осуществления, но Вам следует знать, что утрата надежды означает разочарование.

Есть одна вещь, которую мне не хотелось бы упустить. Вы обратились к нам с призывом забыть о внутренних разногласиях. Если это обращение предполагает терпимость в отношении тирании и преступлений чиновников, то здесь я бессилен. Я буду всеми силами оказывать противодействие организованной тирании. Вы должны призвать чиновников не обходиться плохо ни с одним человеком, прислушиваться к общественному мнению и уважать его, как никогда раньше. В Чампаране своим противодействием вековой тирании я показал, что есть пределы британской власти. В Кхеде население, ругавшее правительство, теперь чувствует, что оно, а не правительство является силой, когда дело доходит до страданий во имя истины. Говоря себе, что правительство должно быть правительством для народа, население допускает методичное и почтительное неповиновение там, где имеет место несправедливость. Поэтому Чампаран и Кхеда являются моим прямым, определенным и особым вкладом в войну. Просить меня прекратить мою деятельность в этом направлении было бы равносильно просьбе о прекращении жизни. Если бы я мог популяризовать использование душевной силы, которая представляет собой не что иное, как силу любви, а не грубую силу, я знаю, что большее, на что была бы способна Индия, — это оказывать открытое неповиновение всему миру.

Я буду всегда умерщвлять свою плоть, чтобы моя жизнь стала выражением вечного закона страдания, чтобы те, кто желает, могли бы следовать моему примеру. Какой бы деятельностью я ни занимался, основным мотивом ее будет показать несравненное превосходство этого закона.

И в заключение мне хотелось бы попросить министров Его Величества дать твердую гарантию в отношении мусульманских государств. Я уверен, Вы знаете, что каждый мусульманин глубоко заинтересован в этом. Я индус, но не могу относиться безразлично к их проблеме. Их горести должны быть нашими горестями. Безопасность империи коренится в добросовестности уважения прав этих государств и чувства мусульман в отношении их святых мест поклонения, а также в своевременном и справедливом удовлетворении требований Индии предоставить ей самоуправление. Я пишу это потому, что люблю английский народ и хочу пробудить в каждом индийце чувство лояльности по отношению к англичанам».

Вторым моим обязательством была вербовка рекрутов. Где я мог начать это дело, кроме Кхеды, и кого я мог пригласить в качестве первых рекрутов, как не своих сотрудников? Сразу же по приезде в Надиад я устроил совещание с Валлаббхаем и другими друзьями. Некоторым из них было нелегко принять мое предложение. У тех же, кому оно понравилось, были сомнения относительно успеха вербовки. Между правительством и слоями населения, к которым я намеревался обратиться, не было взаимной симпатии; у людей еще свежо было в памяти все, что им пришлось вынести от правительственных чиновников.

И все же друзья высказались за то, чтобы начать работу. Но, приступив к ней, я прозрел. Моему оптимизму был нанесен тяжелый удар. Во время кампании за отказ от уплаты податей население с готовностью и безвозмездно предоставляло нам средства передвижения; и если нужен был один доброволец, являлись двое. Сейчас же было трудно получить экипаж даже за деньги, не говоря уже о добровольцах. Однако мы не унывали и, когда не было экипажей, ходили пешком, делая порою по двадцать миль в день. Еще труднее было рассчитывать получить продовольствие. Просить пищу было неудобно, и мы решили, что каждый будет носить продовольствие с собой в сумке. Стояло лето, и поэтому в палатках и постелях необходимости не было.

Всюду, куда бы ни приходили, мы устраивали митинги. Народ сходился, но рекрутов набиралось не больше одного-двух.

— Как можете вы, последователь ахимсы, предлагать нам взяться за оружие?

— Что хорошего сделало правительство для Индии, чтобы заслужить наше сотрудничество?

Подобные вопросы задавали нам все время.

Все же наше упорство побеждало. Имелся уже целый список завербованных, и мы рассчитывали, что приток добровольцев станет постоянным. Я уже начал переговоры с комиссаром относительно размещения рекрутов.

Комиссары всех округов, следуя примеру Дели, устраивали у себя военные конференции. На такую конференцию в Гуджарате пригласили и меня с сотрудниками. Мы пришли, понимая, что это еще более неподходящее для меня место, чем Дели. Я чувствовал себя плохо в этой атмосфере раболепия. Говорить на конференции мне пришлось о довольно неприятных вещах.

Я выпускал листовки, призывая население записываться в рекруты. Один из приводимых мною аргументов был не особенно приятен для комиссара:

«Из всех злодеяний британского владычества в Индии история сочтет наиболее тяжким закон, лишающий целый народ права носить оружие. Если мы хотим, чтобы этот закон был отменен, если хотим научиться владеть оружием, то нам представляется блестящая возможность. Если средние слои населения добровольно окажут правительству помощь в час испытания, его недоверие исчезнет и запрещение носить оружие будет снято».

Комиссар заявил, что ценит мое присутствие на конференции, несмотря на существующие между нами разногласия. И мне пришлось защищать свою точку зрения в самых учтивых выражениях.

XXVIII. НА ПОРОГЕ СМЕРТИ

За время вербовочной кампании я совершенно расстроил свое здоровье. Я питался главным образом арахисовым маслом и лимонами. Зная, что употреблять масло в большом количестве вредно для здоровья, я все же не ограничивал себя и заболел дизентерией в легкой форме, но, не обратив на свою болезнь должного внимания, вечером поехал в ашрам. Лекарств я тогда почти не принимал, полагая, что пропущу один завтрак и почувствую себя хорошо. Действительно, это несколько помогло. Однако я знал, что, для того чтобы вполне оправиться, мне следует продолжить пост и не употреблять в пищу ничего, кроме фруктовых соков.

День был праздничным, и хотя я сказал Кастурбай, что в полдень ничего не буду есть, она выступила в роли соблазнительницы, и я не устоял перед искушением. Поскольку я дал обет не употреблять молока и молочных продуктов, она специально приготовила мне сладкую пшеничную кашу не на гхи, а на растительном масле, а также приберегла для меня полную чашу мунга. Я очень любил все это и охотно принялся за еду, полагая, что не будет большой беды, если я отведаю совсем немного, только чтобы не огорчать Кастурбай и усладить свой вкус. Но дьявол будто поджидал благоприятного случая. Вместо того чтобы съесть чуть-чуть, я насытился до отвала. Этого было вполне достаточно, чтобы пригласить ангела смерти. Через час у меня начался острый приступ дизентерии.

Вечером того же дня мне предстояло вернуться в Надиад. Я еле доплелся до станции Сабармати, находившейся на расстоянии двух миль от дома. Адвокат Валлаббхай, присоединившийся ко мне в Ахмадабаде, видел, что я нездоров. Но я старался скрыть от него невыносимые боли, которые испытывал.

Мы приехали в Надиад примерно в десять часов. Индусский анаташрам, где помещалась наша штаб-квартира, находился всего лишь в полумили от станции, но эта полумиля показалась мне добрыми десятью. Кое-как я дотащился до штаб-квартиры. А рези в животе все усиливались. Вместо того чтобы воспользоваться обычной уборной, находившейся в значительном отдалении от дома, я попросил поставить судно в прихожей. Мне было стыдно просить об этом, но выхода не было. Адвокат Фульчанд тотчас же раздобыл судно. Друзья окружили меня, глубоко озабоченные. Они всячески старались мне помочь, но не могли облегчить мои боли. К их беспомощности добавилось мое упрямство. Я отказался от всякой медицинской помощи, не желая принимать лекарств и предпочитая страдать, чтобы наказать себя за глупость. Они в страхе наблюдали за мной. Мой желудок действовал, должно быть, тридцать или сорок раз в сутки. Я не принимал никакой пищи, а вначале не пил даже фруктового сока. Аппетит совершенно пропал. Я все время думал, что у меня железное здоровье, но теперь почувствовал, что тело стало рыхлой глыбой. Организм утратил всякую способность к сопротивлению. Пришел доктор Кануга и просил меня принять лекарство — я отказался. Тогда он предложил сделать инъекцию под кожу, но я и от этого отказался. Мое невежество в то время относительно инъекций было прямо смехотворно. Я считал, что препарат для введения под кожу должен представлять своего рода сыворотку. Позднее я узнал, что доктор хотел ввести мне растительный состав, но я обнаружил это слишком поздно. Дизентерия совершенно вымотала меня. Начались лихорадка и бред. Друзья все больше нервничали, вызывали новых и новых врачей. Но что врачи могли поделать с пациентом, который не желал выполнять их предписаний?

В Надидад приехал шет Амбалал со своей доброй женой. Он посоветовался с моими товарищами по работе и с величайшими предосторожностями доставил меня в свое мирзапурское бунгало в Ахмадабаде. Вряд ли на чью-либо долю выпадало столько любви и бескорыстного внимания, сколько уделили мне друзья во время этой болезни. Но лихорадка продолжалась, и я слабел с каждым днем. Я чувствовал, что болезнь будет продолжительной и возможен роковой исход. Несмотря на любовь и внимание, которыми я был окружен в доме Амбалала, я начал волноваться и потребовал, чтобы меня перевезли в ашрам. Амбалал вынужден был подчиниться моему капризу.

В то время как я, терзаемый болью, метался в постели в ашраме, адвокат Валлаббхай принес известие, что Германия побеждена и, по сообщению комиссара, нет необходимости в дальнейшей вербовке рекрутов. Не надо было беспокоиться о наборе, и это явилось для меня большим облегчением.

Я попробовал водолечение. Оно принесло мне некоторое облегчение. Однако восстановить силы было очень трудно. Врачи наперебой давали советы, но я не мог заставить себя принять ни один из них. Двое или трое врачей рекомендовали мне мясной бульон в качестве замены молока, которое я поклялся не пить, и подкрепили свой совет цитатами из «Аюрведы». Еще один врач очень настойчиво рекомендовал яйца. Но я на все отвечал — нет.

Для меня вопрос диеты не решался на основе авторитета шастр. Я связывал его с принципами, которыми постоянно руководствовался в жизни и которые не зависели от посторонних авторитетов. Я не желал покупать себе жизнь ценою отказа от этих принципов. Разве мог я пренебречь принципом, соблюдения которого я постоянно добивался от жены, детей и друзей. Эта первая в моей жизни такая длительная болезнь предоставила мне единственную в своем роде возможность проверить и испытать свои принципы.

Однажды ночью я впал в полное отчаяние, почувствовав, что нахожусь на пороге смерти. Я послал записку Анасуябехн. Она прибежала в ашрам. Валлаббхай пришел вместе с доктором Канугой. Тот, пощупав пульс, сказал:

— Пульс у вас совершенно нормальный. Абсолютно никакой опасности не вижу. Это нервное потрясение, вызванное очень большой слабостью.

Но я не успокоился и всю ночь не смог заснуть.

Настало утро, а смерть не пришла. Но, будучи не в состоянии отделаться от ощущения, что конец близок, я заставил обитателей ашрама читать мне «Гиту» в часы, когда я бодрствовал. Читать сам я был не в состоянии. Разговаривать не хотелось. Даже незначительная беседа означала для меня величайшее напряжение ума. Всякий интерес к жизни исчез, так как я никогда не любил жить ради самой жизни. Какое мучение продолжать жить, чувствуя себя беспомощным, ничего не делая, принимая услуги друзей и товарищей и наблюдая, как медленно угасает организм!

Так жил я в ожидании смерти. Но в один прекрасный день ко мне пришел доктор Талвалкар в сопровождении очень странного существа. Человек этот был родом из Махараштры. Большой славой он не пользовался, но когда я его увидел, сразу понял, что он, так же как и я, — человек с причудами. Он пришел испробовать свои методы лечения на мне. Он почти что закончил полный курс обучения в «Гранд медикал колледж», но не получил диплома. Позднее я узнал, что он был членом «Брахмо самадж». Доктор Келкар, так звали его, был человеком независимым и упрямым. Он ручался за действенность лечения льдом и хотел испробовать его на мне. Мы прозвали его «ледяной доктор». Он был глубоко убежден, что сделал открытие, которого не сумели сделать квалифицированные врачи. К нашему общему сожалению — моему и его, — ему не удалось увлечь меня верой в свою систему. Я верю до некоторой степени в ее действенность, но боюсь, что он поторопился с некоторыми выводами.

Но каково бы ни было его открытие, я позволил произвести на себе эксперимент. Лечение состояло в том, что все тело обкладывалось кусочками льда. Не могу подтвердить его претензию, что лечение эффективно подействовало на меня, но оно все же вселило в меня новую надежду, придало новую энергию, а разум, естественно, подействовал на организм: появился аппетит, и я стал совершать небольшие прогулки по пять-десять минут в день. Тогда он предложил мне изменить диету:

— Уверяю вас, что, если вы будете пить сырые яйца, у вас появится больше энергии и вы скорее восстановите силы. Яйца безвредны, как и молоко. Их ведь нельзя отнести к мясной пище. Разве вы не знаете, что не все яйца оплодотворены? В продаже имеются даже стерилизованные яйца.

Однако я не собирался есть и стерилизованные яйца. Я успел уже поправиться настолько, что снова стал интересоваться общественной деятельностью.

XXIX. ЗАКОНОПРОЕКТ РОУЛЕТТА И МОЯ ДИЛЕММА

Врачи и друзья уверили меня, что перемена места быстро восстановит мои силы. Я поехал в Матеран. Вода в Матеране оказалась очень жесткой, и мое пребывание там причиняло мне большие страдания. После дизентерии мой кишечный тракт стал очень чувствительным, а из-за трещин в заднем проходе я испытывал мучительные боли во время очищения желудка, так что даже сама мысль о еде страшила меня. Не прошло и недели, как я почувствовал, что должен бежать из Матерана. Шанкарлал Банкер, взявший на себя заботу о моем здоровье, убедил меня проконсультироваться с доктором Далалом. Мы пригласили доктора Далала. Его способность молниеносно принимать решения понравилась мне. Он сказал:

— Я берусь восстановить ваше здоровье, только если вы будете пить молоко. Если, кроме этого, вы согласитесь на инъекции мышьяка и железа, то я гарантирую вам обновление всего организма.

— Можете делать мне инъекции, — ответил я, — но молоко — совсем другой вопрос. Я дал обет не употреблять молока.

— Какого рода обет вы дали? — спросил доктор.

Я рассказал ему всю свою историю и сообщил о причинах, побудивших меня дать обет. Я сказал, что с тех пор, как узнал, что коровы и буйволицы подвергаются процессу *пхунка*, у меня появилось сильное отвращение к молоку. Более того, я всегда считал, что молоко не является естественной пищей человека. Поэтому я совершенно отказался от молока. Кастурбай стояла у моей постели и слышала весь разговор.

— Но тогда у тебя не может быть никаких возражений против козьего молока, — вмешалась она.

Доктор ухватился за эту мысль.

— Если вы согласитесь употреблять козье молоко, этого будет вполне достаточно, — сказал он.

Я сдался. Огромное желание принять участие в сатьяграхе породило жажду жизни, и поэтому я удовлетворился приверженностью букве своего обета, пожертвовав его духом. Давая клятву не пить молока, я имел в виду молоко коровы и буйволицы, но ведь мой обет, естественно, относился к молоку всех животных. Неправильно было употреблять молоко еще и потому, что я не считал его естественной пищей человека. И все же, зная обо всем этом, я начал пить козье молоко. Жажда жизни оказалась сильнее верности истине, и последователь истины изменил своему идеалу из желания принять участие в сатьяграхе. При воспоминании об этом поступке меня до сих пор мучает совесть. Я постоянно размышляю о том, как отказаться от козьего молока. Но не могу освободиться от самого сильного искушения работать для общества.

Мои опыты в области диететики дороги мне как часть моих поисков ахимсы. Они доставляют мне удовольствие и восстанавливают мои силы. Но в настоящее время тот факт, что я пью козье молоко, волнует меня не столько с точки зрения соблюдения диеты ахимсы, сколько с точки зрения верности истине, так как этот факт представляет нарушение клятвы. Мне кажется, что я понял идеал истины лучше, чем идеал ахимсы; мой опыт подсказывает, что, если я позволю себе действовать вопреки истине, я никогда не смогу разрешить загадку ахимсы. Идеал истины требует, чтобы соблюдался как дух, так и буква взятых обетов. В данном случае я убил дух — душу своего обета — тем, что стал следовать только внешней форме его, и это тревожит меня. Но, ясно понимая это, я не могу избрать правильный путь. Иначе говоря, у меня, возможно, нет мужества следовать правильным путем. То и другое в своей основе означает одно и то же, ибо сомнение неизменно является результатом отсутствия или слабости веры. Поэтому я денно и нощно молю Бога дать мне веру.

Вскоре после того, как я стал пить козье молоко, доктор Далал сделал мне удачную операцию трещин в заднем проходе. Когда я оправился после операции, желание жить возгорелось с новой силой в особенности потому, что Бог уготовил для меня новую работу.

Не успев еще окончательно поправиться, я случайно прочел в газетах только что опубликованный отчет комиссии Роулетта. Я был ошеломлен его рекомендациями. Шанкарлал Банкер и Умар Сабани посоветовали мне немедленно начать действовать. Приблизительно через месяц я поехал в Ахмадабад. Там я поделился своими соображениями с Валлабхаем, который почти ежедневно навещал меня.

— Нужно что-то предпринять, — сказал я ему.

— Но что же можно сделать при подобных обстоятельствах? — спросил он.

— Надо найти хотя бы горсточку людей, которые согласятся подписать протест, и, если, вопреки этому протесту, предложенное мероприятие получит силу закона, мы тотчас начнем сатьяграху, — ответил я. — Если бы я чувствовал себя лучше, то начал бы бороться против этого закона один, надеясь, что другие последуют моему примеру. Однако при теперешнем моем состоянии эта задача мне не по силам.

В результате этого разговора было решено созвать близких мне лиц на небольшое совещание. Предложения комиссии Роулетта казались мне совершенно не соответствующими содержанию опубликованного ею отчета и имели такой характер, что ни один уважающий себя народ не мог их принять.

Совещание собралось в ашраме. Было приглашено едва ли более двух десятков лиц. Среди присутствовавших, кроме Валлабхая, помнится, находились: шримати Сароджини Найду, мистер Горниман, покойный ныне мистер Умар Сабани, адвокат Шанкарлал Банкер и шримати Анасуябехн. На этом заседании было принято решение начать сатьяграху, под которым, насколько я помню, подписались все присутствовавшие. В то время я не издавал никакой газеты, но иногда проводил свою точку зрения через ежедневную прессу. Так поступил я и в данном случае. Шанкарлал Банкер всей душой отдался агитационной работе, и я узнал о его удивительных организаторских и агитаторских способностях.

Я не надеялся, что какая-либо из организаций воспользуется таким новым оружием, как сатьяграха; поэтому по моему настоянию была создана «Сатьяграха сабха». Ее главная квартира находилась в Бомбее, так как в этом городе жили большинство ее членов. Через некоторое время толпами стали приходить сочувствующие. Они давали клятву верности сатьяграхе.

«Сабха» начала выпускать бюллетени, повсюду устраивала митинги, которые во многом имели черты кампании в Кхеде.

Председателем «Сатьяграхи сабхи» был я. Однако вскоре я обнаружил, что у меня почти нет шансов достичь соглашения с представителями интеллигенции, вошедшими в «Сабху». Я настаивал на своих особых методах работы и на употреблении языка гуджарати в «Сабхе», а их это приводило в смущение и доставляло немало хлопот. Должен сказать все-таки, что большинство весьма великодушно мирилось с моими причудами.

Но с самого начала мне было ясно, что «Сабха» недолговечна. Я чувствовал, что моя любовь к истине и стремление к ахимсе не нравились многим членам организации. Тем не менее первое время работа шла полным ходом и движение развивалось быстрыми темпами.

XXX. УДИВИТЕЛЬНОЕ ЗРЕЛИЩЕ

В то время как агитация против отчета комиссии Роулетта принимала все более широкие размеры, правительство, со своей стороны, твердо решило провести предложения комиссии в жизнь. Был опубликован законопроект Роулетта. Я только раз в жизни присутствовал на заседании индийской законодательной палаты, именно при обсуждении этого законопроекта. Шастри произнес страстную речь, в которой торжественно предостерегал правительство. Вице-король, казалось, слушал как зачарованный, не спуская с него глаз, когда тот извергал горячий поток своего красноречия. На мгновение мне показалось, что вице-король тронут его речью: столько было в ней искреннего чувства и глубокой правды.

Но разбудить человека можно только тогда, когда он действительно спит; если же он только притворяется спящим, все усилия напрасны. Примерно такова была позиция правительства: ему необходимо было пройти фарс юридических формальностей. Решение было готово заранее. Поэтому торжественное предостережение Шастриджи совершенно не подействовало.

Мое выступление при таких обстоятельствах тоже могло быть только гласом вопиющего в пустыне. Я со всей искренностью обращался к вице-королю. Я посылал ему частные и открытые письма, в которых ясно заявлял, что правительство своим поведением вынуждает меня прибегнуть к сатьяграхе. Но все было напрасно.

Новый закон еще не был опубликован. Я получил приглашение приехать в Мадрас. Я чувствовал себя очень слабым, но все же решил отважиться на длительное путешествие. В то время я не мог выступать с речами на митингах. Здоровье было сильно подорвано, и в течение долгого времени при попытке говорить стоя меня трясло и начиналось сильное сердцебиение.

На юге я всегда чувствовал себя как дома. Благодаря работе в Южной Африке у меня создалось впечатление, что я имею какие-то особые права на телугу и тамилов, и эти славные народы юга никогда не обманывали моих ожиданий.

Приглашение пришло за подписью ныне покойного адвоката Кастури Ранги Айенгара. Но, как я узнал уже на пути в Мадрас, инициатором приглашения был Раджагопалачария. Можно сказать, что это была моя первая встреча с ним. Во всяком случае мы впервые встретились лично.

Раджагопалачария по настойчивому приглашению друзей, в том числе и адвоката Кастури Ранги Айенгара, только что приехал из Салема и обосновался в Мадрасе, предполагая заняться юридической практикой. Здесь он намеревался принять более активное участие в общественной деятельности. В Мадрасе мы жили с ним под одной крышей. Я обнаружил это лишь через пару дней. Бунгало, где мы жили, принадлежало Кастури Ранге Айенгару, и я думал сперва, что мы его гости.

Однако Махадев Десай указал мне на мое заблуждение. Он очень скоро близко сошелся с Раджагопалачария, который, будучи по природе застенчив, постоянно держался на заднем плане. Махадев сказал мне однажды:

— Вам следует развивать этого человека.

Так я и поступил. Ежедневно мы обсуждали планы предстоящей борьбы, но мне тогда не приходило в голову ничего, кроме организации общественных митингов. Никакой другой программы не было. Я сознавал, что не знаю, в какую форму должно вылиться гражданское неповиновение против билля Роулетта, если он получит силу закона. Ведь не повиноваться можно только в том случае, если правительство создаст для этого возможность. А если этого не случится, можем ли мы оказать гражданское неповиновение другим законам? Если да, то в каких пределах? Эти и множество подобных вопросов являлись предметом наших диспутов.

Кастури Ранга Айенгар созвал небольшое совещание лидеров. Среди них выделился адвокат Виджаяргхавачария. Он предложил поручить мне составить исчерпывающее руководство по теории сатьяграхи, включая самые мельчайшие подробности. Я чувствовал, что это выше моих сил, и откровенно сознался в этом.

Пока мы размышляли и дискутировали, билль Роулетта был опубликован, то есть стал законом. В ту ночь я думал над этим вопросом, пока сон не овладел мною.

Утром я проснулся несколько раньше обычного. Я все еще пребывал в сумеречном состоянии полубодрствования-полусна, когда у меня внезапно возникла идея, — это было как сон. Я поспешил рассказать обо всем Раджагопалачария.

Ночью во сне мне пришла в голову мысль, что мы должны призвать страну к всеобщему харталу. Сатьяграха представляет собой процесс самоочищения, а борьба наша — священна, и мне кажется в порядке вещей, что она должна начаться с акта самоочищения. Пусть все население Индии бросит на один день свои занятия и превратит его в день молитв и поста. Мусульмане не постятся больше суток, поэтому пост должен продолжаться двадцать четыре часа. Трудно сказать, получит ли наш призыв отклик во всех провинциях, но за Бомбей, Мадрас, Бихар и Синдх я ручаюсь. Будет хорошо, даже если только эти провинции строго проведут хартал.

Мое предложение захватило Раджагопалачария. Другие друзья также приветствовали его, когда им рассказали о нем позже. Я набросал краткое воззвание. Хартал был вначале назначен на 30 марта 1919 г., затем перенесен на 6 апреля. Население было только кратко оповещено о хартале.

Вряд ли было возможно более широко осведомить население: времени у нас оставалось слишком мало.

Кто может сказать, как это все произошло? Вся Индия от края до края, города и села, — все провели в назначенный день полный хартал. Это было великолепно.

XXXI. НЕЗАБЫВАЕМАЯ НЕДЕЛЯ-I

Совершив небольшое путешествие по Южной Индии, я, если не ошибаюсь, 4 апреля прибыл в Бомбей, куда Шанкарлал Банкер настоятельно просил меня приехать для участия в проведении дня 6 апреля.

В Дели хартал начался уже 30 марта. Там законом было слово покойного ныне свами Шраддхананджи и Хакима Аджмала Хана Сахиба. Телеграмма относительно переноса хартала на 6 апреля пришла в столицу слишком поздно. Дели еще не видел подобного хартала. Индусы и мусульмане объединились как один человек. Свами Шраддхананджи был приглашен произнести речь в Джума-Масджиде. Власти, конечно, не могли мириться со всем происходившим. Полиция преградила путь процессии хартала, направлявшейся к железнодорожной станции, и открыла огонь. Были раненые и убитые. В Дели прокатилась волна репрессий. Шраддхананджи вызвал меня туда. Я ответил, что выеду сейчас же после проведения хартала в Бомбее 6 апреля.

События, подобные делийским, произошли в Лахоре и Амритсаре. Из Амритсара доктор Китчлу и доктор Сатьяпал прислали мне настоятельное приглашение приехать туда. В то время я был совершенно незнаком с ними, однако ответил, что приеду в Амритсар после Дели.

Утром 6 апреля жители Бомбея тысячами направлялись в Чаупати совершить омовение в море и затем огромной процессией — в Такурдвар. В процессии принимали участие женщины и дети. Большими группами присоединялись мусульмане. Из Такурдвара мусульманские друзья пригласили нас в мечеть, где упросили миссис Найду и меня произнести речи. Адвокат Виталдас Джераджани предложил, чтобы мы тут же приняли обращение к народу об индусско-мусульманском единстве и свадеши, но я запротестовал, заявив, что подобные клятвы нельзя давать в спешке. Мы должны удовольствоваться тем, что уже сделано народом. Если клятва дана, ее нельзя нарушить. Поэтому необходимо, чтобы все как следует поняли значение клятвы и свадеши и полностью учли бы ту огромную ответственность, которую налагает клятва об индусско-мусульманском единстве. Я предложил, чтобы все желающие дать такую клятву собрались на другой день утром.

Нужно ли говорить, что хартал в Бомбее увенчался полным успехом. Подготавливая кампанию гражданского неповиновения, мы обсуждали два или три вопроса. Было решено, что гражданское неповиновение коснется только тех законов, которые массы сами склонны нарушать. Так, в высшей степени непопулярен был соляной налог, и недавно еще существовало движение за его отмену. Я предложил, чтобы население, невзирая на закон о соляной монополии, само выпаривало соль из морской воды. Второе мое предложение касалось запрещенной литературы. Для этого пригодились мои две только что запрещенные книги «Хинд сварадж» и «Сарводая» (пересказ книги Раскина «У последней черты» на гуджарати). Отпечатать их и открыто продавать было самым легким способом гражданского неповиновения. Было отпечатано достаточное число экземпляров и все приготовлено для распродажи их на грандиозном митинге 6 апреля вечером после окончания хартала.

Вечером 6 апреля целая армия добровольцев взялась за продажу этих книг. Шримати Сароджини Деви и я поехали для этой цели на автомобиле. Все экземпляры книг были быстро распроданы. Вырученные деньги предполагалось передать в поддержку кампании гражданского неповиновения. Ни один человек не купил книги за незначительную цену в четыре анна: каждый давал больше; иные за одну книжку отдавали все, что было в кармане. Сплошь и рядом за книжку давали пять и десять рупий, а один экземпляр я сам продал за пятьдесят рупий. Мы предупреждали покупателей, что их могут арестовать и заключить в тюрьму за покупку запрещенной литературы. Но в тот момент люди утратили всякий страх перед тюрьмой.

Впоследствии мы узнали, что правительство считало, что запрещенные им книги фактически не продавались, а книги, которые продавали мы, не относятся к категории запрещенной литературы. Перепечатку правительство рассматривало как новое издание запрещенных книг, а продажа нового издания по закону не составляла преступления. Это известие вызвало всеобщее разочарование.

На следующее утро мы созвали митинг, чтобы принять резолюцию о свадеши и индусско-мусульманском единстве. Тут Виталдас Джераджани впервые убедился, что не все то золото, что блестит. На митинг явилась лишь небольшая горсточка людей. Я отчетливо помню несколько сестер, присутствовавших на этом собрании. Мужчин также было очень мало. Я имел при себе заранее набросанный проект резолюции. Прежде чем прочитать ее, я подробно разъяснил ее значение. Малочисленность присутствовавших не смущала и не удивляла меня. Я давно заметил пристрастие народа к возбуждающей деятельности и нелюбовь к спокойным конструктивным усилиям. Но этому вопросу я посвящу отдельную главу. А теперь продолжу свой рассказ.

В ночь на 7 апреля я выехал в Дели и в Амритсар. По приезде в Матхуру 8 апреля до меня дошли слухи о возможности ареста. На следующей станции после Матхуры встречавший меня Ачарья Гидвани сказал вполне определенно, что я буду арестован, и предложил мне свои услуги. Я поблагодарил, обещав воспользоваться ими, как только возникнет необходимость.

Поезд еще не дошел до станции Палвал, когда мне вручили письменный приказ о запрещении въезда в Пенджаб на том основании, что мое присутствие в этой провинции может-де вызвать беспорядки. Полиция предложила мне покинуть поезд. Я отказался, заявив:

— Я еду в Пенджаб по настоятельному приглашению, и не вызывать беспорядки, а, наоборот, прекращать их. Поэтому, как мне ни жаль, но подчиниться приказу я не могу.

Наконец поезд прибыл в Палвал. Меня сопровождал Махадев. Я предложил ему проехать в Дели — предупредить о случившемся свами Шраддхананджи и предложить народу сохранять спокойствие. Он должен был разъяснить, почему я решил не подчиниться приказу и пострадать за свое ослушание, а также почему полнейшее спокойствие в ответ на любое наложенное на меня наказание будет залогом нашей победы.

В Палвале меня высадили из поезда и взяли под стражу. Вскоре пришел поезд из Дели. Меня в сопровождении полицейского посадили в вагон третьего класса. В Матхуре меня высадили и поместили в полицейский барак, причем никто не мог мне ответить, что со мной сделают дальше и куда отвезут. В 4 часа утра меня разбудили и посадили в товарный поезд, направлявшийся в Бомбей. Днем меня заставили слезть в Савай-Мадхопуре. Я поступил в распоряжение инспектора полиции мистера Боуринга, который приехал почтовым поездом из Лахора. Меня поместили вместе с ним в вагон первого класса. Я превратился из обыкновенного арестанта в «арестанта-джентльмена». Инспектор начал с продолжительного панегирика сэру Майклу О'Двайеру.

Сэр Майкл, мол, против меня лично ровно ничего не имеет: он только боится, что мой приезд в Пенджаб вызовет там беспорядки. Поэтому мне предлагают добровольно вернуться в Бомбей и дать обещание не переступать границ Пенджаба.

Я ответил, что, по всей вероятности, не смогу выполнить этого приказа и вовсе не намерен добровольно возвращаться.

Видя, что со мной ничего не поделаешь, инспектор заявил, что в таком случае ему придется действовать согласно закону.

— Что же вы со мной сделаете? — спросил я.

Он ответил, что еще не знает, но ждет дальнейших распоряжений.

— Пока что, — сказал он, — я везу вас в Бомбей.

Мы прибыли в Сурат. Здесь меня сдали другому полицейскому офицеру.

— Вы свободны, — сказал он мне, когда мы подъезжали к Бомбею, — но было бы лучше, если бы вы вышли у Марин-Лайнс, я остановлю там для вас поезд. В Колабе может оказаться слишком много народу.

Я ответил, что рад исполнить его желание. Ему это понравилось, и он поблагодарил меня. Я вышел у Марин-Лайнс. Как раз в это время там проезжал в своем экипаже один мой приятель. Он посадил меня к себе и довез до дома Ревашанкара Джхавери. Друг рассказал, что слухи о моем аресте очень возбудили народ.

— С минуты на минуту ожидается восстание в районе Пайдхуни. Судья и полиция уже там, — добавил он.

Не успел я прибыть на место, как ко мне явились Умар Сабани и Анасуябехн и предложили отвезти меня на автомобиле в Пайдхуни.

— Народ так возбужден, что мы не можем умиротворить его, — говорили они. — Подействует только ваше присутствие.

Я сел в автомобиль. Около Пайдхуни собралась огромная толпа. Увидев меня, народ буквально обезумел от радости. Немедленно организовалась процессия. Раздавались крики: «Банде Матарам!» и «Аллах акбар!» В Пайдхуни мы натолкнулись на отряд конной полиции. Из толпы полетели обломки кирпичей. Я убеждал толпу сохранять спокойствие, но, казалось, град кирпичей неиссякаем. Процессия вышла из улицы Абдур Рахмана и направилась к Кроуфорд-Маркет, где натолкнулась на новый отряд конной полиции, загородивший ей дорогу к Форту. Толпа сжалась и почти что прорвалась через полицейский кордон. Шум был такой, что моего голоса совершенно не было слышно. Начальник конной полиции отдал приказ рассеять толпу. Конные полицейские, размахивая пиками, бросились на людей. В какой-то момент мне показалось, что и я пострадаю. Но мои опасения были напрасны. Уланы пронеслись мимо, только шарахнув пиками по автомобилю. Вскоре ряды процессии смешались. Возник полнейший беспорядок. Народ обратился в бегство. Некоторые участники процессии были сбиты с ног и раздавлены, другие сильно изувечены. Из бурлящего скопления человеческих тел невозможно было выбраться. Уланы, не глядя, пробивались через толпу. Не могу себе представить, что они отдавали себе отчет в своих действиях. Зрелище было ужаснейшее. Пешие и конные смешались в диком беспорядке.

Толпа была рассеяна, и дальнейшее шествие процессии приостановлено. Наш автомобиль получил разрешение двинуться дальше. Я остановился перед резиденцией комиссара и направился к нему жаловаться на поведение полиции.

XXXII. НЕЗАБЫВАЕМАЯ НЕДЕЛЯ (продолжение)

Итак, я отправился к комиссару мистеру Гриффиту. Лестница, ведущая в кабинет, была запружена солдатами, вооруженными с ног до головы, словно для военных действий. На веранде царило возбуждение. Когда меня впустили в кабинет комиссара, я увидел мистера Боуринга, сидевшего вместе с мистером Гриффитом.

Я описал комиссару сцены, свидетелем которых был. Он резко ответил:

— Я не хотел пустить толпу к Форту — беспорядки были бы тогда неизбежны. Я увидел, что толпа не поддается никаким увещеваниям, и не мог не отдать приказа конной полиции рассеять ее.

— Но, — возразил я, — вы ведь знали, какие будут последствия. Лошади буквально топтали людей. Я считаю, что не было никакой необходимости высылать такое количество конных.

— Не вам судить об этом, — сказал комиссар, — мы, полицейские офицеры, лучше знаем, какое влияние имеет на народ ваше учение. Мы не были бы господами положения, если бы вовремя не приняли жестких мер. Уверяю вас, что вам не удастся удержать народ под своим контролем. Он очень быстро усвоит вашу проповедь неповиновения законам, но не поймет необходимости сохранять спокойствие. Я лично не сомневаюсь в ваших намерениях, но народ не поймет вас. Он будет следовать своим инстинктам.

— В этом я согласен с вами, — сказал я, — но наш народ по природе противник насилия. Он миролюбив.

Так мы спорили довольно долго. Наконец мистер Гриффит спросил:

— Предположим, вы убедитесь, что народ не понимает вашего учения. Что вы тогда станете делать?

— Если бы я в этом убедился, то приостановил бы гражданское неповиновение, — ответил я.

— Что вы хотите этим сказать? Вы говорили мистеру Боурингу, что поедете в Пенджаб, как только вас освободят.

— Да, я хотел отправиться туда следующим же поездом. Но сегодня об этом не может быть и речи.

— Если вы еще потерпите, то больше укрепитесь в убеждении, что народ не понимает ваше учение. Знаете ли вы, что происходит в Ахмадабаде? А в Амритсаре? Народ буквально сошел с ума. Я еще не располагаю всеми фактами. Телеграфные провода в некоторых местах перерезаны. Предупреждаю, что ответственность за эти беспорядки лежит на вас.

— Я никогда не откажусь от ответственности, если в этом будет необходимость. Я был бы очень огорчен и удивлен, если бы в Ахмадабаде произошли беспорядки. Но за Амритсар я не отвечаю. Я там никогда не был, и ни один человек меня там не знает. Я вполне убежден, что, если бы правительство не препятствовало моему приезду в Пенджаб, мне удалось бы оказать ему значительную помощь и поддержать спокойствие в этой провинции. Задержав меня, правительство только спровоцировало население на волнения.

Так мы спорили и никак не могли сговориться. Я заявил комиссару, что решил выступить на митинге в Чоупати с обращением к населению сохранять спокойствие. На этом мы распрощались.

Митинг состоялся на чоупатийских песках. Я говорил о долге ненасилия, об ограниченности сатьяграхи и заявил:

— Сатьяграха, в сущности, есть оружие правдивых. Сатьяграх клянется не прибегать к насилию, и до тех пор, пока народ не будет соблюдать это в мыслях, на словах и в действиях, я не могу объявить массовой сатьяграхи.

Анасуябехн также получила сведения о беспорядках в Ахмадабаде. Кто-то распространил слух, что и она арестована. Текстильщики при этом известии буквально обезумели, бросали работу, совершили ряд насильственных актов и избили до смерти одного сержанта.

Я поехал туда. Я узнал, что была попытка разобрать рельсы около Надиада, что в Вирамгаме убит правительственный чиновник, а в Ахмадабаде объявлено военное положение. Народ был охвачен ужасом. Он позволил себе совершить насилие и с избытком расплачивался за это.

На вокзале меня встретил полицейский офицер и проводил к комиссару мистеру Пратту. Тот был взбешен. Я вежливо заговорил с ним и выразил сожаление по поводу происшедших беспорядков. Я заявил, что в военном положении нет никакой надобности, и выразил готовность приложить все силы для восстановления спокойствия. Я попросил разрешение устроить общественный митинг на территории ашрама Сабармати. Ему понравилось мое предложение. Митинг состоялся в воскресенье 13 апреля, а военное положение было отменено не то в тот же самый день, не то на следующий. Выступая на митинге, я старался разъяснить народу его неправоту и, наложив на себя трехдневный пост, предложил народу последовать моему примеру и поститься день, а виноватым в актах насилия покаяться в своей вине.

Мои обязанности были мне совершенно ясны. Я не мог выносить мысли, что рабочие, среди которых я провел так много времени, которым я служил и от которых ожидал лучшего, принимали участие в бунтах. Я чувствовал себя участником их вины.

Предложив народу покаяться в своей вине, я одновременно предложил правительству простить эти преступления. Ни та ни другая сторона моих предложений не приняла.

Ко мне явился покойный ныне сэр Раманбхай и несколько других граждан Ахмадабада с просьбой приостановить сатьяграху. Это было излишне, я сам уже решил сделать это, пока народ не усвоит урока мира. Друзья мои ушли совершенно счастливые.

Но были и такие, которые по той же самой причине почувствовали себя несчастными. Они считали, что массовая сатьяграха никогда не осуществится, если я ставлю непременным условием проведения сатьяграхи мирное поведение населения. Мне было больно не согласиться с ними. Если даже те, среди которых я работал и считал вполне подготовленными к ненасильственному поведению и самопожертвованию, — не могли воздержаться от насилия, то ясно, что сатьяграха невозможна. Я был твердо убежден, что тот, кто хочет руководить народом в сатьяграхе, должен уметь удержать его в границах ненасилия. Этого мнения я придерживаюсь и теперь.

XXXIII. «ПРОСЧЕТ КОЛОССАЛЬНЫЙ, КАК ГИМАЛАИ»

Почти сразу же после митинга в Ахмадабаде я уехал в Надиад. Там-то я впервые употребил выражение: «Просчет колоссальный, как Гималаи», которому суждено было стать крылатым. Уже в Ахмадабаде у меня было смутное чувство, что я сделал ошибку.

Но когда в Надиаде я ознакомился с положением дел и услышал, что очень многие жители района Кхеды арестованы, то внезапно понял, что совершил серьезную ошибку, преждевременно, как теперь мне это кажется, призвав население Кхеды и других районов к гражданскому неповиновению. Я высказал это на публичном митинге. Исповедь моя навлекла на меня немало насмешек. Но я никогда не сожалел о своей исповеди, ибо всегда считал, что только тот, кто рассматривает свои собственные ошибки через увеличительное стекло, а ошибки другого через уменьшительное, — способен постичь относительную ценность того и другого. Я убежден и в том, что неукоснительное и добросовестное соблюдение этого правила обязательно для всякого, кто хочет быть сатьяграхом.

В чем же заключался мой колоссальный просчет? Человек, чтобы стать способным к проведению на практике гражданского неповиновения, должен прежде пройти школу добровольного и почтительного повиновения законам страны. Ибо в большинстве случаев мы повинуемся законам только из боязни наказания за их нарушение. Особенно это верно в отношении законов, не базирующихся на принципе морали.

Поясню это примером. Честный, порядочный человек не станет вдруг воровать, независимо от того, имеется закон, карающий за кражу, или нет. Но этот же самый человек не будет чувствовать угрызения совести, если нарушит правило, запрещающее с наступлением темноты ездить на велосипеде без фонаря. Он вряд ли даже внимательно прислушается к совету соблюдать в этом отношении осторожность. Но любое подобное предписание он будет соблюдать, чтобы избежать привлечения к суду.

Однако такое соблюдение законов не является добровольным и непроизвольным, и не это требуется от сатьяграха. Сатьяграх повинуется законам сознательно и по доброй воле, потому что он считает это своей священной обязанностью. Только человек, неукоснительно выполняющий законы общества, в состоянии судить, какие из них хороши и справедливы, а какие дурны и несправедливы. И только тогда он получает право оказывать в отношении некоторых законов при определенных обстоятельствах гражданское неповиновение.

Мои ошибки заключались в том, что я не учел всего этого. Я призвал народ начать гражданское неповиновение прежде, чем он был к нему подготовлен. И эта ошибка казалась мне величиной с Гималайские горы. По прибытии в район Кхеды на меня нахлынули старые воспоминания в связи с сатьяграхой в Кхеде, и я удивлялся, как это мог упустить из виду столь очевидное обстоятельство. Я понял: чтобы быть готовым к проведению гражданского неповиновения, народу необходимо полностью постигнуть его глубочайший смысл. И потому-то я и считал, что прежде, чем вновь начинать гражданское неповиновение в массовом масштабе, нужно создать группу прекрасно обученных, чистых душой добровольцев, полностью осознавших истинный смысл сатьяграхи. Они смогут разъяснить его народу и в силу своей неослабной бдительности не дадут народу сбиться с правильного пути.

Я приехал в Бомбей, одолеваемый такими мыслями. Здесь с помощью «Сатьяграхи сабхи» я организовал отряд добровольцев-сатьяграхов и вместе с ними начал разъяснять народу значение и внутренний смысл сатьяграхи. Эта разъяснительная работа велась главным образом посредством распространения листовок просветительного характера.

Но в ходе работы мне пришлось убедиться, что очень трудно заинтересовать народ мирной стороной сатьяграхи. Добровольцев также оказалось немного. Записавшиеся же не желали учиться систематически, и в дальнейшем число новобранцев сатьяграхи не увеличивалось, а уменьшалось с каждым днем. Воспитание в духе гражданского неповиновения шло не таким быстрым темпом, как мне хотелось.

XXXIV. «НАВАДЖИВАН» И «ЯНГ ИНДИЯ»

В то время как медленно, но верно развивалось движение за насильственные методы борьбы, правительственная политика беззаконных репрессий была в полном разгаре и проявлялась в Пенджабе во всей своей наготе. Лидеры были арестованы, провинция объявлена на военном положении. Воцарился полнейший произвол. Везде были созданы специальные трибуналы, которые стали, однако, отнюдь не судами для установления справедливости, а орудием для выполнения деспотической воли. Приговоры выносились без доказанных улик, чем нарушалась самая элементарная справедливость. В Амритсаре совершенно ни в чем не повинных мужчин и женщин заставили ползать на животе, подобно червям. Перед этим беззаконием для меня утрачивала свое значение даже трагедия в Джалианвала-Багхе, хотя именно эта бойня привлекла к себе внимание Индии и всего мира.

Меня убеждали поскорее поехать в Пенджаб, не думая о последствиях. Я не раз писал и телеграфировал вице-королю, испрашивая разрешения для поездки туда, но тщетно. Если бы я поехал без разрешения, мне не позволили бы пересечь границу Пенджаба и пришлось бы только удовольствоваться актом гражданского неповиновения. Я очутился перед серьезной дилеммой. При создавшемся положении нарушение запрета въезда в Пенджаб, как мне казалось, вряд ли можно было расценивать как акт гражданского неповиновения, так как я не видел здесь желаемой мирной атмосферы. Вместе с тем безудержные репрессии в Пенджабе могли возбудить еще большее негодование. Поэтому гражданское неповиновение в такой момент было бы равносильно раздуванию пламени. Вот почему, несмотря на просьбу друзей, я решил не ехать в Пенджаб. Принять такое решение было мне также неприятно, как проглотить горькую пилюлю. Ежедневно из Пенджаба поступали сведения о фактах несправедливости и произвола, а мне оставалось лишь бессильно сидеть на месте и скрежетать зубами.

Как раз в то время неожиданно был арестован мистер Хорниман, руководивший газетой «Бомбей кроникл», которая стала грозной силой. Этот правительственный акт показался мне до такой степени грязным делом, что я до сих пор ощущаю его дурной запах. Я знал, что мистер Хорниман никогда не хотел беззакония. Ему не нравилось мое желание без разрешения комитета сатьяграхи нарушить запрещение на въезд в Пенджаб, и он вполне одобрительно отнесся к прекращению кампании гражданского неповиновения. Я даже получил от него письмо, в котором он советовал приостановить гражданское неповиновение и которое написал до того, как я объявил о своем решении. Только из-за удаленности Бомбея от Ахмадабада письмо его прибыло уже после обнародования моего призыва. Поэтому внезапная ссылка Хорнимана в одинаковой мере огорчила, как и поразила меня.

В результате этих событий управляющие «Бомбей кроникл» предложили мне взять на себя издание газеты. Мистер Брелви уже был в составе редакции, так что работы на мою долю пришлось бы немного, но все же ответственность означала бы дополнительное бремя.

Но правительство, так сказать, само пришло мне на помощь, запретив «Бомбей кроникл».

Мои друзья Умар Сабани и Шанкарлал Банкер, издававшие «Бомбей кроникл», выпускали и газету «Янг Индия». Они предложили мне быть редактором последней и выпускать ее не один, а два раза в неделю, чтобы заполнить брешь, образовавшуюся в результате закрытия «Бомбей кроникл». Это соответствовало и моим желаниям.

Мне давно хотелось познакомить общество с внутренним содержанием сатьяграхи; кроме того, я надеялся, что через газету мне удастся объективно осветить положение в Пенджабе, ибо во всем, что я писал, была заключена потенциальная сатьяграха, и правительство знало об этом. Поэтому я охотно принял предложение друзей.

Но разве можно было пропагандировать сатьяграху через газету, выходившую на английском языке? Моим основным полем деятельности был Гуджарат. В то время адвокат Индулал Яджник сотрудничал с Сабани и Банкером. Он редактировал ежемесячник «Навадживан», издававшийся на гуджарати и финансировавшийся вышеупомянутыми друзьями. Он предоставил ежемесячник в мое распоряжение. Позднее ежемесячник был превращен в еженедельник.

Тем временем с «Бомбей кроникл» был снят запрет. «Янг Индия» снова стала выходить раз в неделю. Выпускать два еженедельника в разных местах было для меня крайне неудобно, не говоря уже о том, что это требовало больших расходов. «Навадживан» выходил в Ахмадабаде, и по моему предложению издание «Янг Индия» также перевели в этот город.

Были для этого и другие причины. По опыту работы в «Индиан опинион» я знал, что подобные газеты нуждаются в собственных типографиях. Законы о печати были в то время в Индии таковы, что типографии, которые, естественно, представляли собой коммерческие предприятия, не решились бы печатать мои статьи, если бы я открыто высказывал свои мысли. Необходимость в собственной типографии становилась все более настоятельной, а так как осуществить это можно было только в Ахмадабаде, то издание «Янг Индия» следовало перенести в этот город.

Я принялся через газеты воспитывать население в духе сатьяграхи. Оба органа получили большое распространение, и одно время тираж каждого из них достигал сорока тысяч с той лишь разницей, что тираж «Навадживан» поднялся быстро, а тираж «Янг Индия» рос медленно. Однако после моего ареста тираж обоих изданий стал падать, а в настоящий момент опустился ниже восьми тысяч.

С первого дня работы в этих органах я отказывался от приема объявлений. Не думаю, чтобы мы от этого что-нибудь потеряли. Наоборот, это, по моему мнению, не в малой степени помогло нам сохранить независимость наших газет.

Замечу кстати, что работа в газетах помогла мне в некоторой степени сохранить душевное спокойствие. Хотя практически гражданское неповиновение не стояло на очереди, органы печати дали мне возможность проводить свою точку зрения и морально поддерживать народ. Поэтому я считаю, что в час испытания оба издания сослужили народу хорошую службу и внесли свою скромную лепту в дело облегчения военного положения.

XXXV. В ПЕНДЖАБЕ

Сэр Майкл О'Двайер возлагал на меня ответственность за события в Пенджабе, а некоторые разгневанные молодые пенджабцы — за объявление военного положения. Они утверждали, что, не приостанови я кампанию гражданского неповиновения, не было бы избиения в Джалианвала-Багхе. Некоторые из пенджабцев дошли до того, что грозили убить меня, если я появлюсь в Пенджабе.

Но я считал, что моя позиция правильна и бесспорна и всякий разумный человек поймет это.

Я рвался поехать в Пенджаб. Мне хотелось лично удостовериться во всем происшедшем. Доктор Сатьяпал, доктор Китчлу и пандит Рамбхадж Датт Чоудхари, приглашавшие меня в Пенджаб, находились в то время в тюрьме. Но я был уверен, что правительство не осмелится долго держать в заключении ни их, ни других арестованных. Многие пенджабцы навещали меня, когда я бывал в Бомбее. Я подбадривал их, и моя уверенность в себе передавалась окружающим.

Между тем поездка откладывалась. Время тянулось тоскливо. Вице-король всякий раз, когда я обращался за разрешением поехать, отвечал:

— Не теперь.

Тем временем была учреждена комиссия Хантера для обследования действий пенджабского правительства в период военного положения. Мистер К. Ф. Эндрюс поехал в Пенджаб и писал оттуда душераздирающие письма, убеждавшие меня, что зверства, совершенные при военном положении, далеко превзошли то, о чем сообщалось в прессе. Эндрюс настаивал, чтобы я приехал к нему поскорее. Малавияджи также звал немедленно приехать в Пенджаб. Я еще раз телеграфировал вице-королю, запрашивая, могу ли теперь отправиться в Пенджаб. Он ответил, что мне разрешат поехать туда спустя некоторое время. Точной даты я теперь не помню, но кажется, это было 17 октября.

Никогда не забуду своего приезда в Лахор. Вокзал был битком набит людьми. Население города, полное страстного нетерпения, высыпало на улицу, как будто встречало дорогого родственника после долгой разлуки. Толпа безумствовала от радости. Меня привели в бунгало покойного ныне пандита Рамбхаджа Датта. Обязанности занимать и обслуживать меня были возложены на шримати Сарала Деви. Тяжелые это были обязанности, потому что дом, где я жил, превратился в настоящий караван-сарай.

Из-за ареста главных лидеров Пенджаба их место заняли пандиты Малавияджи и Мотилалджи, а также ныне покойный свами Шраддхананджи. Малавияджи и Шраддхананджи я близко знал прежде, но с Мотилалджи близко познакомился здесь. Все они, равно как и местные руководители, не попавшие в тюрьму, тепло встретили меня; я ни разу не почувствовал себя чужим в их среде.

Мы единогласно решили не давать никаких показаний комиссии Хантера. О мотивах этого решения в свое время писалось в газетах, и они не требуют разъяснения. Достаточно сказать, что и сейчас, много времени спустя, я считаю наше решение бойкотировать комиссию совершенно правильным и уместным.

Как логическое следствие бойкота комиссии Хантера, было решено создать неофициальную комиссию, чтобы вести параллельное расследование от имени Конгресса. Пандит Малавияджи назначил в эту комиссию пандита Мотилала Неру, покойного ныне Дешбандху Ч. Р. Даса, адвоката Аббаса Тьябджи, адвоката М. Р. Джаянкара и меня. Мы распределили между собою районы для расследования. Ответственность же за организацию работы комиссии была возложена на меня; на мою долю выпало также произвести расследование в наибольшем числе районов. Благодаря этому я получил редкую возможность близко присмотреться к населению Пенджаба и быту пенджабских деревень.

Во время расследования я знакомился и с женщинами Пенджаба. Казалось, мы знали друг друга давным-давно. Куда бы я ни приходил, они являлись целой толпой и раскладывали вокруг меня свою пряжу. Моя деятельность в связи с работой по расследованию убедила меня, что в Пенджабе легче, чем где-либо, организовать производство кхади.

По мере того как моя работа по расследованию зверств, учиненных над населением, подвигалась вперед, я натыкался на такие факты правительственной тирании и деспотизма чиновников, что сердце обливалось кровью. Больше всего меня удивило и удивляет до сих пор, что все эти зверства были совершены в провинции, которая во время войны дала британскому правительству наибольшее число солдат.

Составление отчета комиссии тоже было поручено мне. Всякому желающему получить представление о зверствах, учиненных в Пенджабе, я рекомендовал бы внимательно изучить наш отчет.

Здесь я хочу только отметить, что в отчете нет ни одного сознательного преувеличения: каждое положение подкрепляется соответствующими документами. Более того, опубликованные данные составляют только часть материала, находившегося в распоряжении комиссии. Ни одно заявление, относительно обоснованности которого были хотя бы мало-мальские сомнения, не было включено в отчет. Он составлен исключительно с целью выявить истину, и только истину, и показать, как далеко может зайти британское правительство, какие нечеловеческие жестокости оно может учинять, стремясь поддержать свою власть. Насколько мне известно, ни один факт, упомянутый в отчете, не был опровергнут.

XXXVI. ХАЛИФАТ ПРОТИВ ЗАЩИТЫ КОРОВ?

Прервем изложение грустных событий в Пенджабе.

Комиссия Конгресса по расследованию зверств, совершенных властями в Пенджабе, только начала свою работу, когда я получил приглашение принять участие в объединенной конференции индусов и мусульман в Дели по вопросам о халифате. Среди подписавших письмо были покойный ныне Хаким Аджмала Хан Сахиб и мистер Асаф Али. В приглашении говорилось, что будет присутствовать и ныне покойный свами Шраддхананджи, если не ошибаюсь, в качестве вице-председателя конференции, которая, насколько помнится, должна была состояться в ноябре месяце. Конференция должна была обсудить положение, возникшее вследствие нарушения правительством своих обязательств в отношении халифата, и вопрос об участии индусов и мусульман в празднествах по поводу заключения мира. В пригласительном письме, между прочим, говорилось, что одновременно будет обсуждаться и вопрос о защите коров[1] и что, стало быть, конференция представляет блестящую возможность разрешить и этот вопрос.

Мне не нравилось, что на конференции будет рассматриваться вопрос о коровах. В ответном письме на приглашение я обещал постараться прибыть на конференцию и рекомендовал не смешивать два разных вопроса. Последнее было сделано, очевидно, с целью дать каждой из сторон объект для торга и уступок. Между тем следовало каждую проблему разрешить вполне самостоятельно, считаясь только с существом дела.

Обуреваемый такими мыслями, я прибыл на конференцию. Она была довольно многолюдна. Я побеседовал по волновавшему меня вопросу с свами Шраддхананджи, присутствовавшим на конференции. Он охотно принял мою точку зрения и посоветовал выступить с моим предложением на конференции. Я переговорил по этому вопросу также с Хакимом Сахибом.

Выступая на конференции, я приводил следующие аргументы в пользу раздельного рассмотрения вопросов о халифате и о защите коров: если требования относительно халифата справедливы и законны, как это мне представляется, а правительство действительно поступало крайне несправедливо, то индусы обязаны поддерживать требования мусульман. И неправильно впутывать сюда вопрос о коровах или использовать ситуацию, чтобы оказать давление на мусульман; точно так же неправильно предлагать мусульманам отказаться от убоя коров в вознаграждение за по-

---

[1] Корова — согласно канонам индуизма священное животное.

мощь со стороны индусов в вопросе о халифате. Если бы мусульмане по доброй воле, из уважения к религиозным чувствам индусов, как своих соседей и детей одной родины, прекратили убой коров, то такое благородство сделало бы им честь. Но они должны, если захотят, сделать это независимо от того, окажут ли индусы им поддержку в вопросе о халифате. Таким образом, доказывал я, оба вопроса следует обсуждать независимо один от другого, и конференция должна сосредоточить внимание только на вопросе о халифате.

Мои соображения были приняты во внимание, и вопрос о защите коров не обсуждался на конференции.

Но, несмотря на мое предостережение, маулана Абдул Бари Сахиб заявил:

— Будут индусы помогать нам или нет, мы, мусульмане, как соотечественники индусов, должны из уважения к их чувствам прекратить убой коров.

И одно время казалось, что они как будто действительно прекратили забивать коров.

Несколько человек выразили желание, чтобы на конференции слушался также вопрос о пенджабских событиях. Но я воспротивился этому по той причине, что события в Пенджабе имели местный характер и потому не могли повлиять на наше решение принимать или не принимать участие в торжествах по случаю заключения мира. Я считал, что, присоединяя вопрос местного значения к вопросу о халифате, который возник в прямой связи с условиями мира, мы совершим весьма нетактичный акт. Мои аргументы подействовали.

Среди делегатов был маулана Хасрат Мохани. Я был знаком с ним раньше, но только здесь узнал, какой он боец. С самого начала я расходился с ним во взглядах по многим вопросам, а по ряду из них мы расходимся и до сих пор.

Одна из многочисленных резолюций, принятых на конференции, призывала индусов и мусульман дать обет свадеши и, как естественное следствие этого, начать бойкот иностранных товаров. О кхади еще не было речи. Хасрат Мохани считал эту резолюцию неприемлемой. По его мнению, отомстить Британской империи необходимо будет в случае, если не восторжествует справедливость в вопросе о халифате. Он выдвинул контрпредложение и по мотивам целесообразности требовал бойкота исключительно английских товаров.

Я в принципе отверг такую точку зрения также по мотивам целесообразности, обосновав ее доводами, которые теперь широко известны. Я также изложил перед собравшимися свой взгляд на ненасилие. Мои слова произвели большое впечатление на слушателей. До меня говорил Хасрат Мохани, и его речь была принята с таким шумным одобрением, что я боялся, что мои слова окажутся гласом вопиющего в пустыне. Я осмелился выступить только потому, что считал долгом изложить перед конференцией свои взгляды. К моему приятному изумлению, мое мнение было выслушано с большим вниманием и нашло полную поддержку в президиуме. Один оратор за другим высказывались в защиту моей точки зрения. Лидеры поняли, что бойкот исключительно английских товаров не только обречен на неудачу, но и поставит конференцию в смешное положение, ибо на конференции не было ни одного человека, который не имел бы на себе какого-нибудь предмета английского производства. Большинство поняло, что резолюция бойкота английских товаров ничего, кроме вреда, не принесет, так как даже те, кто голосовал за нее, не могли бы ее осуществить.

— Один лишь бойкот иностранных тканей, — сказал Маулана Хасрат Мохани, — не устраивает нас хотя бы потому, что никто не знает, сколько пройдет времени, прежде чем мы сможем изготовлять ткани «свадеши» в количестве, достаточном для удовлетворения потребностей всего населения. Прежде чем мы сможем осуществить эффективный бойкот иностранных тканей, нужно предпринять что-нибудь такое, что окажет немедленное действие на англичан. Пусть ваш бойкот иностранных тканей проводится. Мы не против него. Но дайте нам, кроме него, какое-нибудь средство, способное быстро подействовать на англичан.

Слушая Хасрата Мохани, я почувствовал, что нужно выдвинуть что-то новое, но и имеющее отношение к бойкоту иностранных тканей. Немедленный бойкот казался и мне в то время абсолютно невозможным. Я тогда еще не знал, что мы, если захотим, сможем вырабатывать достаточно кхади для удовлетворения всех наших нужд. Это открытие мы сделали позже. С другой стороны, я знал, что мы не можем при бойкоте рассчитывать только на свои фабрики. Пока я раздумывал над этой дилеммой, Хасрат Мохани закончил свою речь.

Мне мешало, что я не находил нужных слов на языках хинди и урду. Впервые мне пришлось говорить перед аудиторией, состоявшей почти исключительно из мусульман Севера. На сессии Мусульманской лиги в Калькутте я говорил на урду, но тогда моя речь была кратким призывом. Здесь же я имел дело с аудиторией, очень критически, если не враждебно, настроенной, которой должен был объяснить свою точку зрения. Но я отбросил всякую застенчивость. Мне вовсе не нужно было произносить речь обязательно на безукоризненном, отшлифованном урду, на котором говорили мусульмане Дели. Я мог говорить на самом ломаном хинди, лишь бы выразить свои взгляды. И мне это удалось. Конференция наглядно показала мне, что только хинди-урду может стать Lingua franca[1] для всей Индии. Говори я в тот раз на английском языке, мне не удалось бы произвести такого впечатления на аудиторию, а маулане Хасрату не пришло бы в голову бросить мне вызов. А если и бросил бы, я не смог бы столь действенно отразить его.

Я не мог подобрать подходящего выражения из языка хинди или урду для выдвигаемой мной новой мысли, и это несколько сбивало меня. Я описал ее наконец словом «несотрудничество», впервые употребленном на этом собрании. Пока говорил маулана Хасрат, я подумал, что напрасно он говорит об активном сопротивлении правительству, с которым он во многом сотрудничает, если применение оружия невозможно или нежелательно. Поэтому мне казалось, что единственным действенным сопротивлением правительству будет отказ от сотрудничества с ним. Таким образом, я пришел к слову «несотрудничество». Я тогда еще не имел ясного представления о всей сложности несотрудничества, поэтому в подробности не вдавался, а просто сказал:

— Мусульмане приняли очень важную резолюцию. Они откажутся от всякого сотрудничества с правительством, если условия мира, не дай бог, окажутся для них неблагоприятными. Народ имеет неотчуждаемое право отказываться от сотрудничества. Мы не обязаны сохранять полученные от правительства титулы и почести и продолжать состоять у него на службе. Если правительство предаст нас в таком великом деле, как халифат, нам не останется ничего другого, кроме несотрудничества.

---

[1] Общий язык *(лат.)*.

Но прошло много месяцев, прежде чем слово «несотрудничество» получило широкое распространение. А пока оно затерялось в протоколах конференции. Месяц спустя, на Конгрессе в Амритсаре, я еще поддерживал резолюцию о сотрудничестве с правительством: я тогда еще надеялся, что никакого предательства с его стороны не будет.

XXXVII. СЕССИЯ КОНГРЕССА В АМРИТСАРЕ

Пенджабское правительство не могло долго держать в заключении сотни пенджабцев, которых в период военного положения по приговору трибуналов, являвшихся судами только по названию, бросили в тюрьму на основании совершенно недостаточных улик. Взрыв всеобщего возмущения против этой вопиющей несправедливости был столь силен, что дальнейшее заключение в тюрьме арестованных стало невозможным. Большинство из них выпустили еще до открытия сессии Конгресса. Лала Харкишанлал и другие лидеры были освобождены во время сессии. Братья Али явились на заседание прямо из тюрьмы. Радость народа была безгранична. Председателем Конгресса был пандит Мотилал Неру, который пожертвовал своей богатой практикой и поселился в Пенджабе, посвятив себя служению обществу. Свами Шраддхананджи был председателем протокольной комиссии.

До этого времени мое участие в ежегодных заседаниях Конгресса ограничивалось пропагандой языка хинди, для чего я произносил речь на этом языке, в которой знакомил с положением индийцев в других странах. В этом году я также не рассчитывал, что мне придется заняться чем-нибудь еще. Но, как это случалось неоднократно и раньше, мне неожиданно досталась ответственная работа.

Печать только что опубликовала заявление короля о новых реформах. Они показались даже мне не вполне удовлетворительными; многие сочли их вовсе неудовлетворительными. Но мне казалось тогда, что реформы хотя и недостаточны, но приемлемы. По содержанию и стилю заявления короля я угадал, что автор его лорд Синха, и усмотрел в этом луч надежды. Однако опытные политики вроде покойного ныне Локаманьи и Дешбандху Читтаранджана Даса с сомнением покачивали головой. Пандит Малавияджи занимал нейтральную позицию.

В этот приезд я остановился у пандита Малавияджи. Я обратил внимание на простоту его образа жизни, еще когда приезжал для участия в церемонии, посвященной основанию индусского университета. Но теперь, находясь с ним в одной комнате, я имел возможность наблюдать его повседневную жизнь во всех подробностях, и то, что я увидел, приятно удивило меня. Его комната напоминала постоялый двор для бедняков. Вы едва ли смогли бы пройти из одного угла комнаты в другой, так как она была всегда битком набита посетителями. В часы досуга хозяина она бывала открыта для случайных посетителей, которым разрешалось отнимать у него сколько угодно времени. В одном углу этой лачуги торжественно стоял во всем своем величии мой чарпаи.

Но не буду подробно описывать образ жизни Малавияджи, вернусь к теме моего рассказа.

Я получил возможность ежедневно беседовать с Малавияджи, который любовно, точно старший брат, разъяснял мне программы различных партий. Я понял, что мое участие в прениях о реформах, провозглашенных королем, неизбежно. Поскольку я нес ответственность за составление отчета Конгрессу о несправедливостях в Пенджабе, я чувствовал себя обязанным уделить внимание всему, что оставалось сделать по этому вопросу. Необходимо было еще вести переговоры с правительством. На очереди стоял также вопрос о халифате. Я в то время верил, что мистер Монтегю сам не изменит и не допустит измены делу Индии. Освобождение братьев Али и других арестованных казалось мне благоприятным предзнаменованием. Поэтому я думал, что правильнее будет высказаться в резолюции не за отклонение, а за принятие реформ. Дешбандху Читтаранджан Дас, наоборот, твердо стоял на том, чтобы отказаться от реформ, так как они совершенно недостаточны и неудовлетворительны. Локаманья держался нейтрально, но решил присоединиться к той резолюции, которую одобрит Дешбандху.

Мысль о том, что я вынужден разойтись во мнениях с такими опытными, всеми уважаемыми лидерами, меня сильно тяготила. Но, с другой стороны, голос совести звучал ясно. Я сделал попытку уехать с Конгресса, заявив пандиту Малавияджи и Мотилалджи, что мое отсутствие на последних заседаниях будет способствовать общему благу: мне не придется публично демонстрировать свое расхождение во взглядах с уважаемыми всеми вождями.

Но они не поддержали моего желания. О нем как-то узнал и Лала Харкишанлал.

— Это не годится, — сказал он. — Кроме того, это очень оскорбит пенджабцев.

Я советовался с Локаманьей, Дешбандху и мистером Джинной, но не мог найти выхода. Наконец я обратился к Малавия:

— Я не вижу возможности компромисса, — сказал я ему, — а если предложу свою резолюцию, то потребуется решать вопрос голосованием. Не представляю себе, каким образом здесь можно произвести подсчет голосов. Согласно установившейся традиции, на открытых сессиях Конгресса до сих пор голосование производилось простым поднятием рук и никакого различия между голосами гостей и голосами делегатов не делалось. Мы не сможем подсчитать голоса на таком многолюдном собрании.

Но Лала Харкишанлал пришел мне на выручку и взялся произвести необходимые приготовления.

— Мы не пустим гостей в пандал Конгресса в день голосования, — сказал он. — Что касается подсчета голосов, то это я беру на себя. Но вы не можете не присутствовать на Конгрессе.

Я сдался. С сильно бьющимся сердцем я сформулировал перед присутствовавшими свою резолюцию. Пандит Малавияджи и мистер Джинна должны были поддержать ее. Я мог заметить, что, хотя расхождения во мнениях не имели острого характера и в наших речах не было ничего, кроме холодных рассуждений, собравшимся не нравился сам факт разногласий. Они желали полного единогласия.

Даже во время речей делались попытки уладить расхождения, и лидеры все время обменивались записками. Малавияджи приложил все старания, чтобы ликвидировать разделявшую нас пропасть, и вот тогда-то Джерамдас переслал мне свою поправку и просил в обычной для него любезной манере избавить делегатов от дилеммы при голосовании. Поправка понравилась мне. Я сказал Малавияджи, что поправка кажется мне приемлемой для обеих сторон. Локаманья, которому показали поправку, заявил:

— Если Дас одобрит ее, то я не возражаю.

Дешбандху наконец заколебался и бросил взгляд на адвоката Бепина Чандра Пала, ища поддержки. Малавияджи воспрянул духом. Он схватил листок бумаги, на котором была изложена суть поправки, и, не дождавшись, пока Дешбандху произнесет свое «да», выкрикнул:

— Братья делегаты, должен обрадовать вас, нам удалось добиться компромисса!

Что последовало за этим — трудно описать. Пандал загремел от рукоплесканий, и мрачные лица делегатов осветились радостью.

Вряд ли стоит приводить текст поправки. Моей целью было только описать, как была принята резолюция. Ведь это являлось частью моих поисков, которым посвящена эта книга.

XXXVIII. ВСТУПЛЕНИЕ В КОНГРЕСС

Я рассматриваю свое участие в заседаниях Конгресса в Амритсаре как действительное начало своей политической деятельности в Конгрессе. Мое присутствие на предыдущих сессиях было не чем иным, как ежегодно повторяемым изъявлением верности Конгрессу. При этом я не считал, что для меня уготована какая-нибудь другая работа, кроме сугубо личной, и не желал большего.

Мой опыт в Амритсаре показал, что у меня есть определенная наклонность к некоторым вещам, которая может быть полезной Конгрессу. Я видел, что Локаманья, Дешбандху, пандит Мотилалджи и другие лидеры довольны моей работой в связи с расследованием в Пенджабе. Они часто приглашали меня на свои неофициальные заседания, где вырабатывались проекты резолюций. На эти заседания приглашались, как правило, только те лица, которые пользовались особым доверием лидеров и в чьих услугах они нуждались.

В наступающем году меня интересовали две вещи в соответствии с моими склонностями к определенного рода деятельности. Во-первых, памятник жертвам бойни в Джалианвала-Багхе. Резолюция по этому вопросу была принята на сессии Конгресса с большим энтузиазмом. Для памятника необходимо было собрать сумму приблизительно в пятьсот тысяч рупий. Меня назначили одним из доверенных лиц. Пандит Малавияджи пользовался репутацией короля попрошаек при сборе денег для общественных нужд. И я знал, что не уступаю ему в этом. Уже в Южной Африке я открыл в себе такую способность. Конечно, я не мог сравниться с Малавияджи в умении заставить раскошелиться правителей Индии. Но сейчас нечего было и думать идти к раджам и махараджам за лептой на памятник жертвам расправы в Джалианвала-Багхе. Поэтому главная забота по сбору пожертвований пала на мои плечи. Великодушные граждане Бомбея вносили пожертвования добровольно, и в банке к настоящему времени накопилась довольно большая сумма. Перед страной возникла проблема: какого рода должен быть памятник, воздвигнутый на священном месте, политом кровью индусов, мусульман и сикхов. Но эти три общины, вместо того чтобы слиться в дружественный союз, на виду у всех до сих пор враждуют друг с другом, а нация не знает, как использовать фонд, собранный на памятник.

Конгресс мог использовать и другую мою склонность к составлению различного рода проектов. Лидеры Конгресса нашли, что я обладаю способностью в сжатой форме излагать свои мысли. Я добился этого в результате длительной практики. Существовавший тогда устав Конгресса был наследством, оставшимся после Гокхале. Он набросал несколько правил, которые послужили основой для работы Конгресса. Интересные подробности о составлении этих правил я слышал из уст самого Гокхале. Но теперь все чувствовали, что эти правила уже не соответствуют расширявшейся деятельности Конгресса. Этот вопрос вставал из года в год. В то время Конгресс фактически не имел никакого аппарата, который функционировал бы в промежутки между сессиями и мог бы рассматривать вопросы, возникающие в течение года. Существовавшие правила предусматривали трех секретарей, но фактически работал один, да и то непостоянно. Каким образом мог он в одиночку ведать всеми делами Конгресса, думать о будущем и выполнять в текущем году обязательства, взятые на себя Конгрессом в прошлом? В этом году все понимали, что вопрос об уставе станет еще более насущным. Кроме того, Конгресс сам по себе был слишком громоздким органом для разрешения общественных вопросов. Не существовало никаких ограничений ни для общего числа делегатов Конгресса, ни для числа делегатов от каждой провинции. Все ощущали настоятельную необходимость положить конец возникшему хаосу. Я взял на себя миссию набросать устав Конгресса при одном условии. Я видел, что наибольшим влиянием среди населения пользуются двое — Локаманья и Дешбандху, и потому потребовал, чтобы они в качестве представителей народа вошли в комиссию по выработке нового устава Конгресса. Но поскольку было ясно, что у них обоих не будет возможности для личного участия в работе, я предложил, чтобы они вместо себя делегировали двух уполномоченных, пользующихся их абсолютным доверием. Таким образом, комиссия должна была состоять из трех человек. Локаманья и Дешбандху приняли мое предложение и делегировали адвоката Келкара и И. Б. Сена. Комиссия ни разу не собиралась на заседание; но мы имели возможность совещаться письменно и представили один общий доклад. Я до известной степени горжусь этим уставом Конгресса и считаю, что, если бы мы смогли точно следовать ему, уже это обеспечило бы нам сварадж. Я считаю, что, взяв на себя ответственность за выработку устава, по-настоящему связал себя с политической деятельностью Конгресса.

XXXIX. РОЖДЕНИЕ КХАДИ

Не припомню, чтобы мне случалось видеть ручной ткацкий станок или самопрялку до 1908 г., когда в «Хинд сварадж» я указал на них как на радикальное средство против растущей пауперизации Индии. В этой книге я доказывал: все, что поможет Индии избавиться от гнетущей нищеты масс, является и средством, способствующим установлению свараджа. Даже в 1915 г., вернувшись из Южной Африки, по-настоящему я не видел самопрялки. Основав «Сатьяграха ашрам» в Сабармати, мы приобрели несколько ручных ткацких станков. Но среди нас были люди свободных профессий или коммерсанты, ремесленников же не было. Нужно было найти специалиста, который научил бы нас ткацкому делу. В конце концов такого человека удалось найти в Паланпуре, но он не посвятил нас во все тайны своего ремесла. К счастью, Маганлал Ганди, обладавший природной способностью разбираться во всякого рода механизмах, быстро овладел ткацким делом, а вслед за ним еще несколько человек в ашраме также научились ткацкому ремеслу.

Мы поставили себе целью одеваться исключительно в ткани, сделанные собственными руками. Поэтому мы прежде всего перестали пользоваться фабричными тканями. Все члены ашрама решили носить одежду из тканей ручного производства, причем выделанных из индийской пряжи. Соблюдение этого правила дало нам возможность непосредственно познакомиться с условиями жизни ткачей, узнать, сколько продукции они в состоянии произвести, с какими затруднениями сталкиваются при получении пряжи, вследствие чего становятся жертвами обмана, и, наконец, об их растущей задолженности. Мы не могли с первых же шагов вырабатывать необходимое для нас количество ткани. Следовательно, часть тканей мы должны были получать от ткачей-кустарей. Но не так-то легко получить у торговцев или у самих ткачей готовую ткань из индийской пряжи фабричного производства. Добротные ткани изготовлялись из иностранной пряжи, так как индийские фабрики не производили высококачественных сортов пряжи. Даже в настоящее время выпуск более высоких номеров пряжи индийскими фабриками весьма ограничен, а пряжу самых высоких номеров они совсем не могут производить. Только после очень долгих поисков нам удалось наконец найти нескольких ткачей, согласившихся ткать для нас из пряжи «свадеши», и то при условии, что ашрам будет забирать всю их продукцию. Таким образом, согласившись пользоваться фабричной пряжей для своей одежды и пропагандируя ее среди друзей, мы становились добровольными агентами индийских прядильных фабрик. Это, в свою очередь, привело нас в соприкосновение с фабриками и дало возможность в какой-то мере познакомиться с ведением дел на фабриках и их трудностями. Мы увидели, что целью фабрик является неуклонное увеличение выпуска тканей из собственной пряжи. Их сотрудничество с ткачом-кустарем — не желаемое, а временное явление. Нам не терпелось начать выработку собственной пряжи. Было совершенно ясно, что, пока не добьемся этого, будем зависеть от фабрики. Мы знали, что в качестве агентов индийских ткацких фабрик не окажем стране никаких услуг.

Но всякого рода затруднениям не было видно конца. Мы не могли ни достать самопрялки, ни найти прядильщика, который мог бы научить нас прясть. В ашраме было несколько прялок и веретен, но мы не имели понятия, как их можно использовать для прядения. Но вот Калидас Джавери нашел женщину, обещавшую показать нам свое искусство прядения. Мы послали к ней кого-то из ашрама, кто обладал способностью быстро усваивать все новое. Но он вернулся, так я не постигнув тайны этого ремесла.

Время шло, а с ним росло мое нетерпение. Я расспрашивал всех посетителей ашрама, мало-мальски знакомых с прядением. Но так как этим искусством занимались главным образом женщины и оно совершенно исчезло, то только женщина могла найти затерявшуюся где-нибудь в уединенном углу прялку.

В 1917 г. мои гуджаратские друзья пригласили меня в качестве председателя на конференцию по вопросам образования. Здесь я встретил замечательную женщину — леди Гангабехн Маджмундар. Она была вдовой, в ней коренился неисчерпаемый дух предприимчивости. Образование ее, в обычном понимании этого слова, было незначительно. Но в отношении здравого смысла и по смелости своей она намного превосходила наших образованных женщин. Она уже освободилась от предрассудков, связанных с неприкасаемостью, и мужественно служила угнетенным классам. Она располагала собственными средствами, а потребности ее были невелики. Она была физически закалена и всюду ходила без провожатых. В седле чувствовала себя как дома. Ближе я узнал ее на конференции в Годхре. Я рассказал ей о своих горестях, связанных с чаркхой, и она сняла с меня часть бремени забот, обещав серьезно заняться поисками самопрялки.

XL. НАЙДЕНА НАКОНЕЦ!

Наконец, после бесконечных странствований по Гуджарату, Гангабехн нашла самопрялку в Виджаяпуре, в княжестве Барода. Там эти самопрялки имелись у многих, но их давно забросили на чердаки, как бесполезные деревяшки. Местные жители с готовностью обещали Гангабехн снова приняться за прядение, если только кто-нибудь аккуратно будет снабжать их чесальными лентами и покупать изготовленную ими пряжу. Сообщенная Гангабехн новость была радостной, но снабжение лентами оказалось трудным делом. Однако Умар Сабани — ныне покойный, узнав обо всем, немедленно устранил наше затруднение, взяв на себя снабжение лентами со своей фабрики. Я отослал полученные от Умара ленты Гангабехн, и вскоре пряжа стала поступать в таком количестве, что мы не знали, куда ее девать.

Умар Сабани проявил большое благородство, но все же нельзя было пользоваться его услугами постоянно. Я чувствовал себя очень неловко, беспрерывно получая от него ленты для прядения. Кроме того, мне казалось, что в принципе неправильно использовать фабричные чесальные ленты. Ведь тогда можно употреблять и фабричную пряжу? В старину, без сомнения, не было фабрик, снабжавших прядильщиков лентами. Как же они работали тогда? Размышляя таким образом, я предложил Гангабехн разыскать чесальщиков, которые могли бы поставлять нам ленты. Она энергично взялась за дело, и ей удалось найти человека, согласившегося чесать хлопок. Он потребовал тридцать пять рупий, если не больше, в месяц, но в тот момент я никакую цену не счел бы чрезмерно высокой. Он обучил своему делу нескольких мальчиков. Я просил прислать хлопок из Бомбея. Адвокат Яшвант Прасад Десай немедленно откликнулся на мою просьбу. Таким образом, предприятие Гангабехн начало процветать, превзойдя все мои ожидания. Она сумела найти ткачей, которые стали ткать пряжу, производимую в Виджаяпуре, и вскоре кхади из Виджаяпуры получила широкую известность.

Тем временем самопрялка быстро завоевала себе прочное положение в ашраме. Маганлал Ганди, мобилизовав свои блестящие технические способности, внес в самопрялку ряд усовершенствований. Ашрам стал изготовлять прялки и отдельные части к ним. Первая штука кхади, изготовленная в ашраме, обошлась в семнадцать анна за ярд. Я без стеснения расхваливал нашу весьма грубую кхади друзьям, и они охотно платили эту цену.

В Бомбее я заболел, однако был достаточно бодр для того, чтобы продолжать наводить справки относительно самопрялки. Наконец мне удалось найти двух прядильщиков. Они брали рупию за сир пряжи, т. е. за двадцать восемь тола, или примерно за три четверти фунта. Тогда я еще ровно ничего не понимал в себестоимости производства кхади. Любая цена пряжи, изготовленной ручным способом, не казалась мне чрезмерной. Но, сравнив эту цену с той, которую платили в Виджаяпуре, я понял, что меня обманывают. Между тем прядильщики ни за что не соглашались снижать свои расценки, и мне пришлось отказаться от их услуг. Но они свое дело сделали. Они обучили прядению шримати Авантикабай, Рамибай Камдар, вдовствующую мать адвоката Шанкарлала Банкера и шримати Васуматибехн. Прялка весело зажужжала в моей комнате, и я могу без преувеличения сказать, что ее жужжание немало способствовало восстановлению моего здоровья. Я готов допустить, что ее воздействие было скорее психологическое, чем физиологическое. Но это только доказывает, как сильно действуют на организм человека психологические факторы. Я также попробовал сесть за прялку, но в то время у меня ничего не вышло.

В Бомбее снова возник старый вопрос: как достать хлопок, вычесанный ручным способом. Ежедневно мимо дома адвоката Ревашанкара проходил чесальщик, гнусавым голосом предлагавший свои услуги. Я послал за ним и узнал, что он вычесывает хлопок для стеганых матрацев. Он согласился чесать нам хлопок для лент, но запросил неимоверную цену, которую я, однако, согласился ему платить. Приготовленную таким образом пряжу я пересылал некоторым друзьям-вишнуитам для изготовления из нее гирлянд для Павитра Экадаши. Адвокат Шиваджи организовал в Бомбее курсы для изучения прядильного дела. Все это потребовало больших расходов, но патриотически настроенные друзья, проникнутые любовью к родине и верившие в будущность кхади, охотно взяли их на себя. По моему скромному мнению, деньги здесь были затрачены недаром. Все это обогатило нас опытом и раскрыло перед нами возможности ручной прялки.

Теперь мне не терпелось облачиться в одежду, изготовленную из кхади. Я все еще носил дхоти из индийской фабричной ткани. Грубая кхади, изготовляемая в ашраме и в Виджаяпуре, была шириной всего в тридцать дюймов. Я заявил Гангабехн, что, если она в течение месяца не доставит мне кхади в сорок пять дюймов ширины, я надену грубые короткие дхоти. Мой ультиматум ошеломил ее. Через месяц она прислала мне пару дхоти из кхади в сорок пять дюймов ширины, вызволив меня, таким образом, из очень затруднительного положения.

Примерно в это же время адвокат Лакшмидас привез из Лати в ашрам адвоката Рамджи, знавшего ткацкое дело, и его жену Гангабехн, и дхоти из кхади стали изготовляться в ашраме. Эта пара сыграла весьма значительную роль в распространении кхади. Она побудила множество людей в Гуджарате, а также и в других областях изучить искусство изготовления ручной пряжи. Нельзя без волнения было смотреть на Гангабехн, сидевшую за ткацким станком. Эта простая женщина, усердно работая на своем станке, так увлекалась, что было трудно привлечь к себе ее внимание и еще труднее заставить поднять глаза от любимого станка.

XLI. ПОУЧИТЕЛЬНЫЙ РАЗГОВОР

С самого начала своего возникновения движение «кхади», или «свадеши», как его тогда называли, вызвало критическое отношение к себе со стороны фабрикантов. Покойный Умар Сабани, сам очень дельный фабрикант, не только делился со мной своими знаниями и опытом, но и держал в курсе настроений других фабрикантов. Доводы одного из них произвели на Умара Сабани большое впечатление. Фабрикант настаивал, чтобы я встретился с ним. Я согласился. Мистер Сабани устроил нам встречу. Разговор начал фабрикант.

— Вам известно, что движение «свадеши» существовало и раньше?

— Да, — ответил я.

— Вам должно быть также известно, что во времена Раздела[1] мы, фабриканты, широко использовали движение «свадеши». Когда оно достигло своей высшей точки, мы подняли цены на ткани и делали даже худшие вещи.

— Да, я кое-что слышал об этом и был глубоко огорчен.

— Понимаю ваше огорчение, но не вижу для него оснований. Мы занимаемся своим делом не ради филантропии, а ради прибыли, нам надо платить дивиденды акционерам. Цена товара зависит от спроса на него. Разве можно не считаться с законом спроса и предложения? Бенгальцы должны были знать, что их агитация, которая ведет к повышению спроса на ткани «свадеши», вызовет рост цен на них.

— Бенгальцы, — перебил я его, — подобно мне, доверчивы по своей природе. Они никак не думали, что

---

[1] Имеется в виду раздел Бенгалии — реформа, проведенная в 1905 г. вице-королем Индии лордом Керзоном, по которой западная часть Бенгалии, Бихар и Орисса были выделены в отдельную провинцию под названием Бенгал (с центром в Калькутте), а ее восточная часть и Ассам составили новую провинцию — Восточный Бенгал и Ассам. Раздел имел целью нанести удар национальному движению в Бенгалии и углубить индусско-мусульманскую вражду. Реформа Керзона вызвала взрыв возмущения по всей Индии и послужила толчком к новому подъему движения народных масс. В качестве одного из средств борьбы был использован бойкот английских товаров и агитация за «свадеши». В 1911 г. раздел Бенгалии был отменен и ее территория, за исключением Бихара и Ориссы (выделенных в самостоятельную территорию), была восстановлена в прежних границах.

фабриканты окажутся столь эгоистичными и непатриотичными и предадут родину в час нужды и дойдут до того, что станут обманывать народ и продавать иностранные ткани, выдавая их за «свадеши».

— Мне известна ваша доверчивость, — возразил фабрикант, — и поэтому я решил побеспокоить вас, попросив прийти ко мне, чтобы вы не повторили ошибку простодушных бенгальцев.

При этих словах фабрикант подозвал конторщика, стоявшего сзади с образцами товаров, изготовляемых на его фабрике.

— Взгляните на эту ткань, — сказал он, — это последняя новинка нашей фабрики. Она покупается нарасхват. Мы изготовляем ее из отходов, и потому она дешева. Мы посылаем ее далеко на север, в долины Гималаев. У нас есть агенты по всей стране, даже в таких местах, куда никогда не проникнут ни ваши слова, ни ваши агенты. Кроме того, вам должно быть известно, что индийские текстильные фабрики не удовлетворяют потребности населения. Вопрос о «свадеши», следовательно, сводится в значительной степени к вопросу о расширении производства. Импорт иностранных тканей автоматически прекратится, как только мы увеличим свою продукцию и соответствующим образом улучшим ее качество. Поэтому мой совет вам — прекратите вашу теперешнюю агитацию и обратите внимание на создание новых фабрик. Мы не нуждаемся в пропаганде наших товаров, но надо добиваться расширения производства.

— В таком случае вы, наверное, благословите мои усилия, так как я как раз этим и занят, — заявил я.

— Как это так? — воскликнул он, немного озадаченный. — Неужели вы предполагаете строить новые фабрики? В таком случае мне остается только поздравить вас.

— Не совсем так, — возразил я, — я пытаюсь возродить самопрялку.

— Что это значит? — спросил он с еще большим удивлением.

Я рассказал о самопрялке, изложив историю длительных поисков ее, и добавил:

— Я с вами вполне согласен. Нет смысла становиться, в сущности, агентом по сбыту продукции фабрик. Это принесло бы стране больше вреда, чем пользы. Наши фабрики еще долго не будут испытывать недостатка в покупателях. Моя работа должна заключаться и заключается в организации производства домотканой материи и нахождении средств для сбыта кхади. Поэтому все мое внимание сосредоточено на производстве кхади. Я стою за эту форму «свадеши», потому что таким способом могу обеспечить работой полуголодных безработных индийских женщин. Моя идея заключается в том, чтобы предоставить этим женщинам возможность производить пряжу и одевать население Индии в кхади, выработанную из этой пряжи. Я не знаю, насколько это движение будет иметь успех. Сейчас оно находится в начальной стадии. Но я верю в него. Во всяком случае оно не принесет вреда. Напротив, в той незначительной мере, в какой оно сможет увеличить производство ткани в стране, оно принесет пользу.

— Мне нечего возразить, — сказал он, — если вы, организуя движение, имеете в виду увеличение продукции. Получит ли прялка распространение в наш век машин — вопрос другой. Но я желаю вам всяческого успеха.

XLII. НАРАСТАЮЩИЙ ПРИЛИВ

Я не могу посвятить еще несколько глав описанию дальнейшего прогресса движения «кхади». Рассказывать о различных сторонах моей деятельности, проходившей на глазах у общественности, значило бы выйти за рамки этой книги, и мне не следует предпринимать таких попыток хотя бы потому, что такое изложение потребовало бы целого трактата на эту тему. Цель моя состоит просто в том, чтобы описать, каким образом некоторые вещи, так сказать, самопроизвольно раскрылись передо мной в ходе моих поисков истины.

Продолжим поэтому рассказ о движении несотрудничества. В то время когда могучее движение халифата, организованное братьями Али, было в полном разгаре, я имел длительные беседы с покойным ныне мауланой Абдулом Бари и другими улемами. Наши беседы касались в особенности вопроса о том, в какой мере мусульмане могут соблюдать правило ненасилия. В конце концов они все согласились со мной, что ислам не запрещает своим последователям придерживаться ненасилия как политического метода. Резолюция о несотрудничестве была предложена на конференции халифата и принята после продолжительных прений. В моей памяти свежи воспоминания о том, как однажды в Аллахабаде комитет, обсуждая этот вопрос, заседал ночь напролет. Вначале покойный Хаким Сахиб скептически отнесся к возможности практического применения принципа ненасильственного несотрудничества. Но после того, как его скептицизм был рассеян, он отдался всем сердцем этому принципу, и его помощь оказалась неоценимой для движения.

Несколько позднее я выдвинул резолюцию о несотрудничестве на гуджаратской политической конференции. Оппозиция сначала возражала, что провинциальная конференция не вправе принимать резолюцию раньше, чем ее примет Конгресс. Я же утверждал, что такое ограничение применимо только к прошлому движению, но когда дело идет о будущем, о дальнейшем направлении деятельности, то подчиненная организация не только вполне компетентна, но даже обязана так поступить, если у нее есть для этого необходимая выдержка и смелость. Никаких разрешений, доказывал я, не требуется, когда речь идет о стремлении поднять престиж центральной организации на свой страх и риск. Затем предложение обсуждалось по существу, причем прения протекали, несмотря на остроту, в атмосфере «приятной сдержанности». Резолюция была принята подавляющим большинством голосов. Успех резолюции во многом объясняется личными качествами адвоката Валлабхая и Аббаса Тьябджи. Последний председательствовал на конференции, и его симпатии были на стороне резолюции о несотрудничестве.

Всеиндийский комитет Конгресса решил созвать в Калькутте в сентябре 1920 г. специальную сессию Конгресса для совещания по тому же вопросу. Подготовка велась самая широкая. Председателем был избран Лала Ладжпат Рай. Из Бомбея в Калькутту шли специальные поезда для членов Конгресса и участников движения халифата. Калькутта кишела делегатами и гостями.

По совету мауланы Шауката Али я подготовил в поезде проект резолюции о несотрудничестве. До тех пор я старался избегать в своих черновиках слова «ненасилие», хотя неизменно употреблял его в речах. Мой словарь в этом отношении только еще формировался. Я считал, что чисто мусульманской аудитории санскритский синоним «ненасилия» не будет понятен. Поэтому я просил маулану Абул Калам Азада найти эквивалент. Он предложил слово *ба-аман,* а для «несотрудничества» — *тарк-и-мавалат.*

Пока я старался подобрать на хинди, гуджарати и урду слова, выражающие понятие «несотрудничество», меня заставили написать для этой знаменательной сессии Конгресса резолюцию о несотрудничестве. В первоначальном проекте слово «ненасильственное» отсутствовало. Я передал проект резолюции маулане Шаукату Али, который ехал в одном купе со мной, так и не заметив этого пропуска. Ночью я вспомнил об ошибке. Утром я послал Махадева с просьбой исправить ошибку, прежде чем проект резолюции попадет в печать. Но поправку нельзя было внести, так как проект уже был напечатан. Заседание руководящего комитета должно было состояться в тот же вечер. Поэтому необходимые поправки мне пришлось делать уже в отпечатанных экземплярах проекта резолюции. Впоследствии я понял, как бы мне пришлось трудно, не приготовь я своего проекта резолюции.

Положение мое было все же очень жалким. Я совершенно не представлял себе, кто будет поддерживать резолюцию и кто выступит против нее. Не имел я также понятия и о том, какую позицию займет Лаладжи. Я видел лишь внушительную фалангу ветеранов-бойцов, собравшихся для боя в Калькутте. Среди них были доктор Безант, пандит Малавияджи, адвокат Виджаярагхавачария, пандит Мотилалджи и Дешбандху.

В своей резолюции я предлагал объявить несотрудничество только для того, чтобы добиться исправления ошибок, допущенных властями по отношению к халифату и во время событий в Пенджабе. Это не понравилось адвокату Виджаярагхавачария.

— Если мы начинаем несотрудничество, то почему из-за нескольких частных бедствий? Страна страдает от такого большого бедствия, как лишение ее свараджа. Это и должно быть выдвинуто как основание для несотрудничества, — доказывал он.

Пандит Мотилалджи также хотел, чтобы в резолюцию было включено требование свараджа. Я охотно принял это предложение, исправил соответствующим образом текст резолюции, которая прошла после обстоятельных, серьезных и довольно бурных дебатов.

Мотилалджи первым примкнул к движению. Я до сих пор помню приятную беседу с ним по поводу резолюции. Он предложил изменить некоторые выражения. Я согласился. Он взялся склонить на нашу сторону Дешбандху. Сердцем Дешбандху с нами, но он относится скептически к способности народа выполнить нашу программу. Он и Лаладжи искренне присоединились к нам только на Нагпурской сессии Конгресса.

На этой чрезвычайной сессии я особенно сильно почувствовал, какую утрату означала для нас смерть Локаманьи. Я был глубоко убежден, что, будь он жив, он благословил бы меня в моих начинаниях. Но если бы даже он выступил в оппозиции, я бы усмотрел в этом милость и поучение себе. У нас бывали разногласия, но они никогда не портили наших отношений. Он всегда убеждал меня, что связи между нами нерасторжимы.

Когда я пишу эти строки, в памяти ясно встают обстоятельства, связанные с его смертью. Была уже почти полночь, когда Патвардхан, работавший в то время вместе со мной, передал по телефону известие о смерти Локаманьи. Я находился в окружении своих компаньонов. С моих уст невольно сорвалось восклицание:

— Нет уже моей надежнейшей опоры!

Движение несотрудничества в то время было в полном разгаре, и я страстно ожидал его одобрения и поддержки. Какова была бы его позиция на последней стадии несотрудничества, об этом можно только гадать, а гадать — дело бесполезное. Одно несомненно: смерть оставила зияющую пустоту, и это тяжело ощущали все участники Калькуттской сессии Конгресса. Всем нам не хватало его советов в столь критический момент национальной истории.

XLIII. В НАГПУРЕ

Резолюции, принятые на чрезвычайной сессии Конгресса в Калькутте, должны были быть подтверждены на его очередной ежегодной сессии в Нагпуре. В Нагпур, как и в Калькутту, собралось бесчисленное количество делегатов и гостей. Число делегатов Конгресса еще не ограничивалось. В Нагпур, насколько мне помнится, приехало около четырнадцати тысяч человек. Лаладжи внес небольшую поправку к пункту относительно бойкота школ, которую я принял. По настоянию Дешбандху, также было сделано несколько аналогичных поправок, после чего резолюция была принята единогласно.

Резолюция о пересмотре устава Конгресса тоже была включена в программу Нагпурской сессии Конгресса. Проект подкомиссии уже рассматривался на чрезвычайной сессии в Калькутте. Вопрос, таким образом, был достаточно ясен. В Нагпуре, где этот вопрос должен был получить окончательное решение, председательствовал адвокат Виджаярагхавачария. Руководящий комитет Конгресса внес в проект только одно существенное изменение. В моем проекте число делегатов ограничивалось тысячью пятьюстами, комитет предложил цифру шесть тысяч. По-моему, это было сделано опрометчиво, и опыт последних лет еще более укрепил меня в этом убеждении. Я считаю крайне ошибочным, будто большое число делегатов способствует лучшему ведению дела или лучше гарантирует соблюдение принципов демократии. Тысяча пятьсот делегатов, преданных интересам народа, правдивых и дальновидных, лучше оберегут интересы демократии, чем шесть тысяч безответственных, случайно выбранных людей. Для того чтобы защитить демократию, народ должен обладать сильным чувством независимости, самоуважения и единства, должен настаивать на избрании в качестве представителей только людей хороших и надежных. Но комитету в его увлечении большими числами даже цифра шесть тысяч казалась недостаточной. Уже она явилась компромиссом.

Острые прения возникли вокруг вопроса о цели деятельности Конгресса. Я в своем проекте определял целью Конгресса достижение свараджа, если возможно, в пределах Британской империи, в случае необходимости — и вне ее. Часть делегатов хотели ограничить понятие свараджа автономией в пределах Британской империи. Такую точку зрения отстаивали пандиты Малавияджи и мистер Джинна. Но они не смогли собрать много голосов. Далее проект устава допускал только применение мирных и законных средств для достижения цели. Это условие тоже вызвало оппозицию, настаивавшую на устранении всяких ограничений в отношении выбора средств. Но Конгресс после поучительных и откровенных прений принял первоначальный проект. Я полагаю, что этот устав, если бы народ следовал ему честно, разумно и старательно, стал бы мощным орудием воспитания масс, и самый процесс выполнения устава привел бы нас к свараджу. Но здесь не имеет смысла рассуждать на эту тему.

Конгресс принял также резолюции о единстве индусов и мусульман, об упразднении неприкасаемости и о кхади.

С тех пор индусы, входившие в состав Конгресса, взяли на себя обязательство очистить индуизм от проклятия неприкасаемости, а при помощи кхади Конгресс установил живую связь со старой Индией. Принятие несотрудничества в интересах халифата само по себе уже являлось большим практическим шагом, предпринятым Конгрессом в целях достижения единства индусов и мусульман.

XLIV. ПРОЩАНИЕ

Пора заканчивать мое повествование.

Моя дальнейшая жизнь протекала до такой степени на виду у всех, что в ней не найдется, пожалуй, ни одного штриха, который не был бы известен народу. Кроме того, начиная с 1921 г. я работал в очень тесном контакте с лидерами Конгресса и едва ли смогу упомянуть хотя бы об одном эпизоде своей жизни, не рассказывая в то же самое время и о наших взаимоотношениях. Хотя Шраддхананджи, Дешбандху, Хакима Сахиба и Лаладжи уже больше нет с нами, но, к счастью, многие из старых лидеров Конгресса еще живы и работают. История Конгресса после тех крупных перемен, о которых я здесь писал, все еще творится. И главные мои поиски последние семь лет предпринимались через Конгресс. Поэтому мне неизбежно пришлось бы говорить о моих отношениях с его лидерами, если бы я стал продолжать писать о своих поисках. А этого я не могу сделать, по крайней мере теперь, хотя бы из соображений приличия. Наконец, выводы, к которым я пришел на основании последующих поисков, вряд ли можно считать окончательными. Поэтому я считаю своевременным на этом закончить свой рассказ. Да и перо мое инстинктивно отказывается писать дальше.

Не без душевной боли расстаюсь я с читателем. Я высоко ценю свои поиски. Не знаю, смог ли я воздать им должное. Отмечу лишь, что не щадил усилий, чтобы рассказывать правдиво. Я все время стремился описать истину такой, какой она представляется мне, и точно таким образом, как я постигаю ее. Этот труд приносил мне невыразимое душевное успокоение, ибо я надеялся, что он сможет укрепить веру колеблющихся в истину и ахимсу.

Мой всесторонний опыт убедил меня, что нет другого бога, кроме истины. И если каждая страница этой книги не подскажет читателю, что единственным средством постижения истины является ахимса, то я буду думать, что мой труд над книгой напрасен. И даже если мои усилия в этом отношении окажутся бесплодными, пусть читатель знает, что в этом виноват не великий принцип, а средства. Ведь как бы ни были искренни мои стремления к ахимсе, они все еще несовершенны и недостаточны. Поэтому те слабые мимолетные проблески истины, которые я был в состоянии увидеть, едва ли могут выразить идею невыразимого сияния истины, в миллион раз более сильного, чем сияние солнца, которое мы ежедневно видим. То, что я постиг, есть всего лишь слабое мерцание этого могучего светила. Но я могу сказать с полной уверенностью, и это результат моих поисков, что абсолютное видение истины может проистекать только из полного познания ахимсы.

Для того чтобы созерцать всеобщий и вездесущий дух истины, надо уметь любить презреннейшее создание — самого себя. И человек, стремящийся к этому, не может позволить себе устраниться от какой бы то ни было сферы жизни. Вот почему моя преданность истине привела меня в область политики; и без малейшего колебания и вместе с тем со всей смиренностью я могу сказать, что тот, кто утверждает, что религия не имеет ничего общего с политикой, не знает, что такое религия.

Слияние со всем живущим невозможно без самоочищения. Без самоочищения соблюдение закона ахимсы останется пустой мечтой. Кто не чист душой, никогда не постигнет Бога. Поэтому самоочищение должно означать очищение во всех сферах деятельности. И очищение очень заразительно: самоочищение неизбежно ведет к очищению окружающих.

Но путь самоочищения тернист и крут. Для достижения совершенной чистоты надо стать бесстрастным в мыслях, словах и поступках, подняться выше противоборствующих страстей — любви и ненависти, привязанности и отвращения. Знаю, что, несмотря на постоянное неослабное стремление, я пока еще не достиг этой тройственной чистоты — чистоты мыслей, слов и поступков. Вот почему людская хвала не радует меня. Напротив, она часто меня уязвляет. Победа над человеческими страстями представляется мне более трудным делом, чем завоевание мира с помощью вооруженных сил. Со времени моего возвращения в Индию я познал страсти, таящиеся в глубине моей души. Сознание этого заставляет меня чувствовать себя униженным, хотя и непобежденным. Опыты и поиски вдохновляют меня и доставляют великую радость. Но я знаю, что мне предстоит еще много трудностей на пути самоунижения. До тех пор пока человек по собственной свободной воле не поставит себя на последнее место среди ближних, для него нет спасения. Ахимса есть самая последняя грань смирения.

Прощаясь с читателем, по крайней мере на время, я прошу его присоединиться ко мне в молитве, обращенной к Богу — Истине, о даровании мне благодеяния ахимсы в мыслях, словах и делах.

ПРИМЕЧАНИЯ

Абдул Карим Ходжи Адам (Абдулла Шет) — глава фирмы «Дада Абдулла и К°», один из купцов Наталя.

Абдур Рахман — калькуттский судья и общественный деятель, член партии Мусульманская лига.

Авантикабай — активная участница сатьяграхи в Индии, руководитель школы в общине Ганди «Сатьяграха ашрам».

Адамджи Миякхан, шет — участник сатьяграхи в Южной Африке, секретарь Индийского национального конгресса Наталя; один из богатейших купцов Наталя.

Азад Абул Калам (1888—1958) — индийский политический деятель и ученый, один из лидеров движения за независимость Индии. С 1912 г. член Индийского национального конгресса. В 1947 г. стал министром просвещения в правительстве Дж. Неру.

Айенгар Кастури Ранга — общественный деятель и журналист в Мадрасе, в 1926—1927 гг. был генеральным секретарем Индийского национального конгресса.

Айрлэнд — английский миссионер в Индии.

Акхо (1591—1656) — индийский поэт, писал на гуджарати. Автор философских поэм, проповедующих идеи равенства людей независимо от касты.

Али, братья. Мухаммад (1878—1930) и Шаукат — видные деятели общественного движения Индии, в 1918 г. основали Халифатский комитет, который активно поддерживал антианглийскую деятельность Индийского национального конгресса. Участвовали в создании партии Мусульманская лига. Впоследствии выступили за сотрудничество мусульман с английским правительством.

Али Асаф (1888—1953) — видный деятель Индийского национального конгресса, позднее отошел от него и стал одним из лидеров Социалистической партии Индии. Был первым послом Индии в США.

«Аллах акбар!» (букв.: «Велик Аллах!») — восклицание, принятое у мусульман.

Альпага — плотная шерстяная ткань.

Амбалал Сарабай, шет — ахмадабадский текстильный фабрикант.

«Амрита базар патрика» — одна из старейших индийских газет, основана в 1868 г. Первоначально выходила в Калькутте на бенгальском языке, позже — в Аллахабаде и Калькутте на английском и бенгальском языках.

Ананд Свами — активный участник и помощник Ганди по движению сатьяграхи в Индии, член общины «Сатьяграха ашрам».

Анандибай шримати — активная участница движения сатьяграхи в Индии, член общины М. Ганди «Сатьяграха ашрам». Жена Свами Ананда.

Анаташрам — тайный монастырь.

Анна — разменная индийская колониальная монета, равная $^1/_{16}$ рупии.

Ансари М. А. — активный участник мусульманского движения в Индии, деятель Индийского национального конгресса.

Апариграха — нестяжательство, отказ от мирских благ.

Арнольд, сэр Эдвин (1831—1904) — известный английский поэт и журналист. В 50-е гг. XIX в. возглавлял Санскритский колледж в Пуне, затем жил в Японии. Автор поэмы «Свет Азии», излагающей жизнь и учение Будды, и английского перевода «Бхагаватгиты».

Асансол — город в Западной Бенгалии.

Атторней — оказывающий юридические услуги какому-либо лицу или компании. Генеральный атторней — высший юрисконсульт, выполняет функции прокурорского надзора.

Ахимса — воздержание от нанесения живым существам какого-либо вреда. Учение ахимсы существовало еще в Древней Индии, а затем было развито в буддизме и особенно в джайнизме.

Ахмадабад — город на западе Индии, самый большой город штата Гуджарат.

Ачкан — индийский удлиненный сюртук с глухим высоким воротником.

Ашрам — в Древней Индии обитель мудрецов и отшельников, расположенная в отдаленной местности; в современном употреблении — духовная община, куда человек приходит для молитвы, медитации и проч. Так Ганди называл общины единомышленников, основанные им в Южной Африке и позднее в Индии.

Бабу — по-бенгальски «господин» (употребляется вместе с именем).

Бавнагар — одно из мелких княжеств с одноименным главным городом. Расположено на полуострове Катхиавар.

Бадри — адвокат, один из лидеров законтрактованных рабочих-индийцев в Южной Африке. Активный участник сатьяграхи.

«Бангабаси» — газета националистического направления, выходившая на бенгальском языке в Калькутте с 1833 г.

«Банде Матарам!» — «Мать-Индия, преклоняюсь перед тобой!» (вариант перевода «Привет тебе, Родина-мать!»). Припев из песни бенгальского поэта Б. Ч. Чаттерджи (1838—1894), ставшей национальным гимном.

Банерджи Сурендранатх (1848—1925) — лидер бенгальского национального движения, один из основателей и первых руководителей Индийского национального конгресса (стал в нем во главе «умеренных»). Позднее порвал с Конгрессом и основал либеральную партию с программой открытого сотрудничества с английским правительством.

Бания — каста, члены которой занимаются по преимуществу торговлей и ростовщичеством.

Банкер Шанкарлал — один из издателей газет «Бомбей кроникл» и «Янг Индия», сподвижник Ганди по движению сатьяграхи в Индии. В 1922 г. вместе с ним был заключен в тюрьму.

Бардоли — город в Индии, в штате Гуджарат, где в 1922 г. состоялось чрезвычайное заседание Национального конгресса, на котором было принято решение прекратить кампанию гражданского неповиновения.

Барода — княжество в Западной Индии с одноименным главным городом.

Басу Бабу Бупендранат (1859—1924) — атторней Верховного суда в Калькутте, известный общественный деятель Бенгалии, один из лидеров Индийского национального конгресса, председатель на Калькуттской сессии Конгресса в 1906 г. Выступал за сотрудничество с английским правительством.

Безант Анни — общественная деятельница Индии. Вступила в политическую жизнь в Англии, став членом фабианского общества. В 1889 г. примкнула к ложе Блаватской, а после ее смерти стала во главе международного теософского движения. В 1898 г. приехала в Индию и поселилась в Бенаресе; в 1916 г. основала «Индийскую лигу самоуправления». Орган лиги «Слуги Индии» стал выразителем интересов правого крыла индийской буржуазии и либеральных помещиков.

Бейкер — полковник английских вооруженных сил, руководивший военной подготовкой проживавших в Лондоне индийцев, выразивших желание принять участие в мировой войне 1914—1918 гг. в составе санитарного отряда.

Бейкер А. У. — адвокат фирмы «Дада Абдулла и К°» в Претории.

Белл Александр Мелвил (1819—1905) — английский ученый-лингвист, разработавший систему фонетической транскрипции; выдающийся деятель сурдопедагогики.

Белур-Матх — город недалеко от Калькутты.

Бенгали (бенгальский язык) — один из индоевропейских языков, распространен в индийском штате Западная Бенгалия и в Бангладеш.

Бернс Джон (1858—1943) — английский профсоюзный деятель и политик. Один из руководителей Лондонской стачки докеров в 1889 г. Неоднократно избирался в парламент. Либерал.

Бетель — вечнозеленое многолетнее растение, листья которого имеют лекарственные свойства и используются как специи.

Беттиа — город на севере Бихара.

Бетул — город в Центральной Индии (штат Мадхья-Прадеш).

Билва (айва бенгальская) — дерево, листья которого обладают лечебными свойствами.

Бихар — провинция Индии по среднему течению Ганга. Ныне штат Бихар. Столица и крупнейший город — Патна.

Бихарцы, или бихари, — группа индийских народностей, населяющих Бихар и смежные районы штата Уттар-Прадеш.

Блаватская Елена Петровна (1831—1891) — писательница и путешественница, философ, религиовед. Родилась в Екатеринбурге, русская дворянка. Неоднократно путешествовала по Индии. Под влиянием индийской философии основала в Нью-Йорке Теософское общество (1875).

Богасра — небольшой город на полуострове Катхиавар.

«Бомбей кроникл» — выходящая в Бомбее ежедневная газета, орган индийского национал-реформизма.

Боуринг — инспектор полиции в Лахоре.

Брадло Чарльз (1833—1891) — английский журналист и политический деятель.

Брахмачария — целомудренное поведение; в узком смысле — половое воздержание, в широком — самодисциплина, контроль над желаниями.

«Брахмо самадж» (Общество Брахмы) — религиозное общество, основанное в 1828 г. в Бенгалии бенгальским аристократом Рам Мохан Роем (1772—1833). Общество выступало против каст, ранних браков, обряда сати (самосожжение вдов), требовало пересмотра некоторых положений Вед и т. д. В «Брахмо самадж» входили главным образом бенгальские интеллигенты, получившие европейское образование.

Брелви — один из редакторов газеты «Бомбей кроникл».

Брус Чарльз — губернатор острова Св. Маврикия — английской колонии в южной части Индийского океана.

Буллер Редверс Генри (1839—1908) — английский генерал, в 1899 г. был назначен главнокомандующим войсками в войне против буров. Впоследствии был сменен генералом Робертсом и оставлен командовать войсками колонизаторов в Натале.

Бупенбабу — см. Басу.

Бурдван — город в Западной Бенгалии.

Бурская война (1899—1902) — война Англии против бурских республик Трансвааля и Оранжевой.

Буры — потомки голландских переселенцев в Южной Африке. После присоединения южной части страны, так называемой Капской колонии, к Великобритании в начале XIX в. значительная часть буров переселилась к северу, образовав независимые республики Оранжевую и Трансвааль. После англо-бурских войн бурские республики были вновь присоединены к Великобритании, а в 1910-м вошли в состав Южно-Африканского Союза.

Бут — английский врач в Натале, глава миссионерской организации «Святой Эйдан».

«Бхагаватгита» (букв.: «Песнь божества») — памятник древнеиндийской литературы на санскрите, часть «Махабхараты»; классическое ведическое произведение, лежащее в основе религиозной практики вайшнавизма (кришнаизма).

«Бхакти-Марга» («Путь Бхакти») — религиозно-философское произведение средневековой индийской литературы. «Бхакти» — путь любви и преданности, преданное служение Богу.

Ваалькранц — место, где 5—7 февраля 1900 г. британские войска понесли поражение при третьей попытке освободить осажденный бурами форт Ледисмит.

Вадхван — город на полуострове Катхиавар.

Вайдья — врач, лечащий методами народной медицины.

Вайшья — представители третьей по значимости варны (группы каст): земледельцы, торговцы, лавочники, ростовщики.

Вакил — адвокат, поверенный в делах.

Валлаббхай — см. Патель Валлаббхай.

Варнадхарма — учение, согласно которому все исповедующие индуизм делятся на четыре большие группы каст, или варны: брахманов (жрецов, священнослужителей), кшатриев (военачальников и воинов), вайшьев (торговцев и ремесленников) и шудр (неприкасаемых). Варнадхармой называется также религиозный кастовый долг.

Васишта — святой, мудрец; *Вишвамитра* — придворный жрец — герои индийского народного эпоса «Рамаяна».

Вача Диншау — крупный текстильный фабрикант в Бомбее, деятель Индийского национального конгресса, председательствовал на его Калькуттской сессии в 1901 г., был членом бомбейского законодательного совета и Индийского законодательного собрания. Выступал за сотрудничество с английским правительством.

Веды — сборник самых древних священных писаний индуизма на санскрите, возникший, как полагают, в конце III — начале II тысячелетия до н. э.

Вентнор — морской курорт и порт на острове Уайт, к югу от Англии.

Веравал — приморский город на полуострове Катхиавар.

Вивекананда Свами (1863—1902) — индийский мыслитель, религиозный реформатор и демократ-просветитель, основатель организации «Миссия Рамакришны», которая ставила своей целью «служение человечеству». Мировоззрение Вивекананды, а также его аскетический образ жизни оказывали сильное влияние на современников. В работах Вивекананды дано своего рода энциклопедическое изложение различных йог.

Вигхоти — вид поземельного налога, распространенного в Гуджарате. Размер этого налога определяется в зависимости от размеров земельной площади.

Виджаярагхавачария — известный деятель национально-освободительного движения, член Национального конгресса, председательствовал на Нагпурской сессии Конгресса в 1921 г.

Виндьябабу — один из сотрудников Ганди при обследовании положения рабочих на индиговых плантациях в округе Чампаран (Бихар).

Вирамгам — город в Западной Индии, недалеко от Ахмадабада.

Вишнуиты (вайшнавы) — последователи вайшнавизма — одной из четырех основных деноминаций индуизма. Вишнуиты почитают бога Солнца и хранителя всего живого Вишну как личностного Бога.

Вудгейт — генерал, командовавший одним из отрядов английской армии в войне против буров. В сражении при Спион-Копе был ранен.

Гади — первоначально «подушка для сидения», отсюда должностное место, кем-либо занимаемое, чин при дворах индийских феодалов.

Ганди Маганлал — родственник, сотрудник и ближайший помощник М. Ганди по движению сатьяграхи в Южной Африке, а затем в Индии.

Гардинг Чарльз (1858—1944) — английский дипломат, в 1910—1916 гг. — вице-король Индии.

Гаутама — одно из имен Будды.

Гаябабу — адвокат в Музаффарпуре, активный деятель движения сатьяграхи в Бихаре.

Гейт Эдвард Альберт — вице-губернатор провинций Бихар и Орисса.

Гиргаум — окраинный квартал Бомбея.

Гирмитья — «гирмит», искаженное от «agreement», договор, соглашение. Так называли индийцев, законтрактованных на определенный срок для работы на сахарных плантациях в Южной Африке.

«Гита» — см. «Бхагаватгита».

Уиллингдон Ф. Т. — в 1913—1919 гг. губернатор Бомбейского президентства; британский вице-король Индии.

Гладстон Кэтрин, урожденная Глинн, жена Вильяма Эварта *Гладстона* (1809—1898) — крупного английского буржуазного государственного деятеля, лидера либеральной партии, премьер-министра (1868—1874, 1880—1885).

Гнани — провидец, пророк.

Говал — член касты пастухов.

Годфри Джордж — английский адвокат, прибывший в Южную Африку из Индии.

Гокхале Гопал Кришна (1866—1915) — деятель национально-освободительного движения Индии, один из лидеров умеренного крыла Индийского национального конгресса, основатель общества «Слуги Индии».

Госал — один из основателей и видных деятелей Индийского национального конгресса.

Гошала — молочная ферма.

«Гриндлей и К°» — транспортная фирма в Лондоне.

Гриффит — полицейский комиссар в Бомбее.

Гуджарат — область Западной Индии, населенная гуджаратцами. После достижения Индией независимости — штат со столицей в Ахмадабаде.

Гуджарати — язык гуджаратцев, распространен в Гуджарате, Бомбее, на полуостровах Катхиавар и Кач.

Гурукул — место религиозно-просветительской деятельности гуру.

Гхат — ступенчатый спуск к реке, пристань.

Гхи — топленое коровье масло с приятным вкусом и запахом, золотистого цвета, немного похожее на мед.

Гхозе Бабу Мотилал — редактор газеты «Амрита базар патрика».

Даве Келарам Мавджи — адвокат в Раджкоте, сын Мавджи Даве.

Даве Мавджи — друг отца М. Ганди.

«Дада Абдулла и К°» — меманская (см. меманцы) торговая фирма в Южной Африке.

Дайер Реджинальд Эдуард Гарри — генерал, по его приказу войска расстреляли 13 апреля 1919 г. безоружную демонстрацию на базарной площади Джалианвала-Багх в Амритсаре.

Дайянаида Свами Сарасвати (1824—1883) — индийский ученый-теолог, реформатор индуизма. В 1875 г. организовал общество «Арья самадж» (Общество ариев).

Дакшина — в ведической религии плата-вознаграждение жрецу.

Дал — сорт гороха, а также густой суп из гороха, овощей и разнообразных специй.

Даршан — термин в философии индуизма, обозначающий лицезрение, ви́дение Бога (или его проявления), объекта религиозного поклонения, гуру или святого.

Даршанвала — тот, кто дает даршан, возможность выслушивать или лицезреть себя.

Дас Читтаранджан (1870—1925) — один из лидеров индийского национально-освободительного движения, адвокат, в 1918—1922 гг. лидер правого крыла Индийского национального конгресса, в 1923—1925 гг. лидер свараджистов.

Датура (дурман) — род растений семейства Пасленовых, используется для приготовления сильнодействующего наркотического средства.

Дев — врач, член общества «Слуги Индии», принимал активное участие в движении сатьяграхи в Индии.

Десай Валджи Говинджи — адвокат, переводчик с гуджарати на английский язык книги Ганди «История сатьяграхи в Южной Африке».

Десай Дживанлал — богатый ахмадабадский адвокат, предоставивший М. Ганди для общины «Сатьяграха ашрам» свой дом в местечке Кочраб.

Десай Махадев — активный участник и ближайший сподвижник М. Ганди по сатьяграхе в Индии, член общины «Сатьяграха ашрам».

Дешбандху — «любимый народом» («друг страны»), почетный титул, присвоенный Ч. Р. Дасу его последователями. Ч. Р. Дас сыграл выдающуюся роль в становлении парламентского крыла индийского национально-освободительного движения.

Дешпанде Кешаврао — индийский адвокат, получивший образование в Англии. Принимал участие в движении сатьяграхи в Индии.

Джагаданандбабу — учитель в школе Р. Тагора в Шантиникетане.

Джайнизм — одна из наиболее известных религий Индии, возникшая там приблизительно в VI в. до н. э. Проповедует ненанесение вреда всем живым существам в этом мире (ахимса).

Джайны — последователи джайнизма.

Джайрамсинг — адвокат-индиец в Южной Африке, руководитель союза индийских рабочих Наталя, активный участник движения сатьяграхи в Южно-Африканском Союзе.

Джалианвала-Багх — площадь в Амритсаре, религиозном центре сикхов, где 13 апреля 1919 г. по приказу английского генерала Р. Э. Г. Дайера была расстреляна безоружная демонстрация. Расстрел положил начало жестоким репрессиям.

Джанака — по преданиям, мудрый царь Митхилы — древнего государства, находившегося на территории современного Бихара.

Джанмаштами — праздник дня рождения Кришны, земного воплощения бога Вишну.

Джаст — английский врач, рекомендовавший лечение диетой, водными процедурами, а также компрессами с землей.

Джаянкар М. Р. — бомбейский адвокат, в 1923—1925 гг. — лидер свараджистов в бомбейском законодательном совете, впоследствии примкнул к «умеренным».

Джерамдас — соратник Ганди, деятель Индийского национального конгресса, активный участник движения сатьяграхи. Находился вместе с Ганди в тюремном заключении в Йерваде.

Джинана вапи (букв.: «кладезь знания») — место поклонения в храме.

Джинна Мухаммад Али (1876—1948) — мусульманский лидер и первый генерал-губернатор Пакистана, почитается как отец-основатель национальной государственности. До 1921 г. был в числе правых лидеров Индийского национального конгресса.

Джума-Масджид — соборная мечеть в Дели, один из лучших образцов исламского искусства.

Джунагарх — город на полуострове Катхиавар.

Диван — высший совет при дворах индийских феодалов, а также отдельный министр и вообще крупный чиновник княжества.

Дизраэли Бенджамен, граф Биконсфильд (1804—1881) — английский государственный деятель, премьер-министр Великобритании в 1868 и 1874—1880 гг., лидер Консервативной партии Великобритании, романист.

Доук Джозеф — английский священник в Йоханнесбурге, оказывавший содействие движению сатьяграхи в Южной Африке.

Дравиды — группа народов Южной Индии, объединенных по признаку общности языков. Наиболее многочисленными народами, входящими в эту группу, являются тамилы, телугу, малаяли и каннара.

Дурбар (дарбар) — торжественный прием у индийских князей, иногда — свита, окружение.

Дхармашала — постоялый двор для паломников и странников, богадельня.

Дхедвадо — место в населенных пунктах индусов, отведенное для поселения неприкасаемых.

Дхоти — индийская мужская одежда, кусок материи, опоясывающий бедра.

Дхрува Анандшанкар — ахмадабадский адвокат, третейский судья во время ахмадабадской стачки.

«Инглишмен» («Англичанин») — газета английской администрации в Индии. Выходила на английском языке в Калькутте с 1830 г.

«Индиан опинион» («Индийская мысль») — газета, которую Ганди и его сподвижники начали издавать в 1904 г. в Южной Африке на английском и гуджарати языках.

Ирвинг Вашингтон (1783—1859) — американский писатель-романтик, «отец американской литературы». Несколько произведений он посвятил Востоку, показав в них в первую очередь экзотику и романтику Азии. Его перу принадлежит книга «Жизнь Магомета и его преемников».

Йервада — центральная тюрьма в г. Пуне, в которой в 1922—1924 гг. находился в заключении М. Ганди.

«Йога Сутрас» — первые и основные тексты йоги, написанные Махраши Патанджали (II в. до н. э.).

Кайтхи — письмо (шрифт), прежде широко использовавшееся в Северной Индии.

Калелкар — адвокат, сподвижник М. Ганди по движению сатьяграхи в Индии. До адвокатуры был учителем в одной из школ княжества Бароды, где получил прозвище Какасахиб. В тексте иногда встречается и под этим именем.

Кали — в индийской мифологии богиня-мстительница. Изображается четверорукой, держащей череп или нож. Обряды поклонения Кали сопровождаются жертвоприношениями.

Калибабу — учитель в школе Р. Тагора в Шантиникетане.

Калленбах Герман — немец-архитектор в Йоханнесбурге, сподвижник М. Ганди по деятельности в Южной Африке, один из главных организаторов общины последователей М. Ганди под названием «Толстой-фарм» (Ферма Толстого).

Кальян — город на западе Индии, расположенный недалеко от Бомбея.

Кальяндас — служащий в адвокатской конторе М. Ганди в Йоханнесбурге.

Камдар Рамибай — мать сподвижника М. Ганди — адвоката Банкера.

Кангри Гурукул — учебно-просветительное учреждение, руководимое Свами Шраддхананджи.

Кансар — сласти, изготовляемые из сахара и пшеницы. Молодые едят его после окончания церемонии бракосочетания.

Кантхи — бусы на шею, священный атрибут вишнуитов.

Кануга — ахмадабадский врач, лечивший М. Ганди.

Карлейль Томас (1795—1881) — английский публицист и историк.

Кастурбай — жена М. Ганди.

Каттха — мера площади, равная примерно 67 кв. метрам.

Катхиавар — полуостров на западе Индии, в административном отношении входивший в состав Бомбейского президентства.

Каши — старое название Бенареса, священного города индусов.

Каши Вишванат — древний храм в центре Бенареса.

Кедарджи мандир — храм Шивы, одного из главных богов индуистского пантеона. Почитается как бог разрушения и созидания.

Кей Дж. В. и Маллесон Г. Т. — английские историки, авторы капитального труда по истории народного восстания 1857—1859 гг. в Индии.

Келкар Н. Ч. — журналист из Пуны, активный деятель Конгресса, примыкавший к свараджистам.

Керзон Джордж Натаниел (1859—1925), лорд — английский государственный деятель и дипломат. Идеолог захватнической политики Великобритании на Востоке. В 1899—1905 гг. — вице-король Индии. В 1919—1923 гг. министр иностранных дел Англии.

Китчин Генри — англичанин, живший в Йоханнесбурге. Последователь Ганди, рабочий-электрик в общине на ферме «Феникс».

Китчлу Сайфуддин (1885—1963) — общественный деятель Индии; адвокат, доктор юридических наук. Руководил движением сатьяграхи в Пенджабе в 1919 г. Председатель Всеиндийского совета мира.

Колаба — железнодорожная платформа в Бомбее.

Коллектор — начальник английской колониальной администрации в районе, ведавший сбором налогов.

Комиссар — глава колониальной администрации округа, в состав которого входило несколько дистриктов (районов).

Крипалани Ачарья (1888—1982) — профессор правительственного колледжа в Музаффарпуре (Бихар), принимал активное участие в движении сатьяграхи. Был одним из руководителей Индийского национального конгресса. В 1950 г. с группой сторонников вышел из него и создал «Кисан-маздур праджа парти», которая впоследствии слилась с Социалистической партией Индии.

Кроуфорд-Маркет — крупнейший в Бомбее базар, названный в честь колониального чиновника Артура Кроуфорда.

Крю Роберт — английский политический деятель, в 1910—1915 гг. министр по делам Индии, впоследствии лидер либеральной оппозиции, а затем посол Великобритании во Франции.

Крюгер Пауль (1825—1904) — бурский государственный деятель, с 1881 г. четырежды избирался президентом республики Трансвааль. Возглавлял движение буров во время войны за независимость (1880—1881).

Кумбха мела — ярмарка, периодически проводившаяся в некоторых городах Индии, в частности в Хардваре. Мела — большое скопление людей, особенно в религиозные праздники.

Куне Луи — автор метода лечения, заключавшегося в ваннах для туловища, особых ваннах на скамейке или сидячих ваннах с растиранием. При лечении по методу Куне соблюдается строгая растительная диета.

Кунзру Хридаянат — член общества «Слуги Индии». Активный деятель движения сатьяграхи.

Куреши Шуайб — деятель Мусульманской лиги.

Кхади — домотканая хлопчатобумажная материя. В поощрении ношения одежды из кхади, ручного ткачества и прядения, Ганди видел экономическое подспорье для индийских ремесленников и возможность бойкота английских товаров.

Кхеда, или Кхедбрахма, — городок и район в Северном Гуджарате.

Лаладжи — см. Ладжпат Рай.

Ладжпат Рай Лала (1865—1928) — видный общественный деятель Индии. Активный участник общества «Арья самадж». Затем вошел в Национальный конгресс, где занимал последовательно ряд руководящих постов. Председательствовал на чрезвычайной сессии Конгресса в Калькутте в 1920 г., принявшей резолюцию о несотрудничестве с колониальными властями.

Лакшман Джхула — висячий мост через Ганг у местечка Хришикеш.

Лели Фредерик — чиновник английской колониальной администрации в Порбандаре.

Локаманья (букв.: «Любимец народа») — почетный титул, данный Б. Г. Тилаку его последователями.

Маганлал — см. Ганди Маганлал.

Маданджит — адвокат в Йоханнесбурге. Последователь и соратник М. Ганди. Один из инициаторов создания и активный деятель газеты «Индиан опиньон».

Маджмундар Гангабехн — сотрудница Ганди по пропаганде ручного ткачества.

Майя (букв. «иллюзия, видимость, обман») — понятие из индийской идеалистической философии веданты, согласно которой реальный, эмпирический мир — лишь иллюзорное проявление абсолютного духа, бога Брахмы.

Макинтайэр — шотландец, клерк в адвокатской конторе Ганди в Йоханнесбурге.

Маккензи — крупный землевладелец в Натале, расист, в чине генерала принимал участие в вооруженном подавлении восстания зулусов.

Малавия Мадан Мохан — аллахабадский адвокат и журналист, видный деятель Индийского национального конгресса, председательствовал на его сессиях в 1909 и 1918 гг. Один из лидеров «умеренных» в Конгрессе.

Малкани — профессор правительственного колледжа в Патне.

Мамлатдар — чиновник, осуществляющий исполнительную власть в талуке — податном участке или волости, являющейся частью дистрикта.

Мандлик Висванатх Нараян — маратхский ученый и общественный деятель второй половины XIX в. Одним из первых провозгласил отказ от ношения одежды из иностранных тканей и призвал к использованию ткани домашнего производства — кхади.

Манниг Генри Эдвард (1808—1892) — кардинал, примас католической церкви в Англии.

Манусмрити — свод законов Ману, легендарного прародителя человечества; один из самых ранних сакральных текстов Индии. Содержит предписания благочестивому индийцу в исполнении им своего общественного, религиозного и морального долга.

Маратхи — язык маратхов, народности, населяющей область Махараштры (Западная Индия). Один из важнейших и литературно наиболее развитых языков Индии.

Марвари — название торгово-ростовщической касты, распространенной по всей стране, но в большей мере в Западной Индии.

Марин-Лайнс — железнодорожная платформа в Бомбее.

Матхура — город Северной Индии, в штате Уттар-Прадеш, примерно 50 км к северу от Агры и к югу от Дели.

Маулана (букв.: «мой господин», «покровитель») — так называют в Индии богобоязненных или ученых мусульман.

Маффи Джон — секретарь вице-короля Индии лорда Челмсфорда.

Махадев — см. Десай Махадев.

Махадева (букв.: «великий бог») — одно из имен бога Шивы.

Махараджа — титул правителя крупного индийского княжества.

Махатма (букв.: «великая душа») — в Индии: титул достойной особы, присваиваемый за благородство, мудрость и бескорыстие. Был присвоен Ганди его последователями и особую известность получил именно как характеристика Ганди.

Меманцы — мусульманская каста торговцев. Выходцы из Синда, Катхиавара и Кача. К концу XIX в. расселились по всему Индостану и за его пределами (в том числе в Южной Африке).

Мерсы — название земледельцев в Катхиаваре.

Мехта Прандживандас — индийский врач в Дурбане.

Мехта Фирузшах (1845—1915) — богатый бомбейский адвокат и деятель муниципалитета, один из основателей и первых руководителей Индийского национального конгресса. Выступал за сотрудничество с английским правительством.

Мирабай — поэтесса и религиозный реформатор в средневековой Индии.

Миттер Б. К. — один из высших чиновников калькуттского суда.

Могалсарай — железнодорожная станция близ Бенареса.

Мокша — понятие индийской идеалистической философии, означающее освобождение души от земного эмпирического бытия и слияние ее с абсолютным духом, Богом.

Монтегю Эдвин Сэмюэль (1874—1924) — английский политический деятель. В 1910—1914 гг. был помощником секретаря по делам Индии, в 1917—1922 гг., будучи государственным секретарем по делам Индии, выступил одним из инициаторов конституционных реформ, известных под названием «Реформы Монтегю—Челмсфорда», или «Акт об управлении Индией». Акт несколько увеличил число избирателей в совещательные провинциальные и всеиндийское законодательные собрания, но оставил всю полноту власти в руках вице-короля Индии и губернаторов провинций.

Мотилал — деятель национально-освободительного движения в городе Вадхван (Катхиавар). По профессии портной.

Мотилалджи — см. Неру Мотилал.

Мотихари — центр района Чампаран, округа Тирхут (Бихар).

Мохани Маулана Хасрат — видный деятель Индийского национального конгресса, один из авторов резолюции Конгресса о независимости. После раздела Индии (1947) переехал в Пакистан.

Музаффарпур — город в Бихаре.

Мукереджи Пьяримохан — крупный бенгальский землевладелец, член законодательного совета Бенгалии, президент Британской индийской ассоциации.

Муктананд (1761—1834) — гуджаратский поэт и философ, проповедовавший аскетизм.

Муллик — калькуттский врач, активный деятель Национального конгресса.

Мунширамджи — см. Шраддхананджи Свами.

Мюллер Макс (1823—1900) — английский философ-востоковед, специалист по общему языкознанию, индологии, мифологии.

Наазар Мансухлал — индийский адвокат в Дурбане, сподвижник Ганди по движению сатьяграхи в Южной Африке, активный деятель Индийского конгресса Наталя, первый редактор издававшейся Ганди с 1904 г. газеты «Индиан опинион».

Наваб (*искаж.* от набоб) — титул правителей некоторых провинций Восточной Индии в империи Великих Моголов. После падения империи набобы многих провинций (Бенгалии, Аркота и др.) стали фактически независимыми князьями.

«Навадживан» — сначала ежемесячный, а позднее еженедельный журнал на гуджарати, издававшийся Индулалом Яджником в Ахмадабаде под редакцией М. Ганди.

Нагенбабу — учитель в школе Р. Тагора в Шантиникетане.

Надиад — город в Гуджарате.

Найду Шримати Сароджини (1879—1949) — одна из руководителей национально-освободительного движения Индии, талантливый поэт и оратор. После достижения Индией независимости занимала видные государственные и партийные посты.

Наороджи Дадабхай (1825—1917) — индийский политический деятель. В 1873 г. стал диваном (главным министром) княжества Барода. В 1885-м принимал участие в основании Индийского национального конгресса. В своей книге «Бедность Индии» утверждал, что британское правление ведет к «выкачиванию» богатства из колонии в метрополию. Важную роль в пробуждении национального самосознания в Индии сыграло классическое исследование «Бедность и не-британское правление в Индии» (1901).

Нараян Хемчандра — гуджаратский публицист и переводчик с бенгали.

Нармадашанкар (1833—1886) — гуджаратский поэт и писатель, основоположник современной гуджаратской поэзии и прозы. В сборнике «Дхарма Вичар», опубликованном в 1885 г., автор отстаивал религиозные догмы ортодоксального индуизма.

Наталь — провинция в Южно-Африканском Союзе. Захвачена и превращена в английскую колонию в 1903 г. С образованием Южно-Африканского Союза в 1910 г. включена в его состав.

Непалбабу — учитель в школе Р. Тагора в Шантиникетане.

Неру Мотилал (1861—1931) — видный политический деятель Индии, один из руководителей Индийского национального конгресса. В 1923 г. вместе с Ч. Р. Дасом организовал партию свараджистов, которая выступала за предоставление Индии самоуправления в рамках Британской империи. В 1928 г. возглавил комиссию по выработке проекта конституции Индии (так называемая конституция Неру), в котором выдвигалось требование предоставления Индии прав доминиона. Проект не предусматривал изменения экономического и правового положения широких масс населения. Мотилал Неру — отец бывшего премьер-министра Индии Джавахарлала Неру.

Нетли — старинное село в графстве Хемпшир на юге Англии, около города Саутгемптона, известное тем, что в нем находится крупный военный госпиталь.

Ниведита, сестра Ниведита — псевдоним Ноубл Маргарет — ирландки по происхождению, участницы национально-освободительного движения в Индии. Ниведита выступала как последовательница и сподвижница Вивекананды. Особенно настойчиво она пропагандировала идею «свадеши».

Нишкуланand (1766—1848) — известный гуджаратский поэт.

О'Двайер, сэр Майкл Френсис — английский генерал, в 1913—1919 гг. — губернатор Пенджаба.

Оранжевая республика — независимое государство, позже провинция в составе Южно-Африканского Союза и Южно-Африканской Республики.

Павитра Экадаши — религиозный обряд и ритуал в честь праздника Экадаши.

Пагри — тюрбан особой формы, состоит из полотнища 15—20 см шириной и 7—10,5 м длиной. Наматывается на голову, но не плотно и не глубоко; может сниматься и надеваться.

Паи — старая разменная индийская монета, $^1/_3$ часть пайсы.

Пайса — мелкая разменная монета, $^1/_4$ анны.

Пакка — обожженный кирпич.

Паланпур — город в Западной Индии, севернее Ахмадабада.

Палвал — город и железнодорожная станция в Пенджабе.

Панда — служитель культа в индуизме.

Пандал — большой шатер, тент, защищающий от зноя и дождя.

Пандит — почетный титул, присваивающийся индусам, получившим богословское образование.

Пандья Кришнаншакар — учитель санскрита в школе, где учился Ганди.

Пандья Моханлал — адвокат, участник движения сатьяграхи в округе Кхеда (Гуджарат).

Панчамы (букв.: «пятые») — принадлежавшие к пятой основной касте, так называемые внекастовые, неприкасаемые.

Парда — подобие вуали у женщин, а также занавес, перегородка. Обычай парды — традиционное избегание женщинами не только посторонних мужчин, но также и мужской половины дома.

Парекх Гокулдас Кахандас (1847—1925) — видный общественный деятель Западной Индии, член Законодательного совета Бомбея.

Парикх Нарахари — активный участник движения сатьяграхи в Индии, член общины Ганди «Сатьяграха ашрам».

Парсы — группа населения Гуджарата и города Бомбея. Выселились в раннем Средневековье из Ирана. Исповедуют религию зороастризма. Занимаются главным образом торгово-ростовщической деятельностью.

Патель Валлаббхай (1876—1951) — ахмадабадский адвокат, принимал активное участие в движении сатьяграхи. Позднее один из руководителей Индийского национального конгресса. После завоевания Индией независимости — заместитель премьер-министра Индии и министр внутренних дел.

Патидар — наследственный владелец земли, платящий ренту — налог непосредственно правительству.

Патна — главный город Бихара.

Пестонджи Падшах — крупный земельный собственник в Махараштре, занимался общественной деятельностью в Бомбее.

Петита Джехангир — представитель известной семьи бомбейских богачей-парсов. Был членом Законодательного совета Бомбейского президентства.

Пирсон — друг Рабиндраната Тагора и переводчик его произведений на английский язык.

Полак Генри — южноафриканский журналист, после знакомства с Ганди — его ближайший сподвижник по деятельности в Южной Африке. Автор книги «Индийский вопрос в Южной Африке».

Порбандар — мелкое княжество на полуострове Катхиавар с одноименной столицей.

Прадоша — вечерний пост.

«Прартхана самадж» (букв.: «Молитвенное общество») — религиозно-реформаторское общество индусов, основанное в 1849 г. Наряду с обществом «Брахмо самадж Индии» представляло радикальное крыло общества «Брахмо самадж», уделявшее внимание демократизации общественной жизни. Благодаря деятельности «Прартхана самадж» и «Брахмо самадж Индии» в 1872 г. был издан закон, запрещающий полигамию и детские браки и разрешающий межкастовые браки и замужество вдов. Деятельность секты развивалась в основном в Махараштре.

Прасад Браджкишор — активный деятель сатьяграхи на индиговых плантациях в Бихаре.

Прасад Горакх — адвокат в местечке Мотихари, округа Тирхут (Бихар), активный участник сатьяграхи.

Прасад Рамнавми — адвокат в Патне, активный участник движения сатьяграхи в Бихаре.

Прасад Ранджендрабабу — видный деятель национально-освободительного движения Индии. В 1911—1920 гг. адвокат Верховного суда Калькутты и Патны. Член Индийского национального конгресса. После достижения Индией независимости — президент Республики Индии.

Пратт — комиссар Северного округа Бомбейского президентства (административный центр этого округа — Ахмадабад).

Пуджа — у индусов богослужение, молитва.

Пуна — город в Западной Индии, исторический центр государства маратхов.

Пунарджанма — «возрождение».

Пури — лепешка из пшеничной муки грубого помола.

Пури — город в Ориссе, в котором расположен знаменитый храм Джагарнаут.

Пхунка — опрыскивание вымени коровы специальным составом, чтобы искусственно увеличить надой молока.

Раджагопалачария Чакравати (1879—1972) — индийский политический и государственный деятель. В 1919 г. включился в национально-освободительное движение, во время пребывания Ганди в тюрьме (1920) издавал его газету «Янг Индия». В 1921—1922 гг. — генеральный секретарь Национального конгресса. После достижения Индией независимости занимал ряд высоких партийных и административных постов.

«Раджайога» — произведение видного философа Индии Свами Вивекананды.

Раджкот — индийское княжество со столицей того же наименования на полуострове Катхиавар.

Рай Профулла Чандра — бенгальский ученый-экономист, принимал участие в деятельности Индийского национального конгресса.

Райят — крестьянин, арендатор.

Рама — герой эпической поэмы «Рамаяна» — почитается индусами как воплощение бога Вишну.

Рамадевджи Ачарья — профессор из Кангри Гурукула.

Рамаджи мандир — храм Рамы.

«Рамаракша» — произведение средневековой индийской литературы на санскрите, воспевающее подвиги Рамы.

«Рамаяна» — героическая поэма, классика индийской литературы Тулси Даса (XVI в.), созданная по мотивам древнеиндийского эпоса. В «Рамаяне» описываются подвиги мифического героя Рамы и жизнь его супруги Ситы.

Ранаде Махадев Говинд (1842—1901) — бомбейский судья, один из организаторов и видных деятелей Индийского национального конгресса, автор ряда работ по экономике Индии и основоположник так называемой школы «национал-экономистов».

Ревашанкар — адвокат в Бомбее, товарищ Ганди.

Рид Стенли — корреспондент, а позднее редактор газеты «Таймс оф Индия».

Рипон (1827—1909), лорд — английский государственный деятель, в 1880—1884 гг. — вице-король Индии.

Ритч — управляющий коммерческой фирмой в Йоханнесбурге, занимался теософией. Оказывал поддержку Ганди во время его деятельности в Южной Африке.

Робертс — чиновник колониального аппарата в Южной Африке.

Робертс Фредерик, лорд Кандагарский (1832—1914) — английский генерал, впоследствии фельдмаршал. Значительную часть жизни провел в Индии. В 1857—1859 гг. — участник подавления народного восстания в Индии. В 1878—1880 гг. — главнокомандующий в войне Англии против Афганистана, позднее главнокомандующий в войне Англии против буров. Занимал высшие военно-административные посты в Англии.

Роулетта закон — принят 18 марта 1919 г. Направлен на подавление народного движения в Индии. Закон предоставлял генерал-губернатору чрезвычайные полномочия и давал властям право арестовывать и заключать в тюрьму без суда. Назван так по имени английского судьи Роулетта, возглавлявшего комиссию по его подготовке.

Рустомджи, парс — индийский купец в Дурбане, участник движения сатьяграхи в Южной Африке, товарищ Ганди.

Сабани Умар — бомбейский фабрикант и издатель газеты «Бомбей кроникл», оказывал помощь Ганди в издании журнала «Навадживан».

Сабармати — река в Западной Индии, впадает в Камбейский залив Аравийского моря. На ее берегах расположен Ахмадабад.

Сабармати — местечко и железнодорожная станция близ Ахмадабада, где расположена городская тюрьма.

Сабха (букв.: «организация») — название местного комитета Индийского национального конгресса.

Савай-Мадхопур — город в Центральной Индии, к западу от Гвалиора.

Садхак (букв.: «ищущий») — религиозный паломник.

«Садхаран Брахмо самадж» (Всеобщее общество Брахмы) — одна из ветвей индусской секты «Брахмо самадж».

Садху — у индусов аскет, подвижник, посвятивший себя служению Богу.

Сайденхем — загородная местность под Дурбаном.

Салем — город в Южной Индии.

Сандхья — ежедневная молитва.

Санскара — обряд религиозного очищения.

Сантошбабу — учитель в школе Р. Тагора в Шантиникетане.

Саньяси — человек, ведущий аскетический образ жизни, нищенствующий монах.

Саптапади — часть индусского свадебного обряда, во время которого жених и невеста семикратно дают обет супружеской верности.

Сарабхай Амбалал — ахмадабадский адвокат.

Сатьяграх — участник движения сатьяграхи.

Сатьяграха — философия ненасилия и метод политической борьбы Ганди. Сам он объяснял термин «сатьяграха» как «истину, воплощенную в любви», «упорство в истине, основанное на ненасилии».

«Сатьяграха ашрам» — община, основанная М. Ганди и его последователями в местечке Кочраб, близ Ахмадабада. Среди членов общины — значительная часть сподвижников Ганди по его деятельности в Южной Африке.

Сатьяпал доктор — пенджабский общественный деятель, совместно с С. Китчлу возглавивший антиимпериалистическое движение в 1919 г. в Пенджабе.

Саутгемптон — морской порт на юге Англии.

Сахаранпур — город на северо-востоке Индии, на реке Ганг.

Свадеши — движение за развитие национальной промышленности и бойкот иностранных товаров.

Свами (букв.: «хозяин», «господин») — форма почтительного обращения у индусов.

Сварадж (букв.: «свое правление») — программный политический лозунг национально-освободительного движения в Индии, призывал к борьбе против английского господства и самоуправлению.

Свараджисты — основанная в начале 20-х гг. XX в. Ч. Р. Дасом в составе Национального конгресса правая националистическая партия, стоявшая за прекращение всех форм гражданского неповиновения.

Сваргашрам (букв.: «райская обитель») — место поселения паломников.

Священный шнур — тесьма, которая надевается при достижении определенного возраста на членов высших каст (брахманов, кшатриев и вайшьев). У разных каст шнур изготовляется из разного материала или разного числа нитей, что и является одним из отличительных признаков кастовой принадлежности. После обряда надевания шнура представитель высшей касты почитается «дважды рожденным».

Сеталвад Чиманлал — бомбейский адвокат и общественный деятель.

Симла — курортный город в Северной Индии в предгорьях Гималаев. Летняя резиденция вице-короля. На лето в Симлу переезжали правительственные учреждения Индии.

Синдхи — народность, населяющая Синд, область в Северо-Западной Индии по нижнему течению реки Инд.

Синха, лорд (1864—1928) — калькуттский адвокат, деятель Конгресса, председательствовал на его сессии в Бомбее в 1915 г. Как представитель англофильского течения в индийском национальном движении, он был привлечен с 1909 г. в состав правительства Индии; в 1919—1920 гг. — член британского правительства в качестве товарища министра по делам Индии, тогда же возведен в звание лорда, а в 1920—1921 гг. — губернатор провинции Бихар и Орисса — первый индус, занимавший столь высокие посты в английском колониальном аппарате.

Сир — мера веса (около 900 г).

«Слуги Индии» — политическое и религиозное общество, основанное Гокхале в Пуне в 1905 г. Эта организация придерживалась курса соглашения с английским правительством.

«Смрити» — категория священных писаний индусов, дополняющих изначальные ведические писания.

Смэтс Ян Христиан (1870—1950) — государственный политический деятель Южно-Африканского Союза, фельдмаршал Великобритании. В Англо-бурской войне 1899—1902 гг. был одним из командиров армии буров. После образования

Южно-Африканского Союза (1910) занимал высшие должности в государственном аппарате, в 1919—1924 и 1939—1948 гг. — премьер-министр.

Смэтс—Ганди, соглашение — см. «Черный закон».

Соман — адвокат в районе Чампаран, Бихар. Участник движения сатьяграхи.

Сорабджи Ададжания — участник движения сатьяграхи, товарищ Ганди по тюремному заключению в Йерваде. Во время Первой мировой войны был в санитарном отряде индийцев, созданном Ганди в составе британских вооруженных сил.

Сурдас — средневековый поэт из Агры, писавший на хинди.

Тайиб Ходжи Хан Мухаммад, шет — крупный индийский купец в Претории.

Таккар Амритлал (Таккар Бапа) — бомбейский адвокат и общественный деятель.

Такор-сахиб — титул феодального владетеля Раджкота.

Такурдвар — квартал в Бомбее.

Талвалкар — ахмадабадский врач.

Талук — административная единица, волость, податной участок на юге и востоке Индии. На северо-западе Индии соответствующая единица называется таксил.

Тамилы — дравидская народность Южной Индии, большие группы тамилов живут на Цейлоне, острове Маврикия, в Малайе и Южной Африке.

Тапас — самовоздержание, аскетизм.

Теланг Кашинатх Тримбак (1850—1893) — известный бомбейский адвокат, профессор Бомбейского университета, один из организаторов Индийского национального конгресса, придерживался умеренных позиций. В 1892 г. Теланг был избран председателем Бомбейского отделения Лондонского азиатского общества.

Телугу — самый многочисленный из дравидских народов Индии. Населяет Юго-Восточную Индию.

Тилак Балгангадхар (1856—1920) — выдающийся деятель индийского национально-освободительного движения. Участвовал в деятельности Индийского национального конгресса, возглавляя в нем радикальное крыло («экстремисты»). Боролся за завоевание политической власти путем изгнания из Индии англичан всеми средствами, включая насильственные. Последователи Тилака присвоили ему титул Локаманья (букв.: «любимец народа»).

Тинкатия — система, обязывающая арендаторов $^3/_{20}$ обрабатываемой земли засевать индигоносами.

Тирхут — округ в северном Бихаре.

Тола — мера веса, стандартный тола равен весу серебряной рупии — 11,664 г.

Толстой-фарм — основанная Ганди в начале XX в. коммуна. Юный Ганди был увлечен толстовством и даже вел переписку с Л. Н. Толстым.

Трансвааль — провинция в Южно-Африканском Союзе. В 1856 г. выходцы из Европы — буры, поработив или истребив коренное африканское население, образовали независимую республику Трансвааль. В результате Англо-бурской войны 1899—1902 гг. Великобритания захватила Трансвааль, а в 1910 г. он вошел в состав образовавшегося Южно-Африканского Союза.

Триведи Уттамлал — общественный деятель в Бомбее.

Туласи — кустарник, из древесины которого выделываются бусы для ожерелий вишнуитов.

Тхакур Махараджа Дебендранатх (1838—1905) — бенгальский религиозный и общественный деятель, руководитель общества «Брахмо самадж», выступавшего за реформу индуизма. Отец Рабиндраната Тагора.

Тьябджи Аббас — адвокат, известный деятель движения «свадеши» в Гуджарате.

Тьябджи Фаиз Хассан *Бадруддин* — известный бомбейский адвокат, впоследствии занимал видные административные посты в Мадрасе.

Улемы — мусульманские богословы.

Уиллингтон Ф. Т. — в 1913—1919 гг. губернатор Бомбейского президентства; британский вице-король Индии.

Упанишады (букв.: «сокровенное знание») — многочисленные комментарии к ведическим текстам, основа всех ортодоксальных религиозно-философских систем Индии. Из свыше двухсот Упанишад около десяти главных. Время создания — VII—III вв. до н. э. Основная идея — «познай самого себя — и ты познаешь Бога».

Урду — один из наиболее распространенных литературных языков в Индии, развившийся на основе диалекта языка хинди с большой примесью элементов из персидского и арабского языков.

Уэст Альберт — журналист, компаньон одного из крупных издательств Йоханнесбурга, впоследствии сподвижник и товарищ Ганди по движению сатьяграхи в Южной Африке.

Факир — странствующий аскет-мусульманин.

Феникс — небольшая ферма близ Дурбана в Южной Африке, приобретенная Ганди и его последователями. Там была организована община, члены которой решили жить за счет физического труда.

Форт — деловой центр Бомбея, район сосредоточения фирм и банков.

Фунги — бирманский монах.

Хавели — храм вишнуитов.

Хак Мазхарул маулана — известный общественный деятель Индии, член Мусульманской лиги, участник движения сатьяграхи в Индии.

Хаким — мусульманский врач, лечащий по правилам традиционной арабской медицины.

Хаким Аджмала Хан Сахиб — организатор хартала в Дели.

Хан — индийский адвокат в Натале, активный деятель Индийского конгресса Наталя.

Хантер Уильям — британский чиновник, стоявший во главе комиссии по расследованию пенджабских событий 1919 г.

Хардвар — один из семи священных городов индуизма; расположен на берегах Ганга, в индийском штате Уттар-Прадеш. Там регулярно проводится крупнейший индуистский фестиваль Кумбха имела.

«Харнишчандра» — древнеиндийская пьеса на санскрите.

Хартал — всеобщая гражданская забастовка: во время хартала прекращается работа на предприятиях, работа транспорта, торговля.

Хейкок — коллектор (сборщик налогов) в округе Тирхут на севере Бихара.

Хиллс — лондонский врач и председатель вегетарианского общества Лондона, противник противозачаточных средств.

Химса — «насилие».

«Хинду» — газета, издававшаяся в Мадрасе в 1878 г.

Хирачанд Пунджабхай — ахмадабадский купец, оказывавший материальную помощь движению сатьяграхи в Индии.

Хорниман — редактор газеты «Бомбей кроникл».

Хугли — главный рукав дельты Ганга, на котором расположен город Калькутта.

Чампаран — район округа Тирхут в Северном Бихаре. В 1915—1916 гг. в этом районе происходило массовое движение крестьян и сельскохозяйственных рабочих на индиговых плантациях.

Чандраяна — пост, во время которого количество ежедневно принимаемой пищи находится в зависимости от фаз луны.

Чарака — индийский философ ведического периода, автор произведений на медицинские темы.

Чаркха — ручная прялка. Долгие годы была символом партии Конгресс. Для Ганди и его сподвижников прядение приобрело характер ритуала. Оно было частью кампании бойкота английских товаров, а также связывалось с возвратом к жизни индийской деревни прошлого.

Чарпаи — деревянная кровать с веревочной сеткой.

Чатурмас (букв.: «четырехмесячник») — пост в течение четырех месяцев в период дождей.

Чаупати — район Бомбея на берегу залива, место гуляний, митингов и сборов.

Челмсфорд Фредерик Джон Нейпир (1868—1933) — лорд — видный политический деятель Англии, в 1916—1921 гг. — вице-король Индии. В 1919 г., в период подъема национально-освободительного движения, совместно с министром по делам Индии Э. С. Монтегю явился инициатором проведения акта об управленин Индией. См. Монтэгю Э. С.

«Черный закон» — правительственный акт, направленный против поселившихся в Трансваале иммигрантов из Азии (главным образом индийцев и китайцев), в соответствии с которым каждый проживающий в стране азиатский иммигрант должен был зарегистрироваться в полиции, сообщить ей сведения о своем общественном положении, оставить отпечатки пальцев и получить особое регистрационное удостоверение. Местные индийцы, в особенности возмущенные тем, что от них требуют давать отпечатки пальцев (мера, обычно применяемая лишь в отношении уголовных преступников), начали под руководством Ганди организованную борьбу против этого закона методом сатьяграхи. Это привело к правительственным репрессиям и аресту руководителей движения, в том числе и Ганди. В 1908 г. Ганди заключил с трансваальским министром Смэтсом компромисс, согласно которому индийцы обязывались зарегистрироваться добровольно, а правительство обещало после этого отменить закон. Индийская община выполнила свое обязательство, но закон отменен не был, что повело к возобновлению борьбы. Она закончилась только в 1914 г. новым компромиссом, заключенным между Ганди и Смэтсом.

Чойтрам — врач, активный деятель сатьяграхи в Индии.

Чхиндвара — город в Центральной Индии (штат Мадхья-Прадеш).

Шантиникетан (букв.: «дом миролюбия») — родовое поместье Тагоров, в котором жил писатель Рабиндранат Тагор. В 1901 г. он основал в нем школу, где сам преподавал по им самим разработанному методу. Шантиникетан часто посещали передовые люди Индии того времени. По приезде в Индию М. Ганди с группой своих последователей, прибывших из Южной Африки, основал в Шантиникетане колонию. Позднее эта колония перебралась в Ахмадабад.

Шарадбабу — учитель в школе Р. Тагора в Шантиникетане.

Шарма Харикар — учитель в школе «Ганганат Видьялайя» в княжестве Барода.

Шастри Чинтаман — преподаватель санскрита в школе Р. Тагора в Шантиникетане.

Шастры — древние индийские священные книги, излагавшие различные обязанности индусов. Позднее шастрами стали называть книги по самым разным научным дисциплинам.

Шет — старшина общины купцов, вообще богатый купец — приставка к именам богатых купцов.

Шива — один из богов верховной триады, наряду с творцом Брахмой и поддержателем Вишной. Олицетворяет разрушительное начало вселенной и трансформацию (созидательное разрушение).

Шиваиты — члены одной из сект индуизма поклонников бога Шивы.

Шикха — пучок волос, который носят на затылке мужчины-вайшья.

Ширастедар — начальник канцелярии, делопроизводитель.

Шлезин Софья — эмигрантка из России, работала у Ганди секретарем-машинисткой, активный член сатьяграхи.

Шраван — месяц индийского календаря, соответствующий июлю-августу.

«Шравана питрибакги Натака» — пьеса на санскрите, восхваляющая любовь ее героя Шравана к родителям.

Шраддха — религиозный обряд в честь умершего предка.

Шраддхананджи — видный религиозный деятель Индии, наделенный титулом «махатма», один из руководителей «Арья самадж».

Шримати Сароджини — см. Найду.

Эдуард VII (1841—1910) — английский король. Вступил на престол в 1901 г. 1 января 1903 г. его коронация была отпразднована в Индии.

Экадаши — одиннадцатый день каждой из половин лунного месяца, религиозный праздник индусов с соблюдением поста.

Элджин, лорд (1849—1917) — в 1894—1899 гг. вице-король Индии.

Эндрюс — английский богослов, профессор в Шантиникетане.

Юм Алан Октавиан (1829—1912) — видный английский колониальный чиновник, один из основателей и руководителей Индийского национального конгресса. Юм представлял те политические круги, которые считали, что в интересах английского господства в Индии необходимо пойти на уступки умеренным индийским националистам.

Юстиниана кодекс — собрание законодательных постановлений (своего рода конституция), изданное в 529 г. по заданию византийского императора Юстиниана и переизданное в 534 г.; вершина византийской юридической мысли.

«Янг Индия» — еженедельная газета, выходившая под редакцией Ганди в Ахмадабаде.

СОДЕРЖАНИЕ

ПРЕДИСЛОВИЕ АВТОРА 5
ЧАСТЬ ПЕРВАЯ 9
ЧАСТЬ ВТОРАЯ 80
ЧАСТЬ ТРЕТЬЯ 168
ЧАСТЬ ЧЕТВЕРТАЯ 229
ЧАСТЬ ПЯТАЯ 334

Примечания 451

Ганди Махатма

Г 19 Моя жизнь / Махатма Ганди ; пер. с англ. А. М. Вязьминой, Е. Г. Панфилова. — СПб. : Азбука, Азбука-Аттикус, 2017. — 480 с. — (Азбука-классика. Non-Fiction).

ISBN 978-5-389-09739-1

Вниманию читателей предлагается «Моя жизнь» Махатмы Ганди — автобиография великого мудреца и опытного, но чистого сердцем политика, история освобождения Индии и рассказ о духовных исканиях самого Ганди...

«Он встал у порога хижин тысяч обездоленных, одетый так же, как они. Он обратился к ним на их языке, здесь наконец была живая правда, а не цитаты из книг... В ответ на зов Ганди Индия вновь раскрылась для великих свершений, точно так же, как это было в ранние времена, когда Будда провозгласил правду сопереживания и сострадания среди всех живущих» (Рабиндранат Тагор).

УДК 821.21
ББК 84(5Инд)-4